„Schreibe das Buch »Hiddensee«.
Du tust anderen und dir selbst einen Gefallen.“

Gerhart Hauptmann,
Tagebucheintragung 7.6.1941

Manfred Faust

Das Capri von Pommern

Geschichte der Insel Hiddensee von den Anfängen bis 1990

Ingo Koch Verlag

Die Deutsche Bibliothek - CIP-Einheitsaufnahme
Ein Titeldatensatz für diese Publikation ist bei der
Deutschen Bibliothek erhältlich

Manfred Faust

Das Capri von Pommern
Geschichte der Insel Hiddensee
von den Anfängen bis 1990

Warnowufer 30
8057 Rostock

Satz, Layout und
Umschlaggestaltung: Anne-Kathrin Burr, Rostock
Druck: Altstadt-Druck, Rostock

Rostock 2000

ISBN 3-929544-53-9

Inhalt

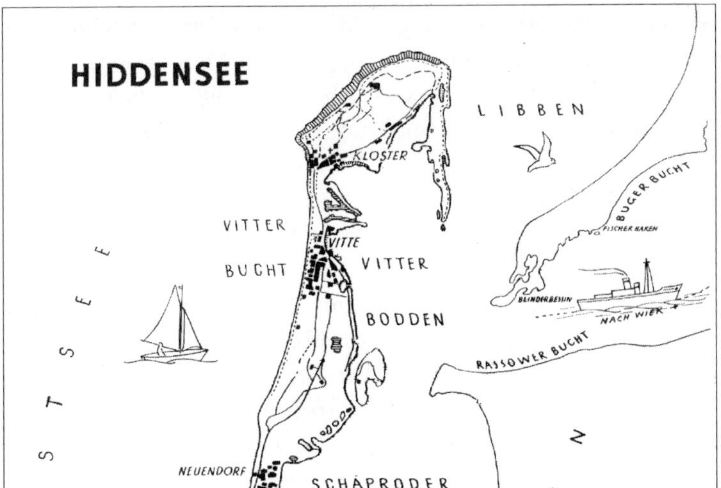

Karte der Insel Hiddensee ca. 1955,

1. Hymnen auf Hiddensee: Dat söte Länneken, Capri von Pommern, Insel der Seligen

„Wir lieben alle, Einheimische sowohl wie Gäste, die Ostseeperle Hiddensee“, sagte Gerhart Hauptmann im August 1935 aus Anlass einer Feier zum 50. Jahrestag seines ersten Inselbesuches.[1] So scheint es zu sein. Seit Jahrzehnten, ja seit Jahrhunderten, erfreut sich die kleine Ostseeinsel westlich von Rügen einer großen Beliebtheit und wird mit Lobpreisungen geradezu überschüttet.

Die Liebe der Hiddenseer selbst zu ihrer Insel gilt als sprichwörtlich und ist oft beschrieben worden. Der Berliner Evangelische Pfarrer Johann Friedrich Zöllner, der 1795 die Insel besuchte, berichtet, dass die Einheimischen sie liebevoll „Dat söte Länneken“ nannten. Eine zumindest überraschende Bezeichnung für ein Eiland weit oben im Norden mit eher rauhem Klima und karger Vegetation, das von den Stürmen und Sturmfluten der Ostsee immer wieder zerrissen oder ganz verschluckt zu werden drohte. Von den Hiddenseern heißt es auch, dass sie ihre Insel am liebsten gar nicht verlassen. Und die Seeleute, die oft jahrelang über alle Meere um die ganze Welt fuhren, kehrten schließlich immer zurück, um wenigstens dort zu sterben. Wenn jemand den Seemannstod fand, so galt es als tröstlich, wenn er geborgen und so zumindest in der geliebten Heimat bestattet werden konnte.“Bi all dat väle Unglück ist´t doch noch´n grot Glück, dat hei up uns Land begraben ward“, hieß es dann.[2] Selbst der letzte Schlaf schläft sich offenbar nirgends angenehmer als auf Hiddensee. Und auch manche der späteren intellektuellen Inselgäste, Gerhart Hauptmann, Walter Felsenstein, Gret Pallucca etwa, haben sich an diese Devise gehalten.

Nachdem das 1296 gegründete Hiddenseer Zisterzienserkloster nach der Reformation 1536 aufgelöst worden war, zogen zahlreiche seiner Mönche noch jahrelang bettelnd auf der Insel umher, weil sie „einen so lieben Ort nicht quittieren“ wollten.[3] Einem späten Nachfolger der frommen Mönche ging es ähnlich. Arnold Gustavs, der von 1903 bis zu seinem Tode 1956 auf Hiddensee lebte und dort 45 Jahre lang als evangelischer Pastor tätig war, hatte, wie er schreibt, wiederholt die Möglichkeit, fortzugehen und sich damit beruflich „zu verbessern". Aber er blieb: „Ich konnte mich nicht trennen." Statt wegzugehen, schrieb er nach seiner Emeritierung ein Heimatbuch über Hiddensee und bezeichnete dieses im Vorwort als „ein Hoheslied der Liebe, der Liebe zu einem unsagbar schönen Fleckchen Erde"[4].

Aber nicht nur die Einheimischen oder die nach langem Inselaufenthalt heimisch gewordenen preisen ihre kleine Insel. Es waren und sind vor allem die Gäste, die „Frömden", die bei einem Besuch Hiddensees ins Schwärmen gerieten und immer wieder aufs Neue geraten. Einer der ersten, der hinter aller Armut und Kargheit die Naturschönheiten Hiddensees „entdeckte", insbesondere den mittlerweile allseits berühmten Inselblick von den Höhen des Dornbuschs, war Ludwig Kosegarten (1758 - 1818), der romantische Dichter und Pfarrer von Altenkirchen auf Rügen. Er liebe die Berge nebst dem Meere über alles, schrieb er 1792, und weiter:

> „Inselberge nun gar, umrauscht vom heiligen Vermögen des Meeres, sind mir der höchste Gipfel der Naturerhabenheit. Kein Wunder demnach, daß ich nicht müde werden konnte, in diesen Höhen umherzuschwärmen"[5].

Kosegarten machte Wilhelm von Humboldt auf Hiddensee aufmerksam, wahrscheinlich auch Goethe. Jedenfalls wusste dieser zu berichten, dass „Liebes gewaschenes Seelchen" der zärtlichste Liebesausdruck sei, den die Hiddenseer füreinander übrig hätten. Einem anderen Zeitgenossen Kosegartens, Karl Nernst, „gingen die Augen über", als er auf dem Dornbusch stand. Karl Lappe (1773 - 1843) verfasste eine Ode „Hiddensee", ebenfalls den Dornbuschblick verherrlichend:

> „Sei mir gegrüßt, o Dornbuschinsel,
> sei Du, Hochland, mir gegrüßt! ...

... wo ein Berg sich hebt, hebt sich das Herz.
Da schaut die Freiheit von den Gipfeln her, ...
Und unermeßlich wie die schöne Welt,
Die drunten liegt, ist die entzückte Brust ..."[6]

Der mecklenburgische Mundartdichter Fritz Reuter wurde 1833 durch den Anblick Hiddensees zum ersten Gedicht seines Lebens überhaupt animiert, und in einem Reisebericht formulierte er:

> "Da lag das lieblichste, reich ausgestattete Ländchen in Sommermorgenpracht, umgürtet vom sonnenbeglänzten Meere, in unendlicher Mannigfaltigkeit durch seine Buchten, und Bodden und Wyken ..."[7]

Und so geht es bis zum heutigen Tage weiter. „Das Capri von Pommern" oder gleich das „Deutsche Capri", die „Perle der Ostsee", wird das „Bernsteineiland" genannt, ein „Märchenland" oder „Traumland der Sehnsucht" ist es für die einen, „Insel der Seligen" oder gar der „Inbegriff des Schönen" für die anderen.

Gerhart Hauptmann, der viele Sommer seines Lebens auf Hiddensee verbrachte und sicher der mit der Insel am engsten verbundene Schriftsteller ist, ließ den Bildhauer Mäurer in seinem auf Hiddensee spielenden Stück „Gabriel Schillings Flucht" emphatisch ausrufen:

> „Diese Klarheit! Dieses stumme und mächtige Strömen des Lichtes! Dazu die Freiheit im Wandern über die pfadlose Grastafel. Dazu der Salzgeschmack auf den Lippen. Das geradezu bis zu den Tränen erschütternde Brausen der See ..."[8]

Lassen wir zumindest noch einen Dichter sprechen, den Spaßvogel Joachim Ringelnatz, der auf seine Weise ebenfalls ein Liebesgedicht an seine „Insel Hiddensee" und an seine Freundin Asta Nielsen verfasste:

„Kühe weiden bis zum Rande,
Großer Tümpel,
wo im Röhricht Kiebitz ostert. - Nackt im Sande
Purzeln Menschen, selig töricht.

Und des Leuchtturms Strahlen segnen
Eine freundliche Gesundheit.

Andrerseits: Vor steiler Küste
Stürmen Wellen an und fliehen.-
Nach dem hohen Walde ziehen
Butterbrote und Gelüste.

Fischerhütten, schöne Villen
Grüßen sich vernünftig freundlich.
Steht ein Häuschen in der Mitte,
Rund und rührend zum Verlieben.
»Karusel« steht angeschrieben
Dieses Häuschen zählt zu Vitte.

Asta Nielsen - Grischa Chmara,
Unsre Dänin und der Russe-,

Auf dem Schaukelpolster wiegen
Sich zwei Künstler deutsch umschlungen.-

Gar kein Schutzmann kommt gesprungen.-
Doch im Bernstein träumen Fliegen.“[9]

Reduziert man all die Lobeshymnen auf ihren Kern, so sind es vor allem zwei Dinge, die die Besucher Hiddensees immer wieder faszinierten: Einmal die große landschaftliche Schönheit und Vielfalt, vor allem der Dornbusch mit seinem grandiosen Blick über die weite Ostsee bis zur dänischen Insel Mön, nach Süden über die langgestreckte Insel bis zu den Türmen Stralsunds im Hintergrund und auf der dritten Seite über den Bodden bis nach Rügen. Zum anderen sind es die Natürlichkeit und Ursprünglichkeit, die

Asta Nielsen mit Joachim Ringelnatz vor ihrem "Karusel" in Vitte ca. 1929

Hiddensee immer besaß und sich trotz aller Besucherströme bis heute noch größtenteilsbewahrt hat. Es gab und gibt dort keine Badeanstalten, keine Strandpromenade, keine mondänen Hotels, keine Kurkonzerte und keine feinen Automobile. Elektrischer Strom kam erst 1927 auf die Insel, und die Wege in den Orten sind teilweise immer noch unbefestigt. Auf dieser Insel konnte man sich freier und ungezwungener fühlen als anderswo, dort wurde schon vor dem Ersten Weltkrieg nackt gebadet, und keine Badepolizei verhinderte es. „Nirgends war man so jung, so froh und so frei wie auf dieser schönen Insel", schrieb Asta Nielsen, die Stummfilmkönigin der 20er Jahre, die viele Sommer in ihrem „Karusel" genannten Häuschen in Vitte verbrachte.

Auch zu DDR-Zeiten konnte Hiddensee sich über mangelnde Liebhaber keinesfalls beklagen, im Gegenteil: Die schöne Insel entwickelte sich bald zum begehrtesten Reiseziel überhaupt in der DDR. So gut wie jeder wollte wenigstens einmal im Leben dort Urlaub machen können. Und wer einmal dagewesen war, der wollte wiederkommen, wenn es irgend ging. Hiddensee, so schrieb die Insel-Rundschau Rügen am 16.7.1964, gehöre zu den „schönsten Gegenden unserer DDR", und, eher noch vorsichtig untertreibend: „Der Name Hiddensee übt auf die Urlauber unserer Republik eine große Anziehungskraft aus." Der Schriftsteller

Konrad Schmidt fragte 1973: „Hat Hiddensee noch Hymnen nötig?"[10] Natürlich nicht, aber dennoch konnte er es sich , wie so viele andere zuvor, nicht verkneifen, sofort neue anzustimmen und gleich zwei Bücher über die Insel zu schreiben. Ein anderer Besucher zu dieser Zeit war Klaus Bölling, damals Ständiger Vertreter der Bundesrepublik in der DDR. Er hatte dort als Kind mit seinen Eltern die Sommerferien verbracht, 1946 als Mitglied einer FDJ-Delegation am Begräbnis Gerhart Hauptmanns teilgenommen und erinnerte sich sehnsüchtig an die, wie er schreibt, „ungewöhnlich sanfte Schönheit" der Insel als einen „Platz des Friedens" und als „verlorenes Paradies". Im Sommer 1981 nutzte er die Gelegenheit, endlich dorthin zurückzukehren. Die DDR-Regierung ermöglichte ihm die Erfüllung dieses langen Traums, war dabei sehr jedoch bemüht, ihn von den anderen Hiddensee-Urlaubern so gut es ging fernzuhalten.

Auch ein DDR-Oppositioneller wie Chaim Noll genoss nicht nur die Schönheit Hiddensees, sondern auch er fühlte sich hier, ganz wie Asta Nielsen 50 Jahre zuvor, freier als sonstwo in der Republik:

> „Wir fuhren hierher, um uns für ein paar Tage frei zu fühlen vom atmosphärischen Druck einer Gesellschaft, die drüben am Fährhafen zurückblieb. Hier konnte man allein sein, laufen bis zur Ermüdung der Glieder und Leichtigkeit des Kopfes, offen reden, der Wind verschlang jedes Wort. Wir hatten plötzlich das Gefühl von Weite, Klarheit und Frische wie nirgendwo sonst in diesem Land. ... Kaum im Hafen von Neuendorf oder Vitte, spürt man sein Körpergewicht immer weniger, sieht freien Himmel über sich und die Möglichkeiten des Lebens. Hier beschloß ich einst, die DDR zu verlassen, komme, was da wolle. Es war Sturm an diesem Tag, meine Bedenken und Befürchtungen flogen von mir weg, eine nach der anderen, mit jeder Bö ein bißchen mehr ..."[11]

1984 ging Noll nach West-Berlin. Ähnlich wie Noll beschreibt Günter Grass, mit einer Hiddenseer Arzttochter verheiratet, die Insel, die er ein „baltisches Capri" nennt, in seinem jüngsten Roman: „Dort kam man auf vogelfreie Gedanken. Von dieser Trauminsel öffnete sich uns zumindest der Horizont. Ein Nahziel mit Fernblick."[12]

Gegenstimmen zu all den Schwärmereien finden sich nur wenige. Ein Berliner Reiseführer beschrieb Hiddensee 1880 als „elende Insel", und der Grieben von 1898 konnte einen Inselbesuch überhaupt nur denjenigen empfehlen, die sich für die neuen Deichanlagen im Süden von Neuendorf interessierten. Das ist die Kehrseite der Einfachheit und Ursprünglichkeit, die bis heute verhindert, dass Liebhaber großer und mondäner Bäder und Hotelbauten sich auf Hiddensee wohlfühlen könnten. Auf der anderen Seite wollte Gerhart Hauptmann, als er 1916 nach längerer Unterbrechung erstmals die Insel wieder betrat, „eigentlich sofort fliehen", als er dort Strandkörbe am Strand entdeckte. Das war ein erster Schatten des Tourismus, den er selbst mit angekurbelt hatte und der die Natürlichkeit und Weltabgeschiedenheit der Insel zu bedrohen schien. Aber bekanntlich floh Hauptmann dann doch nicht, sondern blieb im Gegenteil für immer und sorgte mit dafür, dass noch mehr Gäste kamen und Strandburgen bauten.

Seit den 60er Jahren finden sich in manchen DDR-Zeitungen kritische Stimmen, die vor einer Zerstörung der Insel durch die vielen Urlauber, vor allem durch die Tausende von Tagesbesuchern, warnten. Der „Eulenspiegel", das Satire-Magazin aus (Ost-)Berlin, kratzte 1981 einmal ganz gehörig am Glanzbild des „Urlauberparadieses". Es war just das Jahr, in dem der Ständige Vertreter der BRD Hiddensee einen Besuch abstattete. In bissigen Zeilen beschrieb Manfred Strahl den auf dem Dornbusch überall herumliegenden Müll und die stinkende Mülldeponie dortselbst, die auf den Feldern still vor sich hin rostenden Maschinenwracks des mittlerweile volkseigenen Gutshofes, die übelriechenden Abwässer auf den Boddenwiesen, die illegal errichteten Betriebsferienheime, die auf der angeblich autofreien Insel überall herum sausenden

„Lieferfahrzeuge“ eben dieser Betriebe. Die Schatten des Massentourismus waren länger geworden, und das sozialistische Gesellschaftssystem kam immer schwieriger damit zurecht.

Auch der Autor dieses Buches kann und will seine Faszination über die Insel Hiddensee nicht leugnen, im Gegenteil. Er war und ist, seit er sie 1991 erstmals betrat, gleich zweifach fasziniert, von der Schönheit der Insel wie von deren Geschichte. Was war das für ein Ort, den Gerhart Hauptmann als „das geistigste aller deutschen Seebäder“ bezeichnete und von dem Asta Nielsen schrieb, nirgends sonst sei man „so froh und so frei“ gewesen wie hier? Die ersten Recherchen und Nachforschungen ergaben sehr schnell, dass über Hiddensee, auch über seine Geschichte und seine vielen berühmten Gäste, schon vieles geschrieben worden ist. Aber es gibt bisher keine Gesamtdarstellung, und über die Zeit seit 1933, das fiel ebenso schnell auf, findet sich so gut wie nichts. Die DDR-Zeit ist ja vielleicht noch zu jung, um schon Gegenstand historischer Forschung geworden zu sein. Aber weshalb haben auch die vielen DDR-Autoren, die sich mit Hiddensee befassten und die wohl kaum der Sympathien mit Alt- oder Neonazis bezichtigt werden können, nichts über die Zeit des Faschismus auf Hiddensee geschrieben?

Eine der wenigen Ausnahmen, was die Beschreibung der Zeit des Nationalsozialismus angeht, sind die von Renate Seydel herausgegebenen Lebenserinnerungen von Asta Nielsen. Denn gleich im Anschluss an das obige Zitat über die große Hiddenseer Freiheit schreibt sie wehmütig:

> „Aber ach, wir hatten 1933, und die Stimmung verwandelte sich. Die dunkelhaarigen, intellektuellen Künstlertypen wurden von kräftigen blonden Männern und breithüftigen Frauen mit Gretchenfrisur abgelöst. Die stampften großspurig und laut über die Felder und Wege und lachten schallend und herausfordernd. Kleine Jungen in braunen Hemden marschierten gruppenweise über die Insel, erhitzt und überanstrengt vom strammen

> Trampeln in der Sonnenglut. ... Flugzeuge rasten dröhnend über die Dächer. Gleise wurden über die Insel gelegt und Lokomotiven donnerten darüber. ... Die neue Zeit hatte von der Insel Besitz ergriffen. Ich hatte dort nichts mehr zu suchen.“[13]

Natürlich: die schreckliche, große Weltgeschichte konnte auch an der kleinen, abgeschiedenen Insel nicht ganz vorbeigegangen sein. Asta Nielsen verließ 1936 Deutschland und damit ihr geliebtes Hiddensee und kehrte nie mehr in ihr „Karusel“ zurück. Aber was geschah mit all den anderen Künstlern und Intellektuellen, die so oft den Sommer auf Hiddensee verbracht und es dadurch in den 20er Jahren zum „geistigsten aller deutschen Seebäder“ gemacht hatten? Die meisten von ihnen waren ja Juden, Liberale, Sozialisten, Kommunisten, zumindest eins von alledem, gewesen. Und wie reagierten die Hiddenseer auf die neue Zeit? Immerhin war Pommern eine der Hochburgen der Nationalsozialisten, und Hiddensee liegt bekanntlich in Pommern. Und zwölf Jahre später begann schon wieder eine gänzlich andere, neue Zeit. Was geschah da mit und auf Hiddensee?

Solche Fragen standen am Anfang meiner Überlegungen und Nachforschungen zu diesem Buch. Herausgekommen ist der erstmals unternommene Versuch, eine Gesamtdarstellung der Geschichte Hiddensees von den Anfängen bis nahe an die Gegenwart heran zu liefern. Schon Gerhart Hauptmann trug sich seit etwa 1935, als er sein 50jähriges Inseljubiläum feierte, mit dem Gedanken an ein solches Hiddensee-Geschichtsbuch. Im August 1940 notierte er in seinem Arbeits-Tagebuch sogar: „Das Hiddenseebuch schreibe ich.“, und fügte gleich so etwas wie ein erstes Exposé hinzu:

> „Dann die alte, uralte Bevölkerung. Fischer, Seeleute - genau und gut eingehen. Hernach: Kloster zum heiligen Geist, genau eingehen. Hernach leichte Überflatterung, durch mich eingeleitet. - Die Folgen .- ....“[14]

Aber Hauptmann war kein Sachbuchautor, und er verwechselte offensichtlich das mittelalterliche Zisterzienserkloster auf Hiddensee mit dem Stralsunder Kloster zum Heiligen Geist, dem die Insel seit 1836 gehörte. Er verfolgte das Projekt nicht wirklich weiter, außerdem war er, als er diese Zeilen schrieb, schon fast 80 Jahre alt.

Dieses hier nunmehr vorgelegte Buch basiert für die Zeit bis zum 19. Jahrhundert auf einer systematischen Auswertung der gesamten bisher erschienen Literatur über Hiddensee. Für die Zeit seit Mitte des 19. Jahrhunderts und vor allem für das 20. Jahrhundert gründet es auf intensiven eigenen Quellenstudien in den kommunalen, staatlichen und kirchlichen Archiven in Bergen, Stralsund, Schwerin, Greifswald, Rostock, Szczecin, Berlin und Freiburg sowie auf Hiddensee selbst, ferner auf Zeitungsrecherchen und Zeitzeugenbefragungen. Näheres ist dem ausführlichen Quellen- und Literaturverzeichnis zu entnehmen.

Es hat auf der Insel im 20. Jahrhundert fünf Heimatforscher gegeben, ohne deren Vorarbeiten dieses Buch so nicht hätte geschrieben werden können: Der Vitter Lehrer Friedrich Wilhelm Segebrecht, der 1912 eine erste umfassendere Darstellung über „Die Insel Hiddensee“ schrieb; sein Kollege an der Schule in Kloster, Heinrich Berg, lange Zeit Vorsitzender der Genossenschaftsreederei, zeitweilig Amtsvorsteher, der nach dem Zweiten Weltkrieg eine handschriftliche Chronik über „Hiddensee seit dem 1. Weltkrieg“ und eine über die Geschichte der Genossenschaftsreederei verfasste, die glücklicherweise im Archiv des Heimatmuseums erhalten geblieben sind; Inselpastor Gustavs, der eine Sammlung vor- und frühgeschichtlicher Bodenfunde anlegte, schon vor dem Ersten Weltkrieg ein Museum schaffen wollte und nach seiner Emeritierung 1954 ein Heimatbuch „Hiddensee. Aufzeichnungen eines Inselpastors“ herausbrachte; Karl Ebbinghaus, der 1954 das Heimatmuseum tatsächlich gründete und viele Jahre leitete und dabei nicht nur Museumsgut, sondern auch Chroniken, Urkunden, Fotos, Zeitungsberichte über die Hiddenseer Geschichte sammelte und viele Untersuchungen hierüber veröffentlichte; und schließlich Kurt Dittmann, der in den 70er und 80er Jahren die erhaltenen Gästebücher der Hiddenseer Hotels nach prominenten Gästen durchforschte und eine umfangreiche Sammlung von Ansichtskarten und alten Fotos zusammentrug, die sein Sohn Wolfgang Dittmann freundlicherweise für dieses Buch zur Verfügung stellte.

Kurt Dittmann 1990

Je näher eine Untersuchung an die Gegenwart heranrückt, desto schwieriger wird für den Historiker eine ausgewogene Darstellung. So auch hier. Die Zeit des Sozialismus ist gerade einmal 10 Jahre her, viele der damals Handelnden leben noch, manche Archive zu der Zeit sind noch verschlossen. Deshalb kann das Kapitel über die DDR-Zeit im Augenblick nicht viel mehr sein als der Versuch einer ersten, vorläufigen Überblicksdarstellung. Gerade zu diesem Kapitel wird es sicher von manchem, der die Zeit selbst erlebt hat, Kritik und Ergänzungen geben. Bitte nehmen Sie über den Verlag oder das Heimatmuseum Hiddensee Kontakt mit mir auf, ich bin an weiteren Gesprächen und Diskussionen über diese Zeit mit Menschen, die dabei waren, immer sehr interessiert. Doch nun geht's los, und zwar, wie versprochen, von Anfang an. Wenn Sie, liebe Leserin und lieber Leser, die Lektüre auch nur als halb so spannend und interessant empfinden sollten, wie für mich die

Nachforschungen und das Verfassen des Textes waren, wäre ich schon höchst zufrieden.

2. Die Anfänge: Eiszeit, Steinzeit und die Geschichte von Mutter Hidden

Wie ganz Norddeutschland, so verdankt auch die Insel Hiddensee ihre Entstehung der Eiszeit. Als die gewaltigen Eismassen sich am Ende des Pleistozäns etwa um 7500 v. Chr. endgültig nach Norden zurückzogen, ließen sie hier drei Moränenkerne zurück, die auch nach dem allmählichen Anstieg des Wasserspiegels auf seine heutige Höhe noch aus der Ostsee herausragten: den heute noch 75 m hohen Dornbusch im Norden sowie zwei flachere Moränenschollen weiter südlich im Gebiet der heutigen Fährinsel bis etwa zur Fahrstraße Vitte - Neuendorf und an der Westseite des Gellen. Diese Moränenkerne wurden seither - und werden ständig weiter - von der Meeresströmung abgetragen. Je nach Wind- und Strömungsrichtung lagert sich das abgetragene Material südlich oder östlich an. So entstand zunächst eine Verbindung des Dornbuschs mit den südlicheren Moränenkernen, und die Insel wächst bis heute immer weiter Richtung Süden und Osten. Noch im Mittelalter endete sie im Süden etwa in Höhe des heutigen Karkensees. Einer Greifswalder Dissertation von Michael Haltenberger aus dem Jahre 1910 zufolge wuchsen der Gellen zwischen 1695 und 1886 um 1300 m und der Bessin um 700 m; und der Neubessin ist überhaupt erst in den letzten 50 Jahren entstanden. Würden die Fahrrinnen durch den Libben zwischen dem Bessin und der Halbinsel Bug auf Rügen sowie die südliche Gellenrinne nicht immer wieder ausgebaggert und damit künstlich freigehalten, wäre Hiddensee längst mit Rügen oder der Halbinsel Zingst zusammengewachsen.

Die Volkssage erklärt die Entstehung der Insel genau anders herum. Danach war Hiddensee nämlich ursprünglich mit der Insel Rügen verbunden und wurde erst durch ein folgenschweres

Ereignis von ihr getrennt:

Vor langer, langer Zeit lebten im Westen Rügens zwei Frauen, die eine reich, aber geizig und hartherzig, die andere arm, jedoch mit einem guten und mildtätigen Herzen. Nun erschien eines Abends bei Regen und Sturm an der Tür der Reichen ein armes Männlein, und bat um ein Nachtlager. Die Frau jagte ihn aber als einen unverschämten Bettler schimpfend davon. Als er daraufhin bei der armen Nachbarin anklopfte, wurde er von dieser freundlich aufgenommen und bewirtet. Am nächsten Morgen sagte das fromme Männlein zu ihr: „Ich habe nicht Gold noch Silber, um Dir die Bewirtung zu bezahlen, aber Dein erstes Geschäft an diesem Tage soll Dir gesegnet sein." Auf diese seltsamen Worte nicht weiter achtend, begann die arme Frau, ein in den Tagen zuvor selbst gewebtes Stück Linnen zu messen. Aber plötzlich wollte es damit gar kein Ende nehmen, sie maß und maß bis zum späten Abend, bis ihr ganzes Haus voller wertvoller Leinwand war. Da erinnerte sie sich an die Worte des Männleins und erzählte ihrer Nachbarin freudestrahlend von ihrem Glück.

Diese ärgerte sich natürlich unsäglich und hoffte und bangte, dass das Männlein noch einmal wiederkäme. Als es endlich nach längerer Zeit wieder erschien und bei der hartherzigen Frau erneut anklopfte, ward es freundlich aufgenommen und auf das Vorzüglichste bewirtet. Und tatsächlich verabschiedete es sich am nächsten Morgen mit den gleichen Worten wie beim letzten Mal. Die Frau, Mutter Hidden genannt, hatte sich seit langem vorgenommen hatte, danach sofort mit dem Zählen ihrer nicht unbeträchtlichen Ersparnisse zu beginnen. Aber zunächst musste sie, einem Drängen der Natur folgend, noch hinaus, um ein kleines Geschäft zu erledigen. Und nun erging es ihr wie seinerzeit ihrer armen Nachbarin: Sie konnte und konnte nicht aufhören, ihr Wasser überschwemmte alles rundherum, und so entstand ein neuer Meeresstrom zwischen Rügen und der neuen Insel, die fortan nach ihrer bösen Erzeugerin Hiddensee genannt wurde.

Die ersten Spuren menschlichen Lebens auf der Insel stammen aus dem Mesolithikum, der mittleren Steinzeit. In der Altsteinzeit war das Ostseegebiet noch von einem dicken Eispanzer bedeckt. Das Werkmaterial der Steinzeitmenschen war der Feuerstein, aus dem sie zunächst grobe Faustkeile, später bessere Waffen wie Äxte, Hämmer, Dolche und Pfeilspitzen herstellten. Alles dies ist auf Hiddensee gefunden worden, und auch heute kann man auf dem Dornbusch gelegentlich noch kleinere steinzeitliche Werkzeuge sowie vor allem die Abfallprodukte der steinzeitlichen Werkstätten entdecken, das sind etwa unfertige oder missratene Stücke und Absplisse, so etwas wie steinzeitliche Hobelspäne also. Die Funde beschränken sich selbstverständlich auf das Hochland, da das Hiddenseer Flachland ja seit der Nacheiszeit erst allmählich angeschwemmt werden musste. In besonders großer Zahl haben sich sog. prismatische Messer und Schaber gefunden, die wohl zum Schuppen der Fische und zum Bearbeiten von Tierfellen benutzt wurden. Inselpfarrer Arnold Gustavs hat im Laufe seines fast 50jährigen Lebens auf Hiddensee eine umfangreiche Sammlung meso- und neolithischer Steinwerkzeuge fast aller bekannten Formen zusammengetragen und diese in die Obhut der Biologischen Forschungsanstalt in Kloster gegeben. Eine Auswahl der schönsten und interessantesten Stücke hiervon ist im Hiddenseer Heimatmuseum zu sehen. Arnold Gustavs konnte oberhalb der Hucke auch eine neolithische Feuerstelle ausgraben, in deren Umfeld sich zahlreiche Tonscherben von einfacher Brennart, leider keine ganzen Gefäße, befanden.

Aus der Bronzezeit, die etwa von 1700 bis 500 v. Chr. währte, stammen ein Hügelgrab unterhalb des Swantiberges, einige Bruchstücke von Hals- und Armringen sowie zwei kleine Tüllenbeile, die in der Nähe von Kloster gefunden wurden. Es ist nicht viel, was der Boden uns über das Leben der Menschen in der

Vorgeschichte der Insel verrät. Wir können nur erkennen, dass sie auf dem Hochland lebten, sich vom Fischfang und der Jagd ernährten und erst ganz allmählich damit begannen, auch Ackerbau und Viehzucht zu betreiben.

3. Die Frühzeit: Germanen, Slawen, Wikinger, der Name der Insel und ein berühmter Goldfund

Genaueres erfahren wir von den Menschen auf Hiddensee erst aus der Zeit nach Christi Geburt. Großes Aufsehen erregte 1905 die Entdeckung eines germanischen Grabes aus dem 2. Jahrhundert n. Chr., das durch einen Uferabrutsch am Dornbusch freigelegt worden war. Die außergewöhnlich reichen Grabbeigaben lassen auf einen hohen Lebensstandard der bestatteten Frau schließen. Der Leichenbrand wurde in einer kostbaren Keramikkanne beigesetzt, daneben fanden sich mehrere Bronzegefäße, zwei Spinnrocken, Gürtelbeschläge und ein Schmuckkästchen mit Gold- und Silberschmuck. Alles dies sollte der vornehmen Dame ein angenehmes Leben im Jenseits ermöglichen. Leider gingen fast alle Stücke im 2. Weltkrieg verloren, nur die Keramikkanne und ein Beigefäß sind im Kulturhistorischen Museum Stralsund erhalten. Schon einige Jahre früher, am 24. Juni 1888, hatte der Strandvogt Johann Schluck aus Kloster beim Steinezangen in der Ostsee hinter der Hucke in fünf bis sechs Meter Wassertiefe einen massiven Goldring gefunden. Der 682 g schwere und mit zwei Delphinköpfen verzierte, ovale Ring stammt etwa aus dem 6. bis 7. Jahrhundert und ist ohne Zweifel germanisch-nordischen Ursprungs. Er wurde vom Völkerkundemuseum Berlin für 3000 Mark angekauft und ist dort in den Bombentrümmern des 2. Weltkrieges untergegangen.

Im 6. Jahrhundert, am Ende der Völkerwanderungszeit, verließ die germanische Bevölkerung den südlichen Ostseeraum, der nun von slawischen Volksstämmen besiedelt wurde. Auf Rügen waren es die Ranen, ein rauhes und kriegerisches Seefahrer- und Seeräuber-

Pastor Arnold Gustavs an einer von ihm ausgegrabenen prähistorischen Feuerstelle am Dornbusch ca. 1930

volk, das auf Kap Arkona eine dem Gott Swantewit (swanti = heilig) geweihte Tempelfestung errichtete und sich lange Zeit hartnäckig allen Christianisierungsversuchen widersetzte. Als der „Pommernapostel“ Otto von Bamberg nach der Bekehrung der Slawenstämme auf dem pommerschen Festland (1124 - 1128) auch die Insel Rügen besuchen wollte, ließen die Ranen ihn wissen, er solle es nicht wagen, seinen Fuß auf die Insel zu setzen, denn dann sei er seines Lebens nicht mehr sicher. Otto verzichtete wohlweislich auf die geplante Überfahrt.

Das Ende der Ranenherrschaft und damit auch die Bekehrung zum Christentum brachte erst die Eroberung der Festung Arkona durch den Dänenkönig Waldemar den Großen im Jahre 1168. Schon seit längerer Zeit war die südliche Ostsee immer mehr in das Blickfeld der verschiedenen nordischen Herrscher und Heerscharen geraten. 1159 landete Waldemar mit seinem energischen Feldherrn, dem Bischof Absalon von Roeskilde, erstmals auf der Insel Hiddensee und plünderte diese aus. Dem heidnischen Slawentum sollte endlich der Garaus gemacht, zugleich das dänische Machtgebiet erweitert werden. Nach einem zwischenzeitlichen Friedensschluss mit den Ranen, der 1166 auf Hiddensee besiegelt wurde, setzte Waldemar 1188 erneut zum Sturm auf Arkona an, dieses Mal im Bündnis mit mehreren christlichen Pommernfürsten und mit Unterstützung des mächtigen Sachsenherzogs Heinrichs des Löwen sowie des Bischofs Benno von Schwerin. Die Festung wurde zerstört, die „heidnischen Götzenbilder“ zerschlagen, die Ranen mussten sich dem Dänenherrscher unterwerfen und das Christentum annehmen.

Auch auf Hiddensee gibt es einige, wenn auch eher spärliche, Hinweise auf die frühere slawische Besiedlung. Aus den 1830er und 40er Jahren sind Berichte über das Auffinden slawischer Begräbnisplätze überliefert, in denen Urnenscherben, Knochen, verrostete Nägel, Münzen und Bernsteinfigürchen gefunden wurden. Wichtigstes Indiz für die ehemals slawische Besiedlung sind jedoch verschiedene Orts- und Flurnamen. Auch Hiddensee hat mit dem Swantiberg seinen „heiligen“ Berg, auf dem sich möglicherweise ähnlich wie in Arkona eine heilige Stätte der Slawen befand. Der Name des nördlichsten Inseldorfes Grieben leitet sich wahrscheinlich von dem slawischen Wort „grib“ (= Pilz) ab, so dass Grieben etwa mit Pilzdorf zu übersetzen wäre. In der Bezeichnung für den Süden der Insel, Gellen, steckt das slawische Wort „jeleni“ (= Hirsch), möglicherweise trug die ganze Insel vor der dänischen Eroberung einen Namen wie „Jelenine“, was dann etwa Hirschort oder Hirschinsel heißen würde. In der Vergangenheit wurden auch verschiedentlich große Hirschgeweihe auf der Insel ausgegraben. Auch der Name des im 17. Jahrhundert untergegangenen Dorfes Glambäck nördlich von Neuendorf - heute ist dort nur die Bezeichnung für die sogenannte Glambäckwiese übrig geblieben - ist slawischen Ursprungs und bedeutet so etwas wie Tiefen-ort, was der dortigen Topographie sehr gut entspricht.

Zur Zeit der slawischen Besiedlung taucht in der nordischen Sagenwelt und Historiographie auch der heutige Name der Insel Hiddensee auf. Der dänische Geschichtsschreiber Saxo Grammaticus (1150 - 1216), der als Schreiber im Dienste des bereits erwähnten Bischofs Absalon von Roeskilde die dänischen Kriegszüge gegen die Slawen mitgemacht hatte, berichtet in seinen GESTA DANORUM („Die Heldentaten der Dänen", bis 1184) auch vom Schicksal des norwegischen Königs Hitthin:

> Hitthin entbrannte in heftiger Liebe zu Hilda, der wunderschönen Tochter des Högin, eines kleinen Königs in Jütland, und Hilda erwiderte seine Liebe ebenso leidenschaftlich. Hitthin und Hödin wurden schnell enge Freunde, sie schworen sich Blutsfreundschaft, nach der der eine den Schwerttod des anderen rächen werde, und Hitthin erhielt Hilda zur Frau. Aber nach einigen erfolgreichen, gemeinsamen Kriegszügen wurde Högin zugetragen, Hitthin habe Hilda schon vor der Hochzeit verführt und entehrt. Zornerfüllt segelte er mit einer großen Streitmacht hinter Hitthin her, der gerade im Kampf gegen die Slawen stand, wurde von diesem aber geschlagen und musste nach Jütland zurückfliehen. In einer späteren Schlacht unterlag Hitthin, Högin schenkte ihm aber überraschend das Leben. Sieben Jahre später entbrannte der Kampf jedoch von neuem. Die beiden Recken trafen sich auf der Insel Hitthinsö und starben nun nach langem Kampf beide an den Wunden, die sie sich zugefügt hatten. Hilda aber blieb ihrem Gatten auf immer in großer Liebe zugetan.

Die Geschichte von Hitthin und Hilda findet sich an verschiedenen Stellen in der nordisch-germanischen Sagenwelt wieder, so in der Edda oder im altdeutschen Gudrunslied. In der Edda heißt der König Hedin und die Insel Hedinsey., im Gudrunslied wird Hitthin zu Hettel und Högin zu Hogne oder Hagen. Ö heißt auf Dänisch Insel, dieser Wortstamm begegnet uns auf der Oehe bei Schaprode ebenso wieder wie bei der Greiswalder Oie oder den Faröer-Inseln im Nordatlantik. Hiddensee wäre demnach die Insel des Hitthin oder Hedin. Die Wahrscheinlichkeit, dass es sich beim sagenhaften Hedinsey tatsächlich um unser Hiddensee handeln könnte, wächst dadurch, dass im gleichen Lied der Edda auch vom

Örvasund die Rede ist. Örva bedeutet Pfeil, und dieses Wort begegnet uns im slawischen Strelasund wieder.

In den Quellen der vergangenen Jahrhunderte wird die Insel mit verschiedenen Bezeichnungen belegt: Hiddensee, Hiddensö, Hyddensoe, Hiddenze, Hiddensehe, Hyddense. Zu Anfang unseres Jahrhunderts, als die Insel allmählich draußen in der Welt bekannter wurde, wollte die Preußische Regierung zu Stralsund dem alten Streit um die „richtige" Bezeichnung der Insel endlich ein Ende setzen und verfügte unter dem 19. Oktober 1911 im Königlichen Amtsblatt:

> „Im Einverständnis mit dem Herrn Minister des Inneren wird die Schreibweise des Namens der zum Kreise Rügen gehörigen Insel »Hiddensoe« als die im amtlichen Verkehr maßgebende festgesetzt."

Dementsprechend wurde die Insel in amtlichen Schriftstücken und Bekanntmachungen auch in den 20er Jahren noch als Hiddensoe bezeichnet. Und obwohl eine gewisse Logik für diese Bezeichnung spricht - denn wie kann man eine Insel See nennen? - konnte sie sich gleichwohl nicht durchsetzen. Heute ist der Name Hiddensee unbestritten.

Doch noch einmal zurück zu den nordischen Kriegern, die auf der Suche nach Beute und Land so viele Schlachten schlugen in den Ostsee-Gewässern rund um Rügen und Hiddensee. Einen eindrucksvollen Beweis für die Anwesenheit der Wikinger auf der Insel liefert der berühmte Hiddenseer Goldschmuck, der nach der großen Sturmflut von 1872 am Außenstrand in der Nähe von Neuendorf entdeckt wurde. Es handelt sich um ein Meisterwerk nordischer Goldschmiedekunst aus der zweiten Hälfte des 10. Jahrhunderts: 14 zu einem Brustschmuck gehörende filigrane Hängestücke, eine schildförmige Scheibenfibula oder Brosche und ein Halsring von insgesamt 596 g Goldgewicht. Der Schmuck lagert im Kulturhistorischen Museum Stralsund, eine Kopie ist auch im Hiddenseer Heimatmuseum zu sehen.

Scheibenfibel des Hiddenseer Goldschmucks 10. Jh.

Auch dazu gibt es zwei schöne Geschichten aus der nordischen Sagenwelt zu erzählen:

Im September des Jahres 1000 geriet der Norwegerkönig Olaf Tryggwason durch den Verrat von Jarl Sigvaldi auf der Rückreise von Szczecin, wo er sich mit einem Slawenfürsten zu Verhandlungen getroffen hatte, in einen Hinterhalt der feindlichen Dänen und Schweden. In der nun einsetzenden „Seeschlacht bei Swälder" gegen Swen Tjuguskägg den Dänen und Olaf den Schweden trug der mächtige und reiche Norwegerkönig wie immer eine Rüstung aus purem Gold. Als die Schlacht schließlich

nach langem tapferen Kampf einen ungünstigen Ausgang für die Norweger nahm, sprang König Olaf, um einer schmählichen Gefangenschaft zu entgehen, mit voller Rüstung ins Meer und ertrank.
Nach Lage der Dinge muss die letzte Schlacht Olaf Tryggwasons irgendwo im Küstenbereich zwischen Rügen/Hiddensee und dem Festland stattgefunden haben. Demnach könnte der Hiddenseer Goldschmuck ein Teil der legendären Goldrüstung des Norwegerkönigs gewesen sein.....

Möglicherweise war der ursprüngliche Besitzer aber eher der Dänenkönig Harald Blauzahn, der 969 zum Christentum übergetreten war und große Teile Norwegens und Schwedens erobert hatte. Von ihm heißt es, er habe später vor seinem eigenen Sohn Sven Gabelbart fliehen müssen - bis an die pommersche Küste. Hat er hier etwa unseren Goldschmuck vergraben? Die Germanen glaubten nämlich, sie bräuchten ihre wertvollsten Sachen im Jenseits, um dort nicht völlig mittellos dazustehen, und hatten Angst, diese könnten ihnen nach ihrem Tod gestohlen werden. Die Dünen der fernen, einsamen Insel Hiddensee wären sicher ein gutes Versteck gewesen

Auch um das Auffinden des Goldschmuckes 1872 rankt sich inzwischen eine ganze Serie von Legenden und Geschichten. Am Sturmtag des 13. November 1872 strandete nämlich bei Neuendorf der schwedische Schoner „Clara und Karl", und trotz des schweren Unwetters konnten sich offenbar einige Hiddenseer um die „Bergung" der Ladung kümmern. Jedenfalls waren, als der Sturm vorüber war, die Kajüte des Kapitäns ebenso aufgebrochen und leergeräumt wie mehrere Kisten und Fässer. Eine dieser Kisten gehörte dem Steuermann, der lauthals den Verlust seiner goldenen Taschenuhr sowie eines in Indien erstandenen Goldschmucks beklagt haben soll, den er für seine Braut gekauft hatte. Und ausgerechnet in der Nacht nach der Strandung der „Clara und Karl" träumte ein Neuendorfer Fischer, der wohl an der Bergung der Schiffsladung an führender Stelle beteiligt gewesen war, dass sich im Sand des Neuendorfer Strandes ein Goldschmuck befände, den er dann auch sogleich ausgrub. Die Gerüchteküche kochte, es gab Untersuchungen, Vernehmungen, alle möglichen Fundberichte und Erklärungen, Zeitungs- und Illustriertenartikel, aber aufgeklärt wurde die Sache nie. Inselpastor Martin Wilde soll die Wahrheit gewusst haben, weil ein alter Neuendorfer sie ihm auf dem Sterbebett anvertraut hatte, aber er nahm sein Wissen als Beichtgeheimnis mit ins Grab.

Der reale Hintergrund zu all diesen Geschichten und Gerüchten um den Goldfund ist sicher die große Armut, in der die Hiddenseer Bauern und Fischer auch zur Zeit der Reichsgründung noch lebten, gepaart mit einer gewissen Unbeholfenheit und vielleicht einem schlechten Gewissen. Aber wer will es ihnen verdenken, dass sie versuchten, den Goldschatz zu Geld zu machen, und ihn deshalb stückweise zum Verkauf anboten? Glücklicherweise scheint schließlich doch der gesamte Fund ins Stralsunder Museum gelangt zu sein, das insgesamt knapp 2.500 Mark dafür bezahlte. Und alle Wissenschaftler, die sich seither ernsthaft mit dem Schmuck befasst haben, sind sich einig, dass er aus einer nordischen und nicht etwa aus einer indischen Werkstatt stammt.

Gestrandetes Schiff auf dem Gellen 1923

4. Die Klosterzeit (1296 - 1536)

Mit der Eroberung Arkonas 1168 waren Rügen und Hiddensee unter dänische Oberhoheit gekommen. Die rügenschen Fürsten wurden Vasallen der dänischen Krone, und auch die kirchlichen Verhältnisse wurden sehr schnell entsprechend geordnet. Schon am 4. November 1168 unterstellte Papst Alexander III. das Fürstentum Rügen dem Bischof von Roeskilde. Die Ranenfürsten gewöhnten sich anscheinend bald an die neuen Verhältnisse. Seit dem Jahre 1190 zogen sie deutsche Ansiedler ins Land, und 1209 gründete Fürst Jaromar I. auf dem pommerschen Festland, Rügen gegenüber, die Stadt Stralsund. Die neue Stadt entwickelte sich schnell zu einem blühenden Handelszentrum, wodurch Hiddensee in den Bereich einer wichtigen Schifffahrtslinie geriet.

Vor allem betrieben die Rügenfürsten nun auch von sich aus die Christianisierung ihres Herrschaftsgebietes. 1193 wurde das Nonnenkloster in Bergen gegründet, um 1190 stiftete Jaromar I. das Zisterzienserkloster Eldena und 1231 Wizlaw I. Neuenkamp. Der Zisterzienserorden spielte bekanntlich eine herausragende Rolle bei der Christianisierung, Germanisierung und wirtschaftlichen Erschließung der ehemals slawischen Ostgebiete. Neuenkamp, Tochterkloster der ältesten deutschen Zisterze Altenkamp und an der Stelle des heutigen Städtchens Franzburg gelegen, war reich dotiert worden und konnte schnell seinen Besitz und seine Einkünfte so steigern, dass schon bald an die Gründung eines Tochterklosters zu denken war. Am 13. April 1296 schenkte Wizlaw II. dem Kloster Neuenkamp die ganze Insel Hiddensee, um auf ihr eine dem Heiligen Nikolaus, dem Schutzpatron der Schiffer, geweihte neue Abtei zu gründen. Er stattete das neue Kloster mit den Fischereirechten zwischen Hiddensee und Rügen aus, schenkte ihm das in der Nähe des heutigen Barhöft gelegene Dorf Zarrenzin und gewährte ihm die volle Gerichtsbarkeit auf der Insel, im Fischereibezirk und im Dorf. „Damit in eben dieser auf der Insel Hyddense begründeten Abtei des heiligen Nikolaus die Gottesverehrung und beständige Verherrlichung desselben ewig daure“[15], verkaufte Wizlaw dem Kloster schließlich noch die ganze Insel Zingst mit Ausnahme einer den Bürgern der Stadt Barth vorbehaltenen Heuwiese. Noch im gleichen Jahr genehmigte Bischof Johann von Roeskilde die Klosterneugründung. Damit begann ein wichtiges neues Kapitel in der Hiddenseer Geschichte.

Die Klosterbauten im Norden der Insel am Fuße des Dornbuschs gingen zügig voran, so dass die neue Abtei schon ein Jahr nach der Schenkung errichtet war. Bei einer Visitation Ende 1297 durch die Äbte von Altenkamp, Ameluxborn und Michaelstein fanden diese das Kloster hinreichend dotiert und zur Aufnahme in den Zisterzienserorden geeignet. Vom 27. Juni 1297 datiert die erste Urkunde, in der die neue „Abtei Nikolauskamp“ selbständig ohne Vermittlung des Mutterklosters auftrat. Offenbar war beabsichtigt, das neue Kloster in Anlehnung an die berühmte Abtei Altenkamp und deren Tochter Neuenkamp so zu benennen. Der Name Nikolauskamp konnte sich jedoch nicht durchsetzen, schon bald ist in den Urkunden nur noch vom „Kloster Hiddensee“ die Rede.

Zu Beginn gab es bei der Einrichtung eine Reihe von Problemen zu überwinden. Mehrere Adlige fanden sich durch die Schenkung der Insel und des Dorfes Zarrenzin an die Zisterzienser in ihren älteren Rechten verletzt und mussten erst abgefunden werden. So erhielten die Witwe Ingifried und ihr Sohn, der Ritter Heinrich, neben einer beträchtlichen Geldentschädigung vom neuen Kloster das Recht zugestanden, das Brennholz für ihren Hof in Schaprode von der Insel zu holen und ihre Schweine weiter zur Mast dorthin zu treiben. Auch fielen die mildtätigen Unterstützungen durch die Inselbevölkerung sehr viel geringer aus als erwartet, weshalb Neuenkamp sich zu einer weiteren großen Hilfe entschloss und der Tochter drei seinerzeit sehr einträgliche Salzpfannen in der Saline zu Lüneburg überwies. Die Hiddenseer, zumeist arme Fischer und Seefahrer, zeigten kein rechtes Interesse an dem neuen Kloster. Die Bevölkerung war weiterhin slawisch und mit dem neuen Glauben des Christentums noch nicht verwachsen. Vor allem wehrte sie sich entschieden dagegen, dass die Mönche ihnen die einträgliche Strandräuberei untersagen wollten, wie an immer neuen, entsprechenden Verboten zu sehen ist. Möglicherweise waren die rauhen Sitten der Hiddenseer ein wichtiges Motiv für Wizlaw II. gewesen, dem Zisterzienserorden die Insel zu schenken, um so die Schifffahrtslinie nach Stralsund zu sichern. Zu dem über Jahrhunderte offenbar nicht ausrottbaren Hang der Hiddenseer, gestrandete Schiffsgüter so schnell wie möglich beiseite zu schaffen, gibt es wieder eine hübsche Anekdote zu erzählen, dieses Mal zum Teil auf Plattdeutsch:[16]

> Ein frommer Mann vom Darß stirbt und kommt an die Himmelstür. Petrus kann ihn aber nicht einlassen, weil „dor kein Platz mir is". „Wer is denn dor in?", fragt die arme Seele. „Je", sagt Petrus, „dat sind luter Hiddenseesche, mit die is dat allwil hier gor tau dull; ick weit nich, wur dat noch war'n sall!" „O", meint der Darßer, „wenn dat wieder nix is, mit die weit 'k noch Bescheid, mak man die Dör 'n bäten up!" Petrus macht die Himmelspforte einen Spalt auf, und der Darßer schreit sofort, so laut er kann: „SCHIPP UP'N STRAND! SCHIPP UP'N STRAND!" Die Hiddenseer lassen alles fallen, rennen sofort los, jeder will der erste sein. Und so bekommt der Darßer ganz viel Platz im Himmel und kann sich direkt neben den lieben Gott auf die Bank setzen.

Nach dem Erwerb der Lüneburger Salzpfannen war die wirtschaftliche Situation des Klosters gesichert. Seit 1300 begann es mit der Anwerbung deutscher Siedler auf der Insel, die wahrscheinlich vorwiegend aus Sachsen, Westfalen und Friesland kamen. Das Süderdorf Plogshagen weist sich durch seinen Namen als eine deutsche Gründung aus. Seit 1302 konnte das Kloster mit dem Erwerb neuer Ländereien außerhalb Hiddensees, vor allem auf Rügen und der Insel Zingst, beginnen. Im Laufe der Zeit trug es einen nicht unbeträchtlichen Grundbesitz zusammen, dazu zählte auch ein eigener „Klosterhof" in der Stadt Stralsund. Dieser „Hiddenseeische Hof" befand sich in der heutigen Mühlenstraße 15. Im Gegensatz zu anderen pommerschen Klöstern wurde jedoch kein größerer zusammenhängender Besitzstand erreicht, es blieb bei vielen verstreuten Einzellagen. 1335 überließ Hiddensee einen größeren Teil der entfernteren Besitzungen wieder an Neuenkamp, und 1441 verkaufte es Zingst an den Pommernherzog Barnim VIII.

Zusammen mit den Klosterbauten im Norden hatten die Mönche auch mit dem Bau einer Kirche an der damaligen Südspitze der Insel begonnen, die als Pfarrkirche für die Inselbevölkerung dienen sollte. Auch hier war zunächst der Pfarrer von Schaprode mit einer jährlichen Leibrente abzufinden, da dieser bisher die Seelsorge auf der Insel durchgeführt und die entsprechenden Einkünfte hierfür bezogen hatte. 1299 übergab Pfarrer Wulfhard nach anfänglichem Widerspruch die Seelsorge auf der Insel an das Kloster, was 1302 und 1304 vom Bischof und 1310 vom Papst bestätigt wurde. 1302 muss die kleine Kapelle schon gebrauchsfertig gewesen sein, 1306 erteilte Bischof Olav von Roeskilde bei einem Besuch auf Rügen die Erlaubnis, in ihr einen Taufstein aufzustellen. 1311 ermächtigte er den an der Gellenkirche amtierenden Priester, Seeleuten und anderen Ankömmlingen die Sakramente zu spenden.

1306 schloss das Kloster einen Vertrag mit der Stadt Stralsund über die Errichtung eines Leuchtturms („Luchte") an der Südspitze der Insel. Danach sollte die Stadt den Leuchtturm errichteten, während die Mönche sich zur Bewachung und Unterhaltung des Leuchtfeuers von September bis Mai eines jeden Jahres verpflichteten. Hier wird erneut das wirtschaftliche Interesse der Rügenfürsten und der Stadt Stralsund an der Errichtung des Hiddenseer Klosters deutlich. Die Leuchte wurde unmittelbar an die Gellenkapelle angebaut, gleichzeitig wurde dabei dort ein kleiner Hafen errichtet. Die Fundamentreste von Kirche und Leuchte befinden sich etwa 2 km südlich von Plogshagen am Außenstrand und sind dort bei Niedrigwasser noch zu sehen. Auf der Boddenseite erinnert der Karkensee (= Kirchensee) ebenfalls an das untergegangene Kirchlein. Arnold Gustavs hat erstmals im Januar 1914 die durch eine Sturmflut deutlich freigespülten Fundamente vermessen. Weitere Vermessungsarbeiten, die in den Jahren 1962/63 durch eine Studentengruppe des Kunsthistorischen Instituts der Universität Greifswald unter der Leitung des damaligen Leiters des Heimatmuseums, Karl Ebbinghaus, durchgeführt wurden, ließen einen ersten Rekonstruktionsversuch zu. Ebbinghaus ging davon aus, dass es sich bei der Gellenkirche um eine kleine, fast quadratische Vierstützenhalle mit einem Innenmaß von ca. 11,5 X 11,5 m und einem Chor von 3,5 X 5 m handelte, an die unmittelbar der Leuchtturm mit einem Grundriss von ca. 4 X 4 m angebaut war. Neuere Überlegungen von Hans Georg Thümmel aus dem Jahre 1987 machen jedoch einen Saalbau mit dreiseitigem Chorschluss von ca. 16 X 9 m Ausmaß, einer nördlich angebauten Sakristei und dem Leuchtturm an der Südwest-Ecke eher wahrscheinlich.

Bis zum Jahre 1322 wurde schließlich noch eine „Kapelle vor dem Klostertore“ errichtet, auf die die heutige, um 1781 errichtete, barocke Dorfkirche in Kloster zurückgeht. Diese neue Kapelle diente seither als Pfarrkirche für die Inselbewohner. Die Gellenkirche wurde auf die Funktion einer reinen Kaufmannskirche beschränkt, in der nur noch für Seeleute und reisende Kaufleute die Messe gelesen und die Sakramente gespendet werden sollten. In den ersten Jahren des Klosters wird auch bereits ein Siechen- oder Krankenhaus (infirmarium) erwähnt, dessen Kosten jedenfalls zeitweise aus den Einnahmen des Klosterkruges bestritten werden sollten.

Als 1325 mit dem Tode Wizlaws III. das Rügensche Fürstenhaus ausstarb, fiel das Land an die Herzöge von Pommern. Das Kloster erhielt noch am 3. Dezember 1325 von Herzog Wartislaw einen Schutzbrief, in dem ihm alle erworbenen Rechte und Privilegien bestätigt wurden. Auch später konnte es sich bis zu seiner Aufhebung der weitgehenden Förderung und des Schutzes durch das pommersche Herrscherhaus erfreuen. 1373 und 1389 wurden die Klostergebäude durch Feuer teilweise zerstört und das Kloster hierdurch wirtschaftlich offenbar erheblich geschädigt. Nach dem ersten Brand verfügte es nicht mehr über genügend Mittel für den Tisch des Abtes und für die Bewirtung von Gästen entsprechend den Regeln des Ordens. Nach dem zweiten Brand wurde der Bau einer neuen Klosterkir-che beschlossen, die am 27. Juni 1410 geweiht wurde. In den Jahr-en 1954/55, 1959 und 1960/61 wurden vom Institut für Denk-malpflege Berlin und dem Kunsthistorischen Institut der Univer-sität Greifswald systematische Grabungen durchgeführt, die eine weitgehende Klarheit über Lage und Größe der Klostergebäude erbrachten. Diese lagen unmittelbar nordwestlich des heutigen Hotel Hitthims. Die eigentlichen Klostergebäude bildeten ein Viereck mit eingeschlossenem Kreuzgang von etwa 45 X 45 m. Nördlich schloss sich die dreischiffige Klosterkirche an, deren ge-naue Ausmaße jedoch nicht eindeutig festgestellt werden konnten. Die Ausgrabungen erbrachten auch den Beweis, dass das heute noch stehende „Klostertor" nicht zum Kloster gehörte, sondern erst im 18. Jahrhundert als Zufahrtstor zum Gutshof errichtet wurde.

Über die Zahl der auf Hiddensee lebenden Mönche besitzen wir keine Angaben, und über deren alltägliches Leben wissen wir auch nur wenig. Neben dem Abt werden in den überlieferten Urkunden der Prior und Unterprior erwähnt , die für die Aufrechterhaltung von Frieden und Ordnung im Kloster verantwortlich waren, der Kellner und Unterkellner, der Pförtner und der Bursar, der für Rechtsangelegenheiten und die Unterhaltung des Archivs zuständig war. Als Zeichen seiner besonderen Würde war der Abt berechtigt, den Bischofsstab zu führen. Er wurde auch verschiedentlich zu höchsten päpstlichen Aufträgen herangezogen. Der Grabstein des 1475 verstorbenen Abtes Johannes Runnenberg ist als eines der ganz wenigen dinglichen Überreste des Konvents in der Pfarrkirche zu Kloster erhalten. Für eine regelmäßige Beschickung des Generalkapitels des Ordens in Citeaux war die Hiddenseer Zisterze zu abgelegen. Meist ließ sie sich vertreten, so 1428 durch den Abt von Doberan und 1510 durch den Abt von Lehnin. Eine Klosterbibliothek hat nachweislich bestanden, allerdings ist Hiddensee nicht durch eine größere wissenschaftliche Tätigkeit hervorgetreten. Der Abt von Hiddensee war maßgeblich an der Gründung der Universität Greifswald beteiligt, seit 1444 finden sich auch mehrere Mönche aus Hiddensee in den Matrikeln der Universitäten Rostock und Greifswald.

Nach der Ordensregel waren die Zisterziensermönche verpflichtet, von ihrer eigenen Hände Arbeit zu leben. Dies wird bei der Urbarmachung und Bebauung der Felder auf Hiddensee sicher auch so geschehen sein. Weiter entfernt liegende Besitzungen mussten jedoch als Pachtland ausgegeben werden. Neben den landwirtschaftlichen Abgaben der untertänigen Bauern, den bereits erwähnten Lüneburger Salzpfannen und den im Laufe der Zeit doch reichlicher fließenden mildtätigen Stiftungen verfügte das Kloster noch über weitere wichtige Einnahmequellen. Die Fischerei war ebenfalls in Pacht ausgegeben. In den dem Kloster gehörigen Dörfern gab es verpachtete Krüge. Besonders einträglich waren die Krüge in den zur Heringsfangzeit als Umschlagplätze eingerichteten „Vitten". 1328 überließen die Herren von Putbus dem Kloster ihren Krug auf Hiddensee. 1512 wird ein vor dem Kloster neu errichteter Krug erwähnt. Das Kloster besaß schließlich die Fähre bei Kubitz auf Rügen sowie mehrere Mühlen.

Auf Hiddensee und den übrigen ihm gehörigen Ländereien übte das Kloster die Grundherrschaft und die volle Gerichtsbarkeit, letztere auch in Fischereifragen, aus. Das Kloster war „Herr" über Land und Leute und in dieser Rolle natürlich nicht immer und überall beliebt. In den Quellen finden sich zahlreiche Nachrichten über Streitigkeiten und Fehden um Grenzen, Abgaben oder Fischereirechte. Diese verliefen in der Regel offenbar einigermaßen glimpflich, jedenfalls ohne größeres Blutvergießen. Manchmal kam es jedoch auch zu regelrechten kleineren Revolten. 1371 wurden Hiddenseer Mönche von Stralsundischen Fischern im Streit um Fischereirechte gefangengenommen, ihrer Kleidung beraubt, nach Stralsund gebracht und dort den Beschimpfungen der Menge ausgesetzt. Bürgermeister Bertram Wulflam ließ sie im Stadtstall mit Stock und Ketten anbinden. Erst durch die Intervention mehrerer einflussreicher Stralsunder Bürger gelang schließlich ihre Freilassung. Die Auseinandersetzung mit den Sundischen Fischern setzte sich fort. 1420 ist von Prügeleien und Verwundungen zwischen Untersassen des Klosters und Fischern aus Stralsund zu hören. 1416 mussten sich Heinrich von der Osten und Henning von Platen wegen Gefangensetzung und Vergewaltigung von Hiddenseer Klosterleuten verantworten. 1424 kam es auf Rügen zu heftigen Ausschreitungen. Der Pfarrer von Schaprode beschimpfte öffentlich den Abt und verweigerte den Untersassen des Klosters die Sakramente. Mehrere Adelige In der Pfarrei Altenkirchen holten einen Bauern vom Pflug, zerstörten eine Schute und rissen den Zaun des Kirchhofes ein. 1433 wandte der Abt sich beschwerdeführend an das Konzil von Basel und bat um Schutz gegen Eingriffe in seine Rechte. Da das Kloster sich 1375 eine Abschrift der Urkunde des Papstes Innocenz VI. über den Schutz der Ordensklöster vom 4.2.1361 besorgte, ist vermutet worden, dass der Brand von 1373 durch Brandstiftung gelegt worden sein könnte.[17]

In der zweiten Hälfte des 15. Jahrhunderts ist ein deutlicher wirtschaftlicher und moralischer Niedergang des Klosters festzustellen. Es mussten mehrere zum Teil hohe Anleihen, u.a. auf die Lüneburger Salzpfannen, aufgenommen werden. Schon 1428 hatte Abt Johann von Neuenkamp bei der jährlichen Visitation zur Beaufsichtigung des Hiddenseer Klosters getadelt, dass die Mönche ihr geistliches Amt nicht mit der nötigen Andacht und geistigen Freude ausübten. Er beklagte ferner, dass die Mönche das Armutsgelübde nicht genügend beachteten, und betonte, dass in die Klostergebäude keine Frauen, welchem Verwandschaftsgrade sie auch angehören mochten, eingelassen werden und die Mönche ohne besondere Erlaubnis nicht außerhalb des Klosters übernachten durften.

Der wirtschaftlichen Probleme konnte man durch die gute Amtsführung des Abtes Heinrich Svinemann (um 1495) noch wieder einigermaßen Herr werden. Doch schon bald machten sich die Folgen der Reformation bemerkbar, die schließlich zur Aufhebung des Klosters führte. In Stralsund entstanden die ersten gegenkatholischen Bewegungen seit 1522, die von dort aus auch auf Rügen und Hiddensee ausstrahlten. 1529 wurde der Abt in der Stadt Stralsund überfallen, das Kloster auf der Insel teilweise zerstört. Schon 1525 hatten die pommerschen Herzöge die Wertgegenstände des Klosters inventarisieren und den größten Teil derselben nach Wolgast schaffen lassen. 1532 werden in einem Landesregister des Fürstentums Pommern für Grieben 8 und für Vitte 24 Fischerkaten sowie 1 Krug in Kloster aufgeführt. Nachdem der Pommersche Landtag zu Treptow 1534 die Einführung der lutherischen Lehre beschlossen hatte, schlossen der letzte Hiddenseer Abt Georg Vilter und Prior Mathias am 22. Oktober 1536 mit den Herzögen Philipp und Barnim XI. einen Vertrag, in dem sie diesen das ganze Kloster mit allem Zubehör und einschließlich der Lüneburger Salzpfannen abtraten und übereigneten. Die Klosterinsassen zerstreuten sich. Einige nahmen den neuen Glauben an und wurden evangelische Prediger. Andere aber konnten sich, wie eingangs erwähnt, von der schönen Insel einfach nicht trennen und lebten dort weiter bettelnd von den Almosen der Bewohner. Georg Vilter lebte nach der Aufhebung des Klosters als angesehener Mann im Hiddenseer Hof in Stralsund. Er starb 1560 und wurde in der Nikolaikirche beigesetzt.

> Seit der Aufhebung des Klosters geistern durch Hiddensee viele Geschichten um einen versteckten Klosterschatz. Vor ihrem Abzuge sollen die Mönche nämlich unermessliche Reichtümer an Gold- und Silbersachen auf der Insel vergraben haben. Zu gewissen Zeiten kommen angeblich verkleidete Mönche aus fremden Ländern, um heimlich das Versteck in Augenschein zu nehmen. In Rom soll ein Verzeichnis der vergrabenen Schätze existieren. Und vor langer Zeit traf ein Hiddenseer Seemann in Spanien auf einen Geistlichen, der ihm, als er von seiner Herkunft erfuhr, sofort von dem Schatz auf der Insel im fernen Norden erzählte. Dieser könne allerdings nur von Mönchen wiedergefunden werden

5. Wüterich Wallenstein, die Schweden und Kammerrath Giese

Nach der Aufhebung des Klosters wurde Hiddensee ein Kammergut der Pommerschen Herzöge, ein herzoglicher Rentmeister bezog die verlassenen Klostergebäude. Dieser wurde allerdings schon 1570 wieder abgezogen, als Hiddensee dem Domanial-Rentamt in Bergen auf Rügen zugeschlagen wurde. Aus dieser Zeit sind Steuerlisten des Bergener Rentamtes überliefert, die uns erstmals ein etwas genaueres Bild der Bewohner Hiddensees und ihres Lebens bieten.[18] 1577 befanden sich auf der Insel die Orte Grieben, Glambeck, Vitte und Plogshagen. In Grieben gab es 2 Hufenbauern, die 15 Schillinge Steuern bezahlten, und 6 Käter oder Häusler, von denen fünf 7 ½ Schillinge Steuern abzuliefern hatten. Marten Schluck hingegen war „pauper“, d. h. so arm, dass er gar keine Steuern bezahlen musste. In Glambäck gab es 6 und in Plogshagen nur eine Kate mit jeweils einer Steuerlast von 7 ½ Schillingen. Das bei weitem größte Dorf war Vitte mit 28 Katen und einem Dorfkrug. 2 Katen waren „wuest“, d. h. sie standen leer oder waren verfallen. 13 Käter zahlten wie in den anderen Dörfern 7 ½ Schillinge, die 13 anderen, also die Hälfte des Dorfes, waren wiederum so arm, dass sie keine Steuern zahlten. Der Krüger Zitegorre hatte 15 Schillinge zu zahlen, genau wie der Besitzer des Kruges in Kloster mit Namen Titke Witte.

Seit dem Abzug des herzoglichen Rentmeisters von der Insel verfielen die leerstehenden Klostergebäude, im Dreißigjährigen Krieg (1618 - 1648) wurden sie durch dänische und kaiserliche Truppen wahrscheinlich ganz zerstört. Was eventuell noch übrig blieb, fand später als Baumaterial für den Gutshof Verwendung. 1608 verpfändete Herzog Philipp Julius von Pommern-Wolgast, der sich in ständiger Geldnot befand, die Insel an seinen Rentmeister Joachim von Scheele auf 20 Jahre. Damit begann eine lange Zeit ständig wechselnder Herren auf der Insel, die erst 1836 mit dem Erwerb der Insel durch die Stadt Stralsund enden sollte.

Die Pommerschen Herzöge versuchten, ihr Land durch eine Neutralitätspolitik aus dem Dreißigjährigen Krieg herauszuhalten, mussten aber in der Kapitulation von Franzburg 1628 doch die Einquartierung von 10 kaiserlichen Regimentern Wallensteins zugestehen. Als die Dänen auf Usedom landeten und zeitweilig Wolgast besetzten, wurden die kaiserlichen Regimenter in

Pommern verstärkt. Die Stadt Stralsund verweigerte jedoch eine Einquartierung und wurde daraufhin von Wallenstein belagert. Aber die Stadt am Strelasund hielt, unterstützt von Dänen und Schweden, den heftigen Angriffen und Beschießungen Wallensteins stand, der seinen Schwur nicht halten konnte, die Stadt zu erobern, selbst wenn sie mit Ketten an den Himmel gebunden wäre. Während der Belagerung lagen die Dänen mit ihren Schiffen vor Hiddensee, versorgten sich mit Nahrungsmitteln und Brennholz von der Insel und schickten wohl auch größere Mengen Holz nach Kopenhagen. Die Insel muss damals sowohl auf dem Dornbusch als auch zwischen Vitte und Neuendorf und auf Teilen des Gellen noch von einem dichten Wald bestanden gewesen sein, der den langen Krieg aber nicht überlebte. Wallenstein vertrieb die Dänen von der Insel und brannte, damit diese sich dort nicht erneut festsetzen konnten, anschließend den gesamten Hiddenseer Waldbestand nieder. Nur ein kleiner Eichenwaldrest blieb am Schwedenhagen bei Kloster erhalten.

Der Pfarrer von Schaprode berichtet in der dortigen Pfarrchronik 1729 von einer großen Holznot und horrenden Holzpreisen. Vor der sogenannten Kaiserzeit, als Ummanz und Hiddensee noch ganz mit Wald bestanden gewesen seien, hätten dagegen seine Vorgänger im Amt überall Holz wohlfeil bekommen können:

> „Und diese Holtznot haben wir dieses Ortes vornehmlich dem greulichen Wüterich Wallenstein zu danken, nachdem derselbe die vortreffliche Höltzung auf Hiddensee, die vormahlige Schaprodische Holtzkammer, [hat] so gäntzlich ruinieren lassen", schreibt Pfarrer Laurentius Maneke weiter, und schließlich im antikatholischen Brustton der Überzeugung: „Dem Wallenstein ist daher recht geschehen, dass er anno 1634 zu Eger auf dem Schlosse, des Abends zwischen 9 und 10 Uhr, von dem Capitaine Deveroux massacriret und von demselben mit der Partisan durch das Herz gestoßen worden, dass der ohne Wortsprache todt niedergesunken."[19]

1795 berichtet Zöllner, der ganze Norden der Insel sei völlig kahl und bestehe nur aus hohen Sanddünen und nackten Bergen, gleiches ist auch in Bolls Schilderung aus dem Jahre 1858 zu lesen. Nach einem Bericht von Arnold Gustavs war nach dem Zweiten Weltkrieg an der Kante eines Uferabsturzes in der Swantewitschlucht einen Meter unter der damaligen Oberfläche deutlich eine etwa 4 cm dicke Brandschicht zu sehen. Mikroskopische Untersuchungen ergaben, dass es sich um Reste eines Eichenwaldes handelte. Aber nicht nur der Wald, auch das ganze Dorf Glambäck fiel wahrscheinlich dem Dreißigjährigen Krieg, möglicherweise aber auch einer schweren Sturmflut, zum Opfer. An seiner Stelle entstand später unmittelbar nördlich von Plogshagen ein neues Dorf, dessen Name - Neuendorf - bis heute so geblieben ist. Vielleicht sind schließlich auch die Gellenkirche und die Luchte in dieser Zeit untergegangen.

1637 starb mit dem Tod des Herzogs Bogislaw XIV. das pommersche Greifenhaus aus, und das Land sollte gemäß Erbverträgen von 1338 und 1529 an Brandenburg fallen. Aber es herrschte Krieg, und große Teile des Landes, so auch Hiddensee, waren inzwischen von den Schweden besetzt. Seit 1641 stand die pommersche Frage im Mittelpunkt der diplomatischen Verhandlungen um eine Neuordnung Mitteleuropas. Im Westfälischen Frieden erhielt Schweden 1648 ganz Vorpommern mit Stettin, Usedom, Wollin und einem Landstreifen östlich der Oder zugesprochen. Nur Hinterpommern kam zum Kurfürstentum Brandenburg. Hiddensee wurde also nun ganz offiziell schwedisch und sollte dies mit Rügen und den Teilen Vorpommerns nördlich der Peene bis 1815 bleiben.

Im Krieg Schwedens mit Brandenburg landete 1678 eine dänische Flotte mit 4000 Soldaten bei Vitte an, Hiddensee und Rügen kamen eine Zeit lang wieder unter dänische Herrschaft. 1683 richteten die Schweden eine „Wasserpost“ zwischen Stralsund und Ystad ein und erbauten dazu als Zwischenstation an der äußersten Südspitze des Bug, Hiddensee genau gegenüber, ein Posthaus. Wöchentlich beförderte eine Yacht Briefe, Fracht und Reisende von und nach Schweden. Bei zugefrorenem Bodden wurde die Post vom Wittower Posthaus auf dem Landweg nach Stralsund transportiert. In preußischer Zeit gehörte das Wittower Posthaus zum Amtsbezirk Hiddensee. Nach Einstellung der Postlinie 1897 befand sich dort eine Zollstation, die 1931 nach Vitte verlegt wurde.

Zu Anfang des 18. Jahrhunderts wurde Hiddensee durch den Nordischen Krieg erneut in Mitleidenschaft gezogen. Wiederum versuchten die Dänen, sich Rügens und Hiddensees zu bemächtigen. 1711 landeten sie plündernd auf Hiddensee, dessen damaliger Besitzer von Wolfradt jedoch geschickte Gegenwehr leistete. Die Schweden errichteten auf der Fährinsel und am gegenüberliegenden Seehof zwei Schanzen in Form gleichseitiger Dreiecke, die die Zufahrt zum Stralsunder Hafen kontrollieren sollten und die noch heute im Gelände erkennbar sind. Als Ergebnis des Krieges erhielt Preußen 1720 Vorpommern mit Stettin bis zur Peene. Das übrige Vorpommern mit Greifswald, Stralsund, Rügen und Hiddensee blieb schwedisch und wurde daher bald Schwedisch-Vorpommern genannt.

Auf Hiddensee wechselten inzwischen wiederholt die Besitzverhältnisse. Herzog Bogislaw XIV. hatte Hiddensee vor seinem Tode an seine Schwester Anna, verwitwete von Croy, abgetreten. Aus dem herzoglichen Kammergut wurde ein Eigen- oder Allodialbesitz der jeweiligen Herren der Insel. Ernst Bogislaw von Croy verkaufte die Insel 1657 an den Stralsunder Ratsherrn Berend von Wolfradt. Den von Wolfradts wurde 1728 durch einen Spruch des schwedischen Tribunals zu Wismar der ausschließliche Eigenbesitz an der Insel bestätigt. Nach dem Tod des schwedischen Obristen Berend Christoph von Wolfradt fiel Hiddensee an dessen Tochter Brigitta Helena, die ebenfalls mit einem schwedischen Offizier verheiratet war, dem Major Michael Matthias von Loos. Die Erben des Herrn von Loos verkauften die Insel schließlich an den Stralsunder Kaufmann und Bankier Joachim Ulrich Giese, der sie von 1754 bis zu seinem Tode 1780 besaß.

Als Joachim Ulrich Giese 1754 sein neues Eigentum inspizierte, entdeckte er an der Nordwestseite der Steilküste einen guten Ton. Nachdem Untersuchungen desselben ergeben hatten, dass er für die Herstellung von Steingut gut geeignet sei, fasste Giese den Plan zur Errichtung einer Fayence-Manufaktur. Fayence (nach der norditalienischen Stadt Faenza), auch Majolika (nach der spanischen Insel Mallorca) oder unechtes Porzellan genannt, ist eine Irdenware, die von einer weißen oder farbigen, mit Hilfe von Zinnoxid hergestellten Glasur überzogen ist und die sich im Rokoko des 18. Jahrhunderts neben dem Porzellan einer großen Beliebtheit erfreute. Ursprünglich wollte Giese die geplante Manufaktur auf Hiddensee selbst errichten. Er entschloss sich dann jedoch zum Bau an der Tribseer Straße in Stralsund, da er wegen seiner anderen Geschäfte in der Stadt präsent sein musste, aber auch die neue Manufaktur unbedingt persönlich leiten und kontrollieren wollte. Diese konnte Anfang 1757 in Betrieb gehen, nachdem Giese sich zuvor gegenüber der Stadt verpflichtet hatte, nur Arbeiter anzunehmen, die der lutherischen Religion angehörten.

Auf Hiddensee wurde der Ton an der nordwestlichen Steilküste am sog. Rennbaum gegraben und dann mit Eseln über die Dornbuschhöhen zum Gutshof transportiert. Der dabei benutzte Pfad trug später noch lange den Namen Eselssteig. Am Gutshof wurde der Ton in großen Schlämmkästen von fremden Bestandteilen gereinigt und anschließend auf einer Schiffsbrücke, die am Schafort errichtet worden war, auf Schuten verladen. Diese ehemaligen Verladestelle wird auf einer Karte von 1794 „Porcelansbrück" genannt, noch heute findet sich die Bezeichnung „Ziegelort". Die Anlagen auf der Insel kosteten Giese 3000 Rtlr. Dort waren in der Regel sechs Arbeiter mit dem Graben, dem Transport und dem Schlämmen des Tons beschäftigt, weitere sechs Leute arbeiteten teils als Schiffer, teils als Fuhrleute, um den Ton von Hiddensee nach Stralsund zu segeln und dort vom Hafen zur Tribseer Straße zu bringen.

Obwohl die Giese'sche Manufaktur handwerklich und künstlerisch einen hohen Standard erreichte und viele ihrer Produkte bald zu begehrten Sammelobjekten wurden und heute in verschiedenen Kunstgewerbemuseen zu sehen sind, florierte sie doch nie wirklich richtig. Ihr Betrieb wurde von Anfang an durch den just im Jahre der Inbetriebnahme ausgebrochenen Siebenjährigen Krieg beeinträchtigt, an dem Schweden als Gegner Preußens teilnahm. Giese verkaufte die Manufaktur an den schwedischen Fayence-Fabrikanten Johann Ehrenreich, musste sie aber nach dessen Scheitern wieder selbst übernehmen. 1770 wurden die Fabrikationsanlagen durch die Explosion eines benachbarten Pulverturms weitgehend zerstört. Die Produktion überstieg eigentlich immer die Absatzmöglichkeiten, und auch großzügige finanzielle Unterstützungen durch die Stadt Stralsund konnten die Manufaktur schließlich nicht retten. 1790, zehn Jahre nach dem Tod Gieses, wurde sie endgültig eingestellt. Hintergrund dieser negativen Entwicklung war zweifellos auch, dass die Fayence sich Ende des 18. Jahrhunderts generell gegen das (echte) Porzellan auf der einen und das billige englische Steingut auf der anderen Seite nicht mehr behaupten konnte.

Bei seinen zahlreichen Geschäften hatte Giese keine Zeit, sich um seine Ländereien zu kümmern, und überließ dies seiner Frau Sophie Elisabeth, einer geborenen von Schwerin. Auf dem Hiddenseer Gut saß ein Verwalter. Frau Giese war offenbar bemüht, das Los der armen, untertänigen und geknechteten Fischerbauern auf der Insel zu lindern, jedenfalls bezeichneten diese sie als „ihre liebe Mutter“. Nach dem Tod ihres Mannes zog sie sich einige Jahre ganz nach Hiddensee zurück. Nach dem Bericht Zöllners von 1795 zogen die Hiddenseer, als sie von der Absicht Frau Gieses erfuhren, die Insel zu verkaufen, „scharenweise zu ihr und erboten sich, ihr gern mehr Abgaben zu geben und mehr Dienste zu verrichten, wenn sie nur ihre Herrschaft bleiben und unter ihnen wohnen wollte“.[20] In Kloster war kurz zuvor noch ein neues Herrenhaus errichtet worden, oder richtiger: Dort hatten die Hiddenseer, die selbst in den erbärmlichsten Hütten hausten, der Herrschaft in Fronarbeit ein neues Gutshaus errichten müssen. Zöllner beschreibt es als ein „herrschaftliches, sehr artig gebautes Wohnhaus“ mit den dazugehörigen Neben- und Wirtschaftsgebäuden und einem hübschen Garten und hebt vor allem die Ausstattung eines Zimmers mit schönen, in der Stralsunder Fabrik entstandenen Fayencekacheln mit Vögel- und Schmetterlingsmotiven hervor. Vor dem Herrenhaus befand sich ein viereckiger, von Kirschbäumen eingefasster Rasenplatz, gegenüber lag ein Logierhaus für Gäste. Sophie Elisabeth Giese starb 1796. Die Giese'schen Erben versuchten jahrelang vergeblich, die Insel zu verkaufen. Schließlich wurde sie 1800 von dem auf Ralow (Rügen) „erbgesessenen" Hauptmann und Ritter Wilhelm von Bagevitz erworben, der hier ein besonders herrisches und unterdrückerisches Regiment führte.

1815 endete die 185jährige schwedische Herrschaft auf Hiddensee. Auf dem Wiener Kongreß wurde Schwedisch - Vorpommern, das seither Neu-Vorpommern hieß, Preußen zugesprochen, das damit endlich am Ziel seiner Wünsche war und nun ganz Pommern besaß. Hiddensee gehörte seither zum Königlichen Regierungs-Bezirk Stralsund und darin zum Kreis Rügen. 1835 kaufte das der Stadt Stralsund gehörige „Kloster zum Heiligen Geist" die Insel, von dessen „Provisorat" sie fortan verwaltet wurde. Das in einer Urkunde von 1256 erstmals genannte St. Spiritus- oder Heiliggeist-Kloster war nie ein Kloster im eigentlichen Sinne, sondern von Anfang an ein städtisches Hospital zur Pflege und Betreuung von Alten, Kranken und Armen. Der Erwerb der Insel war eine Form der Kapitalanlage für die Stadt Stralsund, die mit den aus der Insel bezogenen Einkünften ihre Alten- und Krankenpflege finanzieren wollte.

6. Fischerbauern: Das beschwerliche Leben der Menschen in der vormodernen Zeit (17. - 19. Jahrhundert)

Seit der Zeit um 1700 können wir ganz allmählich auch etwas genaueres über das alltägliche Leben der Hiddenseer sagen. Zu den Einwohner- und Steuerlisten, die in bestimmten Abständen und zu besonderen Gelegenheiten weiterhin erstellt wurden, treten nun als weitere Quelle Reiseberichte hinzu. Zu Beginn waren es hauptsächlich evangelische Pastoren wie Wackenroder, Kosegarten, Zöllner, die die Insel besuchten und Berichte über das dort Gesehene und Erlebte publizierten. Vorweg und ganz allgemein läßt sich sagen: Bis zum Ausgang des 19. Jahrhunderts waren die Menschen schrecklich und unvorstellbar arm, das Leben auf der Insel war höchst mühsam, karg und beschwerlich. Auf Hiddensee wohne die Armut und das Elend, schrieb Karl Nernst 1800 nach der Schilderung zerlumpter Kinder, die mit Heißhunger auf Stücken getrockneten Fisches herum kauten.

6.1 Kossaten, Einlieger, Leibeigene

Eine besonders wichtige und ergiebige Quelle sind die zwischen 1692 und 1698 entstandenen sogenannten schwedischen Matrikelkarten. 6 Jahre lang haben 9 schwedische Landmesser die neuen Lande in Vorpommern genauestens vermessen und alles aufgezeichnet, was für die Besteuerung der Bewohner von Belang war. So ist ein einzigartiges Kartenwerk von hoher Genauigkeit mit etwa 900 Blättern entstanden, darunter eines von Hiddensee, das größte des gesamten Kartenwerks. In den dazugehörigen, umfangreichen Annotationsbüchern werden auch die Hiddenseer Dörfer und deren Bewohner erstmals genauer beschrieben.[21] Danach lebten damals in Grieben 8 Halbbauern, 2 Schiffer und ein alter, in seinem Haus liegender, verbrauchter Mann. Alle waren untertänig. In Vitte gab es 16 Kossaten, darunter einen Schuhmacher, ferner einen Müller und 16 untertänige Einlieger, darunter eine Leineweberin und eine Witwe. In Plogshagen waren es 2 Kossaten und 2 Einlieger. Neuendorf wird nicht erwähnt und hat demnach noch nicht bestanden.

Die Zahl der Häuser und der Bewohner hatte sich also in den 120 Jahren seit 1577 nur geringfügig verändert. Aus den damals 2 Hufenbauern und 6 Kätern waren in Grieben 8 Halbbauern geworden. Die 6 Katen in Glambäck waren untergegangen, dafür gab es jetzt in Vitte 16 Kossaten statt der 13 Steuern zahlenden

Käter, und aus den seinerzeit 13 armen Kätern waren jetzt 16 untertänige Einlieger geworden. In Plogshagen sind schließlich 1 Kossat und 2 Einlieger hinzugekommen. Hufenbauern waren solche, die einen Hof mit mindestens einer Hufe, d.h. 30 Morgen Größe mit Hilfe von Gespannen bewirtschafteten. Halbbauern verfügten nur über etwa die Hälfte, das war eine sog. Hakenhufe mit 15 Morgen. Käter oder Kossaten besaßen neben ihrer „Kate" nur wenig Land, das in der Regel ohne Zuggespanne von Hand bearbeitet wurde. Und die Einlieger waren die ärmsten der Armen, so etwas wie Tagelöhner, die ohne eigenen Landbesitz von der Arbeit auf dem Gutshof oder vom Fischfang lebten.

Neben dem Untergang des ganzen Dorfes Glambäck, deren Bewohner sich offenbar auf die Nachbardörfer Vitte und Plogshagen verteilt hatten, ist jedoch noch eine wichtige Änderung zu verzeichnen. Alle Bewohner Griebens und die Hälfte der Einwohner Vittes werden nun als „untertänig" bezeichnet, d. h. sie waren unfrei und leibeigen. Im ausgehenden 16. und vor allem im 17. Jahrhundert mit dem 30jährigen Krieg hatte sich die Rechtsstellung der pommerschen Bauern ganz erheblich verschlechtert. Zwar hatten sie auch davor immer Abgaben bezahlen und Dienste leisten müssen, hatten aber meist auf eigenen, vererblichen Hofstellen gesessen und ein einigermaßen auskömmliches Leben führen können. Nun wurden die Abgaben und Dienstverpflichtungen mehr und mehr gesteigert. Insbesondere der Landadel, und einem Vertreter dieser Gattung gehörte mittlerweile ja auch die Insel Hiddensee, war bestrebt, seine eigenen Güter durch Einziehen von Bauernstellen, d. h. durch das berüchtigte Bauernlegen, zu vergrößern und sich die Bauern als billige und immer verfügbare Arbeitskräfte untertan zu machen. In der pommerschen Bauernordnung von 1616 wurde die Leibeigenschaft zur Norm erklärt. Nun ist bei aller Unterdrückung und Armut die bäuerliche Leibeigenschaft des 17. Jahrhunderts nicht mit dem antiken Sklaventum zu vergleichen. Der wichtigste Unterschied zwischen freien und unfreien Bauern war der, dass die Unfreien an die Scholle gebunden waren, d. h. sie und ihre Kinder und Kindeskinder durften das herrschaftliche Gut nicht ohne Zustimmung der

Herrschaft verlassen. Und da die adligen Gutsbesitzer auf die Arbeitskraft ihrer Bauern angewiesen waren, war ein Freikauf nur gegen Bezahlung erheblicher und nur schwer aufzubringender Summen möglich. Das gleiche galt auch für die untertänigen Fischer und Schiffer.

Zum Zeitpunkt der Erstellung der schwedischen Matrikelkarten mussten die Griebener drei Tage in der Woche vollen Hofdienst leisten, in der Erntezeit sogar an allen Werktagen. Die Vitter waren bei Bedarf auf Abruf zum Hofdienst verpflichtet, und von den Plogshagenern hatte jeweils einer das herrschaftliche Vieh auf dem Gellen zu hüten. Die Rechtsstellung der Hiddenseer Bauern war also umso schlechter, je näher sie an dem Gutshof in Kloster wohnten. Aus diesem Grund sind offenbar auch die am weitesten entfernt wohnenden Plogshagener und Neuendorfer nie in die Leibeigenschaft geraten. Neben den erwähnten Frondiensten waren noch die verschiedensten Abgaben an die Herrschaft sowie an Pfarrer und Küster zu erbringen.

Im 18. Jahrhundert mussten allerdings auch die Plogshagener und Neuendorfer während der Heuernte jeweils vier Tage dienen. Diese Dienstverpflichtung wurde 1777 in einem neuen Pachtvertrag zwischen Joachim Giese und den dortigen neun Pächtern oder Kossaten in eine Verpflichtung zur Geldzahlung in Höhe von 5 Reichsthalern umgewandelt. Für die fünfjährige Pacht der Äcker, Weiden und Wiesen sowie des gesamten Gellens hatten die Pächter 300 Taler in gesamtschuldnerischer Haftung zu zahlen. Die Herrschaft behielt sich das Recht vor, auf dem Gellen 30 Stück Rindvieh, Pferde oder Füllen frei weiden zu lassen, welche von den Pächtern oder deren Hirten gehütet werden mussten. Die in den beiden Dörfern wohnenden Schiffer und Einlieger durften gegen Bezahlung eines Grundgeldes eine Kuh auf der Weide halten und sich im übrigen vom Fischfang ernähren. Kleineres Strandgut wie Holz oder alte Wrackteile stand den Pächtern zu, im übrigen verblieb die Strandgerechtigkeit bei Giese. Der Vertrag schließt mit der Verpflichtung für Pächter und Einlieger, die bisher üblichen Abgaben an Pastor und Küste weiter zu entrichten und für die Kirche die bisher gebräuchlichen Handarbeiten zu leisten.

Als Haupterwerbszweig wird für alle Hiddenseer in den schwedischen Matrikelbüchern die Fischerei bezeichnet, vor allem der Heringsfang im Frühjahr und teilweise auch im Herbst. Fünf Hiddenseer besaßen eigene Boote, mit denen sie teilweise bis nach Schweden und Dänemark segelten, um dort den von den Fischern aufgekauften Fisch abzusetzen.

Neben dem Fischfang und der Fronarbeit auf dem Gutshof betrieben die meisten Bewohner jedoch auch etwas Landwirtschaft. Die Griebener hatten die besten Äcker, die in der Nähe des Dorfes jedes Jahr bestellt und gedüngt wurden. Weiter oben an den Hängen musste zwischen jeder Bestellung jedoch eine mehrjährige Brache liegen. Die Äcker der Vitter und Plogshagener, ohnehin sandig und karg, waren 1694 durch eine Flut weitgehend verdorben worden und konnten zunächst überhaupt nur als Weideland benutzt werden. Die 16 Kossaten in Vitte hatten alle gleichviel Land, die dortigen Einlieger, die nicht vom Fischfang leben konnten, suchten ihr Brot, indem sie bei anderen dienten. In allen Dörfern hielten die Bauern einige wenige Haustiere, die die Griebener auf dem Bessin, die Vitter in der Heide und die Plogshagener auf dem Gellen weiden lassen durften. Aus den Erträgen der kleinen Landwirtschaften, von denen ja noch jeweils ein Teil an die Herrschaft und den Pfarrer abgegeben werden musste, konnte niemand leben. Der wichtigere Erwerbszweig war die Fischerei. 1732 berichtet Wackenroder, die Leute in Vitte wüssten überhaupt von keinem Ackerbau, ähnliches berichtet Nernst aus dem Jahr 1800. 1805 schreibt Grümbke, der Ackerbau bringe den Hiddenseern nur wenig ein, weshalb sie den Fischfang als ihr vorzügliches Gewerbe betrieben. Aber auch diese mühselige Beschäftigung verschaffe ihnen keinen Reichtum.

Bis zum Ende des 18. Jahrhunderts hatte sich die Bewohnerzahl erhöht. Einer Zeitungsannonce von 1785, in der die Giese'schen Erben Hiddensee zum Verkauf anboten, ist zu entnehmen, dass es zu diesem Zeitpunkt in Grieben 4 Vollbauern, 2 Halbbauern und

11 Einlieger gab. In Vitte wohnten 21 Käter und 22 Einlieger, in Kloster gab es neben einer Windmühle mittlerweile auch 3 Einliegerwohnungen. Insgesamt lebten auf der Insel „ohngefähr 280 Unterthanen und viele freye Einwohner“, darunter freie Schiffer und zahlreiche untertänige Segelknechte. Auf dem herrschaftlichen Hof in Kloster konnten ca. 60 Kühe und 300 Schafe gehalten und auf dem Gellen jährlich ca. 700 Hammel und 150 Stück Rindvieh geweidet werden.[22]

Vitter Fischer beim Einholen einer Reuse am Außenstrand ca. 1920

6.2 Der Fischfang: Garnpartien und Reusenkommünen

Fischfang hat es auf Hiddensee gegeben, seit die Insel von Menschen bewohnt wird. Aus der Steinzeit sind uns die Werkzeuge zum Schuppen der Fische überliefert. Aus der Klosterzeit ist von wiederholtem Streit zwischen Hiddenseer und Stralsundischen Fischern zu hören. In dieser Klosterzeit ist sicher auch der größte Inselort, das 1513 erstmals urkundlich erwähnte Vitte, als ursprünglich ausgesprochenes Fischerdorf entstanden. „Vitten“ werden seit dem 13. Jahrhundert in den mittelalterlichen Quellen genannt. Sie wurden von städtischen Kaufleuten, etwa aus Lübeck oder Stralsund, im Frühjahr und Herbst eingerichtet, um hier den Hering aufzukaufen und einsalzen zu lassen. Aus diesen zunächst nur saisonal bestehenden Lager- und Fischhandelsplätzen der auswärtigen Kaufleute entwickelten sich dann im Laufe der Zeit teilweise feste Wohnplätze. So ist wohl auch die relativ hohe Zahl armer und untertäniger Einlieger in Vitte zu erklären. Es handelte sich hierbei um reine Fischer, die sich ohne Landbesitz nach und nach in der Hiddenseer Vitte niedergelassen hatten. Außer auf Hiddensee ist der Name heute nur noch in Vitt auf Rügen überliefert.

Die Fischerei war bis zur Bauernbefreiung im 19. Jahrhundert immer eine Pachtfischerei, d. h. die Fischereigerechtigkeit lag beim Kloster oder später bei der adligen Grundherrschaft und die Hiddenseer Fischerbauern mussten für das Recht, den Strand benützen und in den Küstengewässern fischen zu dürfen, Abgaben bezahlen. In den schwedischen Matrikelbüchern wird für 1695 berichtet, dass die Hiddenseer im Frühling reichlich Hering fingen mit einem großen Garn, das sie „Rühße" oder „Rüska" nannten. In Grieben gab es eine solche Reuse, an der die dortigen acht Bauern jeweils einen Anteil hatten, ferner drei Bauern aus Plogshagen und zwei aus Vitte. Der Herrschaft standen 4 der insgesamt 17 Anteile zu, was in der Praxis bedeutete, dass jeweils etwa ein Viertel des Fangs an diese abzuliefern war. In Vitte existierten zwei Reusen: Die sog. „mittelste", an der zwölf Kossaten je einen Anteil hatten und die Herrschaft vier, und die „kleine Rüsch" mit sieben teilhabenden Einliegern und zwei Anteilen der Herrschaft. Der Hering wurde mit diesen Reusen 2 bis 3 Wochen lang Anfang Mai gefangen. Für die Herbstfischerei gab es noch ein anderes Garn, „Mantzen" genannt, mit dem der Hering, wie es heißt, ohne großen Erfolg „getrieben" wurde. Zu bestimmten Zeiten wurde schließlich noch Aal mit dem Aaleisen gestochen. Im Winter war dies die einzige Möglichkeit zum Nahrungsgewinn überhaupt.

In den Matrikelbüchern wird damit erstmals ein für die Fischerei in Hiddensee und Rügen besonderes Charakteristikum beschrieben: Der gemeinschaftliche Fischfang, im Hiddenseer Dialekt „tohoop (zu Hauf) fischen" genannt, in „Mackerie", in „Kommünen" oder „Partien". Diese genossenschaftlichen Zusammenschlüsse waren durch zwei Erfordernisse bedingt: Einmal durch die hohen Investitionskosten für die Fanggeräte, seien es Boote, Netze oder Reusen, die ein Fischer allein nie tragen konnte. Zum anderen durch die Tatsache, dass bei vielen Fangtechniken die Zusammenarbeit mehrerer Männer unabdingbar war. Grundsätzlich kann man zwischen Boots-, Garn- und Reusengemeinschaften unterscheiden. Zu einer Bootsgemeinschaft gehörten in der Regel 3 - 4 Mann, die mit einem gemeinschaftlichen Segelboot den Heringsfang mit Setz- oder Treibnetzen betrieben. Im 19. Jahrhundert gab es auf Hiddensee ca. 35 solcher Boote, mit denen im Herbst der Hering im Küstenstreifen zwischen Dornbusch und Kap Arkona gefangen wurde. Der Fang erfolgte nachts, so dass der Hering am nächsten Morgen sofort nach Stralsund oder Greifswald zum Verkauf gebracht werden konnte. Diese Bootsgemeinschaften verschwanden in den 1920er und 30er Jahren durch das Aufkommen der Motorboote. Die neuen Motorkutter gehörten in der Regel einem Fischer, der mit einzelnen Partnern zusammenarbeitete. Bei drei Beteiligten erhielt der Kutterbesitzer dann die Hälfte des Erlöses, die beiden Partner jeweils ein Viertel.

Die Garnfischerei wurde mit großen Zugnetzen am Außenstrand betrieben, wobei jeder der aus 8 - 12 Teilnehmern bestehenden Garngemeinschaften durch Pachtvertrag mit dem Grundherrn ein bestimmter Strandabschnitt zugeteilt war. Das große Zugnetz wurde außerhalb des Strandes ausgesetzt und dann von den Fischern an den beiden langen Flügeln langsam auf den Strand gezogen - eine schwere körperliche Arbeit am und im kalten Wasser. 1823 schloss der Grundherr von Bagevitz neue Pachtverträge mit den 14 Hiddenseer „Garnen" ab. In Grieben waren es zwei, das Alte und das Neue Garn. In Vitte gab es fünf, das Norder, Klein, Knechts, Ströper und Neu Garn, und in den Süderdörfern bestanden sieben Garnpartien, das Norder, Peterberger, Hohendünsche und das Knechtsgarn, das Neu oder Strand Garn sowie das Süder und das Jung Garn. Letzeres wurde auch Grönlings Garn genannt. Die Namen sagen entweder etwas über das relative Alter der Gemeinschaften aus (Alt oder Neu) oder über die Lage ihres Fangplatzes (Nord und Süd, Peterberger oder Hohendünsches Garn). Teilweise geben sie uns auch Hinweise auf ihre Mitglieder. So wurde das Knechtsgarn offenbar von ehemaligen Schiffern und Matrosen, seinerzeit Segelknechte genannt, gegründet. Und Grönlings Garn bedeutet schlicht und einfach, dass ihre Mitglieder jedenfalls bei der Gründung noch Grünlinge, also junge und unerfahrene Leute waren.

Nach den auf 5 Jahre abgeschlossenen Pachtverträgen mit von Bagevitz hatte jeder Garn-Teilhaber dem Grundherrn jährlich 1 Reichstaler zu zahlen sowie 1 Lachs und 3 Wall, das waren 240 Stück, Heringe zu liefern. Jeder Hausbesitzer hatte darüber hinaus nach Anordnung der Herrschaft 7 Pfund Flachs oder 14 Pfund Heede zu spinnen oder 28 Silbergroschen zu zahlen. Einlieger ohne eigentümlichen oder Miets-Hausbesitz mussten ein Schutzgeld von 1 Taler, die sog. Matrosen-Abgabe, bezahlen. Die Garn-Teilhaber durften auf Hiddensee keine eigenen Heringssalzereien betreiben und ihre Anteile nicht ohne Zustimmung des Grundherrn an einen Dritten abtreten. Schließlich behielt sich der Grundherr, was für die Fischer besonders problematisch war, ausdrücklich die freie Disposition über die Neugestaltung der Fischereirechte nach Ablauf des Pachtvertrages vor. 1850 legte das Stralsunder Heiliggeist-Kloster als neuer Grundherr in den Pachtverträgen fest, dass nur noch Hausbesitzer Teilhaber einer Garnkommüne sein durften. Dies blieb später, auch als keine rechtliche Notwendigkeit dazu mehr bestand, Tradition. Bis zu ihrer endgültigen Auflösung 1960 fanden nur noch Hausbesitzer Aufnahme in den Hiddenseer Fischereigemeinschaften.

Auch die großen, bis zu 500 m langen Kammerreusen, die an schweren Pfählen von der Länge einer Telegrafenstange meist in den Boddengewässern gesetzt wurden, zwangen in besonderem Maße zu einer Gemeinschaftsarbeit. Bis heute sind diese Reusen bei der Überfahrt nach Hiddensee in den Boddengewässern zu sehen. Zu den 1695 bestehenden drei Reusengemeinschaften kam 1710 noch eine vierte, die Jellensche Reuse hinzu, die demnach am Gellen stand. Man kann davon ausgehen, dass sie von den Bewohnern des inzwischen gegründeten Neuendorf gesetzt wurde. Die Bedeutung der Reusenfischerei nahm im 19. Jahrhundert zu und verdrängte weitgehend die Garnfischerei. Jetzt wurden auch verstärkt Reusen auf der Seeseite aufgestellt, die dort aber immer einer besonderen Zerstörungsgefahr durch hohem Seegang ausgesetzt waren. 1876 bestanden in Vitte drei Reusenkommünen mit 12, 21 und 23 Teilhabern: die Nurder, die Ströper und die Binnenfischer, von denen die beiden ersten aus den gleichnamigen Garnpartien hervorgegangen waren. In Neuendorf-Plogshagen bildeten sich in dieser Zeit aus den alten Garnpartien zwei neue Reusengemeinschaften: die Groot Partie mit 24 und die Lütt Partie mit 16 Teilhabern. Diese Reusengemeinschaften verfügten nun in Vitte und Neuendorf auch über eigene Geräteschuppen, in denen es auch jeweils einen Versammlungsraum gab.

"Compagnie"-Schuppen in Vitte ca. 1935

Diese Schuppen wurden zum Mittelpunkt der Kommünen. Hier wurden alle wichtigen Angelegenheiten der Kommüne beraten, hier traf man sich vor und nach der gemeinsamen Arbeit, hier wurde der Ertrag verteilt. Bis in die Mitte des 19. Jahrhunderts wurden die Netze von den Fischerfamilien in den Wintermonaten aus selbst angebautem Hanf und Flachs hergestellt und geflickt. Das Eigentum an den selbst hergestellten Arbeitsmitteln verblieb dabei grundsätzlich bei den einzelnen Fischern und wurde mit Hilfe von Hausmarken als solches gekennzeichnet. An den gemeinsam hergestellten oder angekauften Produktionsmitteln wie an den Booten oder den Geräteschuppen, bestand hingegen Gemeinschaftseigentum. Die Aufteilung der Gemeinschaftsarbeiten erfolgte in der Regel vor Beginn der jeweiligen Fangsaison. Dabei spielte teilweise das Alter der Teilhaber eine Rolle. So blieb die Sitzordnung in den Booten immer dergestalt gleich, dass das älteste Mitglied stets hinten am Ruder und das jüngste ganz vorn saß. Andere Arbeiten wechselten in einem bestimmten Turnus, wobei die Reihenfolge ausgelost wurde. Als Lose dienten kleine Holzstücke, sog. „Kaveln“, auf denen wiederum die Hausmarken der Teilhaber eingeritzt waren. Alle Arbeiten wurden in der Regel von den Teilhabern der Gemeinschaft erledigt. Allerdings war es zumindest bei großen Fängen üblich, dass die Ehefrauen beim „Utpuken“ der Heringe aus den Netzen und beim Abzählen in Wälle mithalfen.

Eine wichtige Aufgabe, deren Wahrnehmung in der beschriebenen Weise ausgelost wurde, war selbstverständlich der Absatz des Fangs. Ende des 19. Jahrhunderts besaßen die Hiddenseer Kommünen eigene, größere Segelboote, sog. „Stadtboote“, mit denen der Fang von ein oder zwei Teilhabern nach Stralsund oder Greifswald gefahren wurde. Der Absatz war und blieb immer problematisch. Waren die Fänge gering, hatte man nur wenig zu verkaufen und entsprechend wenig Einnahmen. Waren die Fänge gut, fielen die Preise oftmals so rapide und so stark, dass es sich erst gar nicht lohnte, in die Städte zu segeln. Dann wurde der ganze Fang wieder ins Meer geschüttet oder gelegentlich auch zur Düngung auf die Felder gekippt. Bei warmen Wetter und ungünstigem Wind bestand zudem die Gefahr, dass der Hering auf der Fahrt in die Städte zu weich wurde und nicht mehr abgesetzt werden konnte.

Eis oder sonstige Kühlmöglichkeiten gab es in den offenen Booten ja nicht. Die Verteilung der Einnahmen erfolgte einmal wöchentlich sonntags nachmittags im Schuppen. Ein Teil wurde für Neuanschaffungen und Reparaturen zurückgelegt, der Rest zu gleichen Teilen auf die aktiven Teilhaber verteilt. Auch Kranke und die Witwen verstorbener Mitglieder hatten eine Zeit lang Anspruch auf ihre Anteile, so dass die Kommüne insofern eine wichtige soziale Funktion wahrnahm.

Neben der Gemeinschaftsfischerei gab es aber auch immer ein gewisses Maß an Eigenfischerei oder an Fischfang in Partnerschaft, welche außerhalb der Fangzeiten in den Kommünen betrieben wurde. Das Aaalstechen wurde bereits genannt. Erwähnenswert ist auch die seit dem 15. Jahrhundert nachweisbare Boddenfischerei mit dem Zeesboot. Dies war ein zweimastiges Segelboot, von dem aus bei der Fahrt im Wind mit einem speziellen Schleppnetz, der Zeese, gefangen wurde. Die Zeesboote gehörten einem „Zeesener", der die Fischerei mit einem Partner betrieb, der Maat oder auch Drittner genannt wurde, da er 1/3 des Ertrages erhielt, während dem Eigner 2/3 davon zustanden. 1872 gab es auf Hiddensee 15 Zeesboote, 1884 waren es 6. 1958 fischten noch zwei Zeesener in Vitte.

6.3 Hausmarken: Die Runen Hiddensees ?

Der Gebrauch von Hausmarken läßt sich seit dem 16. Jahrhundert nachweisen. Trotz ihrer Ähnlichkeit mit den nordgermanischen Runen läßt sich eine Ableitung von diesen aber nicht annehmen. Die Hausmarken symbolisieren ja auch keine Laute, sind also keine Buchstaben wie die Runen, sondern vielmehr reine Besitzzeichen, mit denen das Eigentum an Immobilien und vor allem an beweglichem Gut gekennzeichnet wurde. Wahrscheinlich wurden sie mit dieser Funktion schon im 12./13. Jahrhundert von den friesischen und westfälischen Siedlern mit an die Ostsee gebracht. Ihr Gebrauch hat sich am besten und am längsten auf Hiddensee erhalten - bis in die Zeit nach dem Zweiten Weltkrieg.

Die Hausmarken waren ursprünglich sehr einfache lineare Zeichen, die sich leicht in Holz einritzen oder einkerben ließen und auch von Analphabeten leicht identifiziert werden konnten. Meist stellt ein senkrechter Strich die Hauptlinie dar, an den kleinere Striche (Ab- oder Beimarken) waagerecht oder schräg angesetzt sind. Gelegentlich zu findende runde Formen können, da diese schwieriger ins Holz einzuritzen sind, als relativ junge Neuerungen angesehen werden. Diese Hausmarken wurden nun auf die Flotten der Setz- und Treibnetze eingeritzt, auf kleinere Bügelreusen, private Riemen, Bootshaken, Schöpfkellen, oder den von den Fischern immer mitgeführten Knüpfnadeln zum Ausbessern der Netze angebracht. Sie finden sich auf den Griffen von Taschenmessern, Werkzeugen, Eisäxten, auf Wäscheklammern, Schubkarren, Ackergeräten. Bis ins 19. Jahrhundert wurden sie auf den Giebeln der Häuser angebracht, um 1900 waren noch die Kirchenbänke in der Inselkirche in Kloster mit Hausmarken gekennzeichnet. Den frei auf der Insel herumlaufenden Schafen wurden Lappen mit Hausmarken ins Fell genäht, und in Neuendorf wurden die Wiesenstücke der einzelnen Pächter mit Hilfe eines Holzpfahles gekennzeichnet, in den eine Hausmarke eingeritzt war.

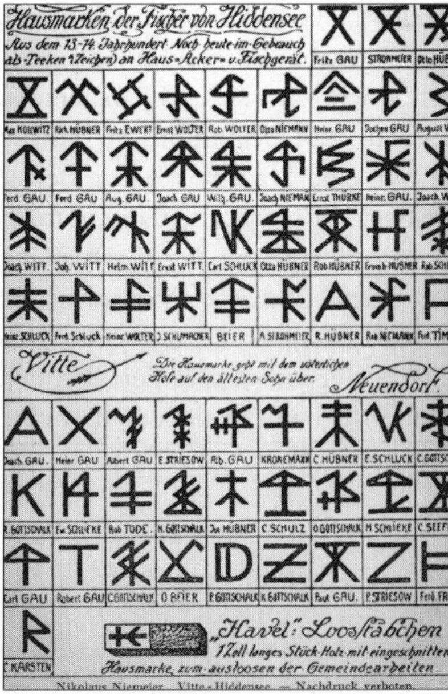

Ansichtskarte mit Hiddenseer Hausmarken von Nikolaus Niemeier ca. 1925;

Bei alledem blieben die Hausmarken, daher der Name, immer an ein bestimmtes Haus gebunden, d.h. sie kennzeichneten das Eigentum eines Hiddenseer Hausbesitzers. Wurde das Haus verkauft oder vererbt, so ging die Marke auf den neuen Besitzer über. Hatte ein Hausbesitzer mehrere Söhne, so verblieb die Hausmarke nach seinem Tod bei dem Sohn, der das Haus erbte. Auf Hiddensee war das meist der jüngste oder einer der jüngeren Söhne. Die älteren Söhne verließen schon vorher das elterliche Haus, etwa indem sie zur See fuhren. Baute sich einer von ihnen ein neues Haus, so übernahm er grundsätzlich die Hausmarke des Vaters, allerdings unter Vornahme einer kleinen Veränderung durch Hinzufügung von einem oder zwei neuen Strichen. Dadurch ergaben sich, wie Karl Ebbinghaus in seinen gründlichen Untersuchungen zur Bedeutung und Geschichte der Hiddenseer Hausmarken aufgezeigt hat, interessante Reihen von Hausmarken, die voneinander ableitbar sind. Auch wurden die Marken so im Laufe der Zeit deutlich komplizierter.

Dienten die Hausmarken in aller Regel als reine Besitzzeichen, so hatten sie gelegentlich auch die Funktion von Namenszeichen. Dies war etwa bei den Loshölzern („Kaveln“) der Fall, mit denen die Arbeiten in den Fischerkommünen und teilweise wohl auch durchzuführende Gemeindearbeiten ausgelost wurden. In den Deckenbalken der Kommüneschuppen waren die Hausmarken aller Teilhaber eingeritzt. Auf dem Friedhof in Kloster befinden sich noch zahlreiche Grabsteine mit Hausmarken. Die ältesten sind auf den Beginn des 18. Jahrhunderts zu datieren, auf diesen ist nur eine Hausmarke zur Bezeichnung des Bestatteten eingemeißelt. Später wurde dann zumindest das Todesjahr und teilweise auch der Name des Verstorbenen hinzugefügt. Die schreibunkundigen Hiddenseer benutzen die Hausmarken allerdings nicht zur Unterschrift, wie dies gelegentlich vermutet wurde. Es ist kein einziger Vertrag überliefert, bei dem dies so geschehen wäre. Die Hiddenseer unterzeichneten wichtige Schriftstücke stets mit den üblichen drei +++.

6.4 Die Hiddenseer Fähre

Bis zur Einrichtung einer ersten Dampferverbindung von Stralsund nach Kloster 1892 gewährleistete jahrhundertelang allein die Hiddenseer Fähre zwischen der Fährinsel und dem gegenüberliegenden Seehof die Verbindung mit Rügen und dem Festland. Außerhalb der Sommermonate blieb dies auch noch weiter so bis zur Gründung der Genossenschaftsreederei Hiddensee nach dem Ersten Weltkrieg. Die Fährverbindung über den ca. 1100 m breiten „Trog“ wurde von den Fährleuten unterhalten, die auf der Fährinsel wohnten und die etwa 1100 m lange und 600 m breite Insel gleichzeitig durch eine bescheidene Vieh- und Schafhaltung landwirtschaftlich nutzten. In den schwedischen Matrikelbüchern wird für 1695 ein untertäniger Fährmann erwähnt, der alle herrschaftlichen Transporte an Personen, Vieh oder Material kostenfrei durchzuführen hatte, dafür aber die Insel ohne Abgaben landwirtschaftlich nutzen konnte. Der Fährmann unterhielt seinerzeit zwei Boote auf eigene Kosten, für den Transport von Fremden durfte er sich bezahlen lassen. 1732 berichtet Wackenroder ebenfalls von einem „Fehr-Mann“, der die Leute in einem Nachen übersetze. 1785 versahen zwei untertänige Fährfamilien, die Familien Tode und Collwitz, den Fährdienst. Seit Mitte des 19. Jahrhunderts waren es bis zur endgültigen Einstellung der Fähre Ende 1952 die Familien Gau und Hübner, die die Fährinsel jetzt gemeinsam vom Stralsunder Heiliggeist-Kloster gepachtet hatten.

Es gab keine festgesetzten Fährzeiten, die Fährleute wurden immer auf Anforderung tätig. Von Hiddensee aus genügte in der Regel ein lautes „Hol äwer“, um sich bemerkbar zu machen. Vom Seehof aus war die Sache schon wesentlich schwieriger. Wer von dort übergesetzt werden wollte, musste es mit Winken, Hin- und Herlaufen auf der Schanze oder mit dem Zeigen einer Laterne versuchen. Vor allem bei schlechtem Wetter ließ der Fährmann trotzdem oft stunden- oder manchmal auch tagelang auf sich warten. Erst 1908 erhielt die Fährinsel einen Telefonanschluss, so dass man jetzt vom Seehof oder schon vorher von Trent oder Schaprode aus anrufen konnte.

Zum Übersetzen von Personen über den Trog wurden flache Polten benutzt, die in Ufernähe durch das seichte Wasser gestakt und über die tiefere Fahrrinne gerudert wurden. Bei genügend hohem Wasserstand konnten auch kleinere Segelboote verwendet werden, bei sehr niedrigem Wasserstand dagegen mussten die Fahrgäste auf dem Rücken der Fährleute in die Fährboote getragen werden. Zur Überquerung der schmalen „Fährbäk", welche die Fährinsel von der Insel Hiddensee trennt, wurden ebenfalls kleine Polten verwendet, die meist von den Frauen und Kindern der Fährleute bedient wurden. Bei Niedrigwasser half aber auch hier nur der Rücken des Fährmanns. Vieh, Pferde, Wagen und sonstige Materialien wurden, soweit Wasserstand und Wetterverhältnisse es erlaubten, mit einem größeren Prahm über den Trog gestakt. Seit dem 19. Jahrhundert waren die Fährleute auch für den regelmäßigen Transport der Post nach Hiddensee verantwortlich. In einem Vertrag mit der Oberpostdirektion Stettin verpflichteten sich die Fährleute Gau und Hübner 1869, den Landbriefträger in den Monaten, in denen der Dampfer zwischen Stralsund und Jasmund nicht fuhr, einmal wöchentlich nach Hiddensee und zurück überzusetzen. Im Winter hatten sie ihn über die Eisdecke zu begleiten. Sie erhielten hierfür eine Vergütung von zusammen 40 Thalern jährlich. Später wurde die Post täglich, nach dem Ersten Weltkrieg sogar zweimal täglich von und nach Rügen transportiert.

Der Beruf des Fährmanns war schwer und schlecht bezahlt. Trotzdem hatten die Fährleute den Ehrgeiz, die Fährverbindung, soweit es irgend ging, das ganze Jahr über bei allen Wetterlagen aufrecht zu erhalten. Bei Frost im Winter versuchten sie, die Fahrrinne so lange wie möglich mit Eisäxten freizuhauen. War der Bodden endgültig zugefroren, wurden Personen und Lasten mit Pferdeschlitten über das Eis transportiert. Da es auf Hiddensee bis 1905 keinen Arzt gab, musste dieser in Notfällen auch in der Nacht oder bei Sturm von Rügen herübergeholt werden. Und auch nach 1905 mussten Schwerkranke und Schwangere bei jedem Wetter zum Seehof übergesetzt werden, um sie von dort ins Bergener Krankenhaus bringen zu können.

Aus dem Postvertrag von 1869 geht hervor, dass es damals zumindest zeitweise bereits eine Dampferverbindung von Stralsund zur Halbinsel Jasmund gab, wo seinerzeit zunächst der kleine Hafen

Polchow angelaufen wurde. Von diesen Dampfern konnte man sich an der Fährinsel abbooten lassen, solange es auf Hiddensee noch keine Anlegemöglichkeiten gab. Die Fährleute fuhren dazu mit ihrer kleinen Polte längs des im Trog stoppenden Dampfers und übernahmen dort die Fahrgäste. Da die Fähre seit der Jahrhundertwende wegen der zunehmenden Dampferverbindungen ständig weniger in Anspruch genommen wurde, kauften die Fährleute sich 1909 ein größeres Segelboot, um damit im Sommer Segeltouren für die Badegäste anzubieten. 1925 begann schließlich ein ganz neues Zeitalter, mit dem zugleich das Ende der traditionellen Fähre eingeläutet wurde. Die Fährleute schafften sich ein Motorboot an, mit dem sie jetzt von Schaprode aus die Fahrgäste nach Neuendorf, Vitte und Kloster brachten. 1937 wurde in einem neuen Vertrag mit der Post festgelegt, dass die Post ausschließlich per Motorboot von und nach Schaprode zu bringen war, wozu die Fährleute sich ein zweites, größeres Motorboot, die „Möwe", anschafften. Die Bootsverbindung mit Schaprode wurde daher auch lange Jahre nach dem Zweiten Weltkrieg noch allgemein das „Postboot" genannt, als damit schon hauptsächlich Urlauber und Versorgungsgüter transportiert wurden.

6.5 Wohnung, Kleidung, Brauchtum

Da es seit dem 30jährigen Krieg keinen Wald mehr auf der Insel gab, stand den Menschen als Brennmaterial nur Heidekraut und der schlecht brennende und stinkende Sodentorf zur Verfügung. Zum Anfachen wurde getrockneter Kuhmist verwendet. Auch die Häuser der Hiddenseer waren größtenteils aus Torf, Rasen und Moos zusammengeflickt. Die Strohdächer waren durchweg schlecht und oft mit Seegras ausgeflickt, große Rasenstücke, Netze und andere Gegenstände sollten sie gegen Stürme schützen. Zusammengehalten wurden die elenden Katen von einigen wenigen Holzständern und Natursteinen. In die kleinen Gucklöcher waren manchmal am Strand geborgene Schiffsfenster eingesetzt. Es waren sog. Räucherkaten ohne Kamin, in denen der beißende Rauch, der von der offenen Feuerstelle aufstieg, den ganzen

Herdraum erfüllte, bevor er erst langsam durch die Ritzen des Daches und der Wände entweichen konnte. Alle Hiddensee-Reisenden des 18. und beginnenden 19. Jahrhunderts beschreiben einhellig den für sie absolut fürchterlichen Gestank, der von der Mischung aus dem Rauch des schwelenden Torfes und den darin geräucherten Fischen ausging. Grümke hat einen solchen Räucherkaten in einer Zeichnung anschaulich festgehalten. Auch zwei Gemälde von Nieny 1860 und Antonie Biel 1865 geben das Aussehen der primitiven und ärmlichen Katen in Vitte eindrucksvoll wieder. Die meisten hiervon sind wahrscheinlich in der großen Sturmflut von 1872, bei der das Wasser in Vitte meterhoch stand, untergegangen. Auf der Fährinsel stand eine solche Räucherkate aber noch bis 1927. Erst 1903 wurde in dieses Haus des Fährmannes Heinrich Gau ein Schornstein eingezogen, seit 1911 wurde es nur noch als Stall genutzt.

Rauchhaus in Vitte ca. 1890

Die Stuben in den Häusern waren so niedrig, dass man kaum darin stehen konnte. Der Boden im Erdgeschoß bestand aus gestampftem Lehm. Die frühen Hiddensee-Reisenden haben jedoch durchweg die Reinlichkeit hervor, die bei aller Armut in den Häusern herrschte. Die Betten glichen Schiffskojen, die meist von Vorhängen verhängt waren. Bei den Bauern schliefen Knechte und Mägde aus Platzmangel oft gemeinsam in einer Kammer. In den Stuben fanden sich häufig Schmuckstücke aus aller Welt, etwa Porzellanfiguren oder schönes englisches Steingut. Solche Dinge brachten die Männer ihren Frauen und Bräuten mit, wenn sie nach oft jahrelanger Seefahrt wieder nach Hause kamen. Vor allem die jungen Männer fuhren zunächst einige Jahre zur See und lernten die halbe Welt kennen, bevor sie sich dann als Fischer und Teilhaber einer Kommüne wieder auf der Insel niederließen. Die untertänigen Männer mussten um 1800 für die Erlaubnis, zur See fahren zu dürfen, der Herrschaft 4 Taler jährlich bezahlen. Dagegen gab es bis ins 20. Jahrhundert vor allem viele Frauen, die die Insel ihr Leben lang nicht verließen.

Die Menschen lebten in den Katen mit ihren Tieren unter einem Dach. Ein schmaler „Futtergang“ verband die vorderen Wohnräume mit den dahinter liegenden Ställen. Kirchner teilt 1833 mit, dass die Hiddenseer sich hauptsächlich von Gerstengrütze ernährten, außerdem von Fisch, Mehlspeisen, Kartoffeln und Milch. Fleisch gab es nur selten. Ihre Kleidung stellten sie aus selbst gesponnener Wolle oder selbst angebautem Hanf und Flachs eigenhändig her. Dazu stand in praktisch jedem Haus ein Webstuhl. Die besten Stoffe ließ man nach einer Mitteilung Zöllners von 1795 manchmal in Stralsund bedrucken. Die Männer trugen sehr weite, weiße, leinene Beinkleider, die vor allem dann bequemer waren als enge Hosen, wenn sie naß wurden, dazu eine eng anliegende, dunkle Jacke mit großen Knöpfen und eine kleine Fischermütze mit Troddel. Diese schweren Sachen wurden samt dicken, wollenen Unterkleidern auch im Sommer getragen. „Es ist erstaunlich und unfaßlich, was ein Fischer alles an hat“, berichtet der Hiddenseer Lehrer Segebrecht noch aus dem Jahre 1912. „Wat gaut is för die Küll, dat is uck gaut för die Hitt“, pflegten diese dazu immer zu sagen.[23] Die Kleidung der Frauen war meist schwarz oder zumindest dunkel. Als Kopfbedeckung trugen sie die sog. „Helgoländer Haube“, einen spitzen, dunklen Hut, der von einem schwarzen Wachstuch überzogen war. Schwere, hölzerne Pantinen dienten als Schuhe, im Sommer liefen die Menschen meist barfuß.

Auf einer so abgeschiedenen Insel haben sich alte Sitten, Gebräuche und Aberglauben selbstverständlich lange erhalten. Die Kinder wurden hier nicht vom Storch, sondern von einem Schwan gebracht. Bis zum ersten Kirchgang durfte die Kindsmutter das Haus nicht verlassen, bis zur Taufe musste des nachts in der Stube, in welcher der Säugling schlief, immer eine Kerze brennen und durfte keinesfalls verlöschen. Hochzeiten waren halbe Dorffeste mit einer großen Gästeschar und fanden meist im Herbst nach der Ernte statt. Sie wurden durch einen Schuss aus einem alten Vorderlader sowie den Umzug des Hochzeitsbitters eingeleitet und dauerten drei Tage. Es gab große Mengen zu essen und noch mehr zu trinken, gekocht wurde im Nachbarhaus. Auf einer „Treckbüdel"; einer Ziehharmonika wurde zum Tanz aufgespielt. Hatte die Braut die Katze gut gefüttert, wurde das Wetter am Hochzeitstag gut. Wollte das Paar ein anderes als das Festhaus bewohnen, hinterlegte es dort unmittelbar nach der Trauung einen Gegenstand, meist das neue Gesangbuch, das es als Hochzeitsgeschenk erhalten hatte. Am Morgen nach der Hochzeit wurde der Brautschleier „abgetanzt", bei schönen Wetter geschah das im Freien auf einer Wiese vor dem Hochzeitshaus. Am dritten Tag zog ein Teil der Gäste verkleidet durchs Dorf und trieb allerlei Schabernack.

Selbstverständlich nahm ein Hiddenseer, von ganz wenigen Ausnahmen abgesehen, nur ein Hiddenseer Mädchen zur Frau. Aus dieser jahrhundertelangen Übung erklärt es sich, dass einige Familiennamen wie Schluck, Gau, Hübner, Witt, Wolter oder Thürke auf der Insel außergewöhnlich häufig vorkommen. 1912 hießen von 430 Bewohnern in Vitte 68 Gau, 54 Hübner und 45 Schluck. 1930 lebten in Vitte 8 Männer mit Namen Heinrich Gau. Zur Unterscheidung dienten und dienen daher die sogenannten „Ökelnamen". Jeder erwachsene Hiddenseer trug früher einen solchen Bei-, Scherz- oder Spottnamen, der an eine besondere Eigenart des Trägers anknüpfte oder auf ein besonderes Ereignis in seinem Leben Bezug nahm. „Flutsch" hieß etwa jemand, dem immer alles „flutschte", d.h. gut gelang. „Büx" wurde einer mit der Angewohnheit genannt, immer gleich mehrere „Büxen", d.h. Hosen, übereinander zu tragen usw. Interessanterweise wurden diese Ökelnamen teilweise auch vererbt, wobei dann der Vorname des Sohnes vor den Ökelnamen des Vaters gesetzt wurde. Auch Fischerboote wurden früher gelegentlich mit solchen Spitznamen belegt.

Überall auf der Insel trieben Gespenster, Zwerge und Kobolde ihr Unwesen, weshalb selbst die rauesten Seebären es tunlichst vermieden, in der Finsternis allein von einem Dorf zum anderen zu gehen. Zur Vermeidung von Krankheiten trugen noch um 1900 viele Fischer besonders in den Süderdörfern goldene Ohrringe. Ging es ans Sterben, versammelte sich eine große Schar von Verwandten um das Sterbebett, um laut klagend Abschied zu nehmen. Der Bäckermeister, bei dem der Verstorbene sein Brot gekauft hatte, fuhr die Leiche auf seinem Brotwagen zum einzigen Inselfriedhof nach Kloster. Diese „zum Himmel schreienden, unhygienischen Zustände" stießen vor dem Ersten Weltkrieg auf den heftigen Protest mancher Badegäste, was die Hiddenseer schließlich 1913 zum Kauf eines regulären, wenn auch gebrauchten, aber immer noch teuren Leichenwagens zwang. Dieser wurde 1945 von der Sowjetarmee requiriert, woraufhin es für einige Zeit wieder mit dem Brotwagen gehen musste. In Kloster wurde der Tote zunächst dreimal um die Kirche getragen. Dieser heidnische Brauch konnte den Hiddenseern von den Pastoren in einem zähen Ringen nur scheibchen-, d.h. eigentlich rundenweise, abgewöhnt werden. Als Pastor Gustavs schließlich auch die letzte noch verbliebene Runde mit der Bemerkung abschaffen wollte: „Kinnings, dat will'n wi nun man ganz sin laten", erhielt er zur Antwort: „Herr Paster, dat geiht nich, hei kümmt süs wedder!"[24] Aber irgendwann konnte der Herr Pastor sich doch durchsetzen.

Dem bekannten Mangel an Wald ist ein besonderer Weihnachtsbrauch zu danken: der Hiddenseer „Bügelbaum". An einem im Sandeimer oder Standkreuz steckenden Holzstock wurden unten zwei größere und oben zwei kleinere Ringe oder „Bügel" aus Weidenruten befestigt und mit Wacholder, Buchsbaum oder buntem Seidenpapier umwickelt. Auf dünnen Schnüren, die von Ring zu Ring gespannt waren, hingen allerlei Köstlichkeiten für die Kinder. Nie fehlen durfte eine etwas größere Lebkuchenpuppe in Form eines Wickelkindes. Das war das „Kinjespöpping", für des Plattdeutschen etwa unkundige Leser: die „Kind-Jesus-Puppe". An der Spitze des Bügelbaums hing meist ein größerer Lebkuchenstern oder eine Fahne aus buntem, steifem Papier. Ein solcher Bügelbaum ist, wie so vieles andere, im schönen, kleinen Heimatmuseum in Kloster zu besichtigen. Am Weihnachtsmorgen zwischen 4 Uhr und der Kirchzeit besuchten die Verwandten sich gegenseitig, die Patenkinder erhielten dann von ihren Paten die Geschenke, allerdings nur bis zum 14. Lebensjahr, dem Jahr der Konfirmation. Als letztes Geschenk gab es in der Regel einen Stollen, der in Zuckerguß die Aufschrift „Abgedankt" trug. Damit war es aus mit den Geschenken.

6.6 Die Kirche

Selbstverständlich spielten Religion, Glaube und Kirche eine zentrale Rolle im Leben der Menschen. Zöllner traf 1795 die Hiddenseer beim sonntäglichen Kirchgang und war überrascht, wie gut gekleidet die in den erbärmlichen Katen hausenden Menschen waren. Sie hatten offenbar ihren Sonntagsstaat angelegt. Die Bewohner der Süderdörfer kamen gar zu Pferde nach Kloster zum Gottesdienst. Das dortige Kirchlein war, wie berichtet, vor 1322 von den Zisterziensermönchen als Pfarrkirche für die Inselbevölkerung errichtet worden. Von diesem mittelalterlichen Bau ist nichts mehr vorhanden. Zwar berichtet Grümbke 1818, die Kirche in Kloster sei im Jahre 1781 „reparirt" worden, weshalb manche Autoren davon ausgegangen sind, bei der heutigen Kirche handele es sich um einen Umbau der romanischen Kirche von 1322. Aber Baukörper und Inneneinrichtung lassen bei genauerer Analyse nichts erkennen, was auf noch vorhandene mittelalterliche Reste hindeuten könnte. Bei der jetzigen Kirche handelt es sich vielmehr um eine typische, kleine barocke Bauernkirche, die um 1781 wahrscheinlich auf dem Platz des alten Kirchleins von Grund auf neu aufgeführt wurde, wie Thümmel in seinem klugen

Aufsatz von 1987 überzeugend nachweisen konnte. Sie zeigt eine gänzlich barocken Bauprinzipien entsprechende Nischenarchitektur, und es ist nicht vorstellbar, dass diese Nischen breiter und tiefer, als die Fenster es erfordert hätten, aus den romanischen Mauern heraus gestemmt worden wären. Bei einem Neubau lassen sich die von Grund auf dünnen Nischenwände zwischen den tragenden Pfeilern hingegen als eine sinnvolle Sparmaßnahme verstehen. Nernst 1800 und der Hiddenseer Pfarrer Kirchner 1833 berichten denn auch übereinstimmend, die Kirche sei damals neu erbaut worden. Nernst beschreibt im übrigen ebenso wie Grümbke die gerade neu errichtete Kirche als ausgesprochen armselig, schmutzig und baufällig. Das heutige Pfarrhaus in Kloster wurde in den Jahren 1850/51 gebaut.

Armseelig wie die Kirche und das Leben der Hiddenseer insgesamt war auch das Leben der Pfarrer und Küster. Sie erhielten ihre kärglichen Einnahmen teilweise vom Grundherrn, teilweise in Form von Abgaben durch die Hiddenseer Kossaten, Häusler und Einlieger. Von Wackenroder 1732 hören wir, der Pastor habe etwa 10 Morgen schlechtes Feld, meist Sand und sandige Wiese. Außer dem Korn- und Schmalzzehnten erhalte er eine gewisse Menge Heringe, die er auch verkaufen könne. 100 Jahre später gehörten zur Pfarre ca. 30 Magdeburger Morgen Acker bei Grieben und 20 Morgen Wiese bei Kloster. Der Pfarrer durfte vier Kühe und einige Schafe auf dem Hofland weiden lassen, erhielt 2 Fuder Heu von der Glambäck-Wiese und durfte dort und auf der Fährwiese Torf als Brenn-material werben. Ein Häusler in Grieben etwa musste dem Pfarrer jährlich 1 Pfund Butter und 1/4 Stiege Eier liefern sowie 3 Schillinge in bar bezahlen. Von den Fischern erhielt er 3 Wall Frühjahrsheringe.

Für seine Amtshandlungen wurde der Pfarrer noch besonders bezahlt. Ausweislich des im Pfarramt in Kloster aufbewahrten Memorabilienbuches war die Beichte um 1850 zwar grundsätzlich frei, der Pfarrer erhielt aber trotzdem in der Regel 2 - 4 Silbergroschen. Eine Trauung, wurde sie in der Kirche gleich nach dem Gottesdienst vollzogen, kostete 1 Taler. Fand sie hingegen im

Prediger- oder Brauthaus statt, waren 2 Taler zu bezahlen. Kindtaufen der Griebener und Vitter fanden grundsätzlich im Pfarrhaus statt und kosteten 26 Silbergroschen. Musste der Pfarrer sich dafür hingegen auf die Fährinsel, nach Neuendorf oder Plogshagen „schaffen", wurden 36 Silbergroschen fällig. Über Beerdigungen ist im Memorabilienbuch zu lesen: „Wird die Leiche sogleich an der Kirchhofspforte zur Gruft gesungen, so erhält der Pfarrer dafür mit der Abdankung 20 Silbergroschen, der Küster 4 Silbergroschen."[25] Wurden hingegen eine Leichenpredigt und ein Umgang um die Kirche gewünscht, was in aller Regel der Fall war, so wurde es wiederum teurer.

Die barocke Bauernkirche in Kloster von 1781, Zustand von ca. 1895

7. Das 19. Jahrhundert: Die Preußen kommen, oder: Der langsame Einzug der Moderne in die Abgeschiedenheit

Schweden hatte im Kieler Frieden vom 14.1.1814 seine pommerschen Lande noch gegen die Überlassung Norwegens an den König von Dänemark abgetreten. Die Dänen traten ihre erneute Herrschaft in dieser Region jedoch nicht mehr an, da Schwedisch-Vorpommern vom Wiener Kongress 1815 Preußen zugesprochen wurde, welches hierfür an Schweden und Dänemark die erkleckliche Summe von insgesamt 6 Millionen Talern zahlte. Der pommersche Oberpräsident Freiherr von Ingersleben übernahm in Vertretung von König Friedrich Wilhelm III. am 23.10.1815 die Herrschaft. Die Erbhuldigung der neuvorpommerschen Stände erfolgte am 16.11.1815 in Stralsund.

7.1 Die Gemeindeverwaltung

Die Preußen übernahmen im Wesentlichen die vorhandenen schwedischen Verwaltungsstrukturen. In Stralsund, bisher Sitz des schwedischen Generalgouverneurs, wurde ein neues Regierungspräsidium eingerichtet, welches nun gemeinsam mit den Regierungsbezirken in Stettin und Köslin den Oberpräsidial-Bezirk der Provinz Pommern mit Sitz in Stettin bildete. Im Regierungsbezirk Stralsund wurden die bisherigen vier schwedischen Ämter (schwedisch = härad) Franzburg, Grimmen, Greifswald und Bergen in Landkreise mit einem Königlichen Landrat an der Spitze umgewandelt. Auch die schwedischen Kirchspiele (= socka) wurden grundsätzlich beibehalten. Das Kirchspiel Hiddensee bildete mit den Kirchspielen Schaprode und Trent eine Samtgemeinde und gehörte nunmehr zum Landkreis Bergen, der später in Landkreis Rügen mit Sitz in Bergen umbenannt wurde. Die beiden Dörfer Vitte und Neuendorf-Plogshagen wurden von einem von der Gutsherrschaft ernannten Dorfschulzen und zwei Schöffen verwaltet, der Gutsbezirk Kloster unterstand unmittelbar dem jeweiligen Gutsbesitzer.

Eine Änderung dieser Verhältnisse brachten, nachdem die durch die Revolution von 1848/49 ausgelösten Reformansätze in der anschließenden Restaurationsphase wieder zu Fall gebracht worden waren, erst die neue Kreisordnung für die östlichen Provinzen Preußens von 1872 und die neue Landgemeindeordnung von 1891. Danach waren die Dorfschulzen, jetzt Gemeindevorsteher genannt, nunmehr von den Gemeinden selbst zu wählen. Unterste Ebene der staatlichen Verwaltung sollten die aus mehreren Guts-

und Gemeindebezirken zu bildenden Amtsbezirke sein, an deren Spitze ein Amtsvorsteher stand, der die Polizeigewalt innehatte. Der Amtsbezirk Hiddensee wurde durch eine Verfügung des Oberpräsidenten Stettin vom 30. 3. 1874 gebildet und bestand aus den beiden Gutsbezirken Kloster und Wittower Posthaus (Bug/Rügen) sowie den beiden Gemeinden Vitte und Neuendorf. Zum Gutsbezirk Kloster gehörten Kloster, Grieben und die Fährinsel. Diese Verwaltungseinteilung blieb grundsätzlich bis 1924 erhalten, als die Fährinsel der Gemeinde Vitte zugeschlagen und Kloster mit Grieben zu einem Gemeindebezirk umgewandelt wurde. Die Umwandlung eines Guts- in einen Gemeindebezirks bedeutete vor allem, dass dort nun von den Bewohnern eine Gemeindevertretung und ein Gemeindevorsteher zu wählen waren. Zum 1.1.1929 wurde mit der Auflösung aller Gutsbezirke in Preußen auch der Gutsbezirk Wittower Posthaus in eine Gemeinde Bug umgewandelt, die dann am 1. 12. 1934 in die Gemeinde Dranske eingemeindet wurde, da auf dem Bug nach dem dort seit 1933 mit Hochdruck betriebenen Aufbau eines Seefliegerhorstes keine Zivilpersonen mehr wohnten. Erst am 1. 4. 1939 wurden die drei Gemeinden Kloster, Vitte und Neuendorf zu einer einzigen „Gemeinde Hiddensee“ zusammengeschlossen.[26]

Der durch den Kreistagsbeschluss des Landkreises Rügen vom 30.4.1874 gebildete Amtsausschuss bestand aus dem Amtsvorsteher, den beiden Gutsvorstehern von Kloster und Bug/Wittower Posthaus und den Gemeindevorstehern von Vitte und Neuendorf. Die Hiddenseer Amtsvorsteher waren:

1874 -	Bürgermeister a.D. Bütow
1885 - 1886	Leutnant a.D. von Platen (aus Bergen)
1886 - 1895	Amtssekretär und Leutnant a.D. Schlüter (aus Gingst)
1895 - 1896	Thürck (Gingst)
1896 - 1904	Philipp Schönrock (aus Stralsund)
1904 - 1906	Gutspächter Ernst Luhde (Kloster)
1906 - 1910	Gutspächter Erdmann Vahl (Kloster)

1910 - 1929	Gutspächter Paul Wüstenberg (Kloster)
1929 - 1933	Lehrer Heinrich Berg (Kloster)

Gutsvorsteher Luhde erhielt 1904 für die Tätigkeit als Amtsvorsteher eine jährliche Entschädigung in Höhe von 700 Mark zugesprochen, dafür musste er im Gutshof eine besondere Amtsstube einrichten und unterhalten. Nach dem Ersten Weltkrieg wurde der Amtsausschuss demokratisiert. Diesem gehörten seit 1925 - nach der Umwandlung Klosters in einen Gemeindebezirk - neben dem vom Kreis ernannten Amtsvorsteher drei gewählte Vertreter von Vitte und je zwei von Kloster und Neuendorf an.

Aufgrund der neuen Landgemeindeordnung von 1891 wurde von den beiden Gutsbezirken und Gemeinden 1894 ein Zweckverband unter dem Namen „Gemeinde-Verband Hiddensee" gebildet, der für die gemeinsame Wahrnehmung folgender Aufgaben zuständig war: Armenfürsorge, Anstellung der Bezirks-Hebammen, Beschaffung, Unterhaltung und Bedienung der Feuerlöschspritzen, Anstellung der Bezirkssteuererheber. Die erste Amtshandlung bestand in der Beschaffung einer Feuerspritze. Der Verbandsausschuss setzte sich zusammen aus dem Gutsvorsteher Kloster (3 Stimmen) und dem Gutsvorsteher des Posthauses (1 Stimme) sowie 2 Vertretern der Gemeinde Vitte und 1 Vertreter von Neuendorf (mit jeweils 1 Stimme). Die beiden Gutsvorsteher hatten hier, wo es ums Geld ging, also eine Stimmenmehrheit.

7.2 Die Insel als Eigentum des Stralsunder Klosters zum Heiligen Geist

Nachdem das der Stadt Stralsund gehörige Kloster zum Heiligen Geist 1835 die Insel Hiddensee aus dem Nachlaß des verstorbenen Hauptmanns von Bagevitz erworben hatte, wurde diese ab 1836 verpachtet. In öffentlichem Aufgebotstermin am 31.3.1836 erhielt Joachim Friedrich Bahls aus Greifswald das Gut Kloster nebst dem damals noch getrennt aufgeführten Gut Grieben als Meistbietender gegen eine Jahrespacht von 2202 Thalern zugesprochen. Für die Übernahme des lebenden und toten Inventars musste er 4573 Taler und 6 Silbergroschen bezahlen. Hiddensee blieb 110 Jahre im Eigentum des Stralsunder Klosters, die Pächter in dieser Zeit waren:

1836 - 1842	Joachim Friedrich Bahls
1842 - 1846	Friedrich Rewold
1846 - 1860	C. Claus (in Verbindung mit Gustav Alexander Bollmann als Geldgeber)
1860 - 1863	Georg Bohl
1863 - 1870	Fromhold Luhde
1870 - 1894	Witwe Louise Luhde Verwalter bis 1891: Schwager Anton Fromhold Luhde Verwalter ab 1891: Sohn Ernst Luhde
1894 - 1906	Ernst Luhde
1906 - 1910	Erdmann Vahl
1910 - 1938	Paul Wüstenberg
1938 - 1940	Helmut Müller
1940 - 1941	Ferdinand Böhme
1941 - 1943	Eigenbewirtschaftung durch die Klosterverwaltung
1943 - 1945	Rüdiger von Hagen

Der relativ häufige Pächterwechsel vor allem zu Beginn und gegen Ende deutet schon darauf hin, dass die wirtschaftliche Tragfähigkeit des Gutes immer problematisch war. Allein die Familie Luhde und Paul Wüstenberg hielten längere Zeit aus. Aber auch Wüstenberg war, als er die Pacht wegen Krankheit endgültig aufgeben musste, hoch verschuldet und hatte das Gut, wie es bei der Stralsunder Klosterverwaltung bitter hieß, „restlos debarkiert"[27], was wohl heißen sollte: gänzlich heruntergewirtschaftet. Für das Kloster zum Heiligen Geist gingen die aus dem Gut zu erzielenden Einnahmen im Laufe der Jahre immer mehr zurück. Hatte die jährliche Pacht 1914 noch bei 8500 Mark gelegen, so bezahlte Wüstenberg 1936 nur noch 2600 Mark. 1938 wurde es für 3800

Mark neu verpachtet, aber die beiden neuen Pächter Müller und Böhme konnten sich dabei nicht halten, weshalb die Klosterverwaltung nun die Bewirtschaftung zeitweise selbst übernahm und ernsthaft überlegte, das Gut radikal zu verkleinern und zu einer tragfähigen Einzelbauernstelle umzugestalten.

Beim Erwerb der Insel 1835 hatten, wie erwähnt, dort noch zwei Gutshöfe in Kloster und Grieben bestanden. Der Griebener Hof lag hinter dem Dorf auf der linken Seite des Weges zum Enddorn. Die Klosterverwaltung verpachtete beide Güter zusammen, bestand aber in den Pachtverträgen auf einer ordnungsgemäßen Bewirtschaftung mit Viehhaltung etc. auch des Griebener Hofes, da sie befürchtete, dass ansonsten die weiter entfernt liegenden Felder hinter Grieben brachfallen würden. Nach der Neuverpachtung an Georg Bohl 1860 wurde der Griebener Hof dann aber doch aufgegeben, dafür in Kloster eine neue, größere Scheune errichtet. 1866 wurden die Gebäude in Grieben auf Abbruch verkauft, die Gemeinde Vitte errichtete mit dem Baumaterial ein Armenhaus. Ein langjähriges, schwieriges Problem war der Bau eines neuen, größeren Wohnhauses. Ernst Luhde konnte dies schließlich nach langen Verhandlungen durchsetzen. In seinem neuen Pachtvertrag von 1896 verpflichtete die Klosterverwaltung sich zum Bau eines neuen Gutshauses binnen 3 Jahren. 1897 wurde es fertiggestellt, es ist bis heute weitgehend unverändert erhalten.

7.3 Regulierung, Reallastenablösung und Separation: Die sogenannte Bauernbefreiung

1806 hatte der schwedische König Gustav IV. Adolf die Aufhebung der Leibeigenschaft in seinen deutschen Landen verkündet. Die hiermit eingeleitete „Bauernbefreiung“ erwies sich jedoch als ein langer, komplizierter Prozess. Bis zu ihrer tatsächlichen Verwirklichung auf Hiddensee sollte noch ein halbes Jahrhundert vergehen. Die Aufhebung der Leibeigenschaft hatte 1810 in Kraft treten sollen. In der Zwischenzeit war aber auch Vorpommern in die Wirren der Kriege mit dem Frankreich Napoleons geraten, dessen Truppen im Herbst 1807 Hiddensee erstmals besetzten. Nach dem schwedisch-französischen Frieden von 1810 fielen Rügen und Vorpommern wieder an Schweden zurück, verblieben aber unter einer Art französischer Oberhoheit. Und schon Anfang 1812 fielen erneut französische Truppen ein. Seit 1813, nach der Niederlage Napoleons in Russland, nahm Schweden an den europäischen Befreiungskriegen gegen Napoleon teil, konnte Vorpommern aber nur kurzfristig wieder zurückgewinnen, da dieses 1815 bekanntlich auf dem Wiener Kongress Preußen zugesprochen wurde.

Unter diesen Bedingungen war an eine Verwirklichung der schwedischen Reformpläne ernsthaft nicht zu denken. Aber auch in Preußen bedeutete die dort 1807 eingetretene Aufhebung der Leibeigenschaft zunächst nur, dass die Bauern nicht mehr an die Scholle der Gutsherrschaften gebunden blieben. Eine Veränderung und Verbesserung der Eigentums-, Dienst- und Abgabenverhältnisse zugunsten der Bauern war damit nicht verbunden, und die Grundbesitzer wehrten sich dagegen auch entschieden. Auf Hiddensee war dies seit 1800 Wilhelm von Bagevitz, dem es vor allem gelang, die Griebener Bauern zu „legen“. Die dortigen Bauernfelder wurden eingezogen und dem Gutshof zugeschlagen, die Bewohner zu Einliegern und Häuslern mit keinem oder geringfügigem Landbesitz herabgedrückt. Die Bedrückung der Hiddenseer durch Bagewitz war so stark, dass diese sich 1816 an einen Greifswalder Juristen wandten und in einer langen Eingabe an den Preußischen König die Missstände auf der Insel schilderten. Die Beschwerden versandeten jedoch schließlich in einem langen Verwaltungsverfahren.

Eine grundlegende Veränderung der sozialen und Besitzverhältnisse erfolgte erst nach der Revolution von 1848/49, in deren Verlauf es in ganz Deutschland u.a. zu massiven Bauernprotesten gekommen war. Auch auf Hiddensee verweigerte damals ein Teil der Kossaten und Häusler die weitere Zahlung der Abgaben. 1850 trat in Preußen ein neues „Gesetz betreffend die Ablösung der

Reallasten und die Regulirung der gutsherrlichen und bäuerlichen Verhältnisse“ in Kraft, aufgrund dessen die Bauern unter bestimmten Bedingungen gegenüber den Gutsherrschaften auf Ablösung der Reallasten, Regulierung der Eigentumsverhältnisse und Aufteilung der Wiesen und Weiden „provocieren“ konnten. Die Hiddenseer taten dies 1854, die Verfahren zogen sich insgesamt bis 1864 hin.[28] Die Folge war eine erste Boden-reform, die der zweiten, bekannteren Reform von 1945 in ihrer Bedeutung für Hiddensee kaum nachsteht.

Die Vitter ließen sich durch den Rechtsanwalt Dr. Ziehm aus Bergen vertreten, den sie später nicht bezahlen konnten oder wollten. In Vitte bestritt das Kloster zum Heiligen Geist zunächst die Provokationsberechtigung, da die Vitter als ehemalige Untertänige gemäß der Bauernordnung von 1616 keine Eigentumsrechte an ihren Katen hätten erwerben können, erkannte dann im Laufe des Verfahrens aber doch deren bestehende Eigentumsrechte an. Die Reallasten wurden mit Hilfe der Pommerschen Rentenbank in Stettin abgelöst, solche Rentenbanken waren zur Durchführung des Ablösungsgesetzes in allen preußischen Provinzen eingerichtet worden. Die Rentenbank zahlte an das Heiliggeist-Kloster jeweils den 18fachen Betrag der in Geldwerte umgerechneten Reallasten. Diesen Betrag zahlten die Bauern dann bei einer Verzinsung von 4 % 56 1/12 Jahre lang bis 1911 an die Rentenbank zurück.

In Vitte wurden die Dorf- und Feldmark gänzlich aufgeteilt und den damals 21 Kossaten und 36 Häuslern zu Eigentum übertragen. Beim Heiliggeist-Kloster verblieben eine Wiesenfläche südlich des Dorfes von ca. 250 Morgen, 3 Häusler- und 2 Kossatenstellen. Von der Restfläche erhielt jeder Kossat 4 Teile und jeder Häusler einen Teil. Die bisherige gemeinschaftliche Viehhütung wurde aufgehoben. Nur der Binnen-und Außenstrand, die Wege und Triften sowie 4 Backofenplätze wurden gemeinschaftliches Eigentum der 57 Berechtigten. Diese Regelung führte später insofern zu Problemen, als neue Bewohner so keine Strandberechtigung besaßen, d.h. sie durften in Vitte ohne Zustimmung der 57 keine Boote anlanden und vom Strand aus nicht fischen. Noch

1912 mussten nicht fischereiberechtigte Vitter jährlich jeweils 3 Mark an die Gemeinschaft der 57 für die Strandfischerei und das Recht zur Aufstellung von Badebuden zahlen. Erst nach dem Ersten Weltkrieg entfiel diese Verpflichtung stillschweigend. Aber immerhin: Die Vitter waren durch die Gemeinheitsteilung oder „Separation“ persönliche Eigentümer nicht nur ihrer Häuser, sondern auch ihrer Wiesen und Äcker geworden. Und die Strände gehörten wenigstens nicht mehr dem Kloster zum Heiligen Geist.

In Neuendorf-Plogshagen und in Grieben verlief die Sache in charakteristischer und folgenschwerer Weise anders. Dort verzichteten die Bewohner nämlich auf eine Aufteilung der Dorf- und Feldmark, die ebenso wie die Strände grundsätzlich beim Kloster verblieben. Zur Fortsetzung der weiteren gemeinsamen Viehhütung erhielten die Griebener die Nordhälfte des Bessins und die Neuendorfer den nördlichen Teil des Gellens jeweils einschließlich einer dorthin führenden Trift als „gemeinschaftliches“ Eigentum zugesprochen. Als persönliches Eigentum erkannte das Kloster die jeweiligen Häuser an, in Grieben gemeinsam mit einem Garten, in den Süderdörfern ganz ohne umgebendes Land. Dieser unterschiedliche Verlauf der Separation schuf für die Hiddenseer Dörfer sehr unterschiedliche Entwicklungsbedingungen für die Zukunft.

Die Vitter konnten nun über ihre Grundstücke selbst verfügen, darauf bauen oder sie verkaufen. Dies sollte sich 50 Jahre später, als zunehmend Fremde auf der Insel untergebracht werden wollten, als großer Vorteil erweisen. In Grieben und vor allem in den Süderdörfern blieben die Bewohner hingegen sehr vom Stralsunder Heiliggeist-Kloster abhängig. In Neuendorf-Plogshagen konnten selbst kleine Anbauten nicht ohne dessen Zustimmung erfolgen. Und seit etwa der Jahrhundertwende verweigerte die Klosterverwaltung zunehmend die Zustimmung, um das historische Ortsbild der Süderdörfer zu erhalten. Noch 1933 schritt sie entschieden gegen den Fischer Robert Tode ein, da dieser ohne Pachtzahlung einfach einen kleinen Vorgarten vor seinem Haus in Neuendorf angelegt hatte und erklärte, die geforderte Pacht von 3

Mark pro qm nicht zahlen zu können. Niemand dürfe fremdes Eigentum ohne Erlaubnis und Entschädigung nutzen, schrieb das Kloster am 6.10.1933 an Tode. Wenn er keine Pacht zahlen könne, müsse er den Vorgarten wieder beseitigen.[29] Außerdem gab es in Neuendorf und Plogshagen keine Dorfstraßen. Wer über die Dorfwiesen ging, musste sich zwangsläufig immer auf Klostergrund bewegen.

Diese Dorfwiesen verpachtete das Kloster nun gemeinsam mit der Glambäck-Wiese und der dem Kloster verbliebenen Wiese südlich Vitte 1865 erstmals auf 13 Jahre an die Neuendorfer und Plogshagener Hausbesitzer. Der Pachtvertrag wurde in der Folge immer wieder verlängert, zuletzt bis 1952. Und immer wieder lehnte das Kloster einen Verkauf der Pachtflächen ab, um seinen Einfluss auf die weitere Ausgestaltung der Süderdörfer nicht zu verlieren. Die Dorfwiesen wurden dann unter den Pächtern in gleichgroße Parzellen aufgeteilt, die Zuteilung der einzelnen Parzellen alle 10 Jahre neu ausgelost und durch auf Holzpfählen angebrachten Hausmarken gekennzeichnet. Erst in den 50er Jahren verzichteten die Süderdörfer durch eine gemeinschaftliche Vereinbarung auf eine weitere Neuauslosung der Parzellenstücke.

In Kloster hatte es im Prinzip nichts zu regulieren und separieren gegeben, da es dort Mitte des 19. Jahrhunderts noch kein Dorf gab. Allerdings gab es hier die Kirche und den Pfarrer, deren Eigentumsverhältnisse bereits in einem Vertrag zwischen Pfarrer Johann Julius Wilde und dem Heiliggeist-Kloster vom 30.5.1853 geregelt worden waren. Das ganze Separations- und Regulierungsverfahren hatte also mit den Pfarrgrundstücken begonnen. Der Pfarre wurde eine große Wiese am Außenstrand, die sogenannte Pfarrwiese, ein Ackergrundstück und der Pfarrgarten am Pfarrhaus sowie die Berechtigung zugesprochen, auf den Ländereien des Gutes 4 Kühe fett zu weiden. Diese Kühe mussten im Winter im Gutsstall durchgefüttert werden. Für den Wegfall anderer, bisheriger Berechtigungen wie zweier Ackergrundstücke bei Grieben, einem Stück Leinsamenland sowie dem Recht zur Heu- und

Torfwerbung wurde die jährliche Entschädigung für den Pfarrer von 67 auf 175 Taler erhöht. Diese Regelung bedeutete, dass die Hiddenseer Pfarrer fortan keinen eigenen Ackerbau mehr betrieben.

1877 erfolgte der endgültige Ersatz der Naturalabgaben der Hiddenseer Bewohner an die Pfarre durch die Zahlung eines jährlichen Geldbetrages, der sogenannten. Roggenrente. Bis dahin waren die Hiddenseer Häusler verpflichtet gewesen, dem Pfarrer jährlich 1 Pfund Butter und ¼ Stiege Eier und dem Küster ¼ Stiege Eier zu liefern. Allerdings war diese Verpflichtung von den meisten schon seit längerem durch eine entsprechende Geldzahlung erfüllt worden. 1922 (!) wurde schließlich auch die Roggenrente durch die Einmalzahlung des 25fachen Betrages der bisherigen jährlichen Rente aufgehoben. Das war damals je nach Grundstücksgröße ein Betrag zwischen 20 und 200 Mark. Es dauerte lange, bis die Moderne auch in den hintersten Winkeln Pommerns Einzug hielt!

7.4 Mühlen und Krüge

In Zusammenhang mit der Separation regelte das Kloster zum Heiligen Geist 1860 auch das Mühlen- und Krugwesen auf der Insel neu. Die dem Kloster gehörige Mühle hatte immer in der Nähe des Gutshofes auf dem Mühlenberg dort gestanden, wo sich heute das Gästehaus Dornbusch befindet. Seit 1845 gab es zunehmende Überlegungen, diese Bockmühle von einem auf drei Mahlgänge zu erweitern. Schließlich entschied man sich aber für den Bau einer moderneren Holländermühle mit drei Gängen, der 1850 für 2079 Taler von dem Stralsunder Mühlenbaumeister Carl Bartels ausgeführt wurde. Als nun durch die Separation dem Heiliggeist-Kloster das zu 3 Häusler- und 2 Kossatenstellen gehörige Land in Vitte zufiel, beschloss das Provisorat, dieses zu einem neuen Mühlengehöft zusammenzufassen. Die gerade erst 10 Jahre alte Mühle in Kloster wurde auf Kosten des Klosters wieder ab - und im Vitter Süden aufgebaut. Der bisherige Müller und

Krüger in Kloster, Christian Prädel, pachtete das neue Mühlengehöft auf 18 Jahre, musste allerdings ein Wohnhaus mit Stall und Scheune auf seine Kosten neu aufführen. Hierdurch geriet er in wirtschaftliche Schwierigkeiten, die noch dadurch verschärft wurden, dass der Bäckermeister Ewald Schwartz in den 1860er Jahren weiter nördlich am Außenstrand in Vitte eine zweite Mühle errichtete. Die Schwartz'sche Mühle brannte 1905 ab und wurde durch die jetzt noch ohne Flügel bestehende Anlage ersetzt.

Der Mühlenhof am Wiesenweg in Vitte-Süd ca. 1930

Das Mühlengehöft des Klosters war von 1896 bis 1914 an Max Krüger verpachtet, der eine Vertragsverlängerung nur eingehen wollte, wenn ihm die Verpflichtung zum weiteren Betrieb der Mühle erlassen würde. Die Klosterverwaltung entschloss sich daraufhin zum Verkauf des Gehöftes, das 1914 von dem Berliner Kaufmann Otto Baier erworben wurde. Baier baute das Mühlengehöft nach dem Ersten Weltkrieg zu einer Fremdenpension um, die er „Pension Mühlenhof" nannte. Die Mühle wurde abgerissen, Gebäude und Namen des Mühlenhofes haben sich aber erhalten.

Nach dem „Umzug" der Mühle von Kloster nach Vitte verpachtete das Provisorat die verbliebenen Gebäude in Kloster an den

Krüger und Krämer Johann Andreas Schlieker, obwohl diese nach einem Urteil des Stralsunder Stadtbaumeisters für den Abriss geeigneter erschienen als für das Stehenbleiben. Das Müllerhaus wurde renoviert, der neue Pächter verpflichtet, darin mindestens zwei Fremdenzimmer mit guten Betten einzurichten, da es sonst außerhalb des Gutshauses auf der Insel keine Übernachtungsmöglichkeiten für Fremde gäbe. 1874 war das Gebäude aber schon wieder in einem derart schlechten Zustand, dass es „zum Logieren von Fremden völlig unbrauchbar geworden war“.[30] Schlieker erwarb es daher von der Klosterverwaltung auf Abbruch und baute 1875 nebenan ein neues Gasthaus mit 7 - 8 Fremdenzimmern, das heute noch erhaltene Haus Am Klostertor 3.

7.5 Soziales: Bevölkerungsentwicklung, Hebammen und Ärzte, Schulen, Armenpflege

Die Einwohnerzahlen auf der Insel Hiddensee stiegen, wie die folgende Tabelle zeigt, auch im 19. Jahrhundert nur sehr langsam an. Zwischen 1800 und dem Zweiten Weltkrieg verdoppelte sich die Bewohnerzahl lediglich. Die Tabelle zeigt auch, dass die Bewohnerzahl der Süderdörfer nahezu konstant blieb, was mit der langen Abgeschiedenheit der beiden Dörfer und den dortigen Grundstücksverhältnissen zu erklären ist. Der Hauptort Vitte wuchs hingegen kontinuierlich, und Kloster/Grieben nahmen seit kurz vor dem Ersten Weltkrieg überproportional zu. Kloster selbst entstand erst seit ungefähr 1910 überhaupt als Wohnort.

Einwohnerzahlen Hiddensee [31]

Jahr	Einwohner insgesamt	Kloster/ Grieben	Vitte	Neuendorf/ Plogshagen
1800	> 500			
1817	654			
1846	734	199	310	225

1867	785	168	357	260
1871	741	156	347	238
1885	820	150	400	270
1895	905	173	474	258
1905	840	163	438	239
1919	1007	249	494	264
1925	1121	269	589	263
1933	1187	292	610	285
1939	1112			
1946	1434			
1964	1275			

Quellen: Zöllner 1797, 344; Nernst 1800, 208; Topographisch-statistisches Handbuch des Preußischen Staates. Bearb. von Messow, Magdeburg 1851; von Platen 1870; Jürgensohn 1924, 39; Gemeindelexikon für das Königreich Preußen. Provinz Pommern, Volkszählungen 1871, 1885, 1895, 1905, 1925; Amtliches Gemeindeverzeichnis für das Deutsche Reich, Volkszählungen 1933, 1939; Volks- und Berufszählung vom 29.10.1946 in der sowjetischen Besatzungszone. Bd. I: Amtliches Gemeindeverzeichnis, Berlin 1948; Verzeichnis der Gemeinden und Ortsteile der Deutschen Demokratischen Republik, Leipzig 1966

Die Hiddenseer waren zu allen Zeiten arme Leute gewesen, und es hatte immer Menschen gegeben, die sich wegen Alter, Krankheit oder aus anderen Gründen nicht mehr selbst unterhalten und ernähren konnten. 1577 war die Hälfte der Vitter so arm gewesen, dass sie keine Steuern bezahlten. 1695 hatte ein alter, verbrauchter Mann in seinem Haus in Grieben gelegen. Aber zu den vormodernen, feudalen Verhältnissen gehörte es, dass der Grundherr solche Menschen, wenn auch nur notdürftig, versorgen und unterhalten musste. Diese Unterhaltsverpflichtung war das Gegenstück zur Unfreiheit und zu den Dienst- und Abgabenverpflichtungen der Bauern und Fischer gewesen. Mit der Aufhebung der grundherrlichen Abhängigkeitsverhältnisse Mitte des 19. Jahrhunderts war aber auch diese Unterhaltsverpflichtung der Grundherrn entfallen. Die „Armenpflege" - heute würden wir es die Sozialhilfe nennen - wurde zu einer wichtigen Aufgabe der sich nun formierenden und mehr Rechte erlangenden Gemeinden.

1866 errichtete die Gemeinde Vitte ein Armenhaus. Auch in Neuendorf gab es am Ende des Schabernacks ein Armenhaus, das 1921 an den Leipziger Graphiker Peter Lorenz verkauft wurde. Am 19.6.1871, also noch drei Jahre vor der Bildung eines Amtsausschusses, wurde ein „Gesamtarmenverband des Kirchspiels Hiddensee im Kreise Rügen" gegründet, dem die beiden Gemeinden Vitte und Neuendorf / Plogshagen sowie der Gutsbezirk Kloster angehörten. Jede der drei Körperschaften führte in der Vertreterversammlung drei Stimmen. 1894 gingen die Aufgaben des Gesamtarmenverbandes auf den neu gegründeten Zweckverband „Gemeinde-Verband Hiddensee" über, in dessen Vertreterversammlung die Stimmenmehrheit der Zivilgemeinden nun durch eine Mehrheit der beiden Gutsbezirke Kloster und Posthaus ersetzt wurde. Der Armenverband und später der Zweckverband entschieden über die Gewährung von Armenhilfe. Arme, alte, kranke Menschen wurden in der Regel von anderen Inselbewohnern aufgenommen und verpflegt, wofür sie dann eine finanzielle Entschädigung erhielten. Die Kosten hatten jeweils die Gemeinden bzw. Gutsbezirke für die in ihrem Bezirk lebenden Armen allein zu tragen.

Diese Regelung, die bis zur Bildung der Gesamtgemeinde Hiddensee 1939 Gültigkeit behielt, brachte die Gemeinde Vitte um die Jahrhundertwende mehr und mehr in Bedrängnis. Ein Drittel der Vitter Haushalte konnte um 1900 wegen Armut keine Steuern zahlen. Als 1901 eine an Epilepsie leidende „Ortsarme" in den Kükenmühler Heilanstalten in Stettin untergebracht werden sollte, erklärte die Gemeinde Vitte sich außerstande, die Kosten hierfür zu übernehmen. Nachdem ein Antrag auf Kostenübernahme durch den Kreis abgelehnt worden war, beschloss die Zweckverbandsversammlung einstimmig die Übernahme durch den Zweckverband insgesamt, da „die Gemeinde Vitte wegen der vielen armen Einwohner nicht in der Lage ist, noch größere Lasten zu tragen“[32]. Die ersten Fremden kamen da mit ihrem Geld für die Vitter gerade recht.

Die Hiddenseer waren nicht nur arm, sie besaßen selbstverständlich auch so gut wie keine Schulbildung. Mitte des 19. Jahrhunderts waren weitaus die meisten Inselbewohner noch Analphabeten. Etwa 2/3 der Haushaltungsvorstände unterzeichneten um 1860 die Regulierung-Rezesse mit drei +++, konnten also noch nicht einmal ihren eigenen Namen schreiben. Diese Zahlen zeigen, dass die seit dem 18. Jahrhundert feststellbaren Versuche, die Inselkinder durch den Küster in Kloster unterrichten zu lassen, nicht viel gefruchtet hatten. Die Bauern und Fischer zahlten das Schulgeld nicht, die Kinder kamen aus Vitte nicht nach Kloster und aus den 8 km entfernten Süderdörfern schon gar nicht. In einem Vertrag von 1788 wurde der Küster Joachim Carow von Pastor Bertram Ludwig Crüger angehalten, „fleißig Schule zu halten“ gegen 1 - 2 Schillinge Schulgeld wöchentlich und die Lieferung einer bestimmten Menge Getreide durch die Bauern und die Grundherrschaft.[33] 1818 berichtete der Küster Ernst Karow dem Stralsunder Pfarrer Ernst Mohnike bei einer Visitation der Insel, er habe anfangs Schule gehalten. Dies habe ihm jedoch zu wenig eingebracht, um seine Familie ernähren zu können, weshalb er sich wieder dem Schusterhandwerk zugewendet habe.

Eine wirkliche Verbesserung dieser Verhältnisse trat erst nach dem Erwerb der Insel durch das Stralsunder Kloster zum Heiligen Geist ein. Dieses errichtete 1837 in Plogshagen ein erstes Schulhaus für die Süderdörfer und stellte den 30jährigen Friedrich Bernhard Freybourg als Lehrer ein. Eine zweite Schule war zunächst in Vitte vorgesehen. Schließlich entschied man sich aber für einen Bau in Kloster unmittelbar neben dem alten Klostertorbogen, da dieses genau in der Mitte zwischen den beiden Dörfern Grieben und Vitte lag und man dort das Lehrer- mit dem Küsteramt verbinden und damit besser dotieren konnte. Freybourg, Vater einer großen Kinderschar, bewarb sich nun für die neue Stelle in Kloster und beschrieb dabei dem Kloster-Provisorat seine missliche Situation in Plogshagen. Er habe dort zwei Jahre versucht, seine Pflicht zu tun, aber:

> „Undank und Widerstreben, Verkennung des guten Willens und Eifers für das Gedeihen der Schule dieser zum Teil rohen Menschenklasse, alles gebildeten Umgangs entbehrend, dazu für alle Mühewaltung ein so kärglicher Lohn, dass Nahrungssorgen und Kummer täglich mein Herz belasten, wodurch ich am Körper wie am Geist nothwendig geschwächt werden muss.“[34]

Lehrer Kyschky mit Schülern an der alten Schule (l.) am Torbogen in Kloster ca. 1895

Die Versetzung Freybourgs von Plogshagen an die 1840 fertiggestellte Schule in Kloster stieß dort wegen dessen berüchtigter Härte und Strenge gegenüber den Kindern zunächst auf Widerstand in der Bevölkerung. Freybourg amtierte jedoch schließlich bis 1875 in Kloster. In einem Revisionsbericht von 1860 heißt es, die Schule mache einen unerfreulichen Eindruck, dem Küster Freybourg merke man seine Untüchtigkeit auf den ersten Blick an, die Kenntnisse der Kinder seien äußerst schlecht, und es sei auch nur die Hälfte der schulpflichtigen Kinder anwesend gewesen.[35]

1861 besuchten 57 Kinder aus Vitte, 16 aus Kloster und 15 aus Grieben die Schule. Das größte Inseldorf Vitte erhielt erst 1887 eine eigene Schule. In Kloster wurde 1929 eine neue Schule neben der Kirche gebaut.

Ein schwieriges, ja unlösbares Problem blieb im ganzen 19. Jahrhundert die ärztliche Versorgung der Hiddenseer. Wegen der geringen Einwohnerzahl war eine Arztpraxis für die Insel wirtschaftlich nicht tragfähig. Es gab dort nur eine Hebamme, der nächste Arzt lebte in Gingst. 1885 schlossen die Hiddenseer sich dem Schaproder Arztverband an. Den dortigen Arzt bei Wind und Wetter ohne Telefon und Motorboot zu verständigen und auf die Insel zu holen, war schwierig, teuer und oft völlig unmöglich. Wenn der Arzt überhaupt kam, kam er oft zu spät. Bei alten Leuten und kleinen Kindern wurde er deshalb erst gar nicht gerufen. 1905 beschlossen die Hiddenseer die Gründung eines eigenen Arztverbandes.[36] Träger waren die einzelnen Haushaltungsvorstände, die freiwillige, jährliche Beiträge zwischen 5,00 und 50,00 Mark zahlten. Von den Sommergästen wurde darüber hinaus eine geringe „Arzttaxe" in Höhe von 2 Mark für Einzelpersonen und 3 - 4 Mark für Familien erhoben. Dennoch reichte das Geld nicht, um dem Arzt ein auskömmliches Einkommen zu sichern. In schwierigen Verhandlungen konnte die Regierung wegen der isolierten Lage Hiddensees dazu bewogen werden, einen jährlichen Zuschuss von 600,00 Mark zu geben. Der erste Arzt, Dr. Carl Müller, wurde zum 1.5.1905 angestellt, verließ die Insel aber nach wenigen Monaten schon wieder. Sein Nachfolger Dr. Zanke hatte ständig mit dem Gerichtsvollzieher zu tun.

Um dauerhaft einen fähigen Arzt für die Insel gewinnen zu können, musste vor allem auch eine angemessene Unterbringung gewährleistet werden, weshalb der Arztverband sich schweren Herzens zum Bau eines Arzthauses entschloss. Das Stralsunder Heiliggeist-Kloster war bereit, in Kloster kostenlos ein Grundstück dafür zur Verfügung zu stellen. Aber die Mehrheit der Hiddenseer bestand auf einem Bau im zentraleren Hauptort Vitte. Die Finanzierung des nach Plänen des Berliner Architekten Alfred

Holländer 1914/15 am Süderende errichteten Wohn- und Praxisgebäudes war extrem schwierig, sie gelang überhaupt nur, weil einige Privatleute ein Darlehen gaben. Darunter waren Gutspächter Wüstenberg, der Vitter Gemeindevorsteher Schluck und Frau Geheimrat Lehmann, eine Hobbykünstlerin, die 1907 mit ihrem Mann Professor Karl Lehmann am Norderende eine Villa gebaut hatte. Im Obergeschoß des Arzthauses wurden 4 Fremdenzimmer eingerichtet, der Arzt sollte so auch von der Zimmervermietung leben können. Als in den ersten beiden Kriegsjahren die Gäste weitgehend ausblieben, fielen auch diese Einnahmen ebenso wie die Einnahmen aus der Arzttaxe so gut wie völlig aus. Die Regierung musste um eine deutliche Erhöhung ihres Zuschusses angegangen werden, sie bewilligte für 1915 2700 Mark. So erwies sich die Arztbesoldung bis weit in die 20er Jahre hinein als ein ständiges Dauerdrama. Die Arzttaxe konnte wegen des Fehlens jeglichen Komforts auf der Insel nicht erhöht werden, andererseits war die Anwesenheit eines Arztes unabdingbare Voraussetzung für eine Erhöhung der Gästezahlen. Die Hiddenseer konnten von Glück sagen, dass sie mit ihrem Problem immer auf großes Verständnis beim Rügener Landrat und Stralsunder Regierungspräsidenten stießen, die im letzten Moment immer irgendwie noch irgendwelche Zuschüsse gaben, um die schlimmsten Finanzierungslücken zu schließen. Die Konstruktion eines Arztverbandes mit freiwilliger Mitgliedschaft und freiwilligen Beiträgen erwies sich auf Dauer als immer weniger tragfähig. Deshalb wurde 1918 unter Vermittlung des Landkreises und der Stralsunder Regierung ein „Arztzweckverband Hiddensee“ gegründet, dem die beiden Gemeinden und der Gutsbezirk Kloster angehörten. Die bisherige Arzttaxe wurde nun durch eine allgemeine Kurtaxe abgelöst, ein Teil davon aber weiter zur Finanzierung der Arztpraxis verwendet. Mit der Bildung der Gesamtgemeinde Hiddensee wurde der Arztzweckverband zum 1.4.1939 aufgelöst. Folgende Ärzte praktizierten auf der Insel:

1905	Dr. Carl Müller
1905 - 1913	Dr. Zanke
1914 - 1917	Dr. Claus

1917 - 1920	Dr. Pfleging
1920 - 1928	Dr. Friedrich Laible
1928 - 1934	Dr. Otto Baudach
1934 - 1961	Dr. W. Ehrhardt
1962 -	Drs. Adelheid und Michael Kallius

7.6 Küstenschutz: Der Kampf mit dem Meer

Die schmale, kleine Insel war immer in ihrem Bestand gefährdet und unterliegt bis heute dauernden landschaftlichen Veränderungen. Die See mit ihren periodisch wiederkehrenden, schweren Sturmfluten nagt an den Kliffs des Hochlandes wie an dem langen Weststrand zwischen Kloster und dem Gellen und droht das Flachland immer wieder zu überschwemmen und zu verschlucken. Dafür werden am Bessin und am Gellen ständig neue Sandmassen angelagert. Haltenberger 1910 konnte in den Quellen seit dem Hochmittelalter 29 schwere Sturmfluten nachweisen, mit Sicherheit waren es sehr viel mehr. Da sich schon bald an dem 1888 errichteten Leuchtturm auf dem Dornbusch Risse zeigten, befürchtete man, diese rührten von den großen Uferabstürzen am Dornbusch her, die praktisch in jedem Winter zu verzeichnen waren, und fürchtete zeitweilig ganz um die Standfestigkeit des Turms. Noch weit in unser Jahrhundert hinein war die Überzeugung fast Allgemeingut, dass, wie der Klosterer Lehrer Heinrich Berg 1924 schrieb, dem grandiosen Zerstörungswerk der See „unser Eiland über kurz oder lang einmal zum Opfer fallen muss“.[37] Genauere Untersuchungen von Reinhard 1956 ergaben allerdings, dass die Landverluste insgesamt geringer waren, als bis dahin allgemein angenommen worden war. Seit 1695, dem Entstehungszeitpunkt der schwedischen Matrikelkarten, betrugen sie an der Dornbuschsteilküste jährlich etwa 30 - 50 cm, am Außenstrand das Flachlandes 30 - 40 cm. Immerhin: In den etwa 250 Jahren war die Küste um 75 - 100 m zurückgegangen.

Mit einem Küstenschutz im modernen Sinne wurde 1846 begonnen, als man nach einer Sturmflut daran ging, die zerstörten

Dünen bei den Süderdörfern durch Holz-Flechtzäune wieder aufzubauen. Was 1846 schon kurz bevor gestanden hatte, geschah dann bei der schweren Sturmflut am 24. August 1864: Die Insel wurde bei einem Wasserstand von 1,30 m über NN südlich von Plogshagen an der schmalsten Stelle am Schwarzen Peter überflutet und in zwei Stücke zerrissen. Erste Sicherungsmaßnahmen in Form eines Pfahldammes wurden durch erneute, schwere Sturmbrandungen im Herbst 1864 und 1865 wieder zunichte gemacht. Bis zum Frühjahr 1866 hatte die Durchbruchstelle sich auf 250 m Breite und 7 m Tiefe vergrößert. Sie musste nicht nur zur Sicherung der Insel, sondern vor allem auch wegen der Gefahr einer zunehmenden Verlandung der Schifffahrtsrinne im Bodden unbedingt geschlossen werden. Daher begann man nun mit dem Bau eines auf Faschinen, das sind besondere Reisigbündel, ruhenden Steindamms. Die Arbeiten wurden auch jetzt wieder durch wiederholte, schwere Brandungen gefährdet, konnten aber bis 1868 weitgehend beendet werden. Die bis dahin errichteten beiden Dämme hielten auch der schweren Sturmflut am 12./13. 11. 1872 stand. Endgültig gesichert werden konnte die Durchbruchstelle jedoch erst durch einen dritten, zwischen 1875 und 1878 errichteten, 1,5 km langen, gepflasterten Steindamm. Für diesen heute noch vorhandenen Damm wurden u.a. 5800 cbm Feuersteinschotter von der Fährinsel verwendet.

Damit war die Gefahr eines Auseinanderreißens der Insel zumindest an dieser schmalen Stelle erst einmal gebannt. Hiddensee besaß aber außer den niedrigen und wenig gepflegten Küstendünen weiterhin keinen Hochwasserschutz. Dies sollte sich besonders verhängnisvoll auswirken, als am 12./13. 11.1872 in der gesamten südlichen Ostsee die schwerste Sturmflut seit Menschengedenken wütete. 24 Stunden hielt der Orkan an, das Wasser stand am Außenstrand dieses Mal fast 2,50 m über NN und überflutete weite Teile des Inselflachlandes mit den Dörfern Vitte und Neuendorf-Plogshagen. Häuser, Vieh, Boote, Fischereigeräte und Nahrungsmittelvorräte wurden zerstört oder abgetrieben. Die Insel war mehrere Tage ganz von der Außenwelt abgeschnitten und bot danach ein Bild des Schreckens. Unter dem 15.11.1872 berichtete der Neuendorfer Volksschullehrer, noch sichtlich unter Schock, nach Stralsund:

> „Vorgestern große Hochfluth durch Orkan aus Norden, das gesamte Dorf bis auf 4 - 5 Häuser unter Wasser. Sämtliche Bööte zerstört. Die Lebensmittel verdorben. Alle Brunnen vollgelaufen. Der bevorstehende Winter und die Aussicht auf die Wiederkehr solchen Zustandes benimmt allen und mir selbst den Muth. Die Häuser weichen nun nachträglich eins nach dem anderen nieder, dass also viele obdachlos sind. Solches berichte in Eile und bitte um Verbreitung durch die Blätter. Hochachtungsvoll ganz gehorsamst Warkentin."[38]

In dieser Sturmnacht strandete der mit Petroleum beladene Schoner „Clara und Karl" bei Neuendorf, bald darauf wurden dort die ersten Teile des Hiddenseer Goldschmucks gefunden. Dieses Mal wurde die Insel an einer weiteren, sehr schmalen Stelle zwischen Kloster und Vitte etwa in Höhe des 1899/1900 errichteten Rettungsschuppens und heutigen Heimatmuseums überspült. Viele obdachlose Hiddenseer mussten über den Winter auf Rügen oder dem Festland untergebracht werden. Die Vitter waren so schockiert über das Geschehene, dass sie beschlossen, ihr Dorf, das sie ja erst ein Jahrzehnt zuvor zu Eigentum erworben hatten, nicht mehr an der alten Stelle wieder aufzubauen, sondern lieber am Berghang zwischen Kloster und Grieben.

> Um eine nicht nur finanzielle Unterstützung für ihren Plan zu gewinnen, reiste eine dreiköpfige Delegation unter Leitung des Dorfschulzen Johann Karl („Jan-Korl") Schluck nach Berlin und wurde sogar bei Hofe vorgelassen, dort allerdings nicht von Kaiser Wilhelm, sondern nur vom Kronprinzen Friedrich empfangen. „Je, wi wull'n eigentlich den Ollen spräken", sollen sie in ihrer unbeholfenen Art gesagt haben. Der Kronprinz, ein volkstümlicher Mann und des Plattdeutschen mäch-

tig, war sichtlich amüsiert. Zum Umsiedlungsplan der Vitter erklärte er zwar: „Kinnings, dat kann wol nicks warden!“, versprach aber doch großzügige Hilfe des Staates bei der Behebung der Schäden an Häusern und Booten. Den drei Fischern war angesichts der freundlichen Worte des hohen Herrn in der ihnen vertrauten Sprache ganz warm ums Herz geworden. Versöhnt und zutraulich verabschiedeten sie sich mit den Worten: na, denn grüßen Sei Vaddern schön un stellen em dat man orntlich vör“.[39]

Die Furcht des Lehrers Warkentin vor einer Wiederholung des Schreckens sollte sich schon bald bewahrheiten. 1874, 1883 und 1887 erlebte die Insel weitere, schwere Sturmhochwasser. 1878 war die Durchbruchstelle bei Kloster durch die erste Deichanlage der Insel geschlossen worden. Der etwa 250 m lange, an das Hochland anschließende Erdwall mit einer Kronenhöhe von 2,80 über NN wurde auf dem alten Weg zwischen Kloster und Vitte angelegt, dieser dann auf die Innenseite verlegt. Erneute Sturmfluten 1903 und in der Silvesternacht 1904 lösten weitere „Deichbauten“ aus. Zwischen 1904 und 1910 wurde vor Neuendorf-Plogshagen ein an drei Stellen unterbrochener, 1,5 km langer, auf Faschinen gegründeter Steinwall errichtet. Das Material hierfür kam größtenteils aus Steinbrüchen in Südschweden und auf Bornholm. Die Durchbruchstellen waren für die Fischerboote der Süderdörfer erforderlich.

Weitere Küstenschutzmaßnahmen, die vor dem Ersten Weltkrieg ergriffen wurden, waren die Anlage von Buhnen sowohl am Weststrand als auch an der Nordseite des Dornbuschs, die Erhöhung und Sicherung der Küstendünen im Süden der Insel seit 1905 und die Anpflanzung von schmalen Küstenschutzwäldern seit 1908. In Vitte, wo ja auch der Strand seit dem Rezess von 1864 den „Siebenundfünfzigern“ gehörte, scheiterte der Ausbau der Dünen am Widerspruch einiger Eigentümer. Bis lange nach dem Zweiten Weltkrieg besaß Vitte über keinerlei seeseitigen Schutz, dafür konnte man vom Dorf aus ungehindert aufs offene Meer

blicken.
Mit der Wiederaufforstung des seit dem Dreißigjährigen Krieg völlig kahlen Hochlandes hatte man bereits 1860 begonnen. Das Heiliggeist-Kloster ließ durch das Stralsunder Stadtforstamt zunächst sechs preußische Morgen Gelände rund um den heutigen Klausner mit 40 Pfund Kiefersamen einsähen. Trotz einiger Probleme durch Schafverbiß war die Aktion doch erfolgreich, sie wurde in den folgenden Jahren kontinuierlich durch weiteres Aussähen und Anpflanzen von Kiefern, seit 1902 auch von Laubgehölzen, fortgesetzt. 1877 waren ungefähr 280 Morgen aufgeforstet, bis 1915 hatte der Dornbuschwald mit 330 Morgen etwa seine heutige Ausdehnung erreicht. Ein Vergleich mit alten Fotos zeigt, wie sehr das Landschaftsbild sich durch die Waldanpflanzungen geändert hat und die Attraktivität der Insel erhöht wurde. Zugleich wurde neuer Lebensraum insbesondere für zahlreiche Singvogelarten geschaffen.

7.7 Der Leuchtturm, Bau eines ersten Bollwerks und die Verbesserung der Schiffsverbindungen

1887/88 wurde von der Wasserbauinspektion Stralsund auf dem 70 m hohen Schluckswiek der Leuchtturm gebaut, der aufgrund seiner von allen Seiten weithin sichtbaren und die ganze Insel dominierenden Lage bald zum Wahrzeichen Hiddensees wurde. Der am 19.11.1888 in Betrieb gegangene Turm kostete 80.000 Mark. Er ist 22,80 m hoch, so dass das Leuchtfeuer aus einer Höhe von fast 100 m über dem Meeresspiegel erstrahlt. Gemeinsam mit den Leuchttürmen in Mön, am Darßer Ort und auf dem Kap Arkona sichert er die Schiffahrt in diesem Bereich der Ostsee zwischen Dänemark und Vorpommern. Ursprünglich wurde das Leuchtfeuer von einer starken Petroleumlampe erzeugt. Zwei Leuchtturmwärter unterhielten die Anlage, sie wohnten etwas weiter nordöstlich in den sog. Wärterhäusern im Honiggrund. Die Wärterhäuser waren dort im Tal abseits des Turms errichtet worden, weil sich oben auf dem Berg eine Wasserversorgung der Häuser als nicht möglich erwiesen hatte.

Das Bollwerk in Kloster ca. 1905; vorne r. eine Frau mit Helgoländer Haube; im Hintergrund l. der alte Dorfkrug von Schlieker, r. Schule und Torbogen

Da das Ziegelmauerwerk schon bald stark zu verwittertern begann, wurde der Turm 1897/98 neu verblendet. Als sich dann kurz darauf schnell größer werdende Risse am Mauerwerk zeigten, fürchtete man, diese rührten von den alljährlichen Uferabstürzen her. Immerhin stand der Turm nur 110 m von der Abbruchkante entfernt. Geologische Untersuchungen durch Prof. Elbert 1905 ergaben jedoch, dass der Turm auf festem Grund stand und eine Gefährdung durch die Abbrüche am Steilufer allenfalls in vielen Jahrzehnten zu befürchten sein würde. Als Grund für die Rissebildung stellte sich heraus, dass die neue Verblendung sich vom Mauerwerk des Turms gelöst hatte. Da das Blendmauerwerk ganz abzustürzen drohte, musste der Leuchtturm 1925 für Besucher gesperrt werden. 1926/27 wurde er mit einem Kostenaufwand von 99.000 Mark durch einen Gußbetonmantel mit Eiseneinlagen neu verblendet. Zur Durchführung dieser Arbeiten wurde, wie schon beim Bau 1887, eine pferdebetriebene Feldbahn vom Bollwerk in Kloster bis auf die Höhen beim Leuchtturm verlegt.

In der Nähe des Leuchtturms befand sich ein Flaggensignalmast, der für Sturmwarnungen und vor dem Ersten Weltkrieg bei

Manövern der kaiserlichen Marine benutzt wurde. Zu diesem Zweck kam dann zeitweise eine kleine Abteilung Marinesoldaten auf die Insel. Seit 1893 wurde auf dem Dornbusch zudem eine Nebelsignalkanone betrieben, die bei Nebel alle 10 Minuten abgeschossen wurde. Die Kanone, die sich heute im Deutschen Museum in München befindet, wurde 1906 durch dampfbetriebene Nebelhörner ersetzt.

Um das Baumaterial für den Leuchtturm auf die Insel bringen zu können, hatte die Wasserbauverwaltung eine Fahrrinne nach Kloster ausbaggern und dort ein erstes Bollwerk errichten lassen. Kloster erhielt so kostenlos eine kleine, befestigte Hafenanlage, was für den Ort lange Zeit einen wichtigen Standortvorteil gegenüber den beiden anderen Gemeinden bedeutete. Bis 1904 war das Bollwerk in Kloster die einzige Schiffsanlegemöglichkeit auf der Insel überhaupt, dann wurden in Vitte und Neuendorf kleinere Landungsbrücken gebaut. Die Gemeinde Vitte konnte erst in den Jahren 1925/27 unter größten finanziellen Schwierigkeiten ein eigenes Bollwerk errichten, in Neuendorf entstand ein solches 1928.

Der Dampfer "Caprivi" am Bollwerk in Kloster ca. 1905; r. das 1897 errichtete Gutshaus

Als Kapitän G. Bentzien aus Wiek/Rügen 1892 mit seinem Dampfer „Caprivi“ eine Schiffsverbindung von Stralsund nach Wiek einrichtete, konnte Gutspächter Luhde ihn überreden, in den Sommermonaten versuchsweise auch den neuen Hafen in Kloster anzulaufen, wo für Bentzien allerdings zunächst eine Beihilfe von 30 Mark monatlich verlangte. Der Versuch verlief erfolgreich, auf die Beihilfe konnte schon nach drei Monaten verzichtet werden, und bis zum Ersten Weltkrieg blieb die Linie Bentziens die beständigste und zuverlässigste Dampferverbindung nach Hiddensee. In den 90er Jahren hatte die Stralsunder Reederei C.A. Beug die schon länger bestehende Verbindung Stralsund - Breege übernommen und setzte diese bis zum Weltkrieg mit der Möglichkeit fort, an der Fährinsel an- bzw. abzubooten, was vor allem für Besucher Vittes und der Süderdörfer interessant war. In den Jahren vor dem Ersten Weltkrieg betrieb ferner der Stralsunder Spediteur C. Faust im Sommer mit seinem Dampfer „Käthe" an einigen Tagen der Woche eine Linie von Baabe/Thiesow/Lauterbach bzw. Greifs-wald nach Stralsund und Hiddensee.

Im Jahre 1905 eröffnete dann der Berliner E. Büsson, von dem eifrigen Hiddensee-Werber Alexander Ettenburg inspiriert, gleich mit drei Motorbooten einen großzügigen Verkehr nach Hiddensee und den Orten an der Westküste Rügens. Er errichtete in Vitte und Neuendorf Anlegebrücken und lief diese beiden Orte nun erstmals an, ferner Kloster, Schaprode, Breege und Lietzow. Als Reaktion hierauf errichtete Bentzien in Vitte 1906 und in Neuendorf 1908 ebenfalls eigene Brücken und kaufte ein zweites Boot mit Namen „Falke". Es entspann sich ein harter Konkurrenzkampf, in dem Büsson nach wenigen Jahren unterlag. Schon 1911 bestand seine Motorboot-Gesellschaft nicht mehr. Büsson hatte sich mit dem Kauf von gleich drei Booten übernommen, zudem erwiesen sich die neuen Dieselmotoren als wenig zuverlässig und waren den Dampfschiffen vorläufig noch unterlegen. Nach dem Konkurs Büssons lief Bentzien auf dem Weg von und nach Wiek nur noch Vitte an und überließ die Route Stralsund -Neuendorf - Schaprode - Kloster - Breege seinem bisherigen Maschinisten August Prätz aus Stralsund, der dafür die beiden Salondampfer „Hiddensee" und „Strelasund" einsetzte. Beide Reedereien schlossen sich nun auch dem Ostseebädertarifverband an, so dass man jetzt durchgehende Fahrkarten von den großen Städten Deutschlands wie Berlin, Hamburg, Dresden oder Köln nach Hiddensee lösen und vor allem auch das Gepäck unmittelbar dorthin aufgeben konnte. 1917 verkaufte Bentzien seine Reederei an den Stralsunder Spirituosenfabrikanten Karl Wothke, der sie schon zwei Jahre später an die nun auf Hiddensee gegründete

Genossenschaftsreederei abgab. Damit bekamen die Hiddenseer ihre eigene Schiffsverbindung.
Trotz alledem blieb es bei manchen Hiddenseer Gästen lange Zeit beliebt, sich von einem Hiddenseer Fischer auf die Insel segeln zu lassen. Im Stralsunder Hafen konnte man meist ein Hiddenseer Fischerboot finden, von dem man sich dann - gegen eine kleine Bezahlung - auf dessen Rückweg zur Insel mitnehmen lassen konnte.

Um die Jahrhundertwende sah es zeitweilig so aus, als könne Hiddensee einen direkten Eisenbahnanschluss erhalten, wodurch der ganze Fährverkehr überflüssig geworden wäre. Nachdem 1897 eine regelmäßige Dampferverbindung zwischen Sassnitz und Trelleborg in Schweden eingerichtet worden war, prüften die schwedische und die preußische Eisenbahnverwaltung, wie die Eisenbahn-Fahrtzeit zwischen beiden Ländern weiter verkürzt werden könnte. Das Problem war der sogenannte Trajektverkehr zwischen Stralsund und Altefähr, wo die Eisenbahnwaggons umständlich und zeitraubend auf Fährschiffe verladen werden mussten. Man untersuchte zwei Lösungsmöglichkeiten: eine Brücken-/Dammverbindung zwischen Stralsund und Altefähr und eine zwischen Barhöft und dem Gellen an der Südspitze Hiddensees mit Verlängerung bis Vitte, wo für 1,5 Millionen Mark eine neuer großer Fährhafen hätte gebaut werden müssen. Das überraschende Ergebnis war, dass die Kosten für beide Projekte etwa gleich hoch liegen, die Fahrtzeit über Hiddensee/Vitte aber um eine Stunde kürzer sein würde. Die Chancen für den Eisenbahnbau nach Vitte standen also gar nicht so schlecht, und mit der Weltabgeschiedenheit der Insel wäre es mit einem Schlage vorbei gewesen. Allein, das Geld reichte damals für beide Projekte nicht. Und in den dreißiger Jahren entschied man sich dann angesichts der zunehmenden Motorisierung doch für den Rügendamm, über den im Oktober 1936 die ersten Züge und einige Monate später auch die ersten Autos rollten.

7.8 Die „Frömden“ kommen: Der Tourismus beginnt

Einzelne Reisende nach Hiddensee hatte es selbstverständlich schon immer gegeben. Einige schriftstellernde Pastoren etwa, die um 1800 die Insel erkunden wollten, wurden oben schon erwähnt. Solche Besucher kamen über die Fähre und wohnten entweder auf dem Gutshof oder beim Pastor in Kloster. Eine bescheidene Herberge boten darüber hinaus auch die beiden Krüge in Kloster und Vitte. Um 1830 reiste im November ein Autor namens Thorwald nach Hiddensee. Pfarrer Kirchner, „ein liebreicher Mann, der abgeschieden von der Welt, ganz seinem heiligen Beruf zu leben scheint“ und der auch selbst einige Berichte über Hiddensee veröffentlicht hatte, zeigte ihm bereitwilig die Dornbuschhöhen und lud ihn dann, wie üblich, zur Übernachtung in seinem Hause ein. Aber Thorwald wollte volkskundliche Studien betreiben und Material für seine geplanten Reiseberichte sammeln. Deshalb lehnte er glücklicherweise ab und ging in den alten Klosterkrug, so dass wir hiervon nun eine Beschreibung desselben in der „Sundine“ von 1832 finden, einem damals in Stralsund erscheinenden „Literatur- und Intelligenz-Blatt für Neu-Vorpommern und Rügen“. Thorwald fand sich in einer „sehr geräumigen, aber kalten, sehr stark nach Torf riechenden Gaststube“ wieder. Dort lebten der Gastwirt, der zugleich Müller war, mit seiner Frau, einer zwölfjährigen Tochter und einem fremden Säugling, dessen man sich angenommen hatte, da die Mutter sich als Amme verdingte. Der Gast trank Kaffee mit Milchbrötchen, aß einen Pfannkuchen, „die Suppe kam nach gebliebener schwedischer Sitte zuletzt“. Als er die ihm angebotene Schlafkammer erblickte, war er entsetzt:

> „Ha, ein Schauer ging mir durch Mark und Bein, als ich das unwirthliche Kämmerlein betrat! Die Krugstube war kalt und unfreundlich, das ist wahr, aber die Schlafkajüte glich einem förmlichen Burgverlies: feuchtes Loch, zerbrochne Fenster-Zugluft-Grabeswehn-ein eisiges Hü-

nenbett. »Hier kann ich nicht schlafen«, platzte ich heraus, »lieber gar nicht«. Die guten Leute nahmen dann auch Raison an und wir verständigten uns dahin, dass ich das voluminöse Ehebett in Zeitpacht nehmen könnte, welches in der Schenkstube als Rolandsruh paradirte... Eine Zentnerlast fiel mir vom Halse..."[40]

Der mecklenburgische Herzog Friedrich Franz I. hatte 1795 in der Nähe seiner Doberaner Sommerresidenz am Heiligen Damm ein Badehaus und einige Badehütten errichten lassen und so das erste deutsche Ostseebad begründet. Das erste Seebad auf Rügen entstand 1818 in Putbus-Lauterbach, wo Fürst Malte von Putbus ein ebenfalls weitgehend dem Adel vorbehaltenes Badehaus erstellte. Zum ersten bürgerlichen Modebad auf Rügen entwickelte sich seit den 1860er Jahren Saßnitz, das dann seit etwa 1880 wegen der dortigen besseren Strandverhältnisse mehr und mehr von Binz als führendem Seebad abgelöst wurde. Hiddensee war da noch meilenweit davon entfernt, überhaupt so etwas wie ein Badeort zu werden. Damit eine nennenswertere Zahl von Besuchern dorthin gelangen konnte, mussten erst einmal die Verkehrsverhältnisse verbessert und die Unterkunftsmöglichkeiten erweitert werden.

Stralsund hatte 1863 einen Bahnanschluss über Stettin nach Berlin erhalten. Um diese Zeit wurde die erste Schiffsverbindung zwischen Stralsund, Wittow und Jasmund eingerichtet mit der Möglichkeit, sich an der Fährinsel abbooten zu lassen. Zwischen 1883 und 1892 entstand die Eisenbahnlinie Altefähr - Bergen - Saßnitz. Mit der Eröffnung der Kleinbahnlinie Bergen - Trent - Altenkirchen Ende 1896 rückte Hiddensee wieder ein kleines Stück näher an die Welt heran. Allerdings lag zwischen Trent und dem Seehof ein gut zweistündiger Fußmarsch. Alexander Ettenburg empfahl daher diese Verbindung in seinem ersten Hiddensee-Reiseführer von 1905 auch insbesondere den Radfahrern. Wirklich besser wurden die Verbindungen erst seit 1892 nach Aufnahme der Schiffslinie Stralsund - Wiek durch Kapitän Bentzien.

Der Wirt des Klosterkruges, Johann Andreas Schlieker, legte 1868 ein Fremdenbuch auf, in das sich in diesem Jahr 8 Personen eintrugen. 7 davon kamen aus Berlin, darunter waren bereits ein Maler und mit Otto Glagau ein Schriftsteller. 1869 kamen 21 und 1870 32 Gäste. 1871 waren es im Ganzen 31, darunter die seinerzeit berühmte Opernprimadonna Pauline Lucca. Sie alle wohnten noch in dem alten Müller- und Krughaus. 1875 baute Schlieker einen neuen Gasthof mit 7 - 8 Fremdenzimmern, das heute noch erhaltene Haus Am Klostertor 3. Hier übernachtete dann am 29.7.1885 Gerhart Hauptmann, damals 22 Jahre alt, gemeinsam mit seinem Bruder Carl und dem Maler Hugo Ernst Schmidt bei seinem ersten Aufenthalt auf Hiddensee. Weitere Gäste bei Schlieker waren in diesem Jahr der Maler Konrad Müller-Kurzwelly und der Schriftsteller Johann Trojan, der im folgenden Jahr Chefredakteur des Berliner „Kladderadatsch" wurde. Insgesamt trugen sich 1885 120 Besucher ins Fremdenbuch ein. Auch in Vitte bestand ein bescheidener Krug, der 1886 von dem Rügener Gastwirt Franz Freese erworben und zum Gasthof zur Ostsee ausgebaut wurde. Freese führte seit 1886 ebenfalls ein heute leider nicht mehr vorhandenes Fremdenbuch, in das sich 1888 36 und 1896 115 Personen eintrugen. Darunter war wie in den Folgejahren 1897 - 99 wiederum Gerhart Hauptmann, nun mit seiner Geliebten Margarete Marschalk.

Die Zahlen blieben sehr bescheiden, erst seit der Jahrhundertwende kann man langsam von einem nennenswerten Badetourismus sprechen. Aber die Gäste, die kamen, taten dies von alleine wegen der eigenartigen Schönheit der Insel. Neben den Künstlern, Malern und Schriftstellern, welche die Pionierarbeit bei der touristischen Entdeckung Hiddensees leisteten, waren es überwiegend kleine Beamte und Gewerbetreibende, die auf der abgelegenen Insel einen bescheidenen und billigen Sommeraufenthalt suchten. Hiddensee betrieb damals noch keinerlei Werbung für sich, im Gegenteil: Die meisten Hiddenseer lehnten die „Frömden" aus der Stadt mit ihrem merkwürdigen Verhalten mehr oder weniger entschieden ab. Badeten diese doch im offenen Meer, was ein Hiddenseer niemals getan hätte, war er doch sicher, dass er damit, wenn nicht Leben, so doch seine Gesundheit aufs Spiel setzen würde. Noch um 1912, so berichtet Lehrer Segebrecht, war es praktisch unmöglich, die Hiddenseer Schulkinder ins Wasser zu bekommen. Die Fremden spazierten in dünner Sommerkleidung über die Insel, ein Hiddenseer behielt bekanntlich auch in der größten Hitze mehrere Schichten an Unterhemden, Hemden, Strickzeug und Jacken an und selbstverständlich immer eine Mütze auf dem Kopf. Und manche Gäste liefen hinter der Hucke oder ganz im Süden auch schon einmal nackt am Strand herum. „Freikörperkultur" nannten sie das, und das war nun wirklich vollkommen unmöglich. Die Fremden machten nur das Leben teurer und störten die Inselbewohner in ihrer Ruhe und in ihren althergebrachten Gewohnheiten, so hieß es bei vielen.

Strandleben in Vitte ca. 1910; die einheimischen Kinder vorne betrachten skeptisch das Treiben der fremden Badegäste

Aber natürlich gab es bald doch auch einige Unternehmungslustigere unter den Insulanern, die bei allem Misstrauen erkannten, dass man an den Städtern Geld verdienen konnte. Und das hatten die Hiddenseer um die Jahrhundertwende bitter nötig. Wegen sinkender Erträge lohnte die Fischerei sich nämlich immer weniger. Mit dem Anschluss Stralsunds an das preußische Eisenbahnnetz

1863 hatte die Bedeutung der traditionellen Fischerei auf Hiddensee noch weiter zugenommen, da es nun erstmals möglich wurde, den Fang auch weiter entfernt im Binnenland, etwa in Berlin, abzusetzen. Noch mehr Menschen auf Hiddensee widmeten sich seither dem Fischfang, die Bedeutung der Landwirtschaft ging weiter zurück, Vitte und Neuendorf entwickelten sich jetzt endgültig zu reinen Fischerdörfern. Aber seit etwa der Jahrhundertwende fielen Preise und Erträge. Für einen Wall Heringe, der zu Spitzenzeiten 3-4 Mark, im Durchschnitt aber mindestens etwa 1,50 Mark gebracht hatte, bezahlten die Stralsunder Händler 1911 nur noch 29 Pfennige. Ein Teil der Hiddenseer Fischereikommünen musste aufgeben, die Bevölkerung vor allem in Vitte verarmte zusehends. Im Gemeinderatsprotokoll von Vitte heißt es 1901, die Gemeinde befinde sich in großer finanzieller Bedrängnis, 1/3 der Einwohner sei nicht in der Lage, irgendwelche Steuern zu bezahlen. Und die Gemeinde konnte, wie berichtet, die Armenunterstützungskosten nicht mehr aufbringen.

Angesichts der „tief darniederliegenden Fischerei", wie Alexander Ettenburg in seinem Reiseführer 1912 schrieb, kamen die Fremden dann doch gerade recht. Mehr und mehr wurden im Sommer die ehelichen Schlafzimmer in den Fischerhäusern einige Wochen lang für die Fremden geräumt. Und mehr und mehr wurden neben den Fischerhäusern besondere Stallgebäude errichtet, so dass man dann die bisher im hinteren Teil der Häuser liegenden Ställe zu regelrechten Fremdenzimmern umbauen konnte. Diese neue Entwicklung kam zunächst fast ausschließlich der Gemeinde Vitte sowie ein wenig dem Dorf Grieben zugute. In Kloster gab es praktisch noch keine Wohnbebauung, und Neuendorf / Plogshagen lag zu weit vom Bollwerk in Kloster und auch von der Fährinsel entfernt. Dort tauchten überhaupt erst um 1905 die ersten Badegäste auf, im ganzen Jahr 1911 waren es immer noch erst 175. Die besondere Idylle der Süderdörfer wurde erst in den 20er Jahren wirklich entdeckt.

Gästezahlen Hiddensee (ab 3 Tage Aufenthalt)

Jahr	Gäste insgesamt	Kloster/ Grieben	Vitte	Neuendorf/ Plogshagen
1900	ca. 800			
1902			ca. 500	
1903	ca. 1000			
1907	1101			
1908	1360			
1909	1612	271		
1910	968			
1911	2009	924	ca. 1000	175
1912	2116	886	ca. 1000	330
1913	2903	960	1493	450
1914	2400	620	1350	430
1921	3981	1337	2244	400
1923	3509	1244	1765	500
1926	4001			
1929	6140	1470	2970	1700
1930	5545	1712	2329	1504
1931	5413	1472	2433	1505
1935	7126	2033	3056	2037
1936	7208	2131	2992	2085
1937	10368	3349	4477	2542
1938	12880			

In Vitte wurde 1900 ein Bade-Interessenten-Verein gegründet. Treibende Kraft und erster Vorsitzender war der Schuhmacher Carl Witt. Der Verein annoncierte 1905 im ersten Reiseführer Ettenburgs und bot die Versendung von Prospekten gegen Rückporto, die Vermittlung von Unterkünften und die kostenlose Benutzung eigener Badezellen am nahen Strand an. Diener sollten, so hieß es, zu jeder Motorbootsankunft an der neuen Anlegebrücke bereitstehen. Mit dem „Gasthof zur Ostsee“ von Franz Freese besaß der Ort seit 1886 auch eine etwas bessere Unterkunft, wo man 1905 volle Pension von 4 Mark an und „Touristenlogis mit

Kaffee“ ab 2 Mark erhalten konnte. 1895 war dort direkt am Binnenwasser noch das „Logierhaus zur Post“ von Frl. Margarethe Nehls entstanden. 1907 wurde der Gasthof zur Ostsee zum großen Hotel ausgebaut - es war das erste auf Hiddensee. Bis dahin waren in Vitte noch einige Pensionen hinzugekommen, die sich alle gleich Villa nannten: die „Villa Emma“, die „Villa Schwarz“, die „Villa Gau“ und „J. Hoges Restaurant und Pensionat“. 1910 beantragte Lehrer Segebrecht die Gründung einer Badeverwaltung durch die Gemeinde Vitte. Hierzu wurde zum 26. 1. 1910 eigens eine Einwohnerversammlung einberufen, die sich schließlich knapp mit 31:27 Stimmen für den Antrag Segebrechts aussprach.

Das um einen ersten Anbau (l.) erweiterte "Gasthaus zur Ostsee" in Vitte ca. 1900; hier wohnte Gerhart Hauptmann in den Sommern 1896 - 1899 mit seiner Geliebten Margarete Marschalk; 1907 wurde rechts noch das hohe Hotelgebäude angebaut

Seit der Jahrhundertwende bot das Stralsunder Heiliggeist-Kloster Baugrundstücke in Kloster zum Verkauf an. 1903 erwarb der Berliner Holzhändler und Kunstmaler Oskar Kruse ein großes Terrain, auf dem er bis 1905 einen ebenso großen, romantischen Jugendstilbau, die „Lietzenburg“, errichten ließ. In Kloster wurden mittlerweile auch Sommergäste in dem 1897 neu errichteten Gutsgebäude aufgenommen. Das im gleichen Jahr von Amtsvorsteher Philipp Schönrock und dessen Bruder errichtete große Wohngebäude am Mühlbergsweg wurde nach der Amtsenthebung Schönrocks 1904 in eine „Pension zur Post“ umgewandelt. 1904 entstanden ferner am Außenstrand oberhalb des Rettungsschuppens das „Landhaus Rindermann“ und am Mühlberg die „Villa Meeresstille“ von Emil Hirschfeld, seines Zeichens „Ober-Telegraphen-Assistent außer Diensten“. Der aus dem Baltikum stammende Berliner Schriftsteller Arved Jürgensohn, der 1914 einen weiteren Hiddensee-Reiseführer veröffentlichte, errichtete ebenfalls auf der Höhe oberhalb des Rettungsschuppens einen hölzernen Sommer-Pavillon.

Die "Pension Haus am Meer" ca. 1914

Seit 1910 entstanden dann in schneller Folge mehrere größere Hotelneubauten: 1910 das „Hotel Hitthim“ von Clara Häckermann direkt am Hafen, 1911 auf der Dornbuschhöhe in der Nähe des Leuchtturms das „Bergwald-Hotel Zum Klausner“ von Emil Hirsekorn, 1912 das „Landhaus Wiesen-eck“, ebenfalls von Hirsekorn. 1913 wurde die von dem früheren Oberleutnant und späteren Maler und Dichter Henning von Sydow errichtete „Pensionsvilla Haus am Meer“ fertiggestellt. Von Sydow hatte Oskar Kruse im Berliner Romanischen Café kennengelernt und ihm einen Teil seines Terrains hinter der Lietzenburg abgekauft. Ebenfalls 1913 konnte Paul Gau, der Besitzer des Klosterkruges, nebenan das stattliche und komfortable „Hotel Dornbusch“ eröffnen, welches fortan bis 1945 eindeutig das erste Haus am Platze war und blieb. Durch diese Pensions- und Hotelbauten entwickelte Kloster sich in den zehn Jahren vor dem

Ersten Weltkrieg überhaupt erst zu einem Wohnort, zugleich gewann es den Ruf, exklusiver und „vornehmer" als die anderen Inselorte zu sein. 1914 gab es in Kloster 150 Fremdenzimmer mit 300 Betten, in Grieben waren 40 Zimmer mit 85 -90 Betten zu mieten. Am Strand standen etwa 20 Badehütten, Paul Gau ließ für die Gäste seines neuen Hotels erstmals 35 Strandkörbe aufstellen.

Allerdings hatten Komfort und Exklusivität in Kloster ebenfalls ihre Grenzen. Auch dort gab es keinen Strom, keine zentrale Wasserversorgung und nur unbefestigte Sandwege. Auf der anderen Seite machte dies, wie gesagt, vor allem für die intellektuellen Besucher wiederum den besonderen Reiz Hiddensees aus. 1909 wurde auch für Kloster-Grieben eine Badeverwaltung gegründet, deren Leitung der Lehrer Kyschky und nach dessen Pensionierung seit 1912 Emil Hirschfeld, der Besitzer der Villa Meeresstille, übernahm. Der erste bisher überlieferte Badeprospekt von Kloster und Grieben stammt von 1916. Darin wurde nach der Versicherung, dass auf der unbefestigten Insel keine Gefährdungen durch den Krieg zu erwarten seien, vor allem das ungezwungene Strandleben angepriesen:

> „Hier .... spielt sich das zwanglose Badeleben ab, welches auch noch den besonderen Vorzug geniesst, kostenfreie Bäder von unbeschränkter Dauer zu gewähren, sowie Luft- und Sonnenbäder ohne Hindernis zu gestatten. Hiddensoe ist ein kleines, entzückendes Inselparadies für sich, das jeder für Schönheit und Poesie empfänglichen Seele unauslöschlich liebliche Erinnerungen einprägt."[41]

1917 gab die Badeverwaltung Kloster erstmals einen 36seitigen „Kleinen Führer durch die Ostseebäder Kloster und Grieben" aus der Feder Arved Jürgensohns heraus.

In Vitte entstand bis zum Ersten Weltkrieg mit dem „Strandhotel" an der Sprenge noch ein größeres Hotel, die Villa Emma am Süderende wurde zu einem Hotel-Gasthof erweitert. In der

Dünenheide eröffnete Paul Krüger 1905 an seinem Bauernhaus einen Gasthof „Heiderose", und in Neuendorf wurde 1901 „Julius Gau`s Gasthof" eröffnet. In Vitte (mit Fährinsel und Heide) standen 1914 475 Zimmer mit ca. 1000 Betten und in Neuendorf-Plogshagen 60 Zimmer mit 100 Betten zur Verfügung. In den Süderdörfern wurde 1911 ein Bade-Interessentenverein gegründet.

Der Gasthof "Heiderose" mit der schwarz-weiß-roten Reichsflagge ca. 1910

7.9 Gruppenbild mit Dame - Wichtige Persönlichkeiten: Alexander Ettenburg, Gerhart Hauptmann, Oskar Kruse, Arved Jürgensohn, Henni Lehmann

Alexander Ettenburg (1858 - 1919)

Alexander Ettenburg, der Entdecker und eifrige Förderer Hiddensees als eines „Ostseebades der Zukunft", wurde als Alexander Eggers am 28. 2. 1858 in Gugelvitz in Schlesien geboren. Sein Vater war dort Großgrundbesitzer, er entstammte also wohlhabenden Verhältnissen. Nach dem standesgemäßen Besuch einer höheren Lehranstalt setzte er allerdings durch, nicht in die Fußstapfen des Vaters als Gutsverwalter zu treten, sondern Schauspieler zu werden. Er besuchte eine Schauspielschule, nahm auch Tanzunterricht, legte sich den Künstlernamen Alexander Ettenburg zu und stand seit 1879 auf der Bühne. Gesundheitliche Probleme ließen ihn 1884 das Theater aufgeben. Da der Arzt ihm zur gesunden Seeluft riet, kam er nach Stralsund und von dort nach Altefähr, wo er 1886 von seinem väterlichen Erbteil die luxuriöse „Villa Alexander", das spätere „Hotel Seeschloss", erbaute. Schon in Altefähr entfaltete Ettenburg zur Werbung für sein neues Hotel und für den Rügen-Tourismus im allgemeinen eine große Regsamkeit. Er gab einen ersten Bäderprospekt für Altefähr heraus und veranstaltete für seine Gäste Vortrags-, Rezitations- und Kabarettabende, die auf großen Zuspruch stießen. Für die Kinder schaffte er einen Esel an, auf dem sie durch den Hotelgarten reiten konnten und der ihn sein ganzes Leben begleiten sollte. Im Winter zog Ettenburg mit seinen Vorträgen quer durch Deutschland. 1888 heiratete er die Schauspielerin Marie Magdalinski, die Ehe wurde jedoch nach zwei Jahren schon wieder geschieden. Alexander Ettenburg konnte schlecht wirtschaften. 1894 verpachtete er das Hotel in Altefähr und musste es 1895 mit hohem Verlust verkaufen, wobei er fast

Alexander Ettenburg in Grieben ca. 1900

sein gesamtes Vermögen verlor. Daraufhin siedelte er, weitgehend mittellos, nach Hiddensee über.

Ettenburg hatte die Insel spätestens 1888 erstmals besucht und war von deren Zauber und ihren „ganz unbeschreiblichen Reizen“ sofort eingenommen - es sollte eine lebenslange Liebe werden. Trotz aller Widrigkeiten, die ihm auf der Insel widerfahren sollten, betonte er immer wieder, sein innigster Wunsch sei, auf immer bis zu seinem Tode vereinigt bleiben zu können mit seinem stillen Hiddensee, das ihm seinen Seelenfrieden zurückgegeben habe.[42] Schon 1888 nahm er Verhandlungen mit der Stralsunder Verwaltung über den Ankauf eines Grundstücks und den Bau eines Hotels auf Hiddensee auf. Nach der Hotel-Pleite in Altefähr besaß er nur noch die Mittel, in Grieben ein altes Fischerhäuschen zu kaufen, um dieses zu einer einfachen Gaststätte , der „Schwedischen Bauernschänke“, umzubauen. Die Bewirtschaftung übertrug er, wie schon im Hotel in Altefähr, seiner Freundin Gustel Kollwitz. Für sich selbst pachtete er von der Klosterverwaltung auf dem Dornbusch ein Gelände, auf dem er eine Reihe von hölzernen Gebäuden, wahrscheinlich wäre Bretterbuden die treffendere Bezeichnung, errichtete. Dies sollte sein „Tannhausen“ oder „Tusculum“ werden, Tusculum war im antiken Rom ein vornehmer Villenvorort gewesen. Dort bewirtete er in einer „Bergwaldschänke“ im Sommer seine Gäste, meist Tagesausflügler, die am Wochenende mit dem Dampfer von Stralsund nach Kloster kamen. In der zum Nordstrand abfallenden Schlucht, die er in Erinnerung an die höchste slawische Gottheit Swantewitschlucht nannte, baute er ein Naturtheater. Dort führte er meist selbst verfasste Stücke auf, die oft irgendwie mit Hiddensee und seiner Geschichte zusammenhingen, wie „Swantewits Fall“ oder „Hidde, die Fee des söten Lännekens“. Einige Hiddenseer spielten dabei gelegentlich mehr schlecht als recht als Statisten mit. Mit einer seiner Hauptdarstellerinnen, der Berliner Schauspielerin und Sängerin Marka Schiemann, ging er 1900 eine zweite Ehe ein, die jedoch ebenfalls nach fünf Jahren wieder geschieden wurde.

Vor allem aber war Ettenburg von der Idee beseelt, sein liebliches Hiddensee zum „Ostseebad der Zukunft" zu machen, und entfaltete, wie schon zuvor in Altefähr, eine entsprechend rege Werbetätigkeit, durch die die Insel erstmals in größeren Kreisen Berlins und Deutschlands bekannt wurde. 1905 gab er mit einer Auflage von 1000 Exemplaren einen ersten Reiseführer über „Dat söte Länneken, das Ostseebad der Zukunft", wie es im Untertitel hieß, heraus, der 1912 eine zweite Auflage erlebte. Eine nach dem Ersten Weltkrieg für 1919 vorgesehene dritte Auflage scheiterte an seinem Tod. Ebenfalls 1905 konnte Ettenburg den Berliner Geschäftsmann E. Büsson dazu bringen, einen modernen und großzügigen Fährbetrieb nach der Insel einzurichten. Er kämpfte darum, auf Hiddensee ein Kinderkrankenhaus oder eine Ferienkolonie für Kinder einzurichten und schrieb deshalb mehrfach vergeblich an die Kaiserin. Im Winter tourte er nach wie vor mit seinem Vortrags- und Rezitationsprogramm quer durch Deutschland, aber auch nach Schweden und Finnland, und warb dabei nun vor allem mit seinen zahlreichen Hiddensee-Gedichten für die Insel, wie etwa diesen beiden:[43]

„Kennt Ihr das Ländchen, lieblich und traut.
Von schäumenden Wogen der Ostsee umblaut?
Im Westen von Rügen türmt es sich auf.
Ein Bollwerk der Insel, zieht Sturmflut herauf!
Grün seine Wiesen, duftig sein Wald.
Lieblich darüber Lerchensang schallt!
Dort wohn ich einsam auf waldiger Höh'.
Als der »Einsiedler von Hiddensee«.
O Hiddensee, du min »sötes Land«.
Wie bist du leider noch unbekannt!"

„Hiddensee, vom blauen Meer umflossen,
Welcher Zauber liegt doch ausgegossen
Über deinen Bergen, Dünen, Schluchten,
Deinen Dörfern, Wiesen, schilf'gen Buchten!
Immer wieder komm' vom fernen Land

Sehnsuchtsvoll ich her an deinen Strand:
Schöpfe stets, wonach ich ausgezogen:
Seelenfrieden aus den blauen Wogen!“

Bei aller Gelehrsamkeit und Aktivität im Interesse der Inselentwicklung war Alexander Ettenburg doch auch ein komischer Kauz, mit dem sich die Hiddenseer schwer taten. Spätestens seit der Scheidung von seiner zweiten Frau lebte er endgültig als Einsiedler in seiner nun so bezeichneten „Eremitage“, zusammen mit seinem Esel „Hansi“ und dem grauen Waldkater „Pussi“. Die drei waren ein unzertrennliches Kleeblatt, das sich nur gemeinsam über die Insel bewegte. Ettenburg, überzeugter Anhänger der Theosophie, ging meistens barfuß und trug eine helle Mönchskutte, seine „Einsiedlertracht“, wie er sagte. Zur Abwechslung lief er aber auch gelegentlich in einer vermeintlich alten Hiddenseer Tracht herum. In einer der Bretterbuden auf dem Dornbusch hatte er sein eigenes „Mausoleum“ eingerichtet,

> „ein aus Rohrwänden gefügter Raum, in welchem ich meine komplette »Feuerbestattungs-Ausstattung«, bestehend in »vorschriftsmäßigem Verbrennungssarg« mit Transportkasten, Totenkleid und Aschenurne mit Blecheinsatz, für »vorkommende Fälle«, aufbewahre. Seit 1884 habe ich mich bereits »reisefertig« gemacht, wohl eingedenk des Psalmisten-Wortes: »Lehre uns bedenken, dass wir sterben müssen, auf dass wir klug werden« - ein Ausspruch, dessen rechtzeitige Beherzigung manch unkluges Testament verhütet hätte. Es ist klar, dass der Besuch dieses seltsamen Raumes zu den »Sehenswürdigkeiten« von Tannhausen gehört, ebenso wie meine gleichfalls aus Brettern gefügte »Lufthütten-Kolonie«, in welcher ich die Mitglieder meines »Wald-Pensionates« unterzubringen pflege. ...“[44]

Diese Merkwürdigkeiten mochten manchen neugierigen Ausflugsgast in seine „Eremitage auf Tannhausen“ ziehen, mit den Hiddenseern selbst und auch manchen Gästen sowie schließlich

Das "Restaurant und Logier-Haus Hiddensee" in Grieben ca. 1920; in dem Fachwerkhaus l. befand sich die ehemalige "Schwedische Bauernschenke" von Alexander Ettenburg

mit der Stralsunder Klosterverwaltung musste es auf Dauer Probleme geben. „He is doch mal", war ein oft zu hörender Kommentar zum Gebaren Ettenburgs. Seine Bretterbuden-Einrichtungen boten nicht gerade den neuzeitlichen Komfort eines Ostseebades der Zukunft, zumal die hygienischen Verhältnisse im Sommer dort oben nicht immer die besten waren. Häufigen Ärger gab es von Anfang an mit dem seit 1896 amtierenden Amtsvorsteher Philipp Schönrock, der ihn mit wiederholten Ordnungsverfügungen, Anzeigen und Strafmandaten überzog. Ettenburg berichtet, er habe insgesamt 14 Prozesse gegen Schönrock gewonnen und eine von ihm beim Berliner Innenministerium eingereichte Beschwerde habe 1904 schließlich zur Amtsenthebung Schönrocks geführt. Schönrock lag jedoch auch seit längerem im Streit mit Gutspächter Ernst Luhde, von dem er dann als Amtsvorsteher abgelöst wurde.

Im Sommer 1909 beantragte der Berliner Emil Hirsekorn, Einkäufer für Herrenstoffe in einem Berliner Geschäft, der sich selbständig machen wollte, bei der Klosterverwaltung in Stralsund, ihm das Ettenburg-Gelände zu überlassen. Das Terrain Ettenburgs, so seine Begründung, entspreche nicht mehr den neuen Ansprüchen und gleiche eher einem Zigeunerlager. Hirsekorn hingegen wollte sich verpflichten, an gleicher Stelle einen modernen Hotelneubau zu errichten. Das Heiliggeist-Kloster ging auf den Vorschlag ein, verlängerte Ettenburgs Vertrag nicht um ein weiteres Jahr, sondern verpachtete das Gelände ab 1910 bis zunächst 1917 an Hirsekorn, der dort das „Hotel zum Klausner" errichtete. Ettenburg musste alle seine Holzbuden abtragen und stand, jetzt 51 Jahre alt, erneut vor dem Nichts. Sein Versuch, zwischen Baabe und Sellin auf Rügen eine neue Gaststätte zu eröffnen, scheiterte daran, dass man ihm dort die Erteilung einer Konzession verweigerte. Schließlich überließ Landrat Hoffmann zu Pyrmont ihm ein Stück Land südlich von Vitte, wo Ettenburg nun ein neues Holzgebäude errichtete. Er nannte es jetzt „Einsiedelei Mathilde" und bewirtete dort im Sommer wieder Ausflügler und Badegäste.

Als nach Ausbruch des Ersten Weltkrieges zunächst fast kaum noch Gäste nach Hiddensee kamen, wurde Ettenburgs Lage immer schwieriger. Er verarmte und vereinsamte immer mehr, blieb jetzt auch im Winter mit Esel und Kater auf der Insel und ergab sich mehr und mehr dem Trunk. Am 30. 10. 1919 starb er einsam im städtischen Krankenhaus in Stralsund. Er war zuvor krank und verwirrt durch die Straßen der Stadt geirrt, hatte wohl auch mit einer Pistole auf sich oder um sich herum geschossen und war daraufhin von der Polizei aufgegriffen worden. Sein Leichnam wurde in Greifswald eingeäschert, die Urne ging dann angeblich auf dem Postwege nach Hiddensee unter ungeklärten Umständen „leider" verloren. Hatte da jemand verhindern wollen, dass „de mall' Ettenburg" auf dem idyllischen Inselfriedhof seine letzte Ruhestätte fand, wie er es sich immer gewünscht hatte? Honi soit, qui mal y pense! Spätere prominente Inselgäste hatten da mehr Glück als der ungeliebte Einsiedler von Hiddensee.

1921 bildeten der aus Stralsund stammende Düsseldorfer Technische Regierungs-Obersekretär Ernst Engelbrecht sowie Robert Hübner und Karl Beyer aus Vitte einen vorbereitenden Ausschuss zur Errichtung eines Ettenburg-Gedenksteins auf dem Hochlande. Das Kloster-Provisorat war bereit, einen Platz für die Errichtung des Steins zur Verfügung zu stellen, aber die drei Initiatoren gaben schon ein Jahr später ihren Plan wieder auf, nachdem sie hatten feststellen müssen, dass die „maßgeblichen örtlichen Persönlichkeiten“ ein Kriegerdenkmal für wichtiger hielten als einen Gedenkstein ausgerechnet für Ettenburg.[45]

Gerhart Hauptmann (1862 - 1946)

Der 1862 in Schlesien geborene Hauptmann betrat am 29.7.1885 als 22jähriger gemeinsam mit seinem Bruder Carl und zwei Freunden erstmals die Insel Hiddensee. Es war ein bis heute üblicher Abstecher von einer längeren Rügen-Reise, der Hochzeitsreise Hauptmanns, auf die kleine Nachbarinsel. Die Männergesellschaft übernachtete in Schliekers Gasthof, und Hauptmann schrieb sein erstes Hiddensee-Gedicht - ein „Lobgesang“ auf die „zaubereinsame“ Insel und den Sprosser, die nordische Nachtigall, die hier in den Sommernächten so wunderbar singt und die er lyrisch „Mondscheinlerche“ nennt:

„Von dem Lager heb ich sacht
meine müden Glieder;
eine warme Sommernacht
draußen stärkt sie wieder.

Mondschein liegt um Meer und Land
dämmerig gebreitet;
in den weißen Dünensand
Well’ auf Welle gleitet.

Unaufhörlich bläst das Meer
eherne Posaunen;
Roggenfelder, segenschwer,
leise wogend raunen.

Wiesenfläche, Feld und Hain
zaubereinsam schillern;
badend hoch im Mondenschein
Mondscheinlerchen trillern.

»Lerche, sprich, was singst du nur
um die Mitternachtsstunde?
Dämmer liegt auf Meer und Flur
und im Wiesengrunde.«

»Will ich meinen Lobgesang
halb zu Ende bringen,
muß ich Tag und Nächte lang
singen, singen, singen!«"

Hauptmann erinnerte sich ein Jahrzehnt später der einsamen pommerschen Insel, als er ein Refugium für sich und seine junge Geliebte Margarete Marschalk suchte. In den Sommern 1896 bis 1899 verbrachten die beiden gemeinsam jeweils einige Wochen in Vitte, und die Insel tat dem Dichter, der schwer an seinem Konflikt zwischen Ehefrau und Geliebter trug und deshalb zeitweilig sogar Selbstmordgedanken hegte, ausgesprochen gut. Beim ersten Aufenthalt 1896, als er Margarete Marschalk im Gasthof Freese, dem späteren Hotel zur Ostsee, große Teile des Märchenspiels „Die Versunkenen Glocke" diktierte, notierte Hauptmann:

> „Von Tag zu Tag werden wir frischer, heiterer, sorgloser. Wir verändern uns ... Wir leben im Tag, wir leben im Augenblick, der größte Teil unseres Kummers, unserer Sorgen kann nicht an uns heran. Wiese und Meer! Meer und Wiese und Wind! Wind, Sturm und ewig brandende, rauschende, donnernde Flut! ... Das ist das Gesuchte, das ist das Gesunde."[46]

Nach einem weiteren Inselbesuch mit seinen Söhnen Ivo, Eckart und Klaus aus erster Ehe 1901 folgte eine längere Pause. 1900 hatte ihm Margarete Marschalk seinen vierten Sohn Benvenuto (italienisch =„Willkommen“) geboren, 1901 baute er den Wiesenstein im Riesengebirge als Domizil für seine neue Familie, 1904 heiratete er die langjährige Geliebte. Als er 1916 wieder nach Hiddensee zurückkehrte, fand er es verändert. Die ersten Anzeichen des aufkommenden Tourismus hatten auch die abgeschiedene Insel erreicht, am Strand standen Strandkörbe, und bei deren Anblick wollte er eigentlich sofort wieder fliehen. Er tat es bekanntlich nicht, sondern blieb und kam von nun an alle Jahre wieder. Hiddensee wurde neben dem Wiesenstein im Riesengebirge zu Hauptmanns zweitem Domizil in Deutschland. 1917 bis 1920 mietete er jeweils für mehrere Wochen die Lietzenburg, welche er auch gerne gekauft hätte. Aber das Geschäft kam nicht zustande, weil Oskar Kruse ihm zwar die Lietzenburg, aber nicht das gesamte Hanggelände bis zum Strand von Kloster abtreten wollte. 1921 bis 1924 folgten Aufenthalte in der benachbarten Pension „Haus am Meer“ von Irene von Sydow, 1924 für einige Zeit gemeinsam mit Thomas Mann und seiner großen Familie. Seit 1926 wohnte er im Haus Seedorn in Kloster, das er 1930 von der Gemeinde erwarb und im Winter 1930/31 durch den Dresdener Architekten Arnulf Schelcher um das Arbeits- und Abendzimmer, den verbindenden Kreuzgang und eine große Terrasse erweitern ließ. In diesem seinem Haus verbrachte Hauptmann nun, mit der Ausnahme des Jahres 1939, bis 1943 immer mehrere Sommerwochen.

Seit den 20er Jahren hatte sich immer mehr ein feststehender Jahresrythmus im Leben des „Dichterfürsten“ herausgebildet mit jeweils mehrwöchigen Sommeraufenthalten auf Hiddensee und Winterreisen an die italienische Riviera nach S. Margherita Ligure und Rapallo. Auf Hiddensee bestimmte auch ein feststehender Tagesrhytmus sein Leben, den sein dortiger Vertrauter, Pastor Arnold Gustavs, beschrieben hat: .

> „Frühmorgens zwischen sechs und sieben ging er an den Strand zum Baden, meist von seiner Gattin begleitet. Nach dem Frühstück ein langer Spaziergang durch den Wald oder über die Hügel, mit einem Notizbuch in der Hand, sein Produktivspaziergang, bei dem er meditie-

rend das Nachmittagsdiktat überlegte. Nach dem Mittagessen ein langer Mittagsschlaf. Um 5 Uhr war Teestunde, wobei Hauptmann Kaffee trank, der seine Gedanken besser ins Rollen brachte. Dann arbeitete Hauptmann etwa zwei bis drei Stunden ununterbrochen. Unterdessen mußte absolute Ruhe im Hause herrschen. Gäste wurden nicht angenommen. ... Der Abend gehörte der Geselligkeit. Kaum ein Tag verging, an dem nicht des Abends Gäste bei Hauptmann versammelt waren. Dann wurde in dem kleinen intimen Raum vor dem Arbeitszimmer, in dem auch gegessen wurde, bei einem guten Glase Wein geplaudert. Die Weihe des Raumes wurde durch ausgewählte Kunstwerke erhöht. ... An dem runden Tisch hatte Frau Hauptmann ihren Stammplatz in einem hohen Ohrensessel. Ihr gegenüber saß der Hausherr. Und zwischen beiden standen an jeder Seite nur noch zwei Stühle, weil meist nur ein kleiner Kreis von vier Gästen anwesend war; eine sehr glückliche Zahl, die ein zielloses Durcheinanderschwirren der Unterhaltung verbot, zumal alle auf das Wort des »Meisters« lauschten. Das war die Stunde, in der Gerhart Hauptmann sein Herz öffnete und alle Höhen und Tiefen der Menschheitsgeschichte und des Geisteslebens durchmessen wurden. Ein köstlicher Genuß war es jedesmal, wenn Hauptmann aus seinem Leben oder über das Entstehen seiner Werke erzählte, oder gar in seiner dramatischen Vortragskunst aus irgendeinem noch unveröffentlichten Manuskript vorlas. Da Hauptmann gern einem guten Wein zusprach, dehnten sich diese Symposien oft bis weit nach Mitternacht aus und wurden bisweilen auch wohl einmal dionysisch übersteigert.“[47]

Hauptmann hatte einen hohen Alkoholkonsum, der ihm aber offensichtlich gesundheitlich nicht schadete. Am nächsten Morgen stand er ja in aller Frühe wieder auf, ging, nur mit einem Bademantel bekleidet, an den Strand und badete nackt in der nicht selten kalten Ostsee. Die Ankunft einer größeren Weinladung aus

Assmannshausen oder Rüdesheim, die Pastor Gustavs dann erst einmal im großen Weinkeller des Hauses Seedorn verstaute, kündigte im Frühsommer auch jeweils das bevorstehende Eintreffen des Hausherrn an. Bei seinem Lebenswandel war Hauptmann bei den Hiddenseern selbst durchaus nicht beliebt. Er war alles andere als volkstümlich, gab sich vielmehr reserviert und abgehoben, hielt sich fern vom gemeinen Volk. Er kaufte von Max Kruse und dem Stralsunder Kloster zum Heiligen Geist noch Grundstücke um sein Haus Seedorn, um so den Blicken Neugieriger entgehen zu können. Von Stralsund oder Rügen aus reiste er allein auf einem dafür extra von der Genossenschaftsreederei gecharterten und für ihn besonders geflaggten Dampfer an. Vom Hafen in Kloster schritt er schnurstracks zu seinem Haus, während seine Frau und das Personal sich um das Gepäck kümmerten. Als der Fährmann Heinrich Gau Hauptmann an einem späten Abend im August 1926 von Schaprode noch zur Fährinsel übersetzen sollte und darum bat, noch zwei Schüler mitnehmen zu dürfen, die auf der Fährinsel als Feriengäste wohnten, wies Hauptmann dies schroff und entschieden zurück. Die Jungens mussten in der Dunkelheit in Schaprode zurückbleiben.

Unter den Hiddenseern unterhielt er Kontakte nur zu den wenigen „Intellektuellen" und Honoratioren, die es dort gab. Das waren neben Pastor Gustavs nur der Lehrer und Kantor Heinrich Berg sowie Amtsvorsteher und Gutspächter Paul Wüstenberg. Zu den abendlichen „Symposien", wie Pastor Gustavs sie nennt, wurden sonst nur die intellektuellen Sommergäste geladen, vor allem auch die, die hier selbst ein Sommerhaus besaßen, wie der Publizist Samuel Sänger und seine Frau Irma Sethe vom benachbarten Sethe-Hof, Max und Käthe Kruse von der Lietzenburg oder der Berliner Architekt Hermann Muthesius und seine Frau Anna. Auch die Schauspielerin Asta Nielsen, die in Vitte ihr Sommerhaus „Karusel" unterhielt, wurde ins Haus Seedorn gebeten, wie sie in ihren Lebenserinnerungen berichtet:

> „Eines Tages kam eine hohe, kräftige Gestalt in kurzen Kniehosen und blauer bayrischer Leinenjacke gemäch-

> lich über das sommerflimmernde Feld auf mein Haus zu. Es war der Dichter Gerhart Hauptmann. ... Sein Gang war jung und elastisch trotz seines hohen Alters, und das Haupt trug er hoch erhoben. Sein weißes Haar stand wie ein Wolkenhauch vor dem blauen Himmel. ... Jetzt kam er mit seiner Frau, die man wegen ihrer Frisur oft mit mir verwechselte, um mich für den nächsten Tag zum Essen zu bitten. Jeden Abend versammelte er eine Schar literarischer Sommergäste und anderer Künstler um seinen Tisch. Große Schalen Obst standen auf der Tafel, und ausgesuchte Weine aus seinem berühmten Keller perlten in den Gläsern. ... Er gefiel mir außerordentlich gut. Er sprach mit großer Einsicht über jedes Gebiet, ab und an verlor er den Faden, aber seine Frau half ihm mit großem Geschick, ihn wiederzufinden.“[48]

Für Hauptmann waren die Aufenthalte auf Hiddensee keine Ferienaufenthalte, er kam dorthin, um zu arbeiten und zu leben, was beides zueinander gehörte. So ist hier ein beträchtlicher Teil seiner Werke zumindestens teilweise entstanden und diktiert worden. Und so finden sich in seinen Dichtungen vielfältige Bezüge auf die Insel Hiddensee selbst. Es ist weithin bekannt, dass er die Namen seiner beiden Vagabunden „Schluck und Jau“ den häufigsten Hiddenseer Familiennamen Schluck und Gau entlehnt hat. „Gabriel Schillings Flucht“ spielt in weiten Teilen auf Hiddensee und enthält zahlreiche Beschreibungen der Insel, die hier „Fischmeisters Oye“ heißt. In der „Insel der Großen Mutter“, mit der Hauptmann 1916 in Kloster begann, ist Hiddensee in die paradiesische Südsee verlegt. Hauptmann selbst hat noch einen anderen als den landschaftlichen Zusammenhang enthüllt: „Ich hätte sie [die Insel der Großen Mutter] wohl nie geschrieben, hätte ich nicht jahrelang auf Hiddensee die vielen schönen, oft ganz nackten Frauenkörper gesehen und das Treiben dort beobachtet.“[49] In der „Goldenen Harfe“ beschreibt Hauptmann ausführlich den Gesang des Sprossers, und sein Hiddenseer Freund und Vertrauter, Pastor Gustavs, kehrt in der Figur des „Pastors Pawel“ im Romanfragment „Der neue Christophorus“ wieder.

1933 blieb Hauptmann im Gegensatz zu vielen anderen Intellektuellen in Deutschland und zog sich danach immer mehr dichtend in den Wiesenstein und im Sommer in sein Haus Seedorn auf Hiddensee zurück. Wer schon so viele politische Systemwechsel miterlebt habe wie er, könne „nicht jedesmal beese sein. Ist ja langweilig!"[50] Aus einer solchen Äußerung spricht zumindest eine kaum glaubliche Naivität und Verkennung der Realität durch den damals 70jährigen Dichter. Das umstrittene und problematische Verhältnis Hauptmanns zum Nationalsozialismus ist vielfältig dargestellt und diskutiert worden. Das soll und kann hier nicht alles wiederholt oder gar neu bewertet werden. Einiges spricht dafür, dass Hauptmann den deutschen Nationalsozialismus zu sehr vor dem Hintergrund seiner langjährigen Erfahrungen mit dem italienischen Faschismus beurteilte und daher dessen sehr viel größere Brutalität und kriminelle Energie zumindest nicht rechtzeitig erkannte. Hauptmann war Italienliebhaber, schon bevor er an die Ostsee und nach Hiddensee kam, war er am Mittelmeer und in Capri gewesen. Insgesamt verbrachte er rund 10 Jahre seines Lebens in dem Land, in dem Mussolini schon seit 1922 an der Macht

Margarete und Gerhart Hauptmann werden von einer begeisterten Gästeschar im Hafen von Kloster mit dem Faschistengruß verabschiedet, ca. 1938

war. Die italienischen Faschisten waren zwar auch nicht gerade zimperlich, aber sie erschossen ihre Gegner nicht massenweise und steckten sie in keine KZ's, sondern verbannten sie „nur" auf einsame Inseln oder in kleine Bergdörfer im heißen Mezzogiorno. Eine wirkliche Judenverfolgung hat es dort trotz der 1938 auf Druck der Deutschen erlassenen antisemitischen Gesetze nicht gegeben. Im Gegenteil bewahrte die italienische Armee während des Krieges die jüdischen Menschen in ihrem Einflussgebiet, wo es ging, vor der Deportation und Ermordung durch die Deutschen. Hauptmann fühlte sich im faschistischen Italien wohl, er bewunderte Mussolini und seine Politik, den er nach einer Audienz im Jahre 1929 mit Bismarck und Napoleon verglichen hatte.

Im Januar 1933 hielt Hauptmann sich wie immer um diese Jahreszeit in Rapallo auf. Er gab die Anweisung, am Haus Seedorn nun die in Deutschland übliche Fahne, d.h. die Hakenkreuzfahne, zu hissen. Als Hauptmann im November 1933 in mehreren Zeitungsartikeln den vom „Führer" beschlossenen Austritt aus dem Völkerbund öffentlich begrüßte, platzte dem berühmten Berliner Theaterkritiker Alfred Kerr, der immer ein Freund und Förderer Hauptmanns - und auch einer der vielen bekannten Hiddensee-Gäste - gewesen war, endgültig der Kragen. In seinem Pariser Exil schrieb er eine „Abrechnung" von ungeheurer Schärfe. Kerr verübelte seinem ehemaligen Freund, dass er nicht nur kein Wort gegen die Nationalsozialisten und ihr schon allenthalben sichtbares Verbrechertum erhoben, sondern sich bei diesen durch das freiwillige Flaggenhissen und die Stellungnahme zum Völkerbundsaustritt auch noch Liebkind gemacht habe:

> „Es gibt seit gestern keine Gemeinschaft zwischen mir und ihm, nicht im Leben und im Tod. Ich kenne diesen Feigling nicht. Dornen sollen wachsen, wo er noch hinwankt. Und das Bewußtsein der Schande soll ihn würgen in jedem Augenblick. Hauptmann, Gerhart, ist ehrlos geworden. Sein Andenken soll verscharrt sein unter Disteln; sein Bild begraben in Staub."

Andere Emigranten urteilten milder. Thomas Mann etwa brachte Verständnis für Hauptmanns Schweigen auf: „Was soll er sich um Habe und Vaterland reden?“[51]

Wer sucht, der findet in den zahlreichen Äußerungen, Tagebucheintragungen und Schriften Hauptmanns Belege sowohl für Sympathien wie für eine ablehnende Haltung Hauptmanns gegenüber dem Nationalsozialismus. Bei allen Sympathien für nationalkonservatives Gedankengut und einem deutlich antimodernen und antizivilisatorischen Impetus war Hauptmann wohl innerlich kein Nationalsozialist, aber er war auch kein Anti-Nationalsozialist. Das unentschiedene „Nu ja ja, Nu nee nee“ seines Webers Ansorge, das, wie Hauptmann selbst wusste, weite Teile seines Lebens bestimmte, galt auch für seine Einstellung zu den Nazis. Er war nicht grundsätzlich gegen sie, keinesfalls, aber so richtig für sie war er auch nicht. Dazu war er sicher schon viel zu wenig Antisemit, das war er nämlich eigentlich gar nicht. 1934 nahm er wie selbstverständlich an den Begräbnissen des jüdischen Fabrikanten und Mäzens Max Pinkus und seines jüdischen Verlegers Samuel Fischer teil. Gleichzeitig war er aber auch erleichtert, als seine langjährige, „halbjüdische“ Sekretärin Elisabeth Jungmann 1933 von sich aus kündigte und so eine mögliche weitere Zusammenarbeit nicht zu einem „Problem“ werden ließ. Und im März 1938 vertraute er seinem Tagebuch an: „Ich muß endlich diese sentimentale »Judenfrage« für mich ganz und gar abtun: Es stehen wichtigere, höhere Dinge auf dem Spiel - und man spürt Größe und Kraft der Organisation“.[52] In der Öffentlichkeit vermied er bis zuletzt jede Stellungnahme gegenüber den Nationalsozialisten, ließ sich im Gegenteil von ihnen noch zu seinem 80. Geburtstag 1942 feiern und von deren Hofbildhauer Arno Breker portraitieren.

Hauptmann hielt an seinem Jahreskreislauf fest, vergrub sich mehr und mehr in seiner dichterischen Arbeit, die immer mystischer wurde. 1943 verbrachte er zum letzten Mal den Sommer im Haus Seedorn und schrieb ein Abschiedsgedicht an „Die Insel“:

„Hier, wo mein Haus steht,
wehte einst niedriges Gras:
ums Herz Erinnerung weht,
wie ich dereinst
mit Freunden hier saß.
Wir waren zu drei'n,
vor Jahrtausenden mag es gewesen sein.
Es war einsam hier,
tief, tief!
So waren auch wir.
Verlassenheit über der Insel schlief.
Dann kam der Lärm,
ein buntes Geschwärm:
entbundener Geist,
verdorben, gestorben zu allermeist.
Und leben wir in fremdmächtiger Zeit,
verschlagen wiederum in Verlassenheit.
In meines Hauses stillem Raum
herrscht der Traum."

Im Februar 1945 wurde Hauptmann zufällig Zeuge des Untergangs seines geliebten Dresdens, am 6.6.1946 starb er in seinem Haus in Schlesien. Er war dort seit dem Einmarsch der Roten Armee am 9.5.1945 von sowjetischen Militärs geschützt und versorgt worden. Im Oktober 1945 suchte der kommunistische Schriftsteller Johannes R. Becher, jetzt Präsident des neu gegründeten „Kulturbundes zur demokratischen Erneuerung Deutschlands", Hauptmann im Wiesenstein auf. Hauptmann nahm die Ernennung zum „Ehrenpräsidenten" des Kulturbundes an und diktierte Becher eine Unterstützungserklärung, die dieser sofort veröffentlichen ließ:

> „Ich begrüße das Bestreben des »Kulturbundes ...« und hoffe, daß ihm seine hohe Aufgabe gelingen wird, eine geistige Neugeburt des deutschen Volkes herbeizuführen. Meine Gedanken und Wünsche sind in diesem Sinne bei ihm."[53]

Hauptmann stellte sich zum dritten Mal nach 1918 und 1933 wieder zur Verfügung, politische Systemwechsel waren ihm nach eigenem Bekunden ja kein großes Problem. Mit dieser Erklärung legte Hauptmann den Grundstein für die Verehrung, die ihm fortan als, so die Terminologie, großem Patrioten, Demokraten und Humanisten in der DDR und den übrigen sozialistischen Staaten zuteil wurde.

Anfang April 1946 hatte Hauptmann gegenüber dem sowjetischen Oberst Sokolow noch seiner Umsiedlung nach Berlin zugestimmt, insgeheim aber wohl auf den Tod im Wiesenstein gehofft. Sein Wunsch, dort im Park begraben zu werden, konnte nach Lage der Dinge nicht erfüllt werden. Deshalb erinnerte Margarete Hauptmann sich an eine frühere Äußerung, dass er wohl gerne auf dem kleinen Hiddenseer Friedhof beerdigt würde, wenn er nicht fürchten müsse, damit seine lieben Schlesier zu kränken. Diese „lieben Schlesier" gab es nun nicht mehr, und so wurde denn nun sein verplombter Zinksarg in einem von der Roten Armee zur Verfügung gestellten Sonderzug nach Stralsund und von dort mit einem Schiff der Genossenschaftsreederei nach Hiddensee transportiert. Im Stralsunder Rathaus fand vor der Einschiffung eine große Trauerfeier statt, auf der Johannes R. Becher, Ministerpräsident Höcker, der SED-Vorsitzende Wilhelm Pieck und der sowjetische Oberst Tjulpanow sprachen, ferner ein Vertreter der Arbeiterschaft, eine Frau und ein schlesischer „Neubürger". Tjulpanow würdigte in seiner auf Deutsch gehaltenen Ansprache Hauptmann als weisen „Patriarch der deutschen Literatur", der „sich in den Dienst der großen Sache, der demokratischen Wiedergeburt Deutschlands, gestellt"[54] habe. Der anschließende Leichenzug durch die Straßen Stralsunds gestaltete sich zu einem Demonstrationszug der Stralsunder Arbeiter und Intelligenz für den „großen Dichter und Demokraten", wie es in einem Aufruf der Stadtverwaltung hieß.

In Kloster trugen Fischer den Sarg ins Haus Seedorn, wo er im Arbeitszimmer aufgebahrt wurde, die Fischer hielten dort die

Nacht über auch Ehrenwache. Entsprechend seinem Wunsch trug Hauptmann die Franziskanerkutte, die er schon vor dem Ersten Weltkrieg im Kloster Santa Margherita in Ligurien erworben hatte und in der er gelegentlich auch über die Insel spaziert war. Beigegeben hatte man ihm ein Säckchen mit schlesischer Erde, ein Neues Testament und sein Versepos „Der große Traum“, so wie er es ebenfalls gewünscht hatte. Am Abend gab es für die große und illustre Trauergemeinde im Dornbusch dank russischer Sonderzuteilungen ein gutes und festliches Essen mit reichlich Schnaps. Der hatte wahrscheinlich mit Schuld daran, dass der Wunsch Hauptmanns, in der Stunde vor Sonnenaufgang begraben zu werden, nicht in Erfüllung ging. Der Sarg traf erst deutlich nach 5 Uhr in der Kirche ein. Nach der Erinnerung von Klaus Bölling, dem späteren Ständigen Vertreter der BRD in der DDR, der als Vertreter einer FDJ-Delegation an der feierlichen Beerdigung teilgenommen hatte, waren Pieck, Becher und andere hohe Herren nach dem vorweggenommenen Leichenschmaus am Vorabend nicht rechtzeitig wieder aus den Betten gekommen.[55] Nach einem Bericht von Günter Grass hatten eher die Fischer Schuld, die den Sarg vom Hauptmannhaus zur Kirche tragen sollten. Sie waren nach dem guten Essen und dem vielen Schnaps während der langen Nachtwache so „angeduhnt“, dass sie ebenfalls zu spät erschienen und den Sarg so torkelig trugen, dass sie immer wieder ins Stolpern gerieten.[56] Man kann sich das gut vorstellen: Mit dem großen Hauptmann hatten sie ohnehin nichts am Hut. Aber es gab plötzlich mitten in der schlechten Zeit ein gutes Essen und vor allem reichlich guten Schnaps, wer hätte da widerstehen wollen und können ...“

Wie schon in Stralsund standen wieder je vier Professoren aus Greifswald und Rostock in Talaren Ehrenwache, Pastor Gustavs hielt die Totenrede, Otto Gebühr sprach für die Schauspieler, die Hauptmanns Stücke hatten aufführen dürfen, Professor Rudolf Hermann aus Greifswald für die Professorenschaft, Lehrer Heinrich Berg für die Hiddenseer. Als schließlich Becher mit drei weiteren, aus Schlesien stammenden Schriftstellern und Kulturbundsmitgliedern den Sarg in das Grab niederließ, stand die Sonne schon ziemlich hoch am Himmel. Nach einem wiederum guten Frühstück im Hotel Hitthim fuhr die Trauergesellschaft nach Stralsund zurück. Margarete Hauptmann hatte ursprünglich ein Grabmal von Arno Breker für ihren Mann schaffen lassen wollen, aber das war nun in der sowjetischen Zone glücklicherweise nicht mehr gut möglich. Später entwickelte sie die Vorstellung, am Waldrand des Dornbuschs eine neue Grabanlage mit einem Steinkreis von zwei Meter hohen Findlingen zu errichten, was aber Pastor Gustavs mit der Bemerkung, er wolle Hauptmann entsprechend seinem Wunsch lieber bei sich auf dem Inselfriedhof behalten, verhindern konnte. So blieb es bei der eher bescheidenen Grabanlage, auf der 1951 ein Granitblock errichtet wurde, der durch Spenden von Studenten aus ganz Deutschland finanziert wurde.

Oskar Kruse-Lietzenburg (1847 - 1919)

Oskar Kruse, der Maler und Erbauer der Hiddenseer Lietzenburg, wurde 1847 in Stettin als Sohn einer Großkaufmannsfamilie geboren. Er selbst betätigte sich ebenfalls als Kaufmann und führte in Berlin ein Holzhandelsgeschäft, mit dem er ordentlich Geld verdiente. Als er dann die Berliner Geschäftsgrundstücke noch gewinnbringend als Bauplätze verkaufen konnte, war er mit Mitte 40 in der Lage, sich einen Traum zu erfüllen und Maler zu werden. Er malte zunächst Stadtimpressionen von Berlin, Paris und London und wandte sich dann der Landschaftsmalerei zu. Zuerst stand der Spreewald im Mittelpunkt, dann war es seit der Jahrhundertwende zunehmend die Ostsee, vor allem Lohme auf Rügen. 1902 hielt er sich erstmals in Vitte auf. Die Familie Kruse hatte in Berlin schon seit den 1880er Jahren Kontakt mit Gerhart Hauptmann. Oskars jüngerer Bruder, der Bildhauer Professor Max Kruse, hatte schon 1897 eine Holzplastik von Hauptmann geschaffen. Es ist daher wahrscheinlich, dass Hauptmann Oskar Kruse auch auf Hiddensee aufmerksam gemacht hatte.

Oskar Kruse war von der Insel so begeistert, dass er noch am 17.10.1902 ein 63.275 qm großes Terrain auf dem Hochland in Kloster zu dem seinerzeit enormen Preis von 30.000 Mark erwarb. Das Grundstück reichte auf der Seeseite bis zum Fuß der Steilküste, der Strand selbst blieb im Eigentum des Klosters. Zusätzlich setzte Kruse in dem Kaufvertrag nach Südosten hin bis zum Klosterer Kirchweg noch ein 20jähriges Bauverbot durch. Er wollte sich auf der damals noch kahlen Höhe ein großes Haus mit Atelier bauen. Das riesige Grundstück erwarb er, um dort eine Künstlerkolonie zu schaffen, vielleicht nach dem Vorbild des Monte Verità oberhalb Ascona im Tessin. Möglicherweise kaufte Kruse das große Gelände aber auch zu Spekulationszwecken. Grundstückskauf und Hausbau erwiesen sich jedoch als große Fehlspekulation, die Kruse in den wirtschaftlichen Ruin trieb.

Das Gelände war nicht an den Mann zu bringen. Erst 1910 kaufte Henning von Sydow, den Kruse im Berliner „Romanischen Café" kennengelernt hatte, im hinteren Bereich für 10.000 Mark ein größeres Teilstück, um dort seine Pensionsvilla „Haus am Meer" zu errichten. Von Künstlerkolonie keine Spur, die nach Hiddensee kommenden Künstler hatten kein Geld, um sich dort in größerer Zahl ankaufen zu können. Und das von den Berliner Architekten Otto Wilhelm Spalding und Alfred Grenander, einem Schweden, geplante und 1903/04 errichtete, große Backsteinhaus erwies sich bald finanziell als Fass ohne Boden. Statt der geplanten 20.000 Mark kostete es schließlich 120.000 Mark. Dabei ging Kruses ganzes Vermögen drauf, auch seine beiden Geschwister mussten noch einiges zuschießen. Auf der zugigen Höhe pfiff es durch alle Ritzen, das riesige Haus war kaum zu heizen und daher im Winter praktisch unbewohnbar. Es war auch eher eine Burg denn ein Haus, und Kruse nannte es denn auch „Lietzenburg" - in Anklang an die Lietzenburger Straße in Berlin, wo die Kruses ihren Wohnsitz hatten. Im Inneren war die Lietzenburg weitgehend im zeitgenössischen Jugendstil gehalten, die Wände waren mit langhaarigen Mädchen und grünen Blattranken bemalt und mit plattdeutschen Versen beschriftet. Überall gab es künstlerische Verzierungen aus Kupfer und Bernstein. Was es nicht gab, war elektrisches

Licht, und die spärlichen Kerzen gingen, da es überall und immer zog, ständig aus. Der riesige Kamin in der Halle qualmte derart, dass man den Versuch, ihn in Gang zu setzen, bald ganz aufgab.

Die "Lietzenburg" mit den von Oskar Kruse veranlassten ersten Anpflanzungen ca. 1910

In dieser romantischen, manchen etwas unheimlich anmutenden Burg auf der Höhe saß nun malend und zigarrerauchend der „König von Hiddensee", wie Wilhelm Schmidtbonn Kruse in seinem literarischen Hiddensee-Buch nannte. Andere nannten ihn allgemein Onkel Oskar oder einfach Onkel Os. Oskar Kruse malte eine große Zahl von Hiddensee-Bildern, vor allem immer wieder den Blick von der Lietzenburg nach Süden über die Insel. Ein größerer künstlerischer Erfolg war ihm nicht beschieden, er blieb immer ein Autodidakt. Er ließ fast sein ganzes Grundstück mit Kiefern bepflanzen, daraus ist mittlerweile ein stattlicher Wald geworden. Und obwohl aus der Idee mit der Künstlerkolonie nichts wurde, scharte Kruse des Sommers doch immer wieder viele Gäste, Gelehrte, Maler, Schriftsteller, Musiker in seiner Jugendstil-Burg um sich. Manche kamen für einige Stunden, andere wohnten auch eine Zeit lang als Gäste Kruses in der Lietzenburg. Oskar Kruse entwickelte sich so in den Jahren vor dem Ersten Weltkrieg zum geistigen Mittelpunkt der Insel, wie Pfarrer Gustavs in seinem Hiddenseer Heimatbuch schreibt. Auch er war regelmäßig bei Kruse zu Gast. Um die Kaffeestunde des Nachmittags sei man dort, so Gustavs, stets willkommen gewesen. Dann saß Kruse in einem großen Korbsessel auf der Veranda oder in einem entsprechenden Ledersessel in der Halle und begann zu erzählen. Er muss ein großes Erzähltalent gewesen sein, der seine Zuhörer auch dann noch zu fesseln verstand, wenn er, wie so oft und wie er es liebte, dabei immer mehr ins Märchenhafte und Phantastische abglitt. Verschmitzt beobachtete er dann, ob seine Zuhörer ihm noch glaubten oder nicht - ein moderner Baron Münchhausen auf Hiddensee!

In den Jahren 1917 - 1920 mietete Gerhart Hauptmann für die Zeit seines Inselaufenthaltes die ganze Lietzenburg. Oskar Kruse wohnte daher im Sydow'schen Haus am Meer, als er 1919 starb. Er wurde auf dem Inselfriedhof in Kloster ganz in der Nähe der Kirche begraben. Die Lietzenburg erbte sein jüngerer Bruder Prof. Max Kruse, der dort nun jedenfalls die Sommermonate mit seiner zweiten Frau Käthe und einer großen Kinderschar verbrachte. Es war dies die wegen ihrer Puppenfabrikation berühmt gewordene und berühmt gebliebene „Puppen-Käthe".

Arved Jürgensohn (1862 - 1927)

Arved Jürgensohn scheint eine etwas geheimnisumwitterte Person zu sein. Er kam von weit her aus dem Baltikum, besaß zunächst die russische Staatsbürgerschaft, weshalb er bei Kriegsausbruch im August 1914 auf Hiddensee als feindlicher Ausländer verhaftet wurde, sprach auch fließend Russisch. Noch nie hat jemand etwas über ihn geschrieben, und da er schon 1927 starb, gibt es auch kaum noch jemanden, der sich überhaupt an ihn erinnern kann. Dabei hat er für die touristische Entwicklung Hiddensees zweifellos ähnlich große Verdienste wie Alexander Ettenburg, der ja auch ein etwas schräger Vogel war. Heinrich Berg war auf beide nicht gut zu sprechen: Die Bezeichnung Hiddensees als „Capri von

Pommern“ in Jürgensohns Hiddensee-Reiseführer sei „Quatsch“, und Jürgensohns Sommerhäuser oberhalb des Rettungsschuppens in Kloster seien eine ähnliche Verschandelung der Insel gewesen wie die Holzhütten Ettenburgs, schreibt Berg in seiner Chronik.

Arved Jürgensohn wurde am 17.3.1862 auf Gut Nötkenshof in Livland (heute Lettland) geboren. Um 1884/85 forschte er über die Biographien des russischen Generalfeldmarschalls Grafen Burchard Christof von Münnich (1683 - 1767) und seines Sohnes, des ebenfalls in russischen Diensten stehenden Grafen Ernst von Münnich (1708 - 1788) und publizierte 1886/87 hierüber wie auch über die Memoiren des preußischen Generals von Manstein in zwei Petersburger Zeitschriften: der deutschsprachigen „Russischen Revue“ und der russischsprachigen „Rússkaja Starina“ (Das russische Altertum). 1896 gab Jürgensohn im Stutt-garter Cotta-Verlag die Memoiren des Grafen Ernst von Münnich heraus. In den dazwischen liegenden Jahren scheint er nach Deutschland gekommen zu sein, und zwar wahrscheinlich nach Berlin. Merkwürdigerweise ist er im Berliner Adressbuch 1910 noch nicht, sondern erstmals 1914 verzeichnet unter der Anschrift Sponholzstr. 38 in Schöneberg-Friedenau. Dort hat er bis zu seinem Tod 1927 gewohnt, und dort im Westen Berlins gab es eine große Kolonie russischer Emigranten. Als Berufsangabe findet sich in den Berliner Adressbüchern immer „Schriftsteller“, in Kürschners Gelehrten-Kalender 1926 / 1927 wird er dagegen als „Oberlehrer a.D.“ bezeichnet. Jürgensohn scheint also jedenfalls zunächst Lehrer an einer Volks-, Real- oder Berufsschule gewesen zu sein. Ganz in seiner Nähe in Friedenau wohnte auch seine Schwester, die „Privatlehrerin“ Rosa Jürgensohn, die 1927 sein Grundstück auf Hiddensee erbte.

Zwischen 1898 und 1910 veröffentlichte Jürgensohn mehrere Bücher über Fragen der nationalen und internationalen Briefporto-Gestaltung sowie über das deutsche Patentrecht, 1914 folgte dann der Hiddensee-Führer, der 1924 eine 2. Auflage erlebte. 1907 war er Referent der Patentkommission des Deutschen Vereins für den Schutz des gewerblichen Eigentums. Dies alles deutet darauf hin, dass er eine, wie auch immer geartete, wirtschaftswissenschaftliche Ausbildung gehabt haben mag. Die Akten des Stralsunder Klosters zum Heiligen Geist lesen sich auch so, als ob Jürgensohn in den Jahren vor dem Ersten Weltkrieg versucht hätte, durch Grundstücksmakelei etwas Geld dazu zu verdienen. Er kaufte um 1903 ein Grundstück auf der Höhe oberhalb des Rettungsschuppens und baute darauf einen billigen, wenig stabilen, hölzernen „Sommerpavillon", der irgendwie aussah wie ein ausrangierter Straßenbahnwagen. Der Maler Willy Jaeckel mietete sich dort mehrfach ein, bevor er sich ein eigenes Haus in Kloster baute, und sein Sohn Dr. Peter Jaeckel erinnerte sich später so an den merkwürdigen Bau:

> „Das Haus Jürgensohn war ein zweistöckiger Holzbau mit mehreren Schlafkammern, der obere Stock durch eine eiserne Wendeltreppe zu erreichen. Diese stammte aus einem alten Omnibus. Von einem Omnibus - oder wars ein Straßenbahnwagen" - stammte auch die Küche mit einem Schlafraum, die einige zwanzig Meter von dem Haupthaus lag ... Da das Haus den starken Westwinden ausgesetzt war, wurde es an den Enden von verschraubten Eisenstangen gehalten.[57]

1903 konnte Jürgensohn auch den Berliner Johannes Rindermann dafür gewinnen, in Kloster ein Grundstück zu kaufen und dort ein Landhaus, das spätere Haus Thalheim, zu erbauen. Seither war er, allerdings ziemlich erfolglos, immer wieder bemüht, irgendwelche finanzkräftigen Investoren für Hiddensee und insbesondere für Kloster zu interessieren. Er war beseelt von der Idee, Kloster zu einem richtigen Seebad zu entwickeln. Immerhin gelang es ihm 1913, den Stralsunder Kaufmann Dittmann zum Bau eines Hauses und zur Eröffnung eines Lebensmittelgeschäfts in Kloster zu bewegen. 1914 gab er dann den Reiseführer „Hiddensee - das Capri von Pommern" heraus. Da infolge des Weltkrieges nach seiner Meinung ein Stillstand in der Entwicklung Klosters drohte, ließ er 1918 auf eigene Rechnung einen 20seitigen Badeprospekt und

Gästeführer für Kloster und Grieben erscheinen. 1924 kam dann die zweite Auflage seines Inselführers heraus. Jürgensohn war zu diesem Zeitpunkt 62 Jahre alt, strenger Vegetarier, ein kleines, dünnes Männchen und arm wie eine Kirchenmaus. Wie zufällig erschien er immer wieder kurz vor Mittag im Haus des Theaterwissenschaftlers Felix Emmel in Vitte und wurde auch stets, wie erhofft, zum Mittagessen gebeten. Er fragte mehrfach nach, ob etwa in einer Suppe auch wirklich kein Fleisch sei, und wunderte sich dann, um wieviel besser die von Frau Emmel gekochten Suppen schmeckten als seine eigenen. Natürlich war entgegen der von der Hausfrau gemachten Versicherungen doch Speck oder ähnliches darin. Jürgensohn starb am 15.3.1927 im Alter von 64 Jahren im Auguste-Viktoria- Krankenhaus in Berlin-Schöneberg.

Henni Lehmann geb. Straßmann (1862 - 1937)

Henni Straßmann wurde am 10. 10. 1862 geboren. Sie entstammt einer wohlhabenden, liberalen, jüdischen Berliner Familie. Ihr Vater Dr. Wolfgang Straßmann war Arzt, hatte aktiv an der 1848er Revolution in Berlin teilgenommen und war von 1862 bis zu seinem Tod 1885 liberaler Abgeordneter in der Berliner Stadtverordnetenversammlung, seit 1873 deren Vorsitzender. Er war auch Mitglied des Preußischen Abgeordnetenhauses und entfaltete eine umfangreiche soziale Tätigkeit. 1869 gründete er den „Verein gegen Verarmung und Bettelei“, 1880 gehörte er zu den führenden Gründungsmitgliedern des „Deutschen Vereins für Armenpflege und Wohltätigkeit“. Als Anhänger des Schulze-Delitzsch'schen Genossenschaftsgedankens gründete er die Stralauer Genossenschaftsbank und übernahm deren Leitung. Seine Tochter Henni sollte später in die sozialen und politischen Fußstapfen ihres Vaters treten.

Sie besuchte u.a die Königliche Kunstschule in Berlin und heiratete um 1888 den Juristen Karl Lehmann, der ebenfalls einer jüdischen Familie entstammte und von 1888 bis 1911 Professor, 1904/05 auch Rektor, der Universität Rostock war und danach bis zu seinem Tod 1918 an der Universität Göttingen lehrte. Karl und Henni konvertierten nach ihrer Hochzeit zum Protestantismus. Sie hatten drei Kinder: Wolfgang (geb. 1890), Eva (geb. 1891) und Karl (geb. 1894). Wolfgang starb schon früh, Eva und Karl wurden beide Archäologen. Eva wurde Spezialistin für etruskische Archäologie und war nach der Emigration in die USA Dozentin an der Yale University. Karl arbeitete an den Deutschen Archäologischen Instituten in Athen und Rom sowie an den Ausgrabungen in Pompeji, bevor er 1925 Professor in Heidelberg und 1929 in Münster wurde. Das Ehepaar Lehmann pflegte in Rostock und Göttingen zahlreiche Kontakte zu intellektuellen und künstlerischen Kreisen, und Henni betätigte sich selbst künstlerisch als Malerin, Musikerin und Schriftstellerin. Zugleich war sie auch politisch und sozial aktiv, zunächst wohl vor allem in der bürgerlichen

Prof. Karl und Henni Lehmann mit ihren Kindern 1901

Frauenbewegung. Sie hielt in und vor dem Rostocker Frauen-Verein und anderen Frauenvereinigungen Vorträge, etwa über das „Kunststudium der Frauen“ und über andere pädagogische und soziale Fragen. Wahrscheinlich während des Ersten Weltkrieges oder kurz danach wurde sie Sozialdemokratin und trat der SPD bei.

Nach dem Tod ihres Mannes am 5. 4. 1918 verzog Henni Lehmann nach Weimar. Dort war sie in der SPD und, wie damals für Sozialdemokratinnen üblich, vor allem in der sozialdemokratischen Wohlfahrtsorganisation, der „Arbeiterwohlfahrt“, aktiv. In den Jahren der Weimarer Republik schrieb sie eine Romantrilogie mit stark sozialkritischer und pazifistischer Tendenz, die in sozialdemokratischen Parteiverlagen erschien: „Die Frauen aus dem Alten Staden“ (1921), „Armenhauskinder“ (1924) und „Der Feldherr ohne Heer“ (1928). Im Mittelpunkt der Geschichten steht das Leben und das Schicksal von neun Arbeiterkindern und Geschwistern, die durch den Krieg zu Waisenkindern werden. Zugleich sind die Bücher durchzogen von zahlreichen weltanschaulich-politischen Reflexionen, etwa über die Spaltung der Arbeiterbewegung in Sozialdemokraten und Kommunisten. Der letzte Band spielt zu einem großen Teil auf Hiddensee. Auch in dem 1925 herausgekommenen Gedichtband „Es singt das Meer. Sonette und Terzinen“ wird die Insel besungen. Das erste Gedicht des Sammelbandes ist der Insel „Hiddensoe“ gewidmet:

„Um meine Insel singt das Meer sein Lied.
Sie schwimmt in Flut gleich schmalem grünen Blatte,
Sie reckt in Dünen, Heide, Moor und Matte,

Leuchtfeuer glimmen, und die Möwe zieht.

Es singt von toter Sonne, die verschied,
Damit die Nacht mit Frieden uns umschatte,
Von Himmelswölkchen, weich wie Flöckchen Watte,
Vom Sturm, der jauchzend in die Ferne flieht.

Die Lieder alle singt es, die sie sangen
An fremden Ufern, Chöre, die erklangen
Aus Orgeln, von den Betern, die dort knien.

Und wie am Inselrand in Muscheln, Kieseln
Die feinen Wasserfäden sacht verrieseln,
Empfängt es meiner Seele Melodien."[58]

Die Lehmanns hatten sich 1907 am Norderende von Vitte von dem Architekten Paul Ehmig, einem Schwager der Malerin Elisabeth Andrae, eine schöne Sommervilla erbauen lassen. Im Obergeschoss befand sich nach Norden hin mit Balkon und Blick zum Dornbusch das Atelier Henni Lehmanns, in dem sie malte. Im Haus befand sich auch ein Klavierflügel. Die Lehmanns veranstalteten musikalische und literarische Abende. Und Henni Lehmann schaltete sich auch schon vor dem Ersten Weltkrieg in das politisch-soziale Leben der Insel ein. Sie gab den Hiddenseern 1913 ein Darlehen zum Bau eines Arzthauses und gehörte 1914 zu den Mitbegründerinnen und ersten Vorstandsmitgliedern des „Natur- und Heimatschutzbundes Hiddensee". 1919 zählte sie zu den Gründungsmitgliedern der Genossenschaftsreederei und um 1920 gründete sie den „Hiddensoer Künstlerinnenbund", dessen Vorsitzende sie wurde, und richtete die „Blaue Scheune" als Ausstellungsgebäude ein. 1922 beantragte sie vergeblich beim Vitter Gemeinderat, dieser möge den Passus im Ortsprospekt streichen, dass in Vitte Juden keine Aufnahme fänden und Vitte „judenfrei" sei.

Henni Lehmann verbrachte regelmäßig den ganzen Sommer auf der Insel, das ganze Jahr über wohnte eine Haushälterin im Haus. Verwandte, Kinder, Enkelkinder und Kindermädchen kamen für mehrere Wochen nach Vitte. Man frühstückte bei schönen Wetter auf der Terrasse, ging zum Strand und suchte Bernstein. Nachmittags gab es lange Spaziergänge, besonders beliebt waren Croquet-Spiele. Zu besonderen Anlässen, wie etwa dem Tod von Gustav Stresemann, hisste Henni Lehmann am Haus die schwarz-rot-goldene Reichsfahne. Zwei- oder dreimal im Jahr unternahm man mit anderen Sommergästen eine Segelpartie. Durch die Heirat des Sohnes Karl mit Elwine Hartleben war die Familie mit der Familie Adolf Reichweins verwandt, die in Vitte ebenfalls ein Sommerhaus, das „Hexenhaus", besaß.

Nach der „Machtergreifung" der Nazis verließen die Kinder Henni Lehmanns mit ihren Familien Deutschland, sie selbst verzog von Weimer nach Berlin in die Uhlandstraße. Ihr Sohn Karl ging zunächst nach Rom, um dann im Herbst 1935 endgültig in die USA zu emigrieren. Im Sommer 1935 waren zum letzten Mal Teile der Familie um Henni Lehmann herum im Haus in Vitte versammelt. Sie selbst blieb allein in Deutschland zurück, sie war schon 72 Jahre alt und litt seit 1935 an Krebs. Am 18. 2. 1937 nahm sie sich in Berlin das Leben. In ihrem Testament von 1926 hatte sie verfügt, ohne religiöses Zeremoniell begraben werden zu wollen.

Sommerhaus Lehmann und Blaue Scheune in Vitte: Zeichnung Henni Lehmann ca. 1930

7.10 Um die Jahrhundertwende: Pläne zum Verkauf der ganzen Insel

Seit etwa 1890 traten immer wieder Interessenten auf, die dem Kloster zum Heiligen Geist entweder seinen gesamten Hiddenseer Besitz oder zumindest größere Teile davon abkaufen wollten, um auf der Insel ein modernes Seebad entstehen zu lassen. Und wegen der ständig sinkenden Einnahmen aus der Gutshofverpachtung war die Klosterverwaltung durchaus nicht abgeneigt, sondern verhandelte bis zum Ersten Weltkrieg eigentlich ständig ernsthaft über den Verkauf Hiddensees. Als Erster taucht 1889 Rudolf von Flatow aus Steglitz in den Akten auf, der für ein Konsortium verhandelte, welches einige Jahre zuvor schon größere Geländeankäufe in Binz getätigt hatte. Er bot dem Kloster 200.000 Mark, das Provisorat wollte „erheblich" mehr, woran die Verhandlungen scheiterten.

1894 schaltete die Klosterverwaltung sogar einen Immobilienmakler ein, um vor der anstehenden Neuverpachtung des Gutes und dem dann notwendigen Neubau der Gutsgebäude einen Käufer für die Insel zu finden. Ernsthafte Interessenten waren die Lederfabrikanten Gebrüder Nehab (Stralsund / Berlin). Die Verhandlungen scheiterten nur knapp, die Stralsunder Fabrikanten boten 230.000 Mark, das Kloster bestand auf mindestens 250.000 Mark. Nach dem Scheitern der Verhandlungen wurde das Gut neu an Ernst Luhde verpachtet, dem das Provisorat zähneknirschend eine weitere Reduzierung der Pacht und den Neubau des Gutswohnhauses binnen drei Jahren konzedieren musste. 1902 verkaufte das Provisorat erstmals ein größeres Terrain von 63.275 qm in Kloster an Oskar Kruse. 1906 gab es geheime Verkaufsverhandlungen mit dem Stralsunder Regierungspräsidenten. Nach den erneuten schweren Sturmfluten 1903 und in der Sylvesternacht 1904 dachte man staatlicherseits offenbar ernsthaft daran, gleich die ganze Insel zu kaufen, um den dringenden Bau von Uferschutzanlagen zu erleichtern und zu beschleunigen. Der Kaufpreis sollte jetzt bei ca. 450.000 Mark liegen. Die Regierung nahm aber schließlich doch wieder Abstand von diesen Plänen.

Seit etwa 1907 bemühte sich auch Arved Jürgensohn verstärkt um die Vermittlung eines Verkaufs. Er hatte angeblich einen Rittergutsbesitzer an der Hand, der gemeinsam mit einigen kapitalkräftigen Berliner Freunden an der Insel interessiert war. Die damalige Geldknappheit auf dem Kapitalmarkt ließ jedoch, so Jürgensohn, auch diese Pläne platzen. 1907 tauchte mit dem Berliner Regierungsbaumeister Professor Schaar ein weiterer Interessent auf, der jahrelang hartnäckig mit dem Heiliggeist-Kloster verhandelte. Er hatte die Idee, auf Hiddensee eine nach künstlerischen Gesichtspunkten anzulegende Kolonie von Sommer- und Ferienhäusern für mäßig begüterte Familien der gebildeten Schichten zu schaffen. Die Verhandlungen gediehen bis zu einem schriftlichen Vertragsentwurf, in dem Schaar sich zur Etablierung eines Seebades auf Hiddensee und zur Errichtung eines Hotels mit mindestens 30 Betten und einem öffentlichem Restaurant innerhalb von zwei Jahren verpflichtete. Der Bau eines Sanatoriums für Schwindsüchtige sollte ihm ausdrücklich verboten sein. Aber Schaar unterschrieb nicht, statt der geforderten 600.000 Mark könne er allenfalls 320.000 Mark zahlen.

Das zentrale Problem für alle Interessenten, die Hiddensee in irgendeiner Weise touristisch erschließen wollten, war die dortige mangelnde Infrastruktur. Es gab dort keine Baugrundstücke, sondern nur unerschlossenes Land, keine Straßen und keine Wasserleitungen. Professor Schaar brachte es in seinem Ablehnungsschreiben an die Klosterverwaltung vom 14.10.1908 auf den Punkt: „Vorläufig ist Hiddensee Acker-, Wiesen-, Heide- und Dünenland und weiter nichts. Ein Badeort und Bauland soll es erst werden ....“[59] 1908 meldete sich mit Julius Donrey, dem Herausgeber eines Berliner Börsenblattes, der nächste Interessent. Er wolle, so ließ er die Klosterverwaltung wissen, mit Hilfe einiger „Berliner Großkapitalisten unter Berücksichtigung vorpommerscher Interessenten ein neues, einheitlich angelegtes und dem alten Charakter der Insel verständnisvoll angepaßtes, bürgerliches Seebad auf Hiddensee schaffen.“[60]

Aber schon einige Wochen später musste er eingestehen, dass seine Pläne auf erhebliche Schwierigkeiten stießen. Er wolle nicht aufgeben, könne aber allenfalls erheblich verkleinerte Pläne weiterverfolgen. 1910 trat Henning von Sydow auf den Plan, der auf Hiddensee gleich einen „Musterbadeort" anlegen und künstlerisch ausgestalten wollte. Er bot dem Kloster nun jene 600.000 Mark, die es zwei Jahre zuvor von Professor Schaar nicht erhalten hatte. Aber das Kloster verlangte nun 900.000 Mark für den gesamten Inselbesitz oder 800.000 Mark für das Gelände nördlich von Vitte. Von Sydow kaufte nun statt dessen von Oskar Kruse den hinteren Teil von dessen großem Grundstück und baute dort hinter der „Lietzenburg" die Pensionsvilla „Haus am Meer".

Und die Stralsunder Klosterverwaltung gab nun die Pläne zum Verkauf des gesamten Inselbesitzes auf und kehrte zu dem zurück, was sie mit dem Verkauf an Kruse schon einmal begonnen hatte, nämlich dem Verkauf einzelner Parzellen, für die dann naturgemäß höhere Quadratmeter-Preise zu erzielen waren. Von besonderer Bedeutung war der Verkauf eines großen, attraktiven Grundstücks direkt am Bollwerk in Kloster, auf dem Clara Häckermann 1910 das „Hotel Hitthim", das erste in Kloster, erbaute. Das Baugrundstück für den Klausner auf dem Dornbusch wurde zwar an Emil Hirsekorn, wie zuvor schon an Alexander Ettenburg, nur verpachtet. Aber das „Landhaus Wieseneck" konnte Hirsekorn kurze Zeit später auf einem von der Klosterverwaltung erworbenen Grundstück errichten. In dem 1914 von Arved Jürgensohn herausgegebenen Hiddensee-Reiseführer bot das Provisorat dann per Inserat nördlich und südlich von Vitte, also auch in der Heide, „Baustellen in schönster Lage nahe dem Badestrande und dem Walde mit prachtvoller Aussicht" zum Preis von 3 Mark pro qm an. Jürgensohn, der ja um die Entwicklung Klosters sehr bemüht war, fügte einen Lage- und Parzellierungsplan bei. Aber nun kam erst einmal der Weltkrieg dazwischen. Und danach kamen unruhige und wirtschaftlich schwierige Zeiten. Kloster und Hiddensee entwickelten sich nur langsam, nur ganz gelegentlich wurde in Kloster ein Grundstück verkauft und ein Neubau errichtet.

7.11 Naturschutz: Die Vogelfreistätte Hiddensee

Ernsthafte Bemühungen zum Schutz der Natur auf Hiddensee setzten um 1910 ein. Naturschutz bedeutete dabei zunächst fast ausschließlich Vogelschutz oder noch genauer: Schutz für die gefährdeten Seevogel-Brutkolonien auf der Insel. Seit etwa Mitte des 19. Jahrhunderts war das „Vogelparadies Hiddensee" ins Blickfeld der Ornithologen geraten. Die ersten ausführlichen Berichte über die Vogelwelt Hiddensees stammen von Dr. Hugo Schilling, Konservator am Zoologischen Institut der Universität Greifswald, der 1852 und 1853 die Insel besuchte. Im Sommer 1880 verbrachte Alexander Koenig, späterer Zoologie-Professor und Begründer des schönen zoologischen Museums in Bonn, sein erstes lustiges Studentensemester in Greifswald. Er wurde schon bald auf Hiddensöe als ein „wahres Dorado für Sumpf- und Wasservögel"[61] aufmerksam gemacht und fuhr über Pfingsten mit einigen Kommilitonen aus seinem Akademischen Turnverein dorthin.

Koenigs Leidenschaft galt damals noch deutlich mehr der Jagd als der Wissenschaft. Schon auf dem Greifswalder Bodden hatte der 22jährige in den ersten Wochen seines Aufenthaltes alles abgeknallt, was ihm vor die Flinte kam. Und das setzte er nun auf Hiddensee fort. Noch vom Dampfer aus holte er, als die studentische Reisegesellschaft sich an der Fährinsel ausbooten ließ, die ersten Vögel vom Himmel und musste daran erinnert werden, dass die Jagd auf Hiddensee der Erlaubnis durch den Gutspächter bedürfe. Als dieser, von Koenig als mürrischer, alter Mann beschrieben, seine Zustimmung verweigerte, beschloss der Student, sich einfach nicht darum zu kümmern: „Wir brauchen seine Erlaubnis nicht, wir tun es einfach so." Gutspächter Luhde hatte, da selbst kein Interesse, die Jagd auf der Insel dem Ladenbesitzer Christian Nehls in Vitte überlassen. In diesem fand Koenig einen Verbündeten, der ihm die Insel und ihre Vögel zeigte und mit dem gemeinsam er nun eine Woche lang wie wild auf der Insel herum ballerte. Er fiel dabei ob all der vielen seltenen und schönen Vögel von einem Begeisterungstaumel in den nächsten und sammelte gleichzeitig so viele Vogeleier wie nur möglich - alles ganz im Dienste der zoologischen Wissenschaft natürlich!

Genau dieses, von Professor Koenig 1937 noch ganz unbekümmert beschriebene Verhalten führte 20 Jahre nach seinem Inselbesuch zu ernsthaften Problemen. Die Hiddenseer hatten schon immer auch vom Sammeln der Vogeleier gelebt und damit, da so reichlich vorhanden, teilweise sogar ihre Kälber gemästet. Wenn man den Vögeln immer nur das erste Gelege abnimmt, brüten sie in der Regel ein zweites Gelege aus, so dass der Bestand nicht gefährdet wird. Diese nachhaltige Wirtschaftsweise, wie man heute sagen würde, geriet jedoch aus den Fugen, als die Moderne in Form von Badegästen, Motorbooten und schießwütigen Studenten auch auf Hiddensee Einzug hielt. Und als seit der Jahrhundertwende allmählich immer mehr Fremde kamen und die Vogeljagd wie das Eiersammeln zu einer ausgesprochenen Modeerscheinung wurden, drohte eine völlige Zerstörung der einst von Tausenden von Vögeln besetzten Brutkolonien.

Prof. Ernst Hübner, Lehrer am Stralsunder Realgymnasium und Vorsitzender des Ornithologischen Vereins in Stralsund, der seit etwa 1900 ornithologische Exkursionen nach Hiddensee durchführte, wies 1907 den Oberpräsident in Stettin auf die Gefährdung bestimmter Vogelarten in Pommern hin und schlug erstmals die Schaffung eines „Schonreviers" auf dem Gellen südlich Plogshagens vor. 1913 veröffentlichte er folgende Schilderung der auf Hiddensee bis 1910 eingetretenen Verhältnisse:

> „Die eingesessene Bevölkerung, Fischer pommerscher und rügenscher Herkunft, Ausflügler aus Stralsund und fremde Badegäste ergingen sich in vernichtender Eiersuche, und vom Jahre 1900 ab entwickelte sich als besondere Kulturblüte bei den Badegästen der Schiesssport zu Lande, mit Ruder- und Segelbooten und selbst mit eigens zu diesem Zweck mit nach Hiddensee gebrachten Motorbooten. In unbarmherziger Weise mussten alte Brutvögel und die junge Nachkommenschaft

> unter der Passion dieses edlen und humanen Sports der Binnenländer leiden und die heimkehrenden Badegäste erachteten es als ihr besonderes Vorrecht, die wunderschöne Stranddistel auszurotten und in Riesenbündeln mit in die Heimat zu verschleppen."[62]

Im Sommer 1910 bat Georg E. F. Schulz, ein damals sehr bekannter Naturfotograf und Herausgeber der im Parey-Verlag Berlin erscheinenden sog. „Natur-Urkunden", der die Insel ebenfalls seit etwa 1904 regelmäßig aufgesucht hatte, das Kloster zum Heiligen Geist erstmals um die Unterschutzstellung der Fährinsel. Auf seine Initiative ließ das Kloster im Herbst 1910 an beiden Zugängen zur Fährinsel Hinweistafeln anbringen, wonach „jegliche Störung der Vogelwelt auf der Fährinsel, besonders durch Schiessen, Fangen, Ausnehmen der Nester, Eiersammeln, Betreten der Brutplätze usw. strengstens verboten" sei.[63] Dr. F. Schepp, Landtagsabgeordneter und späterer Kreisschulinspektor aus Berlin, den Schulz auf die Zustände auf Hiddensee aufmerksam gemacht hatte, forderte in einen ausführlichen Artikel im Berliner Lokal-Anzeiger wie auch im Preußischen Abgeordnetenhaus einen wirksamen Vogelschutz auf Hiddensee. Daraufhin boten der „Internationale Frauenbund für Vogelschutz (Sitz Charlottenburg)" und der „Bund für Vogelschutz (Sitz Stuttgart)" dem Ornithologischen Verein Stralsund ihre Hilfe beim Vogelschutz auf Hiddensee an. Als der Ornithologische Verein, wohl aufgrund einer Erkrankung seines Vorsitzenden, hierauf nicht reagierte, beschloss der Internationale Frauenbund, alleine vorzugehen, um einen Brutschutz schon 1911 zu gewährleisten. Seine beiden wichtigsten Aktivisten, Geschäftsführer H. Steinmetz aus Charlottenburg und der bekannte Ornithologe Oberpfarrer Dr. Friedrich Lindner aus Quedlinburg, konnten die Hiddenseer Lehrer Berg (Kloster) sowie Segebrecht und Gutzmann (Vitte) für ihre Sache gewinnen und ein „Hiddensee-Komitee" des Frauenbundes gründen. Auch Schulz und Schepp gehörten dem Frauenbund an.

Dieser ging mit großer Begeisterung und Energie an die Sache. Das hochgesteckte Ziel hieß: Schaffung einer „Vogelfreistätte Hiddensee". Pfarrer Dr. Lindner schrieb dazu in den Ornithologischen Mitteilungen 1912, Hiddensee eigne sich hierzu wegen seiner Vielgestaltigkeit wie kaum ein anderer Ort in Deutschland. Die Insel biete mit ihrer Steilküste, dem Strand und den Dünen, mit Wald, Gebüsch und Dornengestrüpp, Sumpfwiesen und Rohrdickicht, Süßwasserteichen, Heide und Ackerland Lebensmöglichkeiten für eine außergewöhnlich große Zahl an Vögeln und stelle so etwas wie einen natürlichen zoologischen Garten en gros für Vögel dar. Vogelfreistätten waren nach der Jahrhundertwende vor allem von dem 1907 extra dafür gegründeten „Verein Jordsand zur Begründung von Vogelfreistätten an den deutschen Küsten", aber auch von anderen der nicht wenigen damals existierenden Vogelschutzorganisationen eingerichtet worden. Diese Freistätten wurden in der Regel auf unbewohnten Halligen, Sandbänken oder Werdern wie Jordsand (bei Sylt), Mellum (bei Juist) oder Langenwerder (bei Poel) errichtet. Auf Hiddensee aber lagen die Dinge ganz anders. Die Insel war nicht nur bewohnt, sondern erfreute sich noch dazu einer größer werdenden Schar von Sommergästen. Eine Absperrung der wichtigsten Brutgebiete auf dem Bessin, der Fährinsel, dem Gellen und dem Gänsewerder war dort also viel schwieriger zu bewerkstelligen, von den Feuchtwiesen und der Heide südlich Vitte ganz zu schweigen.

Der Frauenbund vereinbarte mit den beiden Jagdpächtern auf der Insel zunächst einen vollständigen Verzicht auf die Vogeljagd und ein Verbot des Eiersammelns zwischen dem 15. März und 15. August, gewann den Fährmann August Hübner als Vogelwart für die Fährinsel, stellte Hinweisschilder und Informationstafeln zur Vogelkunde auf und begann mit der Vogelberingung mit Ringen der Vogelwarte Rossitten (Kurische Nehrung / Ostpreußen) sowie der Herausgabe einer Schriftenreihe „Beiträge zur Naturdenkmalspflege auf Hiddensee". Berg, Segebrecht und vor allem Lindner veröffentlichten bis zum Ende des Ersten Weltkrieges zahlreiche Berichte über die „Vogelfreistätte Hiddensee".

Für den Gellen wurde ein Vogelwärter-Blockhaus angeschafft, zu dessen Aufstellung es jedoch schon nicht mehr kam. Denn der Frauenbund hatte die Rechnung ohne Prof. Hübner und seinen Ornithologischen Verein gemacht. Wieder genesen forderte Hübner die alten Rechte für seinen Stralsunder Verein ein. Es kam zu einem unschönen, teilweise haßerfüllten Streit zwischen den Vertretern des Frauenbundes und Prof. Hübner, der sich inzwischen die Unterstützung des mitgliederstarken und finanzkräftigen Stuttgarter Bundes für Vogelschutz. verschafft hatte. Im Dezember 1911 wurde auf Vermittlung des Stralsunder Regierungspräsidenten Blomeyer eine Dreiteilung der Schutzgebiete vorgenommen: Der Ornithologische Verein Stralsund erhielt die Fährinsel zugewiesen, der Stuttgarter Bund für Vogelschutz den Gellen mit dem Gänsewerder, dem Frauenbund verblieb der Nordteil der Insel mit den Wiesen und der Heide bei Vitte sowie dem Bessin. Der Pflanzenschutz wurde dem „Bund zur Erhaltung der Naturdenkmäler im Tier- und Pflanzenreich (Sitz Berlin)" übertragen.[64]

Der Frauenbund bemerkte sehr bald, dass er bei dieser Aufteilung zu kurz gekommen war. Die attraktivsten Vogelbrutgebiete waren die Fährinsel und der Gellen mit dem Gänsewerder. Dabei war der Frauenbund als einziger vor Ort vertreten, er wurde nicht nur von den Lehrern, sondern auch von Pfarrer Gustavs und vom Rügener Landrat von Maltzahn unterstützt. Der Stuttgarter Bund für Vogelschutz beschränkte sich hingegen zunächst auf Geldzahlungen an Prof. Hübner. Und auch dieser wohnte ja nicht auf der Insel, sondern in Stralsund, und konnte nur gelegentlich nach Hiddensee kommen. U.a. deshalb bestand er so unerbittlich auf der Fährinsel, weil nur diese von Stralsund aus einigermaßen gut erreichbar war. Der Frauenbund forderte in langen Eingaben an das Kloster zum Heiligen Geist eine Änderung der für ihn ungerechten Schutzgebiets-Aufteilung. Aber er hatte keine Chance, da der Stralsunder Prof. Hübner für die Stralsunder Klosterverwaltung als ornithologischer Berater fungierte und dem Kloster außer der Dorflage Vitte nach wie vor die ganze Insel gehörte. Zu erneuten Verhandlungen beim Regierungspräsidenten kam extra Lina Hähnle, die Vorsitzende des Stuttgarter Bundes, nach Stralsund gereist und hielt bei dieser Gelegenheit einen öffentlichen Diavortrag über Vogelschutz. Es kam zu keiner Einigung, weshalb der Regierungspräsident eine endgültige Entscheidung ausdrücklich dem Kloster zum Heiligen Geist überließ. Und das musste bedeuten: Es blieb bei der Dreiteilung der Schutzgebiete, die eigentlich keine Dreiteilung war, da die landwirtschaftlich intensiv genutzten Vitter Wiesen nur schwer zu schützen waren und auf dem Altbessin kaum Vögel brüteten. Hier wie anderenorts zeigt sich, wie stark auch nach der Separation die Entwicklung der Insel Hiddensee von den Interessen der Stadt Stralsund abhängig blieb.

1914 unternahm der Frauenbund einen letzten Versuch, das Heft doch noch einmal in die Hand zu bekommen, indem er die Gründung eines „Natur- und Heimatschutzbundes Hiddensee“ initiierte, dessen Vorstand neben den Lehrern Berg und Gutzmann u.a. Pfarrer Gustavs als Vorsitzender, ferner Amtsvorsteher Wüstenberg, Landrat von Maltzahn, Geschäftsführer H. Steinmetz und Henni Lehmann angehörten. Neben dem Vogelschutz wollte der neue Verein sich dem allgemeinen Natur- und Heimatschutz widmen, forderte die Unterbindung hässlicher Neubauten und den Erhalt der alten Dorfbilder und plante bereits die Einrichtung eines Heimatmuseums in einem alten Fischerhaus. Der neue Verein verlangte nun, ihm als einziger ortsansässiger Organisation die Oberaufsicht über den Vogelschutz auf Hiddensee zu übertragen. Er bot dem Stralsunder Ornithologischen Verein und dem Bund für Vogelschutz Stuttgart dazu an, Vertreter in seinen Vorstand zu entsenden. Aber Lina Hähnle antwortete kühl, für eine solche Konstruktion sei eine Satzungsänderung in ihrem Bund erforderlich, und es sei auch nicht vorstellbar, dass andere als die satzungsmäßigen Organe des Bundes über die Verwendung seiner Finanzmittel entschieden. So scheiterte auch dieser Plan. Der Charlottenburger Frauenbund, der sich seit 1914 nur noch „Internationaler Bund“ (ohne Frauen) und bald darauf „Deutscher Bund für Vogelschutz“ nannte, konnte sich ein wenig dadurch schadlos halten, dass es ihm durch Verhandlungen mit den jeweiligen Eigentümern oder Pächtern gelang, die kleinen Boddeninseln Heuwiese, Liebes und Wührens als Schutzgebiete zu erhalten. Lehrer

Heinrich Berg berichtete seit 1916 auch regelmäßig in der Ornithologischen Monatsschrift über die Schutzarbeit in den „Vogelfreistätten" des Bundes auf diesen vier Inseln. Oberpfarrer Lindner machte 1915 in einem groß angelegten Vortrag auf der Jahresversammlung der Deutschen Ornithologischen Gesellschaft in Berlin erstmals den Vorschlag, auf Hiddensee eine dritte deutsche Vogelwarte zu schaffen. Hiddensee, so Lindner, eigne sich aufgrund seiner Lage im Schnittpunkt der westlichen und östlichen Vogelzugstraßen sowie der weit größeren Vielfalt an Brutvögeln hierzu eigentlich sogar besser als Rossitten und Helgoland. Allerdings überstand der Charlottenburger Bund die Stürme der Nachkriegs- und Inflationszeit nicht und löste sich 1923 auf. Das bedeutete offenbar auch das Ende des Hiddenseer „Natur- und Heimatschutzbundes", jedenfalls ist auch von diesem in der Folge nichts mehr zu hören. Und es hieß vor allem, dass auf den Vitter Wiesen und dem Bessin nun kein Vogelschutz mehr betrieben wurde.

Übrig blieb die „Vogelwarte Hiddensoe-Süd", die von Prof. Hübner mit Unterstützung des Stuttgarter Bundes für Vogelschutz seit 1911/12 auf der Fährinsel, dem Gellen und Gänsewerder aufgebaut wurde. Der Stuttgarter Bund stellte für den Gellen in der Brutzeit regelmäßig einen oder zwei Vogelwärter an. 10 Jahre lang kam dafür Heinrich Brechenmacher alljährlich im Frühsommer aus Württemberg nach Hiddensee. 1914 konnte der Bund von Gutspächter Wüstenberg den Gänsewerder und die Südspitze des Gellens auf 21 Jahre pachten. Prof. Hübner begann auf der Fährinsel damit, die Brutkolonien gegen den Weidegang der Kühe einzuzäunen. Das brachte immer neuen Ärger mit den Fährleuten, die die Viehhaltung ja zu ihrem Lebensunterhalt betrieben, und der Zaun wurde bis zu Hübners Tod 1930 auch nie richtig fertig. Auch das Pachtgebiet des Bundes für Vogelschutz am Gellen wurde durch eine Zaun abgetrennt, der allerdings durch Eisgang bald wieder beschädigt wurde, so dass vor allem auf dem Gänsewerder der Weidegang der Kühe nicht verhindert werden konnte.

Trotzdem war die Arbeit der Vogelschutzorganisationen auf

Hiddensee insgesamt erfolgreich. Die Zahl der Nester und aufgebrachten Bruten stieg seit 1911 wieder deutlich an, und die Insel konnte auch als Brutgebiet für die äußerst selten gewordenen Säbelschnäbler und Steinwälzer erhalten werden. Wahrscheinlich war Hiddensee zumindest zeitweilig das einzig verbliebene Brutgebiet für beide Vogelarten in Deutschland überhaupt.

Einen erneuten schweren Rückschlag erlitt der Vogelschutz am Ende des Ersten Weltkrieges. Als seit 1917 die Versorgungsprobleme zu- und die Autorität der Behörden abnahmen, wurden wieder die Vögel abgeschossen und die Eier gesammelt. Die bis zu 2000 Exemplare zählende Höckerschwangesellschaft am Gellerhaken wurde praktisch ganz vernichtet, die Vögel brachten den Schützen 100 Mark pro Stück. Im Frühjahr und Herbst wurden die Zugvögel massenhaft abgeschossen. Und trotz aller Anstrengungen und einer Bewachung der Gelege rund um die Uhr konnten die Vogelschutzverbände das Ausplündern der Nester nicht verhindern. Die Eierräuber kamen vor allem abends und nachts und ließen sich nur durch körperliche Gewalt von ihrem Vorhaben abbringen. Die Vogelschützer mussten den Gellen aufgeben und sich auf den Schutz seltener Arten auf der Fährinsel und dem Gänsewerder konzentrieren, was schwierig genug war.

Immerhin wurde der Gänsewerder 1922 durch ministerielle Verordnung unter Naturschutz gestellt und durfte zwischen dem 1.4. und 15.8. nicht mehr betreten werden. Ein gleichzeitig vorgesehenes Weideverbot wurde auf energischen Einspruch des Gutspächters und Amtsvorstehers Wüstenberg jedoch wieder zurückgenommen. Das Vieh des Gutshofes weidete den ganzen Sommer über ohne Hirten auf dem Gellen und mangels eines Zaunes ließ es sich nicht verhindern, dass das Vieh durch das flache Wasser auf den Werder hinüberwatete. Eine Aufrechterhaltung des Weideverbotes hätte die Aufgabe des gesamten Gellen als Weidegebiet bedeutet. Dieser Argumentation Wüstenbergs gaben die Behörden nach.

Eine wirkliche Verbesserung des Vogelschutzes trat erst nach Stabilisierung der politischen und wirtschaftlichen Verhältnisse seit 1924 wieder ein. Als die Vorsitzende des Stuttgarter Bundes, Lina Hähnle, 1926 Hiddensee besuchte, war ihr „Eindruck ein hoch erfreulicher, denn die Erfolge der Naturschutzbewegung sind offenkundig. Die Erfolge sind so groß, dass von einem gewissen Abschluß der Entwicklung gesprochen werden kann ....“[65] Die Zahl der Brutvögel und der aufgebrachten Bruten war wieder deutlich angestiegen. 1929 berichtete von Thümen, das ganze Flachland des Gellens bis zur Südspitze stelle „ein einziges gewaltiges Brutgebiet dar“.[66] Der Bund für Vogelschutz ließ regelmäßig durch Naturfotografen Fotos, Ansichtskarten und dann vor allem auch Filme („Laufbilder“) anfertigen und warb damit, mit Ausstellungen und Vorträgen sowie in seinen Jahresberichten in ganz Deutschland für Hiddensee und sein dortiges Schutzgebiet. Scheinbar gelang es nun allmählich auch, die Hiddenseer Bevölkerung jedenfalls teilweise für die Belange des Vogelschutzes zu gewinnen. In Neuendorf-Plogshagen wurde ein größerer Teil der Bewohner Mitglied des Bundes für Vogelschutz. Hier trug vor allem die jahrelange Arbeit der Lehrer Gruhn (Neuendorf) und Berg (Kloster) Früchte. Die Neuendorfer Schulkinder übernahmen im Sommer teilweise die Bewachung der Vogelnester.

Auf der Fährinsel führte der Ornithologische Verein seit 1925 gegen eine Teilnehmergebühr von 1 Mark regelmäßige Führungen in die dortige Brutkolonie durch, die Ende der 20er Jahre aus etwa 2000 Lachmöwen- und 500 Sturmmöwenpaaren bestand. Der Verein sammelte nun jährlich viele Hundert Möweneier ein und verkaufte sie, ohne dass hierdurch der Vogelbestand wieder gefährdet worden wäre.

8. Die „goldenen“ Zwanziger: Glanzzeit Hiddensees, oder: Das Romanische Café in der Ostsee

8.1 Kommunalpolitik: Unpolitisch und judenfrei?

Der Erste Weltkrieg hatte die Insel einigermaßen verschont. Auf den Dornbusch war eine Militäreinheit gelegt worden, was einige Einquartierungen bei den Bewohnern zur Folge hatte. Auf dem gegenüberliegenden Bug war eine Fliegerstation eingerichtet worden. In den beiden ersten Kriegssommern waren die Gäste weitgehend ausgeblieben, aber seit 1917 kamen sie wieder. Kriegsteilnehmern wurde dabei die sog. Arzttaxe erlassen. Die allgemeinen Versorgungsprobleme in den beiden letzten Kriegsjahren waren natürlich auch auf Hiddensee zu spüren, sie führten zum verstärkten Eierraub und Abschießen der Seevögel. Auf der anderen Seite ließ die Nahrungsmittelknappheit die Fischpreise anziehen, was den Hiddenseern wiederum zugute kam. Als der Krieg vorbei und verloren war, hatte auch Hiddensee eine Reihe Gefallener zu beklagen. Die Überlebenden waren froh, endlich wieder zu Hause zu sein und ins Zivil- und Berufsleben zurückkehren zu können. Weiteres hatten sie nicht im Sinn. Von der Revolution im November 1918 war daher auf der entlegenen Insel wenig zu bemerken.

Immerhin hatte die allgemeine Kriegsverdrossenheit zu so etwas wie einer antimilitaristischen Stimmung auch in der Hiddenseer Bevölkerung geführt. Dies berichtet der Klosterer Lehrer und Küster Heinrich Berg in seiner 1946 verfassten, handschriftlichen Chronik „Hiddensee und die Hiddenseer nach dem 1. Weltkrieg“, die im folgenden noch öfter zitiert werden wird. Die Folge dieser Stimmung bei den Menschen war das Entstehen zweier neuer Parteien auf der Insel. Bis dahin hatte es hier immer nur die Konservativen als Parteiorganisation gegeben, die nun in der Deutschnationalen Volkspartei DNVP aufgingen und deren An- und Wortführer der Gutspächter Paul Wüstenberg war. Jetzt entstanden eine Ortsgruppe der SPD und der linksliberalen DDP, die bei den ersten allgemeinen Wahlen zusammen sogar eine überraschend deutliche Mehrheit der Stimmen auf Hiddensee erhielten. Seit 1919 saßen erstmals auch zwei Hiddenseer im Rügener Kreistag: Paul Wüstenberg für die DNVP und der Maurer Hermann Michaelis aus Vitte für ie SPD. Der Kreistag hatte folgende Zusammensetzung: DNVP 13, SPD 7, DDP 6, USPD 2, KPD 1 Abgeordnete. Da SPD und DDP zusammen genauso stark waren wie die Deutschnationalen, gaben die Linksparteien USPD und KPD den Ausschlag, so dass es im Rügener Kreistag eine linksliberale und republikanische Mehrheit gab. Nach dem reaktionären Kapp-Putsch im März 1920 ersetzte die Preußische Regierung den bisherigen konservativen Landrat Freiherr von Maltzahn durch den Sozialdemokraten Milenz, der trotz zum Teil heftiger Proteste durch die Deutschnationalen und später durch die Nazis bis 1933 amtierte. Die beiden Hiddenseer gaben im Rügenschen Kreistag nur ein kurzes Gastspiel. Beide wurden bei der nächsten Wahl am 20.2.1921 nur auf hinteren Listenplätzen ihrer Parteien wieder nominiert und somit nicht gewählt. Vor allem Michaelis hatte ohnehin an kaum einer Sitzung teilgenommen. Es war ja auch nicht so einfach, von Hiddensee zu einer Sitzung nach Bergen und zurück zu kommen.

Auf Hiddensee veranstalteten die Sozialdemokraten anfangs einige Aufzüge mit roten Fahnen und stellten, wie die DDP, auch einige Anträge jedenfalls im Vitter Gemeinderat. Einen nennenswerten Einfluss konnten beide Parteien auf der Insel dauerhaft aber nicht erlangen, die Hiddenseer Kommunalpolitik blieb weitgehend „unpolitisch" in dem Sinne, dass Einzelpersönlichkeiten in die Gemeinderäte gewählt wurden. Im Vitter Rat, dessen Protokolle als einzige erhalten geblieben sind, waren dies vor allem die Geschäftsleute und Gastwirte. Langjähriger Ortsvorsteher in Vitte war von 1914 - 1932 Heinrich Schluck. In Kloster erfüllte diese Funktion bis 1933 der Gutspächter Paul Wüstenberg, der von 1910 - 1929 zugleich der Hiddenseer Amtsvorsteher war. Stellvertretender Amtsvorsteher war seit 1919 Heinrich Berg.

Die Hiddenseer Honoratioren bei Gerhart Hauptmann 1932: v.l.n.r. Eggert Gustavs, Frau Haussmann, Regierungspräsident Dr. Hermann Haussmann, Gutspächter und Gemeindevorsteher Paul Wüstenberg, Margarete Hauptmann, Gemeindevorsteher Heinrich Schluck (Vitte), Ger-hart Hauptmann, Elisabeth Jungmann, Frau Ehrhardt (Ehefrau des Inselarztes), dahinter Gemein-devorsteher Hugo Gottschalk (Neuendorf), Amtsvorsteher Heinrich Berg, Pastor Arnold Gustavs

Leider sind die Hiddenseer Wahlergebnisse aus der Zeit der Weimarer Republik wahrscheinlich nicht vollständig erhalten. Die bisher aufgefundenen Ergebnisse der Wahlen zwischen 1919 und 1928 sowie der Reichspräsidentenwahl 1932 erlauben jedoch ein ungefähres, wenn auch wenig einheitliches und schon gar nicht geradlinig zu interpretierendes Bild der politischen Willensbildung auf der Insel.

Reichs- und Landtagswahlen 1919 - 1928

	Wahl berech tigte	Gültige -Stimmen	USPD + KPD	SPD	DDP	DVP	Wirt schafts- partei	DNVP	Völkisch + NSDAP	Sonstige
1919 NV	ca. 575	403 (ca. 70 %)		174 (43,2 %)	194 (48,1 %)	3 (0,7 %)		32 (7,9 %)		
Kreis Rügen		21.542	694 (3,2 %)	9.560 (44,4 %)	6.232 (28,9 %)	1.054 (4,9)		3.890 (18,1)		112 (0,5 %)
1920 RT	ca. 580	455 (ca. 78 %)	33 (7,3 %)	139 (30,5 %)	100 (22 %)	101 (22,2 %)		40 (8,8 %)		
davon Neuend.		62	1 (1,6 %)		35 (56,4 %)	25 (40,3 %)		1 (1,6)		
Kreis Rügen		23.366	2.691 (11,5)	7.258 (31,1 %)	1.986 (8,5 %)	4.468 (19,1 %)		6.666 (28,5 %)		297 (1,3 %)
1921 LT	ca. 595	356 (ca. 60 %)		117 (32,9 %)	79 (22,2 %)	55 (15,4 %)		105 (29,5 %)		
davon Neuend.		94		9 (9,6 %)	12 (12,8 %)	33 (35,1 %)		40 (42,6 %)		

Kreis Rügen		20.563 (2,5 %)	524 (42,3 %)	8.695 (4,6)	947 (13,5 %)	2.769	7.628 (37,1 %)			
1924 RT	ca. 625	254 (ca. 40 %)	24 (9,4 %)	19 (7,5 %)	27 (10,6 %)	27 (10,6 %)	27 (10,6 %)	90 (35,4 %)	7 (2,8 %)	33 (13,0%)
davon Kloster		72	13 (18,1 %)	2 (2,8 %)	10 (13,9 %)	10 (13,9 %)	1 (1,4 %)	29 (40,3 %)	1 (1,4 %)	7 (9,7 %)
Vitte		122	11 (9,0 %)	16 (13,1 %)	16 (13,1 %)	11 (9,0 %)	26 (21,3 %)	37 (30,3 %)	1 (0,8 %)	4 (3,3 %)
Neuend.		61		1 (1,5 %)	1 (1,5 %)	6 (9,8 %)		24 (39,3 %)	5 (8,2 %)	22 (36,1%)
Kreis Rügen		23.520	2.135 (9,1 %)	5.967 (25,4 %)	558 (2,4 %)	821 (3,5 %)	2.538 (10,8%)	8.420 (35,8 %)	1.990 (8,5 %)	1.091 (4,6 %)
1928 RT	652	226 (34,7 %)	2 (0,9 %)	57 (25,2 %)	19 (8,4 %)	35 (15,5 %)	40 (17,7 %)	65 (28,8 %)	3 (1,3 %)	
davon Kloster	137	81 (59,1 %)	1 (1,2 %)	13 (16,0 %)	5 (6,2 %)	7 (8,6 %)	8 (9,9 %)	46 (56,8 %)	1 (1,2 %)	
Vitte	340	112 (32,9 %)	-	40 (35,7 %)	12 (10,7 %)	12 (10,7 %)	32 (28,6 %)	10 (8,9 %)	2 (1,8 %)	

Neuend.	175	33 (18,9 %)	1 (3,0 %)	4 (12,1 %)	2 (6,1 %)	16 (48,5 %)	-	9 (27,3 %)	-	
Kreis Rügen	31.373	23.453 (74,8 %)	954 (4,1 %)	8.793 (37,5 %)	1.178 (5,0 %)	965 (4,1 %)	3.350 (14,3 %)	5.865 (25 %)	400 (1,7 %)	

Reichspräsidentenwahl II. Wahlgang 10.4.1932

	Wahl-berechtigte	Abg. Stimmen	Hindenburg	Hitler	Thälmann
Hidden-see	684	481 (70,3 %)	356 (74,0 %)	118 (24,5 %)	7 (1,5 %)
davon Kloster	149	133 (89,3 %)	97 (72,9 %)	33 (24,8 %)	3 (2,3 %)
Vitte	357	266 (74,5 %)	198 (74,4 %)	64 (24,1 %)	4 (1,5 %)
Neuen-dorf	178	82 (46,1 %)	61 (74,4 %)	21 (25,6 %)	-
Kreis Rügen	32.576	26.447 (81,2 %)	12.212 (46,2 %)	13.320 (50,4 %)	905 (3,4 %)
Pommern	1.225.015	980.261 (80,0 %)	395.667 (40,4 %)	510.586 (52,1 %)	64.567 (6,6 %)
Dt. Reich		(83, 5 %)	(49,6 %)	(36,8 %)	(10,2 %)

Auffällig ist zunächst ein geradezu extrem hoher Stimmenanteil von SPD und DDP mit zusammen über 90 % bei den Wahlen zur deutschen Nationalversammlung 1919. Da diese beiden Parteien die eigentlichen und letztlich einzigen wirklichen Trägerinnen der Weimarer Republik waren, wird man dieses Votum so deuten können, dass die Hiddenseer mit dem Sturz der Monarchie und den neuen Verhältnissen grundsätzlich einverstanden waren und wahrscheinlich einige Hoffnungen darin setzten. Die folgenden Wahlergebnisse zeigen jedoch auch für Hiddensee den in den Nachkriegswirren und der Inflationszeit schnell einsetzenden Enttäuschungsprozess, aufgrund dessen die antirepublikanische, konservativ-nationalistische DNVP deutlich stärker wurde, vor allem in Kloster, dem sicherlich bürgerlichsten der drei Orte. Allerdings blieb die DNVP bis 1928 auf Hiddensee immer eindeutig hinter ihren Ergebnissen von Gesamt-Pommern zurück, wo sie 1924 49,1 % und 1928 41,5 % der Stimmen erhielt. Die Hiddenseer waren also weniger konservativ ausgerichtet als die Pommern insgesamt. Pommern war die wichtigste Hochburg für die DNVP in Deutschland, allerdings wurde sie hier schon seit 1930 von der NSDAP überflügelt.

Ein ähnlicher Befund zeigt sich mit wiederum überraschender Deutlichkeit auch bei der Reichspräsidentenwahl 1932, wo Hindenburg auf Hiddensee 3/4 der Stimmen erhielt, im Reich insgesamt dagegen nur 53 %, und Hitler sowohl auf Rügen als auch in Pommern schon deutliche Mehrheiten erzielte. Nun fand diese Wahl in einer sehr komplizierten Situation statt. Der der DNVP nahestehende, rechtskonservative Hindenburg wurde, um Hitler zu verhindern, zähneknirschend auch von der SPD sowie von Zentrum, DDP und DVP unterstützt, wohingegen große Teile der DNVP, auch auf Hiddensee, zur Wahl Hitlers aufriefen. Bei allen Vorbehalten wird man aber doch wohl sagen können, dass die große Mehrheit der Wähler Hindenburgs jedenfalls in dieser Situation die Machtergreifung der Nazis verhindern wollte, und das waren auf Hiddensee deutlich mehr als in Deutschland insgesamt und erst recht als auf Rügen und in Pommern. Hatte der überwiegend linke oder liberale Geist der Hiddensee-Besucher auf die Inselbewohner doch irgendwie abgefärbt?

Bei der Interpretation der vorliegenden Wahlergebnisse muss jedoch noch die teilweise extrem niedrige Wahlbeteiligung auf Hiddensee berücksichtigt werden. Schon 1919 war die Wahlbeteiligung mit 70 % deutlich niedriger als in Pommern und im Reich, lag aber noch einigermaßen im Normalbereich. Sie fiel dann aber von Wahl zu Wahl rapide auf den erstaunlichen Wert von nur 34,7% 1928. In Neuendorf war es besonders extrem, dort beteiligten sich 1928 nur 18,9 % der Wahlberechtigten an der Reichstagswahl, aber auch in Vitte waren es nur 32,9 %. Diese Zahlen bedeuten ganz offenbar, dass die Fischer und kleinen Leute auf der Insel sich überhaupt nicht mehr an der Politik beteiligten, es sieht geradezu nach einer demonstrativen Verweigerung aus. Auch als beim 2. Wahlgang zur Reichspräsidentenwahl 1932 die Wahlbeteiligung angesichts der starken Politisierung wieder auf 70 % stieg, lag sie in Neuendorf immer noch unter 50 %. Die Neuendorfer zeichneten sich überhaupt durch ein unkonventionelles Wahlverhalten aus: Bei der Kreistagswahl 1921 wählten 87, 2 % der Neuendorfer die Liste des Fischerei-Verbandes. Der Verband erhielt im ganzen Kreis Rügen 216 Stimmen, 89 davon in Neuendorf, und erzielte damit einen Sitz im Kreistag. Bei der Reichstagswahl 1924 stimmten 35,6 % der Süderdörfer für die obskure Liste eines „Volksbundes der Entrechteten".

Anfang der 20er Jahre stand im Vitter Badeprospekt der kaum glaubliche Satz: „Juden finden keine Aufnahme". Zudem wurde noch ausdrücklich mit dem Prädikat „judenfrei" um Gäste für den Ort geworben. Im Mai 1922 stellte Henni Lehmann den Antrag an den Gemeinderat, diese beiden Passagen aus dem Prospekt zu streichen. Und Henni Lehmann, selbst jüdischer Abstammung, war ja in Vitte nicht irgendwer. Der Gemeinderat lehnte ihren Antrag trotzdem einstimmig (!) ab und bekräftigte demonstrativ: „Die Gemeindeverwaltung stellt sich voll und ganz hinter die von der Badeverwaltung gefaßten Beschlüsse und Herausgabe der Prospekte."[67] Man war sich also einig, dass in Vitte auch weiterhin keine jüdischen Badegäste Aufnahme finden sollten.

Hierzu passt der Bericht von Heinrich Berg in seiner Chronik, in den 20er Jahren habe auf Hiddensee der Spruch kursiert:

„Die Nackten im Süden,
Im Norden die Juden,
Nur in der Mitte, in Vitte
Herrscht Ordnung und Sitte."

Offenbar versuchten die Vitter, sich mit ihrem demonstrativen Antisemitismus auch von Kloster abzusetzen, das in konservativvölkischen Kreisen allmählich den Ruf eines „Judenbades“ erhielt. Nach dem Zweiten Weltkrieg erinnerte sich Martha Feuchtwanger, Hiddensee habe den Ruf gehabt, antisemitisch zu sein, weshalb die Feuchtwangers oder auch Bertolt Brecht nicht nach dort gegangen seien.

Auch auf Hiddensee gab es in den 20er Jahren die in den Seebädern allgemein übliche Auseinandersetzung zwischen den An-

Strandleben in Vitte ca. 1930: Es sind fast ausschließlich schwarz-weiß-rote Fahnen zu sehen

hängern der republikanischen schwarz-rot-goldenen Reichsfahne und den Befürwortern der alten schwarz-weiß-roten Fahne des Kaiserreiches. Die Einführung der neuen schwarz-rot-goldenen Reichsfahne durch die Weimarer Reichsverfassung 1919 wurde von der politischen Rechten nie akzeptiert, diese entfaltete im Gegenteil eine ständig zunehmende Agitation gegen die verhasste Fahne der Republik in den Farben „schwarz-rot-senf“. In den Ostseebädern führte das dazu, dass im Sommer an den Stränden fast nur schwarz-weiß-rote Fahnen und Wimpel zu sehen waren. Die wenigen schwarz-rot-goldenen Fähnchen, die von entschiedenen und mutigen Anhängern der Republik auf Strandburgen und -körben gesetzt wurden, wurden heruntergerissen, zerstört, gestohlen, ihre Besitzer angepöbelt und beschimpft. Auf Ersuchen des Preußischen Innenministers Severing (SPD) wies der Landrat des Kreises Rügen in einer Besprechung am 19.4.1926 alle Amtsvorsteher an, „etwaigen Ausschreitungen gegen die Reichsflaggen am Strande mit aller Entschiedenheit entgegenzutreten".[68] Im Sommer 1928 sah sich der sozialdemokratische Landrat genötigt, zwei Polizisten auch nach Hiddensee zu entsenden, um dort die republikanischen Fahnen am Strand und deren Besitzer vor weiteren Übergriffen zu schützen. Im Sommer 1929 setzte Amtsvorsteher Paul Wüstenberg bei einem Ausflug in die Heiderose demonstrativ die schwarz-weiß-rote Fahne an seinem Wagen, woraufhin er von der Regierung als Amtsvorsteher abgesetzt wurde. Er blieb aber Gemeindevorsteher in Kloster, was Heinrich Berg, der Nachfolger als Amtsvorsteher wurde, später als Zeichen dafür wertete, wie nachsichtig und weitherzig die Republik mit ihren Gegnern umgegangen sei.

8.2 Ausbau der Infrastruktur: Schiffs- und Flugverbindungen, Bollwerks- und Wegebau, Elektrisches Licht

Die kommunalpolitisch Handelnden und Verantwortlichen bemühten sich nach dem Ersten Weltkrieg sehr, die Insel Hiddensee voranzubringen. Das war alles andere als einfach, man hatte mit großen, vor allem wirtschaftlichen und finanziellen Schwierigkeiten zu kämpfen. Deutschland litt unter der Niederlage, den Reparationen, der Geldentwertung, große Teile des Mittelstands waren verarmt und konnten sich einen Badeurlaub nicht mehr leisten. Nach der Überwindung der Inflation wurde das Geld extrem knapp, und dann kam die große Wirtschaftskrise. Nicht erleichtert wurde die Situation durch die Konkurrenz oder zumindest ein starkes Misstrauen zwischen den drei Gemeinden, insbesondere zwischen Kloster und Vitte. Keine rosigen Aussichten also für die kleine Insel, deren einzige Einkommensmöglichkeiten der Fischfang und der Fremdenverkehr waren. Dennoch sollten gerade die kurzen Jahre der Weimarer Republik sich zur Glanzzeit Hiddensees entwickeln.

1919 ergab sich für die Hiddenseer plötzlich die Möglichkeit, die Schiffsverbindung mit dem Festland in die eigene Hand zu bekommen und damit bei der Versorgung und Erreichbarkeit der Insel endlich von den privaten Reedereien unabhängig zu werden. Diese steuerten Hiddensee nämlich nur an, wenn sie damit Geld verdienen konnten, und das war nur in der Sommersaison der Fall. Nach dem Ersten Weltkrieg wollte der Stralsunder Schnapsfabrikant Karl Wothke die erst 1917 erworbene Verbindung Stralsund - Vitte- Wiek wieder aufgeben. Da er jedoch auf keinen Fall an seinen bisherigen Konkurrenten August Prätz verkaufen wollte, der die Linie Stralsund - Neuendorf - Schaprode - Kloster - Breege betrieb, zudem durch ein Sommerhaus in der Dünenheide auch mit der Insel verbunden war, bot er den Hiddenseern die Übernahme seiner Reederei und damit des alten Dampfers „Caprivi“ an. Nach einigen Diskussionen schritt man am 13.10.1919 zur Gründung der „Genossenschaftsreederei Hiddensee“, der sich 102 Mitglieder aus Vitte und nur 13 aus Kloster anschlossen. Die Bewohner von Kloster waren mit der Prätz'schen Verbindung offenbar zufrieden und standen der daher der Genossenschaft zunächst abwartend gegenüber.

Motor und erster Vorsitzender der neuen Genossenschaftsreederei, die sich dem Verband pommerscher landwirtschaftlicher Genossenschaften anschloss, war der Vitter Arzt Dr. Pfleging, 2. Vorsitzender wurde Heinrich Berg. Die Reederei kaufte für 60.000 Mark von Wothke den Dampfer Caprivi, der ab dem 1.11.1919 unter der neuen Flagge fuhr. Wothke blieb der Genossenschaftsreederei bis zu seinem Tod 1927 als Aufsichtsratsmitglied verbunden. Schon in der ersten Saison, im August 1920, erlitt der Caprivi einen schweren Kesselschaden und musste in die Oderwerke nach Stettin geschleppt werden. Die Reparatur zog sich bis November hin und kostete schließlich 150.000 Mark. Aber die nun immer mehr galoppierende Inflation half der jungen Reederei aus der Klemme, die Kredite für Kauf und Reparatur des Dampfers konnten bald mit Leichtigkeit abbezahlt werden. Nach der Währungsstabilisierung konnte man 1924 sogar bei der Stettiner Werft das dringend nötige zweite Schiff zum Preis von 102.000 Mark ordern. Der Caprivi war eigentlich schon immer zu klein gewesen und konnte die steigenden Fahrgastzahlen im Sommer nicht mehr bewältigen. Am Pfingstsamstag 1924 beförderte der Dampfer statt der zugelassenen 120 Personen 280 Fahrgäste plus eine erhebliche Menge an Fracht und Gepäck. Die Gäste von Sonderzügen nach Hiddensee mussten teilweise mit Segelbooten in Stralsund abgeholt werden. Inzwischen hatte sich auch ein größerer Teil der Bewohner von Kloster zum Beitritt zur Genossenschaft entschlossen. Im März 1925 lief der neue Dampfer - man hatte sich noch ein letztes Mal für einen Dampfer statt eines modernen Motorschiffs entschieden - vom Stapel und wurde von Helene Berg, der Frau des 2. Vorsitzenden, mit einem von Pastor Gustavs gedichteten, plattdeutschen Spruch auf den Namen „Swanti" getauft. 1967 sollte der Swanti als letztes Dampfschiff an der DDR-Küste außer Dienst gestellt werden. Er lag noch einige Zeit als trauriges Wrack im Stralsunder Hafen und wurde dann auf der Stralsunder Volkswerft verschrottet.

An der Jungfernfahrt von Stettin über Swinemünde und Stralsund am 2./3. 5. 1925 nahm ein größerer Teil der Genossen samt Ehefrauen teil. Im Preußischen Hof in Swinemünde fand eine Einweihungsfeier statt, und im Hafen von Stralsund erregte das schlanke, neue Schiff großes Aufsehen beim Publikum. In Vitte wurde es von den Einheimischen geradezu gestürmt. Das schöne, neue Schiff war der ganze Stolz der Hiddenseer. Mit der Swanti konnte die Reederei nun in der Saison zwei tägliche Verbindungen nach Stralsund und auch noch Ausflugsfahrten von Stralsund nach Hiddensee und Rügen anbieten. Gerade in diesem Ausflugsgeschäft traf die Reederei aber auf die harte Konkurrenz verschiedener, kleiner Schiffseigner, die die Preise unterboten und der Genossenschaftsreederei wirtschaftlich erneut schwer zu schaffen machten. In der Wirtschaftskrise seit 1929 gingen Fahrgastzahlen und Einnahmen zurück. Allerdings ging jetzt die Reederei Prätz in Konkurs, aus deren Bestand die Hiddenseer Reederei 1931 mit der „Liebe" sogar ein drittes, großes Schiff erwerben konnte. Von nun ab betrieb die Genossenschaftsreederei den Fahrtdienst von Stralsund nach Vitte und Kloster alleine ohne Konkurrenz und konnte sich wirtschaftlich endgültig stabilisieren, so dass 1935 mit der „Insel Hiddensee" ein weiteres neues Schiff, dieses Mal ein

Motorschiff, angeschafft werden konnte. Die Verbindung Stralsund - Neuendorf -Wiek versah nun die Reederei Alwert aus Wiek.

Der neue Dampfer "Swanti" der Genossenschaftsreederei ca. 1928;

1928 gab es, was die Verkehrsverbindungen nach Hiddensee angeht, etwas geradezu sensationell Neues: Das kleine, aber immer mehr in Mode kommenende Hiddensee wurde in das Luftverkehrsnetz der 1926 gegründeten Deutschen Lufthansa aufgenommen, und zwar als Endpunkt der sog. „Bäderlinie“ Stettin - Swinemünde - Sellin - Stralsund - Hiddensee. Damit war Hiddensee quasi offiziell neben Swinemünde und Binz / Sellin in den Kreis der prominentesten Ostseebäder Pommerns aufgenommen. Eine bessere, kostenlose Werbung in ganz Deutschland konnte es kaum geben. In Kloster wurden von der Gemeinde am Hafen ein Landungssteg gebaut und ein Wasserflughafen II. Ordnung eingerichtet, wo im Juli und August täglich gegen 14.15 Uhr ein kleines Junkers-Wasserflugzeug anlandete. Die Flugzeit von und nach Stralsund betrug 15 Minuten. Als örtlicher Flugleiter der Lufthansa fungierte wiederum Heinrich Berg, der sich dafür das Recht hatte einräumen lassen, bei freien Plätzen kostenlos nach Stralsund fliegen zu dürfen, wovon er, wie er in seiner Chronik berichtet, regen

Gebrauch machte. 1936 wurde die Linie aus militärischen Gründen, wie es hieß, wieder eingestellt. Die neuen Machthaber hatten damit begonnen, die Seefliegerstation auf dem Bug zu reaktivieren, und da war die zivile Fluglinie nach Kloster scheinbar im Wege.

Hafen in Kloster mit Landungssteg und Wasserflugzeug der Lufthansa

Der beim Bau des Leuchtturms 1887/88 angelegte Hafen in Kloster blieb lange Jahre der einzige Hafen auf der Insel. In Vitte und Neuendorf bestanden seit 1905 lediglich von den Reedereien Büsson und Bentzien errichtete, hölzerne Landestege. Im Vitter Gemeinderat wurde am 11.4.1918 der Vorschlag zum Bau eines eigenen Bollwerks abgelehnt. Dafür wollte man Karl Wothke das Recht zum Bau eines Bollwerkes in Vitte einräumen, der wegen der hohen Kosten jedoch ablehnte. 1919 hoffte man zeitweilig, ein Bollwerk durch Notstandsarbeiten errichten lassen zu können. Als dieser Plan scheiterte, holte die Gemeinde Vitte noch im gleichen Jahr erstmals bei der Stralsunder Firma Schütz & Voss einen Kostenanschlag für den Bau eines Bollwerks ein. Die Finanzierung dieses Projektes erwies sich jedoch als überaus schwierig, so dass es erst im Jahre 1927 verwirklicht werden konnte. Besonders kompliziert war die Situation dadurch, dass die neue Genossenschaftsreederei das alleinige Anlegerecht an dem bestehenden Landungssteg hatte. Baute man ein Bollwerk unter Inanspruchnahme öffentlicher Fördergelder - und nur dann war überhaupt an einen Bau zu denken -, dann musste der neue Hafen für alle Schiffe offenstehen. Die Genossenschaftsreederei würde also das für sie so wichtige Monopol bei den Fahrten nach Vitte verlieren.

Luftpostbrief von Sellin nach Hiddensee vom 2.8.1928

Die teilweise erregten Diskussionen und Verhandlungen zogen sich hin. Der Kreis war zur Hergabe eines Zuschusses von 10.000 RM und zusätzlich zur Gewährung eines Kredits von 30.000 RM bereit. Der Ersatz der baufälligen und seit längerem von der Schließung bedrohten Anlegebrücken durch ein ordentliches Bollwerk sei, so hieß es zur Begründung für diese großzügige Haltung, angesichts der zunehmenden Bedeutung des Fremdenverkehrs für die Gemeinde Vitte eine Lebensfrage, andererseits werde ein großer Teil der Steuereinnahmen des Kreises zum Straßenbau verwendet, von dem Hiddensee keinerlei Vorteile genieße. Als 1925 so endlich der Auftrag zum Bau des Bollwerks an die Firma Gaede in Zingst erteilt werden konnte, musste die Gemeinde darüber hinaus noch ein Darlehen der Rügenschen Kreissparkasse in Höhe von 12.000 Mark und, wie schon früher beim Bau des Arzthauses, über 5000 RM an Krediten von Vitter Geschäftsleuten in Anspruch nehmen. Abtragung und Zinsen hoffte man aus den Hafengebühren und der Kurtaxe finanzieren zu können. Aber der Tarif für die Hafenabgaben wurde von den Aufsichtsbehörden nicht genehmigt, da er deutlich höher liegen sollte als im benachbarten Kloster. So musste die Gemeinde Vitte schon 1927 bei der Kreissparkasse um Aussetzung der Tilgung nachsuchen. In den folgenden Jahren, als die wirtschaftliche

Situation immer schlechter wurde, befand sich die Gemeinde Vitte ständig am Rande der Zahlungsunfähigkeit. Tilgung und Zinsen für die aufgenommenen Kredite konnten nie fristgerecht bezahlt werden, auch mit den Schulverbandsbeiträgen war man dauernd im Rückstand. Schon Ende 1926 hatte der Oberpräsident Stettin deshalb mit der zwangsweisen Einsetzung eines neuen Gemeindevorstandes gedroht für den Fall, dass die Gemeinde ihre Steuern und Abgaben weiter nicht pünktlich zahle.
Nachdem die beiden bestehenden, hölzernen Anlegebrücken durch Eisgang zerstört worden waren, errichtete die Gemeinde Neuendorf 1928 ebenfalls ein eigenes Bollwerk. Auch hier erfolgte die Finanzierung mittels einer Kreisbeihilfe und eines Kredites der Kreissparkasse in Höhe von 15.000 Mark. In Kloster wurde die Fahrrinne zum Hafen ausgebaggert und, und das war eine wichtige Neuerung, ein besonderer Steg für Segel- und Sportboote gebaut. Dieser wurde im Sommer von immer mehr privaten Jachten angelaufen, so dass der Hafen von Kloster in der Saison mit Linien- und Ausflugsdampfern, Segel- und Fischerbooten und dem allnachmittäglichen Landen und Starten des Lufthansa-Flugzeuges ein reges Treiben aufwies und einen ausgesprochen malerischen Anblick bot. Das war der Stoff, aus dem in den „Goldenen Zwanzigern" Ferienträume gemacht wurden.

Als finanziell ähnlich schwierig wie der Hafenbau erwies sich der Anschluss der Insel an das elektrische Stromnetz. Als vor dem Ersten Weltkrieg Rügen von der Überlandzentrale Stralsund an das Stromnetz angeschlossen wurde, war Hiddensee hiervon ausgenommen worden. Wegen der durch die notwendige Verlegung eines Kabels durch den Trog bedingten hohen Kosten und einem gleichzeitig zu erwartenden, geringen Stromverbrauch auf der kleinen, rückständigen Insel wäre ein Anschluss für das Stromunternehmen nicht rentabel gewesen. Nach dem Ersten Weltkrieg begannen die Diskussionen von neuem. An der grundsätzlichen Situation hatte sich wenig geändert, so dass die Überlandzentrale die Finanzierung eines Stromanschlusses für die Insel weiter ablehnte. Auch die Gemeinde Vitte lehnte noch 1925 einen Anschluss aus finanziellen Gründen ab, man müsse erst, so hieß es im Gemeinderat, ein Bollwerk bauen.

Auf der anderen Seite konnte Hiddensee nicht auf Dauer ohne Strom bleiben, so romantisch das dem einen oder anderen Gast auch erscheinen mochte. Gutspächter Wüstenberg hatte sich für seinen Gutshof bereits eine eigene, dieselbetriebene Lichtanlage geschaffen, in Vitte diskutierte man die Stromgewinnung mittels Windkraft. Schließlich kam es mit tatkräftiger Unterstützung des Regierungspräsidenten und des Landrats bei den entsprechenden Verhandlungen doch zur Gründung eines „Stromzweckverbandes Hiddensee". Neben dem Armen- und dem Arztzweckverband war es der dritte Zweckverband der Insel. Mit einer Kreisbeihilfe von 25.000 Mark und einem Kredit der Pommerschen Provinzialbank in Höhe von 90.000 Mark, für den der Kreis eine Bürgschaft übernahm, konnte 1927 das insgesamt 125.000 Mark teure Projekt verwirklicht werden. Die Verlegung der Leitungen erfolgte durch die Berliner AEG. Eine Straßenbeleuchtung konnte wegen der schwierigen Finanzlage zunächst noch nicht installiert werden. Der Stromverbrauch war dann bald doch höher als angenommen, so dass der Zweckverband den aufgenommenen Kredit einigermaßen mühelos zurückzahlen konnte. Ein wichtiger Schritt in die Moderne war schließlich erfolgreich getan.

Ein besonders elendes Kapitel war die Unterhaltung der Wege auf der Insel. Bis lange nach dem Zweiten Weltkrieg gab es auf der Insel keine befestigten Wege, diese bestanden aus Sand, manchmal mit einer Lehm-Kies-Unterlage versehen. Sie wurden von den Fuhrwerken immer wieder schnell zerfahren, bei länger anhaltendem Regen wurden sie ebenso schnell völlig unpassierbar. Auch für die Sommergäste war ein Fortkommen, vor allem bei schlechtem Wetter, oft schwierig. Zur Instandhaltung und Ausbesserung der Inselwege waren alle Bewohner durch Ortssatzungen zur Leistung von Hand- und Spanndiensten verpflichtet. Jedes Jahr nach Ende der Saison diskutierten die Gemeinderäte immer wieder aufs Neue die notwendigen Wegebesserungen, setzten Tage fest, an denen alle Bewohner zur Verrichtung der entsprechenden

Arbeiten mit oder ohne Fuhrwerk zu erscheinen hätten, verschoben die Termine, setzten neue fest. Wer dauerhaft nicht erschien, hatte eine Strafe zu zahlen, aber die Eintreibung dieser Gelder war natürlich auch nicht einfach. Bei den städtischen Sommergästen mit Hausbesitz verzichtete man von vornherein auf eine Dienstleistung und forderte gleich eine Geldzahlung. Mit diesem Geld sollten dann besonders bedürftige Hiddenseer mit besonders dringenden Wegebauarbeiten beschäftigt und dafür bezahlt werden.

Als der Rügensche Kreisausschuss 1924 die Umgemeindung der Fährinsel vom Klostergut in die Gemeinde Vitte beschloss, lehnte die Gemeinde Vitte dies entschieden ab. Das Kloster zum Heiligen Geist solle erst einmal, so hieß es, den Weg zur Fährinsel in Ordnung bringen, damit könne man die Gemeinde nicht auch noch belasten. In den zwanziger Jahren wurde auch immer wieder die dauerhafte Befestigung des Hauptweges von Kloster über Vitte nach Neuendorf diskutiert. 1932 war die Sache bis zu dem einigermaßen konkreten Plan gediehen, dieses Projekt durch den freiwilligen Arbeitsdienst ausführen zu lassen. Der Stralsunder Stadtbaumeister beschrieb die Situation nach einer Ortsbesichtigung am 14.10.1932 folgendermaßen:

> „Der jetzige Zustand des Weges entspricht einem unbefestigten Feldweg, der zum Teil durch sumpfiges Gelände führt. Infolgedessen ist der Weg zu Zeiten stärkerer Niederschläge sowie bei der Schneeschmelze schwer passierbar. Hieraus ergeben sich für die Versorgung der Ortschaft Neuendorf von Vitte aus mit Lebensmitteln, bei der Zustellung von Post, bei der Stellung von Feuerlöschhilfe, Versorgung mit ärztlicher Hilfe, für die Teilnahme an Gottesdiensten zeitweise Schwierigkeiten bzw. schwere Gefahren für Leben und Eigentum der Bewohner. Es trägt auch zur Hebung des Fremdenverkehrs bei, wenn die Möglichkeit besteht, bei ungünstiger Witterung befestigte, gangbare Wege den Kurgästen bieten zu können.“[69]

An eine Pflasterung oder auch nur an eine Verwendung von Baumaterial von außerhalb der Insel war aus Kostengründen nicht zu denken. Es sollten daher auf Feldbahngleisen Lehm aus Kloster und Kies und Schotter von bestimmten Strandabschnitten, vor allem vom Harten Ort zwischen Kloster und Vitte, an die jeweiligen Wegeabschnitte transportiert werden. Aber auch dieser minimale Ausbauplan scheiterte an den Kosten, es blieb bei den zerfurchten Sand- und Matschwegen, und es blieb bei den alljährlichen Hand- und Spanndiensten, die nur sehr bedingt geleistet wurden. Die geschilderten Wegeverhältnisse hielten lange Zeit, bis weit nach dem Zweiten Weltkrieg, die besondere Abgeschiedenheit der Süderdörfer aufrecht. Auch Sommergäste, die dort ihre Ferien verbrachten, kamen nur selten nach Vitte oder Kloster. Mit dem Fahrrad konnte man auf den Sandwegen nicht fahren, und zu Fuß war es zu weit. Am einfachsten war noch ein Ausflug mit dem Dampfer.

Dorfstraße in Vitte vor dem "Hotel zur Ostsee" ca. 1910

8.3 Die Biologische Forschungstation

Ein wichtiges, neues Kapitel in der Geschichte Hiddensees wurde am 6. 7. 1930 mit der feierlichen Eröffnung der Biologischen Forschungsstation Hiddensee in Kloster aufgeschlagen. Damit wurde die Insel zu einer „Stätte der Wissenschaft“, wie es später nicht ohne Stolz immer wieder hieß. Die Einrichtung dieser Forschungsstation resultierte einerseits natürlich daraus, dass Hiddensee seit Jahren in Fachkreisen als das „Mekka der Ornithologen“ galt, andererseits aus der Tatsache, dass die Insel seit dem Ersten Weltkrieg auch zu einem sommerlichen „Mekka der Intellektuellen“ geworden war. Zu diesen zählte auch der Greifswalder Biologe Prof. Dr. Erich Leick, der mindestens seit 1914 die Insel kannte und regelmäßig besuchte. Leick war Botaniker und widmete sich seit Mitte der 20er Jahre an der Universität Greifswald mehr und mehr der Pflanzensoziologie. Wachstums- und Lebensbedingungen der Pflanzen, ihre Ernährung, ihr Zellaufbau, ihre Reaktion auf Reize von außen usw. sollten nicht mehr allein isoliert im Universitätslabor untersucht werden. Vielmehr galt es, das Verhalten der Pflanzen an ihrem natürlichen Standort, ihre Abhängigkeit vom Standort, von der Bodenbeschaffenheit, dem Klima und von der Gesellschaft mit anderen Pflanzen und Lebewesen zu erforschen. Hiddensee mit seiner großen Vielfalt an unterschiedlichen Standorten auf engem Raum und der dadurch bedingten äußerst vielfältigen Flora und Fauna erschien als ein besonders geeigneter Ort für derartige Forschungen. Das Hiddenseer Institut galt bei seiner Gründung als das erste ökologische Forschungsinstitut Deutschlands und war somit etwas ausgesprochen Modernes.

Leick konnte für seine Idee, ein derartiges, neues Forschungsinstitut auf der Insel Hiddensee zu errichten, den Generaldirektor der Deutschen Hochseefischerei AG Bremen, Hans Wriedt, als Mäzen gewinnen, der mit einer Stiftung von 25.000 RM den Ankauf eines kleinen, 1924 von Max Taut für den Berliner Verlagsdirektor Dr. Gehlen erbauten, Sommerhauses in Kloster ermöglichte. Im Erdgeschoß konnte ein Laboratorium mit vier Arbeitsplätzen eingerichtet werden, ferner das Arbeitszimmer des Institutsdirektors, das gleichzeitig als Bibliotheksraum dienen sollte, ein Wohnraum, ein Frühstücksraum, eine Küche und eine Dunkelkammer. Im Obergeschoß wurden drei weitere Wohnräume für Mitarbeiter und Gastforscher des Instituts untergebracht. Als Träger für seine neue Biologische Forschungsstation gewann Leick die „Gesellschaft der

Freunde und Förderer der Universität Greifswald", zum ersten Stationsassistenten wurde Dr. Fritz Gessner berufen.

Zur Durchführung der Standortbeobachtungen und -messungen an verschiedenen Stellen der Insel, mit denen man die Forschungsarbeiten begann, wurde die Station mit einem geräumigen Hauszelt ausgestattet. Neben pflanzensoziologischen bzw.-ökologischen Untersuchungen sollte die Station sich aber auch der Kleinklimaforschung, der hydrobiologischen Untersuchung der Brackgewässer im Bodden und der ornithologischen Forschung dienen. Auf dem damals noch offenen Wiesengelände der Station wurden verschiedene meteorologische Apparate aufgestellt, die bei den Sommergästen einige Aufmerksamkeit erregten. Die Forschungsstation wurde als meteorologische Station 2. Ordnung dem Beobachtungsnetz des Preußischen Meteorologischen Instituts in Berlin angeschlossen. Zur Durchführung von Gewässeruntersuchungen erhielt die Station ein Schlauchboot. Die Einrichtung einer ornithologischen Abteilung sollte zunächst vor allem der Beobachtung und Erforschung des Vogelzuges dienen. 1932 konnte hierfür vom Stralsunder Wasserbauamt eine leerstehende Wohnung im Leuchtturmwärtergehöft angemietet werden, dort konnten fünf zusätzliche Arbeitsplätze eingerichtet werden. Die Dornbuschhöhen eigneten sich natürlich besonders gut zur Beobachtung des Vogelzuges. Die Hiddenseer Station wurde in das von dem Vorstandsmitglied der Gesellschaft der Freunde und Förderer der Universität Greifswald, Prof. E. Matthes, aufgebaute Greifswald-Rügensche Zugvogel-Beobachtungsnetz einbezogen. Da die Zugvögel nachts vielfach das Licht des Leuchtturms anflogen, konnten sie dort auch ergriffen und beringt werden. 1932 konnte ein Gerät zur Messung ultravioletter Strahlung angeschafft werden. Davon gab es damals, wie es mit Stolz hieß, überhaupt nur zwei auf der ganzen Welt: eines in Davos und eines eben jetzt auf Hiddensee!
In diesem Jahr veröffentlichte Professor Leick auch einen ersten, ausführlicheren Bericht über die bis dahin geleisteten Arbeiten[70]. Im Februar 1933 veranstaltete die Station in der Greifswalder Universität einen Vortragsabend für die Freunde und Förderer der

Universität. Prof. Leick sprach über Pflanzensoziologie, Dr. Gessner über Brackwasserforschung und cand. phil. H. Sturm über den Vogelzug auf Hiddensee. Letzterer betonte die besondere

Prof. Erich Leick ca. 1930

Bedeutung Hiddensees neben der Vogelwarte Rossitten in Ostpreußen, an einem einzigen Tag habe man hier 88 Vogelarten beobachten können. Zum Abschluss des Abends wurde ein „Hiddensee-Film" vorgeführt, „der einen interessanten Einblick in die stille, mit viel Liebe und Geduld auszuführende Forscherarbeit auf Hiddensee bot".[71]

8.4 Hiddensee wird ein -fast- richtiges Seebad

In den Jahren vor dem Ersten Weltkrieg waren die Fremden von alleine gekommen, man hatte sich nicht um sie bemühen müssen. Im Gegenteil wurden sie von manchen Hiddenseern eher skeptisch bis ablehnend aufgenommen. Jetzt nach dem Krieg lagen die Verhältnisse anders. Einerseits hatten die Hiddenseer sich an die Einnahmen durch den Fremdenverkehr. gewöhnt, andererseits war Deutschland, war vor allem der deutsche Mittelstand verarmt, und die Konkurrenz der zahlreichen Ost- und Nordseebäder untereinander war groß. Dies bedeutete, dass man nun aktiv Werbung für die Insel betreiben musste. Die in den letzten Jahren vor dem Krieg entstandenen Badeverwaltungen der drei Orte, in der Regel vom örtlichen Volksschullehrer nebenamtlich verwaltet, erstellten nun Badeprospekte und Wohnungslisten und sandten sie in die Welt hinaus. Der Vitter Prospekt warb dabei, wie erwähnt, Anfang der 20er Jahre mit dem Hinweis um Gäste, dass Vitte „judenfrei" sei und Juden hier keine Aufnahme fänden.

1929 gelang dem Lehrer und Multifunktionär Heinrich Berg, jetzt auch Amtsvorsteher, die Zusammenfassung der drei Badeverwaltungen zu einer „Arbeitsgemeinschaft", in der die Gemeinde Vitte mit 6 Stimmen, Kloster und Neuendorf mit je 4 Stimmen, die Genossenschaftsreederei und der Gastwirteverein mit je 1 Stimme vertreten waren. Als Gast nahm an den Sitzungen auch der Neuendorf anlaufende Reeder Alwert teil, Vorsitzender war selbstredend Heinrich Berg, die Geschäftsführung lag beim „Badearzt" Dr. Baudach. Diese „Arbeitsgemeinschaft der Hiddenseebäder" gab nun in einer Auflage von 30.000 Stück einen gemeinsamen Badeprospekt mit Wohnungsnachweis und Schiffsfahrplänen heraus. Sie gehörte auch dem deutschen Ostseebäderverband Berlin und dem Verband der Rügenbäder an und inserierte im Reichsbäderadressbuch. Darüber hinaus schaltete man regelmäßig Werbeanzeigen in folgenden großen Tageszeitungen: Vossische Zeitung Berlin, Berliner Morgenpost, Berliner Tageblatt, Berliner Lokalanzeiger, Hamburger Neueste Nachrichten, Dresdener Anzeiger, Leipziger Neueste Nachrichten. Der Schwerpunkt der Werbung lag natürlich auf dem nahen und großen Berlin, wo Hiddensee auch auf der regelmäßigen Ostseebäderausstellung im mondänen Kaufhaus des Westens (KaDeWe) vertreten war und wo der Badeprospekt in allen großen Reisebüros auslag. Daneben hoffte man offenbar vor allem auf Gäste aus Hamburg und Sachsen. Für die Saison 1929 wurde auch erstmals eine Kurzeitung herausgegeben, was aber in den Folgejahren aus Kostengründen nicht fortgesetzt werden konnte.

Eine wichtige kostenlose Werbung stellten die zahlreichen Zeitungsartikel dar, die nun überall in Deutschland über Hiddensee erschienen. Hiermit versuchten manche Journalisten und Schriftsteller, wenigstens einen Teil ihrer Urlaubskosten auf Hiddensee wieder hereinzubekommen. Die Artikel enthielten meist begeisterte Beschreibungen der landschaftlichen und Naturschönheiten der Insel, Berichte über die Vogelschutzgebiete und auch manchen Klatsch und Tratsch über die Prominenten und Möchtegern-Prominenten, die nun im Sommer die Insel mehr und mehr bevölkerten. Hiddensee wurde bekannter und berühmter, die Gästezahl stieg, und in den Jahren der Wirtschaftskrise seit 1929 hielt die Insel sich besser als die meisten anderen Seebäder.

Ein leidiges Dauerthema in der Arbeitsgemeinschaft und den Gemeinderäten war die Frage der Kurtaxe. Diese hatte sich, schleichend zwar, aber doch unaufhaltsam aus der früher so gerühmten, weil nur mäßigen, „Arzttaxe" entwickelt. Schon im Februar 1918 hatte der Arzt Dr. Pfleging im Vitter Gemeinderat vorgeschlagen, die „Kurtaxe" deutlich zu erhöhen, um ein zahlungskräftigeres Publikum heranzuziehen, was auf allgemeine Zustimmung gestoßen war. Die Taxe betrug nun 5 Mark für eine Person bzw. 8, 10, 12 Mark für Familien mit 2, 3 oder 4 und mehr Personen. Die Einzelheiten der Kurtaxerhebung blieben aber immer umstritten und wurden ständig neu geregelt: Sollten 2 oder 3 Tage für die sogenannten „Passanten" kurtaxfrei sein? Sollte, wie 1918 beschlossen, ein Pauschalbetrag unabhängig von der Aufenthaltsdauer erhoben werden oder sollte man doch besser eine zeitliche Staffelung vornehmen, wie dies dann später geschah? Ärzte waren grundsätzlich kurtaxfrei, weil man sie immer auf der Insel gebrauchen konnte, aber sollte das auch für deren Familienangehörige gelten? Auch Krankenschwestern wurden von der Kurtaxpflicht ausgenommen, aber nur , wenn sie sich in Schwesterntracht auf der Insel aufhielten. Auch zu Zeiten der Arbeitsgemeinschaft schafften es die drei Gemeinden nie, sich auf eine einheitliche Regelung zu verständigen. Konnte und sollte man auch für Hunde eine Kurtaxe nehmen? Und vor allem: Wofür wurde auf Hiddensee überhaupt eine Kurtaxe erhoben? Faktisch diente diese dazu, die größten Finanzlöcher zu stopfen, die in den Gemeindekassen durch die Anstellung eines Arztes, durch Hafen- und Wegebau oder die Elektrifizierung entstanden waren. Nun konnte man sagen, dass all dies irgendwie auch den Badegästen zugute kam. Aber irgendwelche besonderen „Kureinrichtungen“ wie Kurhaus, Kurkonzerte, Kurpark, Seebrücke etc. etc. gab es auf Hiddensee bekanntlich nicht und waren auch nicht geplant. Das machte für die meisten Gäste ja gerade den Reiz der Insel aus. Aber dann Kurtaxe zahlen? Ein Thema, wie gesagt, das ständig für neuen Gesprächsstoff gut war.

Wer waren die Gäste, die in den 20er Jahren trotz Kurtaxe auf die Insel kamen? Natürlich waren es die Künstler, Schauspieler, Wissenschaftler, die Prominenten, die Hiddensee mehr und mehr zu ihrem sommerlichen Treffpunkt machten und es zunehmend berühmt werden ließen. Davon wird weiter unten noch ausführlich die Rede sein. Aber diese konzentrierten sich vornehmlich auf Kloster, wo es die besseren Hotels gab. Und bei allem Aufsehen und Interesse, das sie erregten, konnten sie doch immer nur eine Minderheit der Hiddenseer Badegäste stellen. Die Mehrzahl waren „normale“ Menschen, Geschäftsleute, Angestellte und Beamte mit ihren Familien, die auf der schönen, immer noch entlegenen Insel einen ruhigen, naturnahen und vor allem auch preiswerten Ferienaufenthalt suchten. Einen gewissen Aufschluss über die soziale Zusammensetzung der Badegäste gibt die Auswertung des Gästebuches des Hotels „Klausner“, die Anke Janzen 1980 für ihre Diplomarbeit an der Universität Greifswald vorgenommen hat. Danach standen an erster Stelle bei den Gästen des Klausners die

Kaufleute, gefolgt von Beamten, der „künstlerischen Intelligenz", Ärzten, Lehrern, Professoren und Studenten. Die meisten Besucher kamen aus Berlin, auf den Plätzen 2 und 3 rangierten die Gäste aus Stralsund und Hamburg.[72] Nun gehörte der Klausner schon zu den besseren und exklusiveren Unterkünften. Würde man das Gästebuch des Hotels „Dornbusch" entsprechend auswerten, so würde die Tendenz zu prominenten und wohlhabenden Gästen sicher noch stärker ausfallen. Auf der anderen Seite muss man aber die vielen einfachen Privatzimmer vor allem in Vitte und Neuendorf berücksichtigen, in denen nicht nur arme Künstler, sondern eben ganz „normale" Badegäste wohnten.

Mit den kurz vor dem Weltkrieg entstandenen, großen Hotelneubauten in Kloster - Dornbusch, Hitthim, Wieseneck, Klausner, Haus am Meer - war der Bedarf an Hotels offenbar zunächst hinreichend gedeckt, so dass in der Weimarer Republik nur noch wenige Neubauten entstanden. Es waren dies das „Haus am Hügel" und die „Pension Rubarth", später Bandemer, heute „Inselbar", in Kloster und das „Haus am Meer" in Neuendorf.

Dafür mauserte Kloster sich nun allmählich mehr und mehr zu so etwas wie einem kleinen Villenort. Sowohl Max Kruse als auch das Kloster zum Heiligen Geist boten weiter Grundstücke zum Kauf an, die zwar nur zögernd, aber doch immer wieder einmal einen Abnehmer fanden. 1919 ließ der Schauspieler Otto Gebühr sich am Kirchweg Richtung Strand ein Sommerhaus errichten. 1924 erbaute der Berliner Architekt Walter Pingel sich ein Haus nördlich des Wieseneck, daneben entstand bald darauf der große „Sethe-Hof" des Publizisten und Diplomaten Samuel Saenger und seiner Frau Irma Sethe, und gegenüber wurde dann das neue Hotel Haus am Hügel gebaut. Zu dieser allmählich entstehenden Villenkolonie gehörte auch das 1919 von dem Berliner Glashüttendirektor Modler für seine Freundin, ein Frl. Raeth, errichtete, 1930 von Gerhart Hauptmann erworbene, spätere „Haus Seedorn" oder das 1924 errichtete Sommerhaus Gehlen, in dem 1930 die Biologische Forschungsstation der Universität Greifswald unterkam. Die Stralsunder Holzbaufirma Voß & Schütz errichtete in der

Dünenheide südlich Vitte und an einigen anderen Stellen der Insel mehrere sehr leicht gebaute und nur im Sommer bewohnbare Holzhäuschen. In der Heide baute sich auch der Stralsunder Likörfabrikant und zeitweilige Reeder Karl Wothke ein Haus. Einige Städter begannen nun auch damit, in Vitte und Neuendorf alte Fischerhäuschen aufzukaufen. Dazu zählten etwa am Vitter Norderende der Kunstmaler Nikolaus Niemeyer, der 1922 die Kirche in Kloster neu ausmalte, oder Ernst Freud, der Sohn des berühmten Wiener Psychoanalytikers Sigmund Freud.

Die zunehmende Bautätigkeit ließ bald den Ruf erschallen, die schönen alten Ortsbilder der Fischerdörfer Vitte und Neuendorf nicht zu verschandeln. Diese Forderung hatte sich schon 1914 der neue „Natur- und Heimatschutzbund Hiddensee" unter Pastor Gustavs auf die Fahnen geschrieben. Die Kritik richtete sich vor allem gegen die Hotelneubauten in Vitte, insbesondere das unförmige „Ostsee-Hotel", sowie gegen die um sich greifenden billigen Dächer aus Teerpappe. Das Ziel einer Erhaltung des hergebrachten Ortsbildes der Süderdörfer bestimmte seit dem Ersten Weltkrieg auch zunehmend das Verhalten des Klosters zum Heiligen Geist bei der Verwaltung seines Inselbesitzes. In Neuendorf und Plogshagen gehörten den Inselbewohnern seit der Separation im 19. Jahrhundert nur die Häuser und das Land, auf denen die Häuser standen, während die Wiesen und Wege zwischen den Gebäuden im Eigentum des Klosters verblieben waren. Um irgendwelche hässlichen Anbauten von vornherein unmöglich zu machen, lehnte die Klosterverwaltung in aller Regel den Verkauf auch nur der kleinsten Geländestreifen rund um die Häuser entschieden ab. Das ist der Grund, weshalb das alte Ortsbild dieser Fischerdörfer bis weit nach dem Zweiten Weltkrieg, in gewisser Beziehung sogar bis heute, erhalten geblieben ist. In Vitte lagen die Verhältnisse anders, dort konnten die Bewohner seit der Separation mit ihren Häusern und Grundstücken machen, was sie wollten.

Die Klosterverwaltung gehörte auch zu denen, die einen statuarischen Schutz gegen verunstaltende Bauten forderten. Am 8.6.1920 erließ der Kreisausschuss des Landkreises Rügen dann in der Tat ein „Ortsstatut zum Schutz der Insel Hiddensoe gegen Verunstaltung"[73], wonach alle Neu- und Umbauten „sich dem Orts- und Landschaftsbilde und der altheimischen Bauweise anpassen" mussten. Die Gebäude mussten steile Dächer haben, die Außenwände waren ohne Erker, Balkone etc. einfach zu gliedern, auf die Verwendung schreiender Farben sollte verzichtet werden. Nachdem die Klosterverwaltung 1911 einen ersten Bebauungs- und Wegeplan für das geplante Villenviertel zwischen Lietzenburg und Kirchweg erstellt hatte, erarbeitete das Architektenbüro von Max Taut und Hoffmann, Berlin, 1925 einen Bebauungsplan für den gesamten Ort, der auch das Gelände hinter der Kirche und um die Gutsarbeiterkaten mit einbezog. In Kloster verkaufte die Stralsunder Klosterverwaltung Baugrundstücke nur noch unter der Bedingung, dass Baupläne von ihr genehmigt werden mussten.

Die Sommerhäuser Gehlen (l. hinten) und Pingel (vorne r.) des Architekten Max Taut in Kloster ca. 1930

8.5 Künstler, Wissenschaftler, Prominente: Das sommerliche Mekka nicht nur der Berliner Intellektuellen

Schon vor dem Krieg waren viele Künstler und Intellektuelle nach Hiddensee gekommen, vor allem die Maler hatten die Insel wegen ihrer eigenartigen landschaftlichen Schönheit entdeckt. Jetzt kamen sie in Scharen, vor allem aus Berlin natürlich, so dass die Insel in den Ruf geriet, im Sommer ein zusätzlicher kleiner Vorort der großen Hauptstadt zu sein. Dort traf sich, was Rang und Namen hatte oder haben wollte, das Jahr über im „Romanischen

Café“ oder anderen literarischen Szenetreffs, und im Sommer traf man sich zumindest immer wieder einmal für ein paar Wochen oder für einige Tage auf Hiddensee, dem „Romanischen Café in der Ostsee“. Hierdurch wurde die kleine Insel berühmt und, obwohl oder gerade weil weit davon entfernt, mondän zu sein, ein Modebad - so etwas wie ein alternatives Modebad, wenn man so will.

Hiddensee lag im Trend der Zeit. In Reaktion auf Industrialisierung und Verstädterung hatte sich seit etwa der Jahrhundertwende in Deutschland und Europa eine Zurück-zur-Natur-Bewegung gebildet. Dazu gehörten die Jugend- und Wandervogelbewegung, die Lebensreformer und Vegetarier, die Nudisten. Man wollte wieder eins werden mit der Natur, zurückkehren zum einfachen, gesunden und ursprünglichen Leben, weg von der Hektik und der Entfremdung der Großstadt. Die Maler suchten unverdorbene, ursprüngliche Landschaften, sie waren fasziniert von alten, idyllischen Fischerkaten und einfachen Menschen mit derben Gesichtern, die noch ihrer jahrhundertealten Betätigung nachgingen. Da kam das abgelegene Hiddensee ohne Strom und Wasserleitungen, ohne Autos und Straßen gerade recht. Und wenn man noch dazu mit der, allerdings sehr modernen, Eisenbahn innerhalb von nur 3 bis 4 Stunden der lärmenden Großstadt entfliehen konnte, dann wurde daraus geradezu ein idealer Ort der Sehnsucht. So lange brauchte nämlich damals wie heute der Zug von Berlin nach Stralsund, wo mit dem Betreten des Dampfers oder gar eines Segelbootes das innige Natur- und Ferienerlebnis schon begann.

In seiner kurzen Rede aus Anlass seines 50jährigen Inseljubiläums sagte Gerhart Hauptmann 1935, dass mit Hiddensee ein Stück deutscher Geistesgeschichte verbunden sei:„Unter den Gästen Hiddensees haben sich, abgesehen von den schönen und schönsten Frauen, Dichterinnen, Dichter, Maler, Bildhauer, Musiker, Schauspieler und sonstige Künstler ohne Zahl befunden. Männer klangvollster Namen aus allen Gebieten der Wissenschaft. Hiddensee wurde das geistigstes aller deutschen Seebäder.“[74]

Dieses Stück deutscher Geistesgeschichte soll selbstverständlich auch in diesem Buch dargestellt werden, es gehört ja zweifellos zu den interessantesten und spannendsten Kapiteln der Hiddenseer Geschichte. Doch wo beginnen und wo enden? Wer wäre zurecht in die Reihe der Geistesgrößen aufzunehmen, wer war wirklich prominent, wer hielt sich nur dafür und wer wollte es erst noch werden und ging gerade deshalb im Sommer nach Hiddensee? Kurt Dittmann, der 1997 verstorbene alte Kaufmann von Kloster und passionierte Sammler und Heimatforscher, hat in den letzten Jahren vor seinem Tod die noch vorhandenen Gästebücher der Hotels „Dornbusch", „Klausner" und „Wieseneck" nach „prominenten" Gästen durchforstet und lange Listen mit den Angaben zu weit über 500 Persönlichkeiten angelegt - so etwas wie ein „Who is who" der Hiddensee-Besucher. Darunter befinden sich ca. 50 hochrangige Wissenschaftler, mehr als 200 Maler, Bildhauer, Architekten, und jeweils etwa 150 Schriftsteller sowie Musiker, Komponisten, Schauspieler. Etwa 150 dieser von ihm ermittelten Gäste mussten ab 1933 Deutschland verlassen, wurden ermordet oder begingen Selbstmord.[75] Baade/Stock haben 1992 ein fast 200seitiges Buch über die „Maler und Poeten" auf Hiddensee herausgegeben und ihre Auswahl immer noch als problematisch empfunden. Um wieviel mehr muss dies für eine Überblicksdarstellung wie diese gelten.

Vielleicht fangen wir mit den Nobelpreisträgern an. Gerhart Hauptmann selbst, dessen Leben und Wirken auf Hiddensee wir oben schon ausführlich geschildert haben, hatte 1912 den Literatur-Nobelpreis erhalten. Thomas Mann (1875 - 1955, Literatur-Nobelpreis 1929) verbrachte nur einmal im Jahre 1924 mit seiner Familie den Sommerurlaub auf Hiddensee. Er hatte sich auf Einladung und Drängen Hauptmanns dazu entschlossen, wohnte gemeinsam mit diesem im Sydow'schen „Haus am Meer", und die Sache ging gründlich daneben. Mann musste, wie seine Frau Katja später berichtete, feststellen, dass die kleine Insel nur einen König vertrug, und das war eindeutig Hauptmann. Während diesem die köstlichsten Speisen im Zimmer serviert wurden, musste die Familie Mann angeblich mit schlechtem Essen im Speisesaal vorlieb nehmen. Die Manns reisten vorzeitig ab nach Heringsdorf. Vielleicht war der eigentliche Grund für die Abreise aber auch, dass Irene von Sydow Manns Drängen auf Gewährung eines Preisnachlasses - quasi als Entschädigung für die Werbung, die ein Aufenthalt Manns sozusagen automatisch für ein jedes Hotel darstellen sollte - nicht nachgab. 1929 baute Thomas Mann ein Ferienhaus in Nidden auf der Kurischen Nehrung.

Einen uneitlen, bescheidenen Mann wie Albert Einstein (Nobelpreis für Physik 1921) störte die Dominanz Hauptmanns auf der Insel überhaupt nicht, er gehörte seit etwa 1919 mit seiner Frau Margot und den beiden Töchtern zu den treuesten Sommergästen der Insel. Einstein selbst wohnte zunächst immer nur im Haus Lamprecht in Kloster, seine beiden Töchter logierten öfter im Haus am Meer, wo Einstein tagsüber oft im sog. Korbzimmer oder auf der Wiese saß. Abends fanden dort bei Kerzenschein - es gab ja noch lange Zeit keinen Strom auf der Insel - Musikabende statt. Einstein spielte Geige, seine Frau sang, gelegentlich auch jiddische und hebräische Lieder, seine Tochter Lore spielte die Laute. Bei seinen Inselspaziergängen machte Einstein eher den Eindruck eines verarmten Künstlers als den des weltberühmten Wissenschaftlers, der er war. Später wohnte Einstein regelmäßig in der Pension des Schmiedemeisters Wilhelm Mann. Dessen Neffe Robert sollte später der NSDAP-Ortsgruppenleiter von Hiddensee werden und dafür sorgen, dass Juden wie Einstein „endlich“ von der Insel verschwanden. Weitere Hiddensee-Besucher, die den Nobelpreis für Physik erhielten, waren Max von Laue (1914) und Gustav Hertz (1925). Den Nobelpreis für Chemie erhielt 1909 Wilhelm Ostwald.

Neben den Nobelpreisträgern gab es selbstverständlich eine große Zahl anderer Gelehrter, Professoren, Akademiker auf Hiddensee. Der Physiker Robert Rompe besaß ein Haus auf Hiddensee und hatte Gustav Hertz zu einem Inselbesuch eingeladen. Zu besonderer Berühmtheit gelangte zweifellos der Arzt und Psychoanalytiker Sigmund Freud, der im Sommer die weite Reise von Wien nach Hiddensee auf sich nahm und hier ähnlich unauffällig und bescheiden auftrat wie Albert Einstein. Sein Sohn, der Architekt Ernst Freud, hatte sich nach mehreren Sommeraufenthalten im Hotel zur Post in Vitte am Norderende die Hälfte eines alten Fischerhaus gekauft, in dem Sigmund Freud sich wiederholt aufhielt. Auch der sozialistische Pädagoge Adolf Reichwein besaß ein Haus auf Hiddensee, das sog. „Hexenhaus“ in Vitte. Er wurde 1944 als Mitglied des Kreisauer Kreises in Berlin-Plötzensee hingerichtet. Rudolf Steiner, der Begründer der Anthroposophie, weilte 1919 und 1920 in Haus am Meer, der Politologe und spätere Regierende Bürgermeister Berlins Otto Suhr war 1932 im Dornbusch.

Auch einige bekannte Architekten besuchten die Insel regelmäßig. An erster Stelle zu nennen wäre Hermann Muthesius, Mitbegründer des Deutschen Werkbundes und der Dresdener Gartenstadt Hellerau, der durch seine Tätigkeit als freier Architekt, seine Lehrtätigkeit und vor allem durch seine umfangreichen theoretischen Schriften einen großen Einfluss auf den deutschen Wohnhausbau, insbesondere den Landhausbau ausübte. Er kaufte 1912 zusammen mit seiner Frau Anna Muthesius, einer Musikerin, in Vitte ein Haus, das sich schnell zu einem Künstler- und Intellektuellentreffpunkt entwickelte. Der Architekt und Gebrauchsgraphiker Otto Firle baute 1925 für den Diplomaten und Publizisten Samuel Saenger und seine Frau Irma Sethe, den „Sethe-Hof“, der sich später im Rahmen der „Arisierung“ jüdischer Häuser in den „Crüger-Hof“ verwandelte. Neben zahlreichen Geschäfts- und Bankhäusern in

Der Architekt Otto Firle auf Hiddensee 1924

Deutschland und Dänemark errichte Firle auch Sommerhäuser auf Sylt und in der Nähe von München. Der für Hiddensee zweifellos bedeutendste Architekt war Max Taut. Wie sein älterer Bruder Bruno Taut gehörte er in der Weimarer Republik zu den führenden Repräsentanten des Neuen Bauens und beschäftigte sich vor allem mit dem Beton-Skelettbau. Er stand zeitlebens der sozialistischen Arbeiterbewegung nahe und baute auch vornehmlich für deren Organisationen. Bekannt wurde er vor allem durch den Bau mehrerer Gewerkschaftshäuser wie der Zentrale des Allgemeinen Deutschen Gewerkschaftsbundes in Berlin-Mitte, das Konsum-Warenhaus in Berlin-Kreuzberg und die Planung der großen genossenschaftlichen Wohnsiedlung „Eichkamp" in Berlin-Charlottenburg. Auf Hiddensee errichtete Taut zwischen 1922 und 1925 vier stilvolle, moderne Sommerhäuser für wohlhabende Berliner: Am Norderende in Vitte die beiden Häuser für die Kaufmännischen Direktoren Richard Müller (1922) und Karl Weidermann (1923) und in Kloster die Häuser des Innenarchitekten Walter Pingel (1924) und des Verlagsdirektors Dr. Gehlen (1925). Aus dem Haus Müller wurde 1928 das „Karusel" Asta Nielsens, in das Haus Gehlen zog 1930 die Biologische Forschungsstation ein. Max Taut erstellte 1925 auch einen Bebauungsplan für Kloster. Die Wegeführung und der weitere Ausbau der Villensiedlung am Dornbuschhang in Kloster gehen auf ihn zurück.

Historisch gesehen wäre es richtiger gewesen, mit den Malern zu beginnen. Waren diese es doch vor allem gewesen, die Hiddensee und die Schönheiten Hiddensees vor dem Ersten Weltkrieg als erste entdeckt hatten. Als Gerhart Hauptmann 1885 zum ersten Mal die Insel betrat, war ja noch nicht ausgemacht, ob er nun hauptsächlich Maler oder Schriftsteller sein würde, und er kam mit seinem Malerfreund Hugo Ernst Schmidt. Walter Leistikow verbrachte erstmals 1888 einen Sommer auf Hiddensee. Oskar Kruse schuf 1905 mit der Lietzenburg ein erstes Künstlerzentrum. Felix Krause, auch in den 20er Jahren noch regelmäßiger Gast in Vitte, veröffentlichte 1907 einen Aufsatz über Hiddensee in Westermanns Monatsheften und illustrierte ihn mit eigenen Bildern sowie Gemälden von Elisabeth Büchsel, Harold Bengen, Walter Helbig

Willy Jaeckel portraitiert Gerhart Hauptmann in dessen Arbeitszimmer ca. 1935

und Oskar Kruse. Otto Mueller, Mitglied der Dresdener Brücke und mit Gerhart Hauptmann familiär verbunden, war 1901 auf Hiddensee, Erich Heckel verbrachte den Sommer 1912 hier. Moriz Melzer stellte 1911 Bilder aus Neuendorf in der Berliner „Neuen Sezession" aus und schuf im gleichen Jahr mit seinem Hiddenseer Bild „Fischerboote am Strand" nach dem Urteil von Kornelia Röder ein „expressionistisches Meisterwerk"[76]. Ernst Barlach war 1913 auf der Insel.

Viele kamen auch nach dem Ersten Weltkrieg wieder, und immer neue kamen hinzu. Sommers sah man sie, die Arrivierten, die begabten Hobbymaler und die Dilletanten, überall mit ihren Staffeleien auf der Insel sitzen, am Strand, auf den Dünen, in den Dorfstraßen, auf den Dornbuschhöhen. Zu Beginn der dreißiger Jahre wurde dann, wie Christine Knupp feststellt, „die Schar der Maler fast unübersehbar"[77]. Emil Orlik, einer der bekanntesten Berliner Maler und Graphiker seiner Zeit, schuf 1919/20 eine 12 Blätter umfassende Lithographien-Serie von Hiddensee. Ivo Hauptmann, der älteste Sohn Gerhart Hauptmanns aus erster Ehe, malte auf Hiddensee ebenso wie Walter Gramatté oder Max Kaus, Pol Cassel und der Aquarellmaler Albert Klatt, die wie so viele andere später von den Nazis verfemt wurden. Julo Levin malte auf und von Hiddensee versonnene, expressionistische Bilder in zarten

Farben und wurde 1943 in Auschwitz ermordet. Der linke, sozialkritische Zeichner George Grosz war mehrfach hier, ferner Paul Klee, Ewald Mataré, Conrad Felixmüller, Oskar Zügel. Alexander Kanoldt, ein führender Vertreter der neuen Sachlich-keit, schuf einen interessanten Frauenakt vor dem Hintergrund des Vitter Strandes und des Dornbusch-Hochlandes. Willy Jaeckel baute sich, nachdem er sich lange Jahre im Ferienhaus Arved Jürgensohns einquartiert und auch im Dornbusch gewohnt hatte, 1937 ein eigenes Haus in Kloster. Schließlich wollen wir vielleicht noch Erich Ohser alias E.O.Plauen als Hiddensee-Besucher er-wähnen, den Schöpfer der berühmten Vater-Sohn-Karikaturen, oder Eugen Spiro, Sohn eines jüdischen Breslauer Kantors und von 1915 bis 1933 im Vorstand der Berliner Sezession, der 1935 61jährig nach Paris emigrieren und 1940 vor den deutschen Truppen weiter nach New York fliehen musste.

Eine besondere Rolle spielten die Malerinnen, die sich seit etwa 1920 im und um den „Hiddensoer Künstlerinnenbund" sammelten. Initiatorinnen waren die beiden jüdischen Malerinnen Henni Lehmann und die aus Berlin stammende Clara Arnheim. Henni Lehmann, die vor dem Ersten Weltkrieg vom Judentum zum Protestantismus konvertiert war und seit 1907 die große Sommervilla am Norderende in Vitte besaß, hatte später auch die daneben liegende alte Scheune der Bäckerei Schwartz gekauft und darin Atelier und Ausstellungsräume eingerichtet. Gerhart Hauptmann sah es mit Missbehagen und einem deutlichen Schuss Frauenfeindlichkeit. 1910 notierte er in seinem Tagebuch:

> „Hiddensoe. Es ist ein ekelhaft bekrochenes Eiland geworden. Ein dickes Weib hat eine Villa errichtet, und malt frech vor der Tür mit zwei Centnern am Leibe. Fürchterlich!"[78]

„Kunstscheune" wurde das Unternehmen der kunstbegeisterten Henni Lehmann, die auch dichtete und musizierte, allgemein genannt, oder wegen des leicht bläulich schimmernden Kalkanstrichs auch „Blaue Scheune". Hier veranstalteten die Frauen nun regelmäßig im Sommer Verkaufsausstellungen, und mit der Zeit schlossen sich verschiedene Malerinnen, die auf Hiddensee malten, dem Kreis an: Die in Berlin geborene und in der Schweiz aufgewachsene, ebenfalls jüdische Malerin Käthe Loewenthal war, seit ihre Schwester am Süderende 1912 ein altes Haus gekauft hatte, regelmäßig auf der Insel und hinterließ eine große Zahl von Hiddensee-Bildern, als sie 1942 im KZ Izbica bei Lublin ermordet wurde. Ihre berühmte Namensvetterin Käthe Kollwitz weilte in den 20er Jahren regelmäßig auf Hiddensee und wohnte meist ganz im Süden von Vitte bei dem mit ihr verwandten Maler Klein-Diepold. Zum Kreis des Hiddensoer Künstlerinnenbundes gehörten auch die Stralsunder Malerinnen Katharina Bamberg und Elisabeth Büchsel, ferner etwa Elisabeth Andrae aus Leipzig, Emmy Bode aus Hamburg, Julie Wolfthorn oder Augusta von Zitzewitz aus Berlin. Die Stralsunderin Elisabeth Büchsel entdeckte 1904 im Alter von 37 Jahren die Insel für sich, blieb ihr dann ein halbes Jahrhundert treu und wurde zweifellos zur volkstümlichsten Hiddenseer Malerin. 1931 bezog Elisabeth Niemeier nach ihrer Scheidung von dem am Norderende lebenden Kunstmaler Nikolaus Niemeier ein Zimmer in der Blauen Scheune, nach 1933 kaufte sie das Gebäude von Henni Lehmann, die als „Jüdin" nun auf der Insel und darüber hinaus wieder unerwünscht war. 1937 beging Henni Lehmann Selbstmord, Clara Arnheim wurde 1942 in Terezin (Theresienstadt) ermordet.

Der Maler Nikolaus Niemeier (2.v.l.) mit Familie und Sommer-gästen vor seinem Haus in Vitte Norderende 1925; 2.v.r. Elisabeth Niemeier

Mit Gerhart Hauptmann und Thomas Mann wurden die beiden wohl bedeutendsten Schriftsteller unter den Hiddensee-Besuchern bereits erwähnt. Besonders eng verbunden mit Hiddensee war auch Joachim Ringelnatz, der Schöpfer der Seemannsgedichte „Kuttel Daddeldu". Er war mit Paul Wegener und Asta Nielsen befreundet und öfter in deren „Karusel" in Vitte zu Gast. Ringelnatz war, jedenfalls wenn er guter Laune war, äußerst leutselig und stets zu allem möglichen Unsinn aufgelegt. Man wusste nie, wo er sich auf der Insel herumtrieb und was er dort gerade trieb. Er suchte den ganzen Tag völlig ohne Erfolg nach Bernstein und fand statt dessen am Ende nur eine neue Kneipe, wo er bei viel Korn mit den anwesenden Fischern Freundschaft schloss. Er schleppte Unmengen an schweren Steinen in Asta Nielsens Gästezimmer, grub ihre Wiese vor dem Haus um, damit sie es schön habe, rezitierte irgendwo im Matrosenanzug seine neuesten Gedichte. Regelmäßig machte er von Vitte aus Spaziergänge über das Hochland und kehrte dann auf dem Rückweg in Kloster im Hotel Dornbusch ein, wo der Kellner ihm wortlos sofort ein Weinglas voll mit Pommerschem Korn servierte. Betrunken wählte er für den Nachhauseweg eine „Abkürzung" und traf zwei Stunden später völlig durchnässt in Vitte ein, weil er in irgendeinen Sumpf oder Tümpel geraten war. Und er schrieb schöne Gedichte über das Leben am Meer.

Wen sollen wir sonst erwähnen? Gottfried Benn war zumindest 1913 auf Hiddensee gewesen, die expressionistischen Lyriker Hans Zech und Ernst Blass weilten 1925/26 bzw. 1929 im Dornbusch. Carl Zuckmayer, 1925 durch seinen „Fröhlichen Weinberg" berühmt geworden, verbrachte den folgenden Sommer im Haus Peggy in Kloster und berichtete später in seinen Lebenserinnerungen über seine dortige Nachbar- und Bekanntschaft mit Gerhart Hauptmann. Hans Fallada schrieb seinen 1932 erschienenen, berühmten Roman „Kleiner Mann - was nun?" zumindest teilweise in Neuendorf. Die wegen ihrer Beteiligung an der Münchener Räterepublik zu langjährigen Haftstrafen verurteilten, sozialistischen Schriftsteller Erich Mühsam und Ernst Toller kamen nach ihrer 1924/25 erfolgten Freilassung auf die Insel. Mühsam wurde schon 1934 im KZ Oranienburg ermordet, Toller beging 1939 im New Yorker Exil Selbstmord. Der Begründer und langjährige Schriftleiter der gewerkschaftlichen Büchergilde Gutenberg, Ernst

Preczang (1870 - 1949) war schon vor dem Ersten Weltkrieg auf Hiddensee gewesen, er emigrierte 1933 in die Schweiz. Nach dem Bericht von Heinrich Berg war auch Stefan Zweig auf Hiddensee, der sich ebenfalls später im brasilianischen Exil das Leben nahm. Obwohl Hiddensee nach Aussage von Martha Feuchtwanger, weil zu antisemitisch, von ihrer Familie grundsätzlich gemieden wurde, war Lion Feuchtwanger doch zumindest einmal dort: Anfang Juli 1932 verbrachte er einige Tage im Dornbusch - zusammen mit der 25jährigen Eva Mathilde Helene Hommel, die unter dem Pseudonym Eva Boy damit begonnen hatte, kleine Geschichten in verschiedenen Zeitungen zu veröffentlichen und sich auch unter ihrem Pseudonym und der Berufsbezeichnung „Schriftstellerin" im Gästebuch eintrug. Ein interessanter, neuer Stern am Berliner literarischen Himmel war zu Anfang der 30er Jahre Mascha Kaléko. Die kesse, hübsche, junge Jüdin aus Galizien beeindruckte im „Romanischen Café" die Berliner Geistesgrößen und machte mit ihren seit 1930 regelmäßig in der „Vossischen Zeitung" und in der „Welt am Montag" erscheinenden Großstadtgedichten Furore. Ihre Sommerferien verbrachte sie in Kloster. Selbstverständlich wurde ihr „Lyrisches Stenogrammheft" nach 1933 verboten, und sie musste nach Amerika emigrieren.

Hiddensee kommt nicht nur in den Werken Hauptmanns und in den Gedichten von Joachim Ringelnatz vor. Adolf Wilbrandt und Clara von Sydow - nicht verwandt und nicht zu verwechseln mit Irene von Sydow, der Besitzerin des Hauses am Meer in Kloster - hatten ihre 1910/11 erschienen Romane bereits auf Hiddensee spielen lassen. Der Rheinländer Wilhelm Schmidtbonn veröffentlichte 1925 ein „Sommerbuch aus Hiddensee", in das er auch ein verschlüsseltes „Who is who?" der Hiddenseer Gäste aufnahm. Er wohnte zusammen mit seinem Freund Hans Kyser, Verlagsdirektor im S. Fischer - Verlag, regelmäßig in Vitte und widmete das Buch seiner Freundin Else Lasker-Schüler, die danach auch auf Hiddensee gewesen sein muss. Herta Fricke schrieb einen Roman „Schicksal auf Hiddensee", der zunächst als Fortsetzungsroman in mehreren deutschen Tageszeitungen erschien und 1932 als Buch herauskam.

Neben den Literaten wäre eine große Zahl an Publizisten, Journalisten und Verlegern zu nennen, so etwa die bekannten Berliner Theaterkritiker Alfred Kerr und Herbert Jhering oder der Feuilletonredakteur Ludwig Marcuse. Der Pädagoge, Theaterwissenschaftler und Theaterkritiker Felix Emmel kaufte 1921 in Vitte ein Haus, wo er sich regelmäßig viele Wochen im Jahr aufhielt und einen Teil seines Hauptwerkes über „Das Ekstatische Theater" schrieb. Auch Emmels „Haus am Hafen" wurde zu einem langjährigen, traditionellen Treffpunkt vieler intellektueller Hiddensee-Besucher. Er wollte im übrigen auf Hiddensee so leben wie die Hiddenseer, deshalb schaffte er ein Schwein, eine Kuh und Hühner für ein richtiges Landleben an. Da niemand in der Familie damit umgehen konnte, musste zur Versorgung der Tiere nun ein Mädchen vom Lande angestellt werden, welches dann allerdings, wie üblich, schnell von einem Hiddenseer weggeheiratet wurde. Das richtige, originäre Landleben funktionierte nie so ganz richtig.... In den Jahren um 1930 organisierte Emmel in Vitte zeitweilig auch eine Privatschule, in die neben den Kindern der Städter auch die Sprösslinge einiger Hiddenseer Geschäftsleute und Handwerker gingen. Der Berliner Verleger Walter Reiss baute sich 1919 ein Sommerhaus in Kloster, das „Haus Peggy", das später dem sozialistischen Reichstagsabgeordneten und langjährigen Redakteur des sozialdemokratischen Vorwärts, Curt Geyer, gehörte. Der Diplomat und Publizist Samuel Saenger besaß ebenfalls in Kloster ein Haus. Regelmäßig auf die Insel kam Richard Graf Coudenhove-Kalergi, der Begründer der noch heute bestehenden „Pan-Europa-Bewegung". Er war mit Max Kruse befreundet und schwärmte bei den häufigen, gemeinsamen Inselspaziergängen mit Kruse für seine damals noch so utopisch klingende Idee eines Vereinigten Europa. In die Reihe der politischen Publizistinnen gehört auch die Pazifistin und Frauenrechtlerin Helene Stöcker.

Kommen wir zu den Film- und Theaterleuten, die ähnlich wie die Maler offenbar in besonders großer Zahl auf Hiddensee waren. Schon vor dem Ersten Weltkrieg, im Juni 1913, war von Joe May der erste Film auf Hiddensee gedreht worden: „Das Fischermädchen von Manholm". Das „Hotel zum Dornbusch" war gerade eröffnet worden und die etwa 40köpfige Filmgesellschaft mit den Hauptdarstellern Mia May, Eduard von Winterstein, Paul Wegener, dem Drehbuchautor Alfred Schirokauer und einer großen Menge an Requisiten stellte seine ersten Gäste. Auch später ist Hiddensee immer wieder Schauplatz für Filmaufnahmen gewesen. 1940 drehte Hans Schweikart hier „Das Mädchen von Fanö“, eine dramatische Liebesgeschichte mit Brigitte Horney, Gustav Knuth und Joachim Gottschalk. Schon 1947 folgte der Defa-Film „Ehe im Schatten“ von Kurt Maetzig über das tragische Schicksal Gottschalks, der im November 1941 zusammen mit seiner jüdischen Frau Meta und ihrem achtjährigen Kind Selbstmord beging, um der Deportation Meta Gottschalks, die ebenfalls Schauspielerin gewesen war, nach Theresienstadt zu entgehen.

Die dänische Schauspielerin Asta Nielsen (1881 - 1972) wurde schon mehrfach erwähnt. Sie war in der ersten Hälfte der Weimarer Republik der absolute Megastar des deutschen Films, die „Königin des Stummfilms“, besaß zeitweilig eine eigene Produktionsfirma und drehte mit vielen berühmten Regisseuren, von denen natürlich eine ganze Reihe im Sommer auch nach Hiddensee kam. Nachdem sie sich seit 1926/27 vom Film mehr und mehr zurückgezogen hatte und zum Theater zurückkehrte, kaufte sie sich 1927 oder 1928 das Sommerhaus Müller in Vitte, nannte es ihr „Karusel“ (in dänischer Schreibweise) und verbrachte darin nun meist gemeinsam mit ihrer Schwester jeden Sommer viele lange Wochen. Das Haus wurde schnell zu einem neuen gesellschaftlichen Mittelpunkt der Insel. Neben dem Schriftsteller Joachim Ringelnatz war Asta Nielsen mit den Schauspielern Paul Wegener und Heinrich George befreundet, die wie viele andere regelmäßig in ihr „Karusel“ kamen. Nach der Trennung von ihrem Mann, dem dänischen Regisseur Urban Gad, war sie in der Hiddenseer Zeit mit einem besonders gut aussehenden Mann liiert, dem russischen Schauspieler Grigori Chmara. Nachdem die Nazis an die Macht gekommen waren, kehrte Asta Nielsen Deutschland und Hiddensee schweren Herzens den Rücken. Obwohl von Goebbels durchaus umworben, ging sie 1936 zurück nach Kopenhagen - und behielt Heimweh nach Berlin und nach Hiddensee:

> „Möwen werden sehr alt, habe ich gelesen, oft älter als dreißig Jahre. Ob die Möwen in Vitte manchmal an mich denken?“ Und die Leute in Berlin, der Friseur, die Drogistin in dem kleinen Laden an der Ecke, der Mann, der immer die Eier brachte, und vor allem die Kinobesucher?“,

so Asta Nielsen in Dänemark. Nach der Besetzung des Landes unternahmen die Nazis einen neuen Annäherungsversuch und schickten den Oberbefehlshaber der Besatzungstruppen, General Leonhard von Kaupisch, zu ihr mit dem Auftrag, sie zu einer Rückkehr nach Deutschland und zu einer Wideraufnahme ihrer Filmtätigkeit zu bewegen. Als Kaupisch ihr versicherte, dass in Deutschland nichts Ernsthaftes gegen sie vorliege, antwortete Asta Nielsen nur:

> „Aber wissen Sie denn gar nicht, wie viel gegen Deutschland vorliegt, Herr General?“[79]

Nicht alle nahmen, wie wir wissen, eine derart entschiedene Haltung zu den Nazis ein. Zu denen, die in Deutschland und auf Hiddensee blieben, gehörte etwa Otto Gebühr, der vielleicht auch deshalb bei den Inselbewohnern der bei weitem beliebteste der prominenten Inselgäste war. Gebühr trat nicht reserviert und arrogant auf wie Gerhart Hauptmann. Er besaß schon lange vor Hauptmann ein eigenes Sommerhaus in Kloster, war volkstümlich und jovial, sprach mit jedem, duzte sich mit vielen, spielte in den Wirtschaften mit den Hiddenseern Skat und erklärte sich auf eine entsprechende Anfrage sofort bereit, der Genossenschaftsreederei ein größeres Darlehen zur Anschaffung eines neuen Dampfers zu geben. Aber vor allem war Otto Gebühr der Darsteller Friedrichs des Großen, der durch diese seine Dauerrolle zu ungeheurer Popularität in Deutschland gelangte. Der erste Teil des „Fredericus Rex“ wurde Anfang 1922 uraufgeführt und war ein großer Erfolg für die Ufa, den Regisseur Arzen von Cserépy, für Otto Gebühr - und für die politische Rechte, die „ihren“ Film bekommen hatte. Der Film drückte in den Wirren der Nachkriegszeit die Sehnsucht vieler Menschen nach der guten alten Zeit der Monarchie aus, nach einer Führerfigur, die wieder Ordnung schaffen, die Schmach von

Versailles tilgen und Deutschland zu neuer Größe führen sollte. Der sollte dann ja 10 Jahre später vermeintlich auch kommen.

Das demokratische „Berliner Tageblatt“ rief nach der Wiedereinführung der Zensur, die linke „Weltbühne“ und der sozialdemokratische „Vorwärts“ forderten zum Boykott dieser „antirepublikanischen Provokation“ auf. Es nützte alles nichts, die Kinos in Stadt und Land waren überall überfüllt, die Ufa ließ schnell und mit riesigem Aufwand an Komparsen und Geld drei weitere Folgen drehen. Es entstand ein wahrer Fredericus-Rex-Rummel mit Fredericus-Rex-Büchern, -Mappen, -Postkarten, und auf allen prangte Otto Gebühr in der Uniform und mit dem Dreispitz des Preußenkönigs. Gebühr ließ es nicht dabei bewenden, in dieser Aufmachung bei Uraufführungen seiner Filme zu erscheinen, sondern er trat auch auf Partei- und Wahlkampfveranstaltungen der Deutschnationalen in der Uniform Friedrichs auf. Seinen Höhe-punkt erreichte der Friedrich-Kult bei den Nazis, die zwar keine Monarchisten waren, dafür aber Adolf Hitler in die Nachfolge Friedrichs II. zu stellen versuchten. Und Otto Gebühr spielte weiter den jungen und alten Fritz, in insgesamt 16 Spielfilmen und etliche Male auf der Bühne, bis zum bitteren Ende, zuletzt 1942 in Veit Harlans „Der große König“.

Otto Gebühr als Friedrich der Große ca. 1935

Weitere bekannte Film- und Theaterschauspieler - die meisten waren damals noch beides - unter den Hiddensee-Gästen waren etwa Max Reinhardt und Gustav Gründgens, Gustav Fröhlich mit seiner Frau Gitta Alpar, Brigitte Helm und Inge Meysel, Valeska Gert, Paul Henckels, Hubert von Meyerinck, Hans Söhnker, Conrad Veidt, der kommunistische Agitprop-Schauspieler Gustav von Wangenheim, Else Lehmann, Lothar Müthel, Hedwig Wangel. Bekannte Regisseure, die wiederum zum Teil selbst Schauspieler waren, waren der eng mit Bertolt Brecht zusammenarbeitende Slatan Dudow, der österreichische „Bel Ami" Willi Forst, ferner Carl Froelich, Carl Hoffmann, Paul Leni, Friedrich Wilhelm Murnau oder Robert Wiene. Moriz Seeler, der Begründer der Jungen Bühne Berlin, der später eine eigene Filmproduktion besaß und ebenfalls mit Brecht zusammenarbeitete, emigrierte 1933 nach Österreich, kehrte aber, da er dort keinen Lebensunterhalt finden konnte, 1935 nach Deutschland zurück. Er arbeitete nun als Regisseur an jüdischen Theatern in Köln und Berlin und wurde 1942 ins Ghetto Riga deportiert. Auch Veit Harlan, Hans Steinhoff und Leni Rieffenstahl, die später unter den Nazis ganz große Karriere machten, waren schon vor 1933 auf Hiddensee. Ebenso Gustav Ucicky, der schon vor 1933 mit einem NSDAP-Parteiabzeichen herumlief und mit Otto Gebühr den Friedrich-Film „Das Flötenkonzert von Sanssouci" drehte. Der begnadete Filmemacher Billie Wilder hingegen verließ Deutschland sofort 1933 am Tag nach dem Reichstagsbrand und machte dann in Hollywood u.a. mit Marilyn Monroe als Darstellerin die ganz große Filmkarriere. 60 Jahre später erinnerte Wilder sich nicht nur an Berlin, sondern auch an Hiddensee:

> „Obwohl ich als Ghostwriter für Schulz und Curt J. Braun schlecht bezahlt wurde, habe ich mir ein amerikanisches Auto, einen zweisitzigen Chrysler (später einen Buick) gekauft. Ich ließ das schicke Auto oft, wenn ich das Benzin nicht bezahlen konnte, einfach am Kurfürstendamm stehen. ... Meine ersten Filme unter eigenem Namen schrieb ich 1929 und 1930. 1929/30 produzierte Erich Pommer bei der Ufa seine ersten Tonfilme. Es

waren die großen Jahre des deutschen Films, und ich gehörte langsam dazu. Ich verdiente damals mein erstes Geld, mietete mir eine Wohnung in der Sächsischen Straße, in einem Appartmenthaus, das »Sächsisches Palais« hieß. Ich war mit dem Drehbuchautor Max Kolpe befreundet, dessen Bruder Architekt war und am Dessauer Bauhaus studiert hatte, und konnte mir also meine Wohnung im Bauhaus-Stil einrichten lassen. Ich begann, Kunst zu sammeln. Ich hatte ein eigenes Telefon. Ich war auf der Höhe der Zeit ...

An den Wochenenden im Sommer und in den Sommerferien fuhren wir ins Ostseebad Heringsdorf oder auf die Insel Hiddensee. Heringsdorf war in der damaligen Zeit eher ein spießiges Familienbad, Hiddensee eine fashionable Badeinsel. Man fuhr mit dem Zug von Berlin nach Stralsund und nahm von da die Fähre. Oder man fuhr vier, fünf Stunden mit dem Auto, das man in Stralsund in einer Garage abstellte, da auf Hiddensee ein Fahrverbot bestand. Ich erinnere mich an die Strandkörbe, an die Frau des Architekten Firle, die die Freundin von Schulz war. Der Komponist Franz Wachsmann hatte ein Verhältnis mit einer Frau Alice, die mit dem Rechtsanwalt Apfel verheiratet war. Wenn der überraschend ankam, nahm sie in der Pension mein Zimmer, und ich tat so, als hätte ich die ganze Zeit mit Wachsmann das Zimmer geteilt. Frei nach Brechts »Dreigroschenoper« sangen wir von der »minderjährigen Witwe, deren Namen jedem kund«, sie »aß Kompott und ward geschändet, eh das Flugzeug in Stralsund«." [80]

Gehörte es einfach dazu, am Wochenende gelegentlich auf das „fashionable Hiddensee" zu fahren, wenn man auf der Höhe der Zeit sein wollte wie Billie Wilder? Fast hört es sich so an. Im Sommer 1932 war Wilder auch finanziell so auf der Höhe der Zeit, dass er gemeinsam mit Drehbuchautor und Chansonstexter Max Kolpe („Sag mir, wo die Blumen sind") insgesamt fünf Wochen im Dornbusch, dem besten und teuersten Haus am Platze, verbringen konnte. Auch Franz Wachsmann findet sich in dieser Zeit im Gästebuch des Hotels, und die 27 Jahre junge Alice Apfel verbrachte ohnehin den ganzen Sommer von Ende Mai bis Mitte September dort! Ihr 50 jähriger Ehemann Alfred Apfel war ein sehr bekannter Berliner Rechtsanwalt, der in politischen Prozessen viele bekannte Linke wie Max Hölz, George Grosz, Friedrich Wolf oder Carl von Ossietzky verteidigte. Er war zugleich Geschäftsführer mehrerer Wirtschaftsverbände und Vorsitzender der Zionistischen Vereinigung Berlins. Als linker Anwalt und jüdisch-zionistischer Funktionär war Alfred Apfel natürlich ein Feindbild par excellence für die Nazis. Er emigrierte daher sofort 1933 nach Frankreich und stand neben anderen prominenten Nazigegnern wie Lion Feuchtwanger, Heinrich Mann, Kurt Tucholski, Alfred Kerr, Otto Wels oder Wilhelm Pieck auf deren erster Ausbürgerungsliste vom 23.8.1933. Alice Apfel wurde als Familienangehörige zusammen etwa mit Helene Weigel und Elsa Einstein am 3.4.1937 ebenfalls ausgebürgert.

Rechtsanwalt Dr. Alfred Apfel (2.v.r.) mit Carl von Ossietzky (3.v.r.) vor der Haftanstalt Berlin-Tegel, 1932

Auch der Berliner Literatur- und Theaterkritiker Georg Zivier berichtet in seiner Erinnerung an das Romanische Café über große Lieben und kleine Affairen in Berlin und auf Hiddensee:

„Die Großen führten zum Standesamt. Die Mittelgroßen hielten sich über Winter und Frühling und erloschen meistens im Meerwind von Hiddensee, denn nichts ist gefährlicher für eine Liebe als ein Urlaub zu zweit. Dabei stellt sich heraus, ob neben dem erotischen Zusammenklang noch die anderen Bindungen da sind, die nicht fehlen dürfen. Und die Meeresluft von Hiddensee war ein gefährliches Klima. Diese kleine Insel nordwestlich von Rügen nannte man das »Romanische Café unter den Ostsee - Inseln«. Hier trafen sich in den heißen Monaten viele von denen, die sonst im »Kleinen und Großen Bassin« an der Gedächtniskirche saßen, redeten, lasen oder Schach spielten. Joachim Ringelnatz kam, der Seemann, der niemals ins Wasser ging, sondern schon vormittags im Gasthof »Zum Dornbusch« viel Sekt trank, und Moritz Seeler bezog Quartier, der kleine dicke Mann, der sich selbst bei Windstärke Neun in wütende Polemiken verstrickte; - und Cohen-Portheim nahte gelassen und mokant von Berlin, Paris oder London her. Der vielbewunderte Elegant wurde noch zusätzlich dafür bestaunt, dass ihm auch beim Baden im Meer die Zigarette nicht ausging. ...

Aber wie im »Romanischen«, so waren auch die Bekanntschaften auf Hiddensee ohne Obligo. Es nützte einem strebsamen jungen Literaten kaum, wenn er am Strand mit Gerhart Hauptmann oder einem wichtigen Kritiker ins Gespräch gekommen war. Solche Unterhaltungen verwehten im Wind und im köstlichen Blödeln und Juxtreiben, das hier zu höchsten Gipfeln hochgetrieben wurde. Unsinn und lässiger Flirt regierten vom Morgen bis in die späte Nacht hinein das Leben auf der »romanischen» Ferieninsel. Und nach ein paar Wochen war man schon wieder im Geglitzer von Berlin, ging man zur Arbeit, saß man im Kaffeehaus, redete, las oder spielte Schach. Die braune Ferienpatina war schnell verblaßt. ...“[81]

Mit der Erwähnung von Franz Wachsmann, der die Filmmusik für über 200 Filme schrieb und auch in Hollywood weiter mit Billy Wilder zusammenarbeitete („Sunset Boulevard"), haben wir bereits den Übergang zu den Komponisten und Musikern gefunden. Weitere damals wie heute berühmte Komponisten von Film-, Kabarett- und Schlagermusik unter den Hiddensee-Gästen waren Friedrich Hollaender („Ich bin von Kopf bis Fuß auf Liebe eingestellt") und Peter Kreuder. Im Sommer 1924 weilten drei der berühmtesten Opernsängerinnen Europas gleichzeitig auf der Insel und Lehrer Heinrich Berg hatte die Ehre, sie bei privaten Konzerten im Pfarrhaus und im Hotel „Dornbusch" am Klavier begleiten zu dürfen: Lotte Lehmann, Cläre Dux und Barbara Kemp. Lotte Lehmann war schon, bevor sie eine weltberühmte Sopransängerin wurde, mit ihren Eltern regelmäßig in Vitte gewesen. Sie selbst kam bis 1933 regelmäßig und wohnte im „Wieseneck" und später beim „Klausner", 1938 emigrierte sie von Wien aus in die USA. Barbara Kemp heiratete 1923 in zweiter Ehe den Komponisten, Dirigenten und Generalintendanten der Berliner Staatsoper, Max von Schillings, der zum engeren Freundeskreis von Gerhart Hauptmann gehörte. Das Paar verbrachte seine Flitterwochen auf Hiddensee. Ein weiterer großer Dirigent war der langjährige Dirigent der Berliner Kroll-Oper, Otto Klemperer, der, da Jude, 1933 emigrieren musste. An berühmten Sängerinnen und Sängern sind noch zu nennen die Sopranistinnen Lilly Hafgren und Minnie Nast oder der Bass-Bariton Leo Schützendorf, der es an der Berliner Staatsoper auf 445 Vorstellungen brachte. Sommergäste auf Hiddensee waren ferner etwa der Musikpädagoge Fritz Jöde, der österreichische Operettenkomponist Nico Dostal, die Cellisten Fritz Espenhahn und Georg Wille, der Geiger Adalbert Gülzow sowie die Pianisten Waldemar Lütschg und Conrad Ansorge. Ansorge war durch seine Schülerin Charlotte Kaufmann auf die Insel gekommen, die in Kloster ein Haus besaß, das nach dem Zweiten Weltkrieg der Staatssicherheit in die Hände fallen sollte. Selbstverständlich sah man in Kloster auch den Musikkritiker der Vossischen Zeitung,

Max Marschalk, der auch die Musik zu Werken seines Schwagers Gerhart Hauptmanns komponierte.
Lassen wir es dabei bewenden. Die Leser/innen mögen bedenken, dass die hier nun schon auf fast zu vielen Seiten Genannten nur einen kleinen Ausschnitt der von Kurt Dittmann zusammengestellten Listen von ca. 600 bekannten Persönlichkeiten darstellen. Und diese Listen basieren im Wesentlichen ja auch nur auf den Gästebüchern dreier Hotels in Kloster. Besäßen wir noch weitere Gästebücher, etwa vom Ostsee-Hotel in Vitte, und wüssten wir, wer in den vielen Privatquartieren gewohnt hat, dann würden sicher noch weitere berühmte Namen auftauchen! Die Zwanziger und beginnenden Dreißiger Jahre waren, daran besteht kein Zweifel, die Glanzzeit in der Geschichte Hiddensees.

Mascha Kaléko kopiert die Seemannskluft auf Hiddensee im August 1930

Anlegestelle der Genossenschaftsreederei Hiddensee im Stralsunder Hafen

8.6 Die große Hiddenseer Freiheit: Das „ungezwungene“ sommerliche Leben auf einer „faishonablen“ Badeinsel

Wie soll und kann man nun das sommerliche Treiben auf der Insel, die immer wieder zitierte, besondere Atmosphäre Hiddensees näher beschreiben? Es geht vielleicht am besten, indem man noch einen Teil der vielen Zeitungs-, Zeitschriften- und Erinnerungsberichte aus dieser Zeit unmittelbar sprechen lässt. Die Vorfreude auf den Inselbesuch begann, das liest man immer wieder, spätestens in Stralsund. Man reiste ja in aller Regel mit der Bahn an, und dann musste man, damals wie heute, irgendwie vom Bahnhof zum Schiffsanleger kommen. Wenn, wie meist, kein direkter Anschluss bestand, bot sich ein Spaziergang durch die seinerzeit noch unzerstörte, schöne, alte Hansestadt mit ihrem kleinstädtischen Leben an. Dazu Asta Nielsen:

> „Schon die Reise dorthin erschien mir wie ein Märchen. Welch beschwingtes Gefühl hatte ich, wenn ich an einem strahlenden Maientag durch das reizende, gemütliche, provinzielle Stralsund bummelte und die letzten Einkäufe für den Haushalt machte, ehe das Schiff mich über das blaue Wasser weiterbrachte, wo die Möwen uns

> während der zweistündigen Überfahrt zu Hunderten begleiteten. Eine halbe Stunde, bevor wir anlegten, konnte ich bereits mein rundes Paradies entdecken, das »Karusel», das auf seine Gäste wartete ... Unter einem unfaßbar hohen und blauen Himmel, in Licht und Farben getaucht, die hier noch leuchtender waren als an anderen Orten des Nordens, die ich kenne, liegt die schmale, primitive Insel wie eine Oase in der Ostsee."[82]

Oder Otto Gebühr auf dem Weg zu seinem Haus in Kloster:

> „Hiddensee ist meine Wahlheimat. Wenn ich müde und abgearbeitet bin, von der Großstadt und ihrem aufregenden Tempo genug habe, löse ich mir einfach eine Karte nach Stralsund. ... Der Gang vom Bahnhof zum Dampfer ist bereits eine Erholung an sich. Alte Gassen, hohe, massive Backsteinkirchen grüßen einen rechts und links. ... auf Schritt und Tritt Behaglichkeit, Ruhe, Frieden. Das, was der Großstadtmensch sucht, wenn er Berlin verläßt. Ja, auf dem Dampfer wird das erste Wiedersehen gefeiert: der Kapitän, seit Jahren mir befreundet, der dicke Maschinist, das Kantinenehepaar ... Bald fährt der Dampfer ab. Die schöne Drei-Stunden-Fahrt ist für mich ein Erlebnis. Ich schlafe unten im Salon. Endlich einmal Ruhe ... In Hiddensee komme ich schon dreiviertel erholt an. Da liegt alles genau so, wie man es verlassen hat. Der majestätische Leuchtturm, ... der Dornbusch, das Gut, die alte Fischerkirche, und - am Ufer stehen liebe, gute Menschen und erwarten einen. ... In einer Stunde bin ich eingelebt, als ob ich dieses Häuschen nie verlassen hätte. Zuerst ins Meer, das erste Bad ! ..ich gehe »einholen« zu Dittmanns. Alles, was so in primitiver Form der Junggeselle braucht. Die erste Nacht ist wunderbar. Der weitgespannte Sternenhimmel, am Horizont Leuchtbojen, Lichter der Leuchttürme, dazu diese himmlische Ruhe und das Rauschen des Meeres."[83]

Natürlich kamen die Menschen zum Baden auf die Ostseeinsel, und dies natürlich völlig „ungezwungen", wie es in Prospekten und Reiseberichten wieder und wieder heißt. Schon vor dem Krieg hatte man mit einigem Stolz betont, dass es auf der Insel keine Badeanstalten, keine prüde Trennung nach Geschlechtern, keine konzessionierten Familienbäder und keine Badewärter gebe. „Frei und lustig, wie's jedem paßt, läuft er hinein in die brandende See", formulierte Felix Krause 1907 in Westermanns Monatsheften.[84] An den Stränden vor den Orten stand eine große Zahl von Strandkörben, um die herum die Gäste sich Sandburgen bauten. Die Badestrände waren übersät mit einer Unmenge von - meist schwarz-weiß-roten - Fahnen und bunten Wimpeln aller Art, die man an hohen Stöcken und Schnüren befestigte. Die teilweise noch vorhandenen, hölzernen Umkleidebuden wurden immer weniger benutzt. Die Badegäste gingen direkt in Badekleidung nur mit einem Bademantel oder leichter Sommerkleidung darüber von der Wohnung zum Strand.

Nach dem Ersten Weltkrieg nahm die sprichwörtliche Ungezwungenheit des Hiddenseer Badelebens gelegentlich Formen an, dass es manchem biederen Bürger angeblich die Schamröte ins Gesicht trieb und die Behörden sich zum Eingreifen gezwungen sahen. Nackt gebadet worden war auf Hiddensee vor allem hinter der Hucke und auf dem Gellen schon immer, seit es überhaupt fremde Gäste auf der Insel gegeben hatte. Über seinen 1916 begonnenen Roman „Insel der großen Mutter" äußerte Gerhart Hauptmann, er hätte ihn nie geschrieben, wenn er nicht über viele Jahre die vielen schönen nackten Frauenkörper auf der Insel hätte beobachten können. Unter dem 10.9.1921 hatte der Potsdamer Bankbeamte Alfred Gerbsch an den Herrn Landrat wahrhaft Ungeheuerliches zu berichten:

> „Ich weilte mit meiner Frau im vorigen Monat in Vitte a/Hiddensee. Schon kurz nach unserer Ankunft kam uns zu Gehör, dass eine große Gesellschaft es sich erdreistet, nackend zu baden. Anfangs schenkte ich diesen Worten wenig Vertrauen, bis ich mich von der Wahrheit

dieser Worte selbst überzeugte. Und zwar waren zur Gesellschaft gehörig: Herr und Frau Salzmann, Frl. Trude Schwartzkopf, Herr Löwenthal, Frau Schäfer, Kunstmaler Krause und einige andere Damen und Herren, deren Namen mir leider nicht bekannt sind. Diese Clique hielt es nicht mal für nötig, an weniger besuchten Stellen ihr Unwesen zu treiben, sondern knapp 20 Schritt vom letzten Vitter Strandkorb entfernt, vollzogen sich die wüstesten Gemeinheiten. Zwei Damen gingen vollständig nackt ins Wasser. Kaum bis zu den Knien vom Wasser umspült, drehten sie sich mit ihrer Vorderseite den auf den Dünen sitzenden Damen und Herren zu, um sich so in voller Pracht zu zeigen. ... Innige Umarmungen der nackten Damen und die geradezu haarsträubenden Bewegungen des Herrn Salzmann mit Frl. Trude Schwartzkopf, wobei letztere mit ihren Beinen den Leib des p. Salzmann minutenlang umklammerte, zeigten mir, wie schamlos diese Leute sich bewegen, selbst wenn sie beobachtet werden. Als schliesslich die Badelust der Nackenden zur Neige ging, forderte mich Herr Salzmann auf, weiter zu gehen. Selbstverständlich wies ich den Herrn auf das Ungebührliche seines Verhaltens im Wasser hin und gab ihm die passende Antwort."

Gerbsch beschwerte sich anderntags beim Vitter Gemeindevorsteher, erhielt dort aber nur die Auskunft, dieser habe die Gesellschaft auch schon angetroffen, als sie vollständig unbekleidet auf den Dünen Sonnenbäder nahm. Gerbsch zum Schluss seines Briefes:

„Meine Bitte an den Herrn Landrat geht nun dahin, Vorsorge treffen zu wollen, dass das Nacktbaden= und Sonnen auf Hiddensee für die Zukunft aufs strengste untersagt wird, damit die schöne Insel nicht von jedem gemieden werden muss, der noch Ehre und Anstand besitzt."[85]

Diese und weitere Beschwerden, „dass das Strandleben zum Teil sehr ausarte und die Aufführung einzelner Personen das Schamgefühl gröblich verletze“, veranlassten nun im nächsten Jahr den Stralsunder Regierungspräsidenten Dr. Hermann Haussmann, selbst häufiger Besucher der Insel und oft bei Gerhart Hauptmann zu Gast, zu einem persönlichen Eingreifen. Zwar stellte er bei seinen persönlichen Kontrollgängen fest, dass die entsprechenden Berichte eher übertrieben seien, wenn es auch vorkomme, „dass sich Damen und Herren in ihren Strandburgen entkleiden und dabei wohl ungewollt bei empfindlichen Naturen Anstoss erregen“.[86] Immerhin kam Haussmann zu dem Schluss, dass der Erlass einer Polizeiverordnung für alle Bäder seines Bezirks erforderlich sei, wonach das Baden an den besonders zu kennzeichnenden Hauptstrandabschnitten nur in „geschlossenen Badeanzügen aus festem, undurchsichtigem Stoff“ und das Umkleiden nur in geschlossenen Badehütten oder verhängten Strandkörben zulässig und das Umherlaufen in Badezeug außerhalb des Strandes völlig verboten sein sollten.

Diese Pläne sorgten bei den Sommergästen und bei den Hiddenseern, die ihre Sommergäste nicht verlieren wollten, für erhebliche Unruhe, zumal im Sommer 1922 erstmals ein Polizist nach Hiddensee abkommandiert und seit 1924 mit Landjäger Ruf dort ein ständiger Polizeiposten eingerichtet wurde. Die Gemeinderäte verweigerten den Erlass der geforderten Polizeiverordnungen. Als diese dann vom Regierungspräsidenten selbst erlassen wurden, hielt sich niemand daran. Die Gäste narrten den Landjäger, indem sie demonstrativ mit einem Bademantel durch die Orte liefen, unter dem dann bei einer Kontrolle ganz normale Straßenkleidung zum Vorschein kam. Auch sonst mussten die Aufsichtsbehörden „mannigfache polizeiliche Missstände auf der Insel Hiddensee“ feststellen: Eine geordnete polizeiliche Anmeldung der Gäste gab es nicht, mit der Einhaltung der Polizeistunde nahm man es nicht so genau ...[87] Als Haussmann bei einem weiteren persönlichen Kontrollbesuch im Juni 1924 feststellte, dass die geforderten Verbotstafeln an den Stränden immer noch nicht aufgestellt waren, drohte er dem Hiddenseer Amtsvorsteher und dem Rügener

Landrat mit persönlichen Strafverfügungen.
Einen Monat später stellte Haussmann sich in einer Versammlung im Hotel „Dornbusch" der heftigen Kritik der Badegäste - und gab im Wesentlichen nach: Es solle fortan gestattet sein, in Bademänteln zum Strand zu gehen, Landjäger Ruf solle die Badeverordnung nicht zu penibel handhaben, die Polizeistunde werde im Sommer von 24.00 auf 1.00 Uhr verlängert. Auch Gerhart Hauptmann hatte geharnischt auf Haussmanns Pläne reagiert: „Wenn ich mit einem solchen Strumpf um den Leib baden soll, bade ich überhaupt nicht."[88] Danach war von der Sache nichts mehr zu hören, sie verlief im Sande. Die knappe Badehose und der Bademantel setzten sich ebenso durch wie das Nacktbaden. 1925 schreibt Wilhelm Schmidtbonn in seinem Hiddenseer Sommerbuch:

> „Frauen und Männer wandern halbnackt, den Stock in der Hand, den Strand entlang. Wer will, geht ein paar Minuten weiter, entkleidet sich hinter einem Dornstrauch oder auch da, wo er gerade steht und schenkt der Sonne den nackten Leib ganz. Ungewohnt heilig wirkt es, wenn nackte Menschen in die Wellen oder durch das Gras der Heide gehn. Man ist den Urzeiten näher, wie immer und überall auf der Insel."[89]

Im Juli 1931 verewigte sich ein Gast des „Hauses am Meer" in Kloster mit ein bisschen Ironie im Gästebuch:

> „Hiddensee, welch ein Idyll!
> Jeder lebt hier, wie er will...
> Hier, wo die diversen Größen
> Zeigen ungeniert die Blößen,
> Gilt, solang er nackend rennt,
> Jeglicher für prominent."[90]

Ende der Zwanziger Jahre war Hiddensee zu einem der bevorzugtesten Reiseziele der Nudisten in Deutschland geworden und wurde in deren Verbandszeitschriften entsprechend gepriesen. 1932 berichtete ein Ehepaar in den „Licht-Land" getitelten

„Blätter(n) für Freikörperkultur und Lebenserneuerung", auf dem Gellen sei der Süderleuchtturm,

> „so ist´s stillschweigende Übereinkunft, die Grenze zwischen dem regulären Badebetrieb und dem Gebiet der Nacktbader. Hier herrschen Freiheit und natürliche Ungezwungenheit und gern läßt man's sich 20 Minuten Weg vom Dorf hier heraus kosten, um mit Gleichgesinnten dieser paradiesischen Freiheit teilhaftig zu werden. ... Am ersten Vormittag wurden die Plätze für die zu erbauenden Burgen bestimmt und bald war der FKK-Wimpel gehißt, der dann einige Wochen lang flatternd unser Wahrzeichen sein sollte."[91]

Hatte man genug vom See-, Licht- und Luftbaden, gab es auf dem Gutshof und beim Hotel Wieseneck einen Tennisplatz, die auch bei den Hiddenseer Kindern sehr beliebt waren, da man sich dort als Balljunge ein paar Pfennige verdienen konnte. Auf dem Gutshof konnte man auch reiten, in der Heiderose Tonscheibenschießen. Gern unternahm man gelegentlich mit einem der Fischer, die dabei manchmal auf dem Schifferklavier spielten, eine Segelpartie auf dem Bodden oder rund um die Insel. Wer konnte, segelte selbst mit mitgebrachtem, eigenen oder auf der Insel geliehenem Boot. Der absolute Modesport war, man befand sich schließlich auf dem Capri der Ostsee, das italienische Bocciaspiel. Überall am Strand und auf den Wiesen wurde „gebodscht". Auf der Wiese vor dem Haus am Meer in Kloster veranstaltete der Stralsunder Buchhändler Karl Haertel, der in der Saison im Gebäude des Kaufmanns Dittmann eine Sommer-Bücherklause unterhielt, regelmäßige Boccia-Turniere, bei denen Damen- und Herrenpreise ausgespielt wurden. Hier übte man sich auch im Speer- und Diskuswerfen sowie im Bogenschießen. Der Maler und Zeichner Walter Trier, regelmäßiger und langjähriger Gast im Haus am Meer, hat Gerhart Hauptmann bei entsprechenden Versuchen festgehalten. „Mangelhaft bekleidet und vom Mob beneidet, werfen wir den Diskus und den Speer", notierte Hertha Goldschmidt aus Berlin mit unverkennbar bourgeoiser Überheblichkeit 1927 im

Gästebuch des Hauses am Meer. Und Anna Warschauer dichtete Ende August 1930 nach dreiwöchigem Aufenthalt:

„Baden, Segeln, Boccia-Spiel,
Viel Natur und sex-appeal!
Ideales Hiddensee -
Nur Scheiden tut hier weh!“

Auf der idyllischen großen Wiese am Haus am Meer standen einladende Tische, an denen man sich bei schönem Wetter nach morgendlichem Bad und Mittagsschlaf gerne zum Nachmittagskaffee „mit Zubeiß“ traf, wie Kuchen oder Gebäck in der Karte genannt wurden. Die Wiese war blumenübersät, die beiden Esel „Liese“ und „Muschi“ der Frau von Sydow grasten friedlich, Hühner, Enten, Katzen liefen herum oder lagen in der Sonne, das Meer rauschte, dann wurde mit einer Partie Boccia begonnen. Wenn das keine Sommerferien waren ... Die Kleidung war bei allem, was man unternahm, natürlich völlig „ungezwungen“, auch bei den Mahlzeiten in den Hotels und Pensionen. Es sei völlig verfehlt, so schrieb Jürgensohn in seinem Hiddensee-Führer 1924, sich mit vielen Prachtkleidern oder wackeligen Modeschuhen zu belasten, auf der Insel trage man bequeme Sandalen und wollene Strickjacken. Bei warmem Wetter gingen inzwischen

Irene von Sydow, die Besitzerin der Pension "Haus am Meer" 1924/25

sogar „die meisten Damen verständiger Weise ohne Strümpfe und mit nackten Waden herum“[92], so Jürgensohn weiter. Schön sei das Meer, schöner noch der hügelige Wald, aber am schönsten sei es, dass man auf Hiddensee ungeniert in Hosen herumlaufen könne, schrieb Susi Brodnitz im August 1932 ins Gästebuch des Hauses am Meer. Alles war so demonstrativ zwanglos, dass eine aufmerksame Beobachterin wie Mascha Kaléko sich in ihrem „Lyrischen Stenogrammheft“ darüber schon wieder mokierte:

„Die Kleidung ist angeblich »ungezwungen«.
Weil jedes Girl die Seemannskluft kopiert.
... In Crêpe de Chine. - So »echt« wie Gassenjungen,
Mit denen man das Sonntagsblatt garniert.

Dann gibt's noch ein Café der Prominenten.
Die haben es egalweg mit Kultur.
Provinzskribenten tun, als ob sie könnten.
Und was sie reden, ist Makulatur.

In Vollpension logiert ein Vegetarier,
Der ißt aus Überzeugung nur Spinat.
Ferner ein notleidender Großagrarier
Mit dem Refrain: »- Und sowas nennt sich Staat !«“[93]

Es gab zwar keine Kurkonzerte, dafür trieben sich aber Scharen von sogenannten Wandermusikanten auf der Insel herum. 1929 mussten die Gemeindeverwaltungen sich dazu entschließen, das Musizieren zwischen 13.00 und 15.30 Uhr zu verbieten. Ein Jahr später wurde festgesetzt, dass die Musikanten überhaupt nur noch an zwei Tagen in der Woche aufspielen durften, und zwar montags und donnerstags in Kloster und Vitte und dienstags und freitags in Neuendorf.

Ein wichtiges gesellschaftliches Ereignis war tagtäglich gegen 18.00 Uhr die Ankunft des Nachmittags-Dampfers. Schon lange vorher waren die Hafenkneipen gerammelt voll, der Pommersche

Korn, das Nationalgetränk Hiddensees, floss in Strömen. Heinrich Berg wunderte sich, welche Mengen auch die Damen davon konsumieren konnten. Ursula Herking erinnerte sich später eher an Bommerlunder mit Pflaume. Einheimische und Gäste, Prominente und weniger Prominente, kamen, um zu sehen und gesehen zu werden. Jeder sprach mit jedem, so wiederum Ursula Herking, es herrschte ein buntes Treiben und aufgeregtes Durcheinander:"Plumpe Vertraulichkeiten kamen nie auf, trotzdem waren alle eine große Familie."[94] Hatte der Dampfer endlich angelegt, wurden die Neuankömmlinge begrüßt und mussten sich in einer „Lästerallee" der ausführlichen Begutachtung stellen. Hoteldiener und Privatvermieter holten ihre Gäste ab und transportierten das Gepäck mit Schub- oder Eselskarren in die Unterkünfte. Freie Zimmer wurden teilweise so offensiv angepriesen, dass die Badeverwaltungen mehrfach ein schärferes Vorgehen gegen dieses „Anreißertum" beschließen mussten. Man wartete auf die Berliner Zeitungen und nahm Pakete mit Lieferungen in Empfang, die man in Stralsunder Geschäften bestellt hatte. Ein Fischer erschien mit einem alten Leiterwagen und bot frisch geräucherten, noch warmen Aal an, der reißenden Absatz fand und als „herrlich ungezwungenes Abendessen" an Ort und Stelle verzehrt wurde.

Nach dem Abendessen flanierte man am Meer entlang - es gab ja noch keine Deiche, die die Sicht versperrt hätten. Am Bodden in Vitte wurde die Sprenge zu so etwas wie einer Ersatz-Promenade. Hier saßen auch immer die Fischer und flickten an ihren Netzen, die, da noch aus Naturgarnen, ständig reparaturbedürftig waren. Und die Abende gehörten der Geselligkeit. In den Hotels wurden gelegentlich Vorträge angeboten, meist von gelehrten Inselgästen selbstverständlich. Insbesondere Pastor Gustavs gelang es immer wieder, die auf der Insel weilenden Musiker und Sängerinnen zu Konzerten in der Kirche zu bewegen. Man lud zu kleineren oder größeren privaten Gesellschaften ein, es wurde getrunken, musiziert, und vor allem wurde diskutiert und diskutiert die ganze Nacht hindurch. Man traf sich bei Gerhart Hauptmann, Anna Muthesius, Asta Nielsen, Felix Emmel oder auf der Lietzenburg bei den Kruses. Hierzu noch einmal eine Schilderung von Asta

Nielsen über das sommerliche Leben in (oder besser auf ?) ihrem „Karusel“:

> „Einige Gäste blieben hin und wieder bis zum Abend. Räucheraal und Flundern waren Hauptbestandteil der Mahlzeit. In dieser Gegend war alles so gesegnet einfach. Nach dem Essen versammelten wir uns am Kamin um die große Kupferbowle ... und die Unterhaltung hub an. Die Kunstwelt wurde von allen Seiten beleuchtet und erhielt ihren blauen oder roten Stempel. ... Besonders die Münchener Künstler lösten sämtliche Probleme der Welt: Der Dichter Ringelnatz veranschaulichte im Handumdrehen mit Hilfe von Streichhölzern, wie die Pyramiden in der Wüste erbaut wurden, und der Bildhauer Martin Möller bedauerte, nicht zur Zeit Benvenuto Cellinis zu leben, in der man umfangreich von Dolchen und Giften Gebrauch machte, um sich Nebenbuhler vom Halse zu schaffen. Ringelnatz ... hielt »La Paloma« für das beste Musikstück der Welt und Chaplin für größer als Shakespeare, was Heinrich George veranlaßte, sich aus Protest so hart auf einen meiner bedauernswerten Stühle fallen zu lassen, dass er durch den Sitz brach. ... Wenn die Wogen der Diskussion über den Häuptern der Künstler zusammenzuschlagen drohten, stellten wir das Grammophon an. Mit einemmal waren alle auf den Beinen. Pyramiden und Benvenuto sanken ins Meer, Tische und Stühle wurden an die Wand geschoben, und jeder ergriff seines nächsten Weib. ...“[95]

Ja und dann gab es noch die abendlichen „Réunions“, wie man damals sagte, das waren Tanz- und Gesellschaftsabende in den größeren Hotels, zu denen man selbstverständlich auch ganz ungezwungen ohne große Toilette erschien. Im Sommer fanden sie wöchentlich im Hotel Dornbusch statt, welches sich so zum legendären Mittelpunkt des Hiddenseer Gesellschaftslebens entwickelte. Die neuen Modetänze, Foxtrott, Charleston, Tango erklangen bis spät in die Nacht ... der Herr Regierungspräsident, selbst gelegentlich beteiligt, hatte die Polizeistunde ja verlängert.

Immer traf, wie das Nacktbaden, so auch das übrige Treiben der verrückten Intellektuellen auf Kritik in konservativen und deutschvölkischen Kreisen. So schrieb etwa schon Otto Ernst Hesse in Westermanns Monatsheften im März 1921:

> „Der Geldteufel, die scheußliche Mißgeburt des Krieges, ist an Stelle des alten slawischen Gottes Swantevit der Götze der Einwohner geworden, Berlin W nebst Film mit großem Gefolge hat seine Invasion vollendet, es gibt eine »Saison«, und statt der Eigenbrötler, die sich früher hier zusammenfanden und gegenseitig respektierten, stellt sich die Halbbildung ein, die mit der literarischen Atmosphäre, die auf diesem Ostseeinselchen entstanden war, kokettiert, Primitivität posiert und durch ihre Ansprüche die letzten Reste von Eigenart von dem Eiland austreibt.“[96]

Das "Hotel zum Dornbusch" in Kloster ca. 1914

Oder Max Zeibig in seiner „Deutschen Wanderfahrt", einer Beschreibung verschiedener deutscher Reiseziele, darunter auch Hiddensee, 1925:

> „Es lockt dich nicht, wenn am Abend in Vitte Tanzturnier ist. Du hättest vielleicht Freude daran, wenn Einheimische ihre Tänze, den Kegeltanz oder die schwedische Quadrille, tanzen würden. Vielleicht würdest du dich selbst nach dem Klang der Ziehharmonika mit einer Dorfschönen drehen. Aber Jazz und Foxtrott magst du nicht. Das ist hier eine Sünde wider die Natur und Kultur. Du willst die deutsche Insel vor Negersitten bewahren. Du willst der Insel ihre Keuschheit bewahren, ihre unberührte, große, grüne Einsamkeit. Du fliehst den Ort, wo man das echte Hiddensee zerstört . ..."[97]

Die Insel werde in ihrer Ursprünglichkeit, ihrer Jungfräulichkeit zerstört durch das lärmende, schamlose Treiben der Fremden, das ist der Tenor aller derartigen Kritiken.

8.7 Höchste Eisenbahn: Der letzte Sommer 1932

Zum Abschluss dieses Kapitels soll versucht werden, noch einmal die letzte Saison der großen Hiddenseer Freiheit, den Sommer 1932, etwas näher zu beschreiben. Es war das Jahr der Wahlen, der Regierungskrisen, der Massenarbeitslosigkeit, des Papenschen Preußenputsches, der Agonie und des schließlichen Untergangs der Weimarer Republik. Zwei Wahlgänge zur Wahl des Reichspräsidenten und eine Landtagswahl im Frühjahr, eine Reichstagswahl mitten in der Sommersaison am 31. Juli und eine im November: Ein Wahlkampf jagte den anderen, und die immer aggressiver und gewalttätiger auftretenden Nazis jagten von einem Erfolg zum nächsten. War das der Grund, weshalb in diesem Sommer, trotz Wirtschaftskrise und Gehaltskürzungen, die Berliner Film- und Theaterleute in besonders großer Zahl auf die Insel kamen, wie die Berliner Blätter berichteten? War Hiddensee in diesem Sommer eine willkommenere Fluchtmöglichkeit denn je?

Unter den Hiddenseern selbst gab es zu dieser Zeit überhaupt nur zwei eingeschriebene NSDAP-Mitglieder: den Gutsschmied Robert Mann und den Gutsinspektor Fritz Baumann, die aber beide als solche nicht offen auftraten. Leider besitzen wir von den Hiddenseer Wahlergebnissen von 1932 bisher nur das des 2. Wahlganges der Reichspräsidentenwahl am 10. April. Aber hier sprachen sich 75 % der Hiddenseer für Hindenburg aus, obwohl Hitler in Pommern und auch auf Rügen schon eine deutliche Mehrheit erhielt und obwohl auch auf Hiddensee einige führende Deutschnationale wie Gutspächter Paul Wüstenberg zur Wahl Hitlers aufgerufen hatten. Den Hiddenseern ging es auch in der Wirtschaftskrise angesichts der kaum nachlassenden Gästeschar einigermaßen gut, und die Mehrzahl der Gäste war ohnehin gegen die Nazis eingestellt. „Glückliche Insel Hiddensee", schrieb eine Berliner Zeitung im Juli 1932 über das „deutsche Klein-Ischl ..., auf der nur drei Kinder Politik spielen, aber die vielen Berliner nicht in der Erholung stören, die sie vom letzten Winter und für den kommenden Winter nötig genug brauchen".[98] Im Reichstagswahlkampf hatte Hitler für den Abend des 19. Juli erstmals sein Erscheinen in Stralsund angekündigt. 20.000 Menschen warteten geduldig und voll Spannung bis morgens um

Gutsinspektor Fritz Baumann vor dem Gutshaus in Kloster ca. 1929

3.00 Uhr, als der vermeintliche neue Heilsbringer völlig verspätet endlich mit seinem Flugzeug erschien. Für diese Versammlung wurde auch auf Hiddensee mit „Hitler kommt“ - Plakaten geworben. Aber kaum waren sie aufgehängt, hatte jemand aus Hitler Mittler gemacht - eine Referenz an den Berliner Regisseur Leo Mittler, dessen Ankunft auf Hiddensee gerade erwartet wurde.

Und so konnte Hiddensee, „nah und doch so fern - ein Meer dazwischen und mit einem Flugzeug in zehn Minuten von Stralsund durch flirrende Sonnenwolken erreichbar“, wie der Berliner „Tempo“ ebenfalls im Juli 1932 schrieb, weiter einigermaßen ungestört seine Saison feiern: Gerhart Hauptmann war da wie immer, empfing regelmäßig seine ausgesuchten Besucher, lebte ansonsten aber sehr zurückgezogen und ließ sich kaum sehen, was das Getratsche über ihn auf den abendlichen Réunions im Dornbusch umso anregender machte. Am Hafen in Kloster herrschte ein wildes Treiben, wie Ellen Schwanneke in dem „Tempo“- Artikel berichtet:

> „... das etwas wilde »Bollwerk«, kleines Haus am Landungssteg, niedrig, verräuchert, verqualmt, wo abends, ja bis in die tiefe Nacht hinein, ein wilder, losgelassener Haufe von Filmautoren, jungen Regisseuren, Schauspielern und Journalisten, knobelnd die Schnapssätze des Wirts verhandelt und so ganz nebenbei auch mal von der Arbeit spricht, die eigentlich bei stillem Sommeraufenthalt für die kommende Saison vollendet werden sollte. Unsichtbar hängt im Bollwerk ein Schild an der Wand: »Von morgen an wird gearbeitet«. Aber im Bollwerk ist ewig »heute«. Dagegen entstand oben im hochgelegenen Haus über den Dünen die neueste Kleinkunst des Berliner Winters. Hier arbeitete Friedrich Holländer an seiner jüngsten Revue »Höchste Eisenbahn«, mehr als Revue wie stets bei ihm, Satire, Witz und Laune in eins und getragen von den zündenden Pointen seiner musikalischen Einfälle.

> Mit Flugzeug und Dampfer landen täglich neue Gäste. Der Regisseur Mittler, Hilde Körber und Veit Harlan, Marcella Salzer - zwanglos kann man fast das ganze Berliner Theaterprogramm abschreiben. Margarete Melzer ist da, aus Rußland zurück. Eines Tages legt mit seiner Segeljacht aus Stettin Carl Froehlich am Ufer an und hat niemand anders an Bord als Gitta Alpar und seinen Namensvetter Gustav. ... Ab und zu kommen von Vitte wilde, junge Mädchen herüber, Tanzmädchen, Studentinnen, Sportlerinnen, und arrangieren ein Südseefest oder sonst eine Tanzgelegenheit, und am nächsten Morgen ist der Strand leer und niemand spielt Boccia und Ringwerfen, sondern erst nachmittags erscheinen dann die ersten Vorposten dieser frohen Ostseenächte. So hält die Insel ihren alten Ruf: Ferienfreude für alle zu bergen. Nach wie vor kann auf ihr jeder nach seiner Fasson selig werden."

Illustriert ist der Artikel mit einem Foto, auf dem Gustav Fröhlich, Gitta Alpar, Friedrich Hollaender und dessen „Tingel-Tangel"-Star und neue Ehefrau Hedi Schoop am Strand von Kloster zu sehen sind. Ein anderes Berliner Blatt berichtet ebenfalls im Juli 1932, die beiden jungen Filmautoren Billie Wilder und Max Kolpe würden auf der Insel nicht im mindesten arbeiten, „dafür aber die Einwohner bei guter Laune halten", was ja ganz den Erinnerungen entspricht, die Wilder Jahrzehnte später noch an das Treiben auf der Insel haben sollte. Friedrich Hollaender habe hingegen gerade den Mitbewohnern seines Hauses - es war das Haus am Meer von Frau von Sydow - eine Kostprobe seiner neuen Revue und seiner neuesten Chansons gegeben:

> „Die hören jeden Tag seine geräuschvolle Arbeit und möchten doch so gerne wissen, was in Hollaenders Küche komponiert wird. Es war ein bezaubernder Abend, wie der geniale Kerl am Flügel saß und den wenigen Gästen ein paar Kostproben spendete. Hier soll nichts verraten werden, nichts von den wunderbaren Einfällen

dieser mutigen Revue, nichts von den neuen Schlagern .... Welch Melodienreichtum, welche Fülle an echten dichterischen Versen ... - das ist hinreißend."

In dieser seiner letzten „Revuette", wie Hollaender es nannte, sitzen die Menschen im falschen Zug, im Zug der Zeit in Richtung Nazedonien. Sie haben ein falsches Kursbuch gelesen, die richtigen Anschlüsse verpasst, die Weichen wurden falsch gestellt. Man darf nicht mal auf den Boden spucken oder aussteigen, bevor der Zug anhält. Nur eine Dame, ein „psychoanalytischer Fall, der nicht länger gesonnen ist, zu verdrängen", zieht die Notbremse und gesteht:

„Ach, Herr Stationsvorsteher,
Ich tat es ja aus Not:
Mich reizte ja so sehr
Das Schild mit dem Verbot ...
Die Stirne hoch erhoben,
Gestehe ich es Ihn'n
Ja, ich habe dran gezogen.
Und ich werd' noch oft dran ziehn!"

„Du wirst nicht mehr lange dran ziehn, Junge", rief jemand aus dem Publikum, als Hollaender die Revue im Winter in seinem Tingel-Tangel-Theater am Kurfürstendamm mit großen Erfolg und unter stürmischem Beifall aufführte. Bei einer späteren Aufführung stürmten einige Nazis in brauner Uniform auf die Bühne und spuckten Hollaender an. Und der Völkische Beobachter kommentierte: „Zu spät, Herr Hollaender! Hier haben Sie den falschen Fahrplan erwischt!"[99] Höchste Eisenbahn, wie gesagt!

Mitte Juni veranstaltete der Hiddenseer Kriegerverein im Hotel Dornbusch sein Sommerfest mit Aufmarsch, Taubenwerfen und Schießwettbewerben auch für Damen und Jugendliche. Ende des Monats organisierte die Badeverwaltung in Kloster für die Gäste eine Sonnenwendfeier, ein 11jähriger Junge fiel beim Überspringen ins Feuer und verbrannte sich schwer. Anfang Juli gab die

Stralsunder Kapelle Vollmann ihr erstes Saison-Konzert in der Heiderose und lockte eine große Gästeschar in das beliebte Ausflugslokal. Abends ab 20.30 Uhr wurde das Konzert im Vorgarten des Ostsee-Hotels in Vitte fortgesetzt. Als man sich gegen 22.00 Uhr in den Saal begab, konnte dieser die Menschen zum Tanz kaum fassen. Zwei Tage später war das gleiche Programm für Kloster vorgesehen. Als 2 Wochen vorher der im Alter von 46 Jahren plötzlich verstorbene Besitzer des Ostsee-Hotels, Ernst Freese, unter großer Beteiligung aller Hiddenseer Vereine, des Kriegervereins mit Fahnen und Gewehrgruppe, der Feuerwehr, des Gastwirtevereins, des Turn- und Sportvereins und des Fischereivereins, zu Grabe getragen wurde, war die Kapelle Vollmann extra mit 17 Musikern nach Hiddensee gekommen. In Stralsund gab dieselbe Kapelle in Panzers Garten regelmäßig Militärkonzerte für die NSDAP. Vollmann war nämlich SA-Mann und gleichzeitig Musikzugführer der SA-Standartenkapelle 42.

Mitte Juli veranstaltete der Stralsunder „Stahlhelm“, der stark antidemokratisch ausgerichtete „Bund der Frontsoldaten“ der DNVP, mit einem Sonderschiff der Genossenschaftsreederei eine Hiddensee-Fahrt. Ende Juli organisierte die Badeverwaltung Vitte bei herrlichstem Sommerwetter ein Kinderfest. Vormittags gab wiederum die Kapelle Vollmann mit 25 Musikern ein Strandkonzert, nachmittags gab es Spiele und Wettbewerbe für die Kinder auf dem Sportplatz. Und abends fand unter großer Beteiligung ein Fackelzug durch den Ort statt mit bengalischer Beleuchtung und sogar einigen Raketen, anschließend ab 22.00 Uhr war Ball in den beiden größten Hotels des Ortes. Am 1.8.1932 berichtete das Stralsunder Tageblatt, die Bäderfluglinie der Lufthansa zwischen Stralsund und Kloster sei gut ausgelastet, vor allem die Sonntagsflüge seien oft schon lange vorher ausgebucht.

Man spürt es schon: Völlig verschont bleiben konnte auch das kleine, nahe und doch so ferne Hiddensee nicht von den bedrohlichen Vorgängen in Berlin und im übrigen Deutschland. Wie schon im Sommer 1931, so hatte auch jetzt die Besitzerin des „vornehmen“ Hauses am Meer in Kloster, Irene von Sydow, der Berliner Hitler-

Jugend ihr Gelände für ein Ferienlager zur Verfügung gestellt. Bei schlechtem Wetter durften die Hitler-Jungen auch im Eselsstall und Schuppen der Frau von Sydow übernachten. Und diese Flegel, so berichtet Heinrich Berg, begannen nun damit, Teile des Publikums in unflätigster Weise zu belästigen, so dass er als Amtsvorsteher mit polizeilichen Mitteln hiergegen habe einschreiten müssen. Sicher waren die jüdischen Gäste das Angriffsziel der rüpelhaften Hitler-Jungen. In ihren Augen galt Kloster als „verjudet" und wichtigstes „Judenbad" an der Ostseeküste neben Heringsdorf auf Usedom. Vor allem vom Hotel Dornbusch hieß es, bei den dortigen reichen Gästen komme auf 99 Juden nur ein Christ. Aber auch bei der vom Nazismus bereits stark infizierten Frau von Sydow wohnte und arbeitete, wie wir hörten, der prominente Jude Friedrich Hollaender. Der erinnerte sich 30 Jahre später noch an diese „Halbstarken" vor dem Haus am Meer. Er berichtet in seinen Lebenserinnerungen, wie er im Sommer 1932 in Berlin nicht arbeiten konnte und Hedi Schoop daraufhin kurz entschlossen mit ihm „zu schneller Klimaveränderung und Salzluft" nach Hiddensee fuhr:

> „Diagnose haarscharf, Patient geheilt. Schreibt nun endlich die Revue: »Höchste Eisenbahn!« Spielt jeden zweiten Abend einem Kreis von Freunden die frischgebackenen Käseküchlein vor. Was tummelte sich in diesem Sommer nicht alles auf Hiddensee! Liebes, verlorenes Hiddensee! Billy Wilder. Max Colpet, der an seinem Film »Scambolo« schreibt. Franz Wachsmann, der ihn vertonen und sich in Alice Apfel verlieben wird. Der Regisseur Steindorff. Die schöne Ruth Helberg mit ihrem Verleger Fritz Landshoff. Sie alle spielen Boccia und trällern schon die neuen Melodien. Auch Gerhart Hauptmann ist da ... Alles ist diesmal auf Hiddensee. Wie auf Verabredung. Auch eine Horde von »Halbstarken« ist da - wie auf Verabredung -, die Camping macht und kleine Hakenkreuzfähnchen in den Strand bohrt. Auch sie trällern, aber etwas im Viervierteltakt. HÖCHSTE EISENBAHN!"[100]

Neben den Hitler-Jungen gab es unter den Fremden auf der Insel noch einige, die zu dieser Zeit dort schon in Nazi-Uniformen herumliefen. Einer davon war der radikale, junge SS-Mann Dr. Joachim (genannt Jochen) Hoffmann, dessen Eltern in Vitte auf dem Norderende seit langem ein Sommerhaus mit großem, schönen Park besaßen, die Villa Antoinette. Zu seiner kürzlichen Verheiratung hatte Jochen Hoffmann von den Eltern diese Villa geschenkt bekommen, die ganz in der Nähe der Sommerhäuser von Ernst Freud und Henni Lehmann lag. Als Hoffmann im Sommer 1932 angetrunken am Freud'schen Haus vorbeikam, brüllte er die vor dem Haus mit ihren Kindern und Nachbarskindern spielende Frau Freud an: „Hau endlich ab, du verdammte Judensau!“ Lucie Freud begann zu weinen, die Kinder fragten nervös und ängstlich, was denn los sei, wieso der Mann so böse zu ihnen sei, worauf Lucie Freud antwortete, der Mann sei eigentlich gar nicht so, er sei nur wieder einmal betrunken. Lucie Freud hatte unrecht: Hoffmann sollte ein Jahr später zu einem der übelsten Schinder und Schlächter der an solchen Typen ja nicht gerade armen Nazi-Bewegung werden. Der Bäcker Schwartz unterhielt in seinem Haus, ebenfalls am Vitter Norderende, seit einigen Jahren eine Jugendherberge. Und von den dort logierenden Jugendgruppen hörte man abends jetzt auch manchmal nazistische Lieder singen, in denen das Judenblut vom Messer spritzte.

Am 11. August veranstalteten die Schulen wie üblich eine Feier zum Weimarer Verfassungstag mit anschließendem schulfrei, zum letzten Mal wurden die schwarz-rot-goldenen Fahnen gehisst. Ende August 1932 teilten die Hiddenseer Gemeinderäte in einer Feierstunde unter Anwesenheit des Regierungspräsidenten Dr. Haussmann Gerhart Hauptmann mit, dass sie aus Anlass seines bevorstehenden 70. Geburtstages beschlossen hätten, dem Wald auf dem Dornbusch zu seinen Ehren den Namen „Gerhart-Hauptmann-Wald“ zu verleihen. Das stramm deutschnationale Stralsunder Tageblatt titelte dazu: „Das hat uns gerade noch gefehlt: Unzeitgemäßes von Hiddensee“, und schrieb in dümmlicher, aber deutlich antidemokratischer Diktion, dort, wo der Besucher die rauhe nordische Natur erlebe, solle wohl „fortan der milde republikanische Dichtergeist von Sonnenaufgang bis Sonnenuntergang durch den Wald wehen".[101] „Nach wie vor", so hatte der Berliner Tempo im Juli geschrieben, könne auf Hiddensee jeder nach seiner Fasson selig werden. Das war hier offenbar noch mehr der Fall als an vielen anderen Orten Deutschlands, aber es sollte bekanntlich nicht mehr lange währen. Es war der letzte Sommer der ausgelassenen Freiheit. Ein Jahr später hatten bereits viele der Hiddenseer Gäste das nationalsozialistische Deutschland Hals über Kopf verlassen oder hatten jedenfalls andere Sorgen als einen Badeurlaub auf der geliebten Ostseeinsel. Die Gästezahlen gingen trotzdem nicht zurück. Der Nationalsozialismus bewirkte einen starken Wirtschaftsaufschwung, und es kamen andere und sogar mehr und angeblich „bessere" Gäste, auch nach Hiddensee.

9. Das abrupte Ende: Nationalsozialismus, Krieg, Besatzung

9.1 Die „Machtergreifung" in der fernen Provinz

Als Hitler am 30. Januar 1933 von Hindenburg zum Reichskanzler ernannt wurde, gab es auf Hiddensee nach wie vor keine NSDAP-Ortsgruppe. Allerdings traten die wenigen Nazis nun offen auf. In den nun folgenden, aufregenden Wochen mit SA-Terror und Reichstagsbrand, Reichstags- und Kommunalwahlen, „Tag von Potsdam", Erlass des Ermächtigungsgesetzes und erstem Judenboykott schon am 1.4.1933 führten auf Hiddensee zwei junge Männer das große Wort: Der schon erwähnte SS-Mann Dr. Jochen Hoffmann und Günter Thalheim, Sohn des Berliner Frauenarztes Dr. Hans Thalheim, der in Kloster ein Sommerhaus besaß. Günter Thalheim erschien, gerade das Abitur in der Tasche, Ende Februar auf der Insel in einer Nazi-Uniform, von der man nicht so recht wusste, ob sie nun eine Mitgliedschaft zur SA oder eher zur SS signalisieren sollte. Er berichtete, er habe in Berlin an der Verhaftung des Rechtsanwalts Dr. Apfel teilgenommen, der die Horst-Wessel

Mörder verteidigt habe, und führte sich einige Wochen als kleiner Insel-Despot auf. Er stellte auf die Schnelle eine SA-Gruppe zusammen, mit der er durch die Inseldörfer zog und „Heil Hitler!" und „Juda verrecke!" brüllte. Er hisste in Kloster vor der Schule eine Hakenkreuzfahne und tat so, als wolle und könne er den Lehrer Berg aus seinem Amt entfernen.

Auf einer Versammlung des Gastwirtevereins kurz vor der Reichstagswahl am 5.3.1933 herrschte eine allgemeine Stimmung für die Wahl der Nationalsozialisten. Heinrich Berg berichtet in seiner Chronik, es habe in diesen Tagen unter den Hiddenseer Geschäftsleuten eine ziemlich große Zahl von „Märzgefallenen", d..h. von Parteibeitritten in die NSDAP gegeben, die Fischer hätten sich hingegen zunächst eher zurückgehalten. Am Volkstrauertag, dem 19.3.1933, hielt der Kriegerverein unter Vorsitz von Heinrich Berg wie gewöhnlich Kirchgang und legte an der Gedenktafel für die Gefallenen in der Kirche einen Kranz nieder. Auch hierzu ließ Thalheim ungefragt seine SA antreten und hielt eine Rede auf die Gefallenen der NS-Bewegung.

Zur Neuwahl der Gemeinderäte am 12.3.1933 hatte die NSDAP auf Hiddensee mangels Masse allerdings nicht kandidieren können. In Kloster erhielt die Liste von Lehrer Heinrich Berg ebenso genau 57 Stimmen wie die von Gutsvorsteher Paul Wüstenberg. Das war ein letztes Mal das alte Duell „schwarz-rot-gold" gegen „schwarz-weiß-rot" - mit einem höchst erstaunlichen Ergebnis, wenn man bedenkt, dass Berg als ausgesprochener Exponent des bei den Nazis so verhassten Weimarer „Systems" in diesen Tagen das wichtigste Angriffsziel Günter Thalheims war - von den Juden einmal abgesehen, natürlich. In Vitte kandidierten ebenfalls zwei nicht parteigebundene Listen gegeneinander. In allen drei Gemeinden wurden mit Paul Wüstenberg (Kloster), Richard Wrensch (Vitte) und Hugo Gottschalk (Neuendorf) die bisherigen Gemeindevorsteher wiedergewählt.[102] Allerdings erhielt die NSDAP bei der Kreistagswahl am 12.3.1933, wie schon eine Woche zuvor bei der Reichstagswahl, im Kreis Rügen eine absolute Mehrheit der Stimmen und 13 von 25 Sitzen im Kreistag. Das war das endgültige Zeichen, auch hier nun wirklich loszuschlagen und aufzuräumen. Am Tag nach der Wahl wurde der bisherige, sozialdemokratische Landrat Milenz vom nationalsozialistischen Innenminister Frick „beurlaubt“, die wenigen Kommunisten auf Rügen -auf Hiddensee gab es keine - wurden in „Schutzhaft“ genommen. Auf der konstituierenden Sitzung des neuen Kreistages am 6.4.1933 wurden neue Amtsvorsteher bestimmt, und für Hiddensee war dies nun der Schmied Robert Mann (1896 - 1945), der damit für die nächsten 12 Jahre zum neuen großen kleinen König von Hiddensee werden sollte. Der bisherige Amtsvorsteher Heinrich Berg, verlor seine sämtlichen Funktionen und Ämter, selbst das eines Mitgliedes des Gemeindekirchenrates, und gegen ihn wurde tatsächlich, wie von Thalheim angedroht, ein Verfahren auf Entlassung aus dem Schuldienst eingeleitet, das allerdings später wieder eingestellt wurde. Er habe in diesen Tagen alleine gestanden, berichtet Berg, und sei in der Öffentlichkeit gemieden worden. Nur im Geheimen habe der eine oder andere Anteilnahme gezeigt.

Der bei seiner Inthronisierung 37 Jahre alte Robert Mann war auf Hiddensee geboren, hatte mehrere Jahre auf verschiedenen Gutsschmieden Rügens gearbeitet und 1930 die Schmiede in Kloster übernommen. Er war am 1.4.1930 in Cammin auf Wittow in die NSDAP eingetreten[103], auch schon vor 1933 Mitglied der SA geworden und damit ein „Alter Kämpfer“, wie es im NS-Jargon hieß. Er war ein höchst einfacher, ungebildeter Mann, der außer der des „Alten Kämpfers“ sicher keinerlei Qualifikationen für das Amt des Amtsvorstehers und später des Bürgermeisters mitbrachte. Seine amtlichen Schreiben wimmeln nur so von orthografischen Fehlern, von Zeichensetzung und Syntax der deutschen Sprache gar nicht zu reden. Mit Hilfe der erwähnten „Märzgefallenen“ konnte Mann nun endlich auch eine NSDAP-Ortsgruppe Hiddensee gründen. Selbstverständlich wurde er der Ortsgruppenleiter und machte sich damit zum weitgehend unumschränkten Herrscher der Insel - bis zum auch für ihn persönlich wahrlich bitteren Ende im Mai 1945. Alles, was zur „Bewegung“ gehörte, wurde nun auch auf der Insel aufgebaut: Nachdem

Günter Thalheim bald wieder verschwunden war, wurde der Gutsknecht Gustav Vogt Führer der SA und gleichzeitig zum Briefträger befördert. Der kirchliche Posaunenchor löste sich auf, weil fast alle Mitglieder der neuen SA beitraten. Vor allem die jüngeren Fischer und Fischerssöhne schlossen sich zahlreich dem SA-Marinesturm an. Irene von Sydow, die ja schon 1931/32 die Hitlerjugend beherbergt hatte, wurde NS-Frauenschaftsleiterin, der pensionierte Kreisarzt Dr. Erich Friedel, der in Kloster ein Haus besaß, Ortsgruppenschulungsleiter. Nach dem Wegzug Friedels 1937 übernahm diese Funktion der Leiter der Vogelwarte, Dr. Richard Stadie. Zellenwart von Vitte und gleichzeitig Leiter der NS-Hago wurde der Hotelbesitzer Walter Putbrese. Natürlich entstanden im Laufe des Jahres auch Organisationen der Deutschen Arbeitsfront (DAF), der Nationalsozialistischen Volkswohl-fahrt (NSV) und der Freizeitorganisation Kraft durch Freude (KdF).

NSDAP-Ortsgruppenleiter und Amtsvorsteher Robert Mann ca. 1935

Am 1. Mai 1933 wurde auch auf Hiddensee zum ersten Mal der neue „Feiertag der nationalen Arbeit" gefeiert, und diese Feier gestaltete sich zu so etwas wie einer großen Siegesfeier. Erstmals erstrahlte die ganze Insel im Schmuck der neuen Fahnen. Wegen der enormen Nachfrage war es schwierig gewesen, in Stralsund genügend Hakenkreuzfahnen zu besorgen. Sämtliche Vereine einschließlich der neuen SA beteiligten sich und marschierten frühmorgens nach Kloster, wo man um 9.00 Uhr in den Hotels die Rundfunkübertragung von den Berliner Feierlichkeiten anhörte. Anschließend zelebrierte Pfarrer Gustavs unter Mitwirkung des noch bestehenden Posaunenchors auf der Wiese vor dem Haus am Meer vor 300 - 400 Menschen einen „Feldgottesdienst (!)". Für den Nachmittag lud der Kriegerverein Jung und Alt zu einem Volksfest in die Heiderose ein. Um 20.00 Uhr wurde im dortigen Saal die Führerrede zum „Tag der nationalen Arbeit" übertragen, anschließend gab es Tanz. „Für das stille Hiddensee war diese schöne Feier ein großes Ereignis", resümierte das Stralsunder Tageblatt in seinem Bericht vom 5.5.1933, und Heinrich Berg schrieb in der Schulchronik von Kloster: „Es war ein Volksfest, wie wir es bisher noch nicht gehabt haben und nicht kannten."

In ähnlich großem Rahmen fand am 1. Oktober 1933 erstmals das Erntedankfest statt. Morgens zum Gottesdienst war die Kirche so voll wie nie zuvor. Danach gab es einen Umzug durch Grieben und Kloster, der am Festplatz am Rettungsschuppen endete. Hier wurde die Erntekrone überreicht. Ortsgruppenleiter Mann und Ortsbauernführer Paul Wüstenberg hielten markige Reden. Hitler habe endlich einmal richtig ausgemistet in Deutschland, so Wüstenberg. Es sollte nicht lange dauern, bis er als ehemals führender DNVP-Kopf auf der Insel auch zu diesen Ausgemisteten gehörte. Im Laufe des Sommers waren auch eine Jungvolk- und eine Jungmädelgruppe entstanden, und die Begeisterung der Kinder und Jugendlichen war groß. Endlich war etwas los auf der ansonsten eher langweiligen Insel, es gab auf einmal eine rege Betriebsamkeit mit Gruppentreffen, Lagerfeuern und Ausmärschen, Geländespielen, Fahnenappellen und Zeltlagern, und seit der Einführung des sog. Staatsjugendtages 1934 war dafür auch noch samstags schulfrei. Da gab es kaum jemanden, der nicht dabei sein wollte.

Im Überschwang der Siegesfreude ging man im Sommer 1933 daran, in der Heide südlich von Vitte am Außenstrand auf die Schnelle eine „SS-Führerschule" zu bauen.[104] Initiatoren waren zwei SS-Männer aus Stralsund, der Standartenführer Richard Einspänner und der Sturmführer Wilhelm Hollmann. Selbstverständlich hatte auch Jochen Hoffmann seine Hände im Spiel. Dessen Vater Bernhard Hoffmann stiftete das Grundstück und bezahlte die Vermessung. Im August 1933 wurden 2000 Mauersteine und

150 Zentner Zement geliefert, es wurden drei leichte Zementfundamente gegossen und 2 - 3 Schichten Ziegelsteine vermauert, dann wurde der Bau auf Befehl des SS-Abschnittes XIII in Stettin eingestellt. Trotzdem flossen noch 2000 Mark staatliche Beihilfe auf ein Konto der Stralsunder Sparkasse. Im übrigen endete die Sache im Chaos, niemand war mehr zuständig. Hollmann wurde seiner SS-Ämter enthoben und verzog unbekannt nach Berlin. Nähere Auskünfte über die Angelegenheit, so schrieb Amtsvorsteher Robert Mann am 19.1.1934, könne Dr. Jochen Hoffmann im Polizeipräsidium Stettin erteilen. Auf dessen Veranlassung verkaufte Mann dann Ziegel und den teilweise schon hart gewordenen Zement an den Vitter Bauunternehmer und früheren Sozialdemokraten Karl Dinse. Aber es standen noch zahlreiche Rechnungen offen, der staatliche Zuschuss war komplett verloren. An die Erstellung einer ordnungsgemäßen Abrechnung war nicht zu denken, ein großer Teil der Kosten war durch teure Telefonate mit der Gestapo Stettin, der zwischenzeitlichen Dienststelle Hoffmanns, sowie durch „Spesen" für die SS-Männer entstanden. Eine peinliche Geschichte, liebten es die Nazis doch sehr, zur Rechtfertigung ihrer rechtswidrigen „Machtergreifung" den Verantwortlichen der „Systemzeit" - meistens völlig unbegründet - Misswirtschaft vorzuwerfen. Gegen den Amtsvorsteher Heinrich Berg hatte man z.B. den lächerlichen Vorwurf erhoben, er habe seit Juli 1932 keine Eintragungen im Kassenbuch mehr vorgenommen, weitere „Verfehlungen der roten Mißwirtschaft" hatte man trotz intensiver Suche nicht finden können.[105]

Der nun schon mehrfach erwähnte Dr. Joachim Hoffmann (1905 - 1934) hatte Jura studiert und war 1930 in Greifswald zum Dr. jur. promoviert worden. Er war am 1.7.1930 in die NSDAP eingetreten, also wie Robert Mann ein „Alter Kämpfer", allerdings etwa 10 Jahre jünger als dieser. Infolge seiner radikalen nationalsozialistischen Hetze als Parteiredner, insbesondere im Kreis Rügen, wurde er wegen Verstoßes gegen das Republikschutzgesetz steckbrieflich gesucht und flüchtete nach Mittelamerika, wo er sich als Cowboy, Zureiter und Aufseher von indianischen Kaffeeplantagen-Arbeitern durchschlug. 1932 kehrte er nach Deutschland zurück, wurde zu 100 Mark Geldstrafe verurteilt und heiratete die Schauspielerin Gisela Freytag, deren Vater Robert Freytag in Berlin eine Fleischfabrik besaß und seit August 1933 ebenfalls Mitglied der SS war. Zur Hochzeit erhielt Hoffmann von seinen Eltern die „Villa Antoinette“ auf Hiddensee geschenkt. Er ging als Syndikus einer Fleischgroßhandlung nach Berlin und betätigte sich dort als Sturmführer im Stabe der SS-Gruppe Ost unter der Leitung des SS-Oberführers Fritz-Karl Engels. Als Engels im September 1933 zum Polizeipräsidenten von Stettin und zum Führer des dortigen SS-Abschnittes XIII ernannt wurde, nahm er Hoffmann mit dem Auftrag mit, in der Gauhauptstadt Stettin eine Geheime Staatspolizei aufzubauen.

Als Stettiner Gestapo-Chef schaltete und waltete Hoffmann willkürlich nach Gutdünken und mit unglaublicher Brutalität und unvorstellbarem Sadismus. In den ersten Monaten der Nazi-Herrschaft hatte die Stettiner SA im Keller des Verlagsgebäudes des sozialdemokratischen „Volksboten“ eine erste Folterzentrale eingerichtet. Da die ständigen, schrecklichen Schreie aus dem mitten in der Innenstadt gelegenen Gebäude die Bevölkerung zunehmend beunruhigten und auch die Haftzellen des Polizeigefängnisses schnell mit tatsächlichen oder vermeintlichen politischen Gegnern und jüdischen Bürgern völlig überfüllt waren, richteten Engels und Hoffmann sofort nach ihrer Ankunft in Stettin im Oktober 1933 in der stillgelegten Vulkanwerft an der Oder in Stettin-Bredow ein neues Haftlager ein. Dort herrschte unter dem uneingeschränkten und unkontrollierten Regime von Hoffmann die Hölle auf Erden. Hoffmann und die von ihm als Wachmannschaften angeheuerten SS-Kumpane, alle wie er zwischen 20 und 30 Jahren alt, liefen dort nur mit Lederpeitschen in der Hand herum und schlugen ständig wahllos auf die Häftlinge ein. Neulinge trieb man meist erst einmal in den Tiefkeller, den man mit dem Wasser der Oder so weit flutete, dass den Menschen das Wasser bis zum Hals stand. Im sog. „Bunker“, einem fensterlosen Kellerraum, in dem sich nur eine 60 cm hohe Holzkiste befand, über die die Gefolterten sich knien mussten, ließ Hoffmann „Windstärken“ I und II verabfolgen. Das waren 25 bzw. 50

Doppelhiebe mit schweren Lederpeitschen auf das nackte Gesäß, während ein dritter SS-Mann vorne den Kopf des Gequälten zwischen seine Beine klemmte. Frauen mussten sich, wie nicht anders zu erwarten, meist ganz ausziehen und wurden nach Ende der „Windstärken“ noch am ganzen nackten Körper ausgepeitscht. „Vulkanisieren“, nannten Hoffmann und seine Mannen diese Art der „Umerziehung“. Wer die Torturen nicht überlebte, wurde, mit Draht umwickelt und mit Steinen beschwert, gleich nebenan in die Oder geschmissen. Gelegentlich trieben die Leichen oderabwärts irgendwo wieder an Land. Finanziert wurde das Gestapo-Lager durch Schutzgelder, die Hoffmann von wohlhabenden, oft auch jüdischen Häftlingen erpresste und die diese dann vor den schlimmsten Folterungen bewahrten.

Die skandalösen Zustände in Bredow waren bald stadtbekannt, es erschienen auch erste Berichte darüber in ausländischen Zeitungen. Als sich verschiedene NSDAP- und SA-Mitglieder, die irgendwie auch in die Folterkammern Hoffmanns geraten waren, nach ihrer Entlassung bei höheren Parteidienststellen in Berlin beschwerten, sah Ministerpräsident Hermann Göring sich zum Eingreifen veranlasst. Er löste das Lager im März 1934 auf und ließ Hoffmann und seine Schergen verhaften. Sie wurden vom Landgericht Stettin am 6.4.1934 zu langjährigen Freiheitsstrafen verurteilt, Hoffmann erhielt wegen gefährlicher Körperverletzung und Erpressung 13 Jahre Zuchthaus.[106] Und als es dann 3 Monate später in der Nacht der langen Messer anlässlich des sog. „Röhm-Putsches“ ans erste große Massenmorden der Nazi-Zeit ging, nutzte Göring die Gelegenheit, sich dieses Schlächters, der selbst ihm zu brutal geworden war, zu entledigen, und ließ ihn zusammen mit zwei seiner Kumpane in Berlin erschießen. Einige Zeit später wurde die Urne Hoffmanns nach Hiddensee gebracht und dort auf dem Friedhof bestattet. Für die Hiddenseer war es ein großer Schock. Hoffmann war bei seinem Tod 28 Jahre alt, noch kurz zuvor, im Dezember 1933, war ihm eine Tochter geboren worden. Auch auf die Insel waren zumindest Gerüchte über das schreckliche Wirken Hoffmanns in seinem „Privat-KZ“, wie es hieß, gedrungen. Heinrich Berg schrieb 1946 in seiner Chronik,

Hoffmann habe als „Leiter eines kleinen KZ schreckliche Grausamkeiten“ begangen, u.a. auch gegen die Rittergutsbesitzer von Platen von dem Hiddensee gegenüber liegenden Poggenhof sowie gegen Herrn von Volkmann von Gut Streu bei Schaprode. Beide waren nach einer Stahlhelm-Versammlung in Schaprode am 15.1.1934, auf der es zu heftigen Angriffen gegen die SA gekommen war, in „Schutzhaft“ genommen worden.[107]

9.2 Gemeinderäte, die Bildung der Gemeinde Hiddensee und die Umwandlung eines „Judenhauses“ in ein Rathaus

Die im März 1933 noch einigermaßen demokratisch gewählten Gemeinderäte hatten keinen langen Bestand. Schon im Juni 1934 wurden sie aufgrund des Preußischen Gemeindeverfassungsgesetzes vom 15.12.1933 durch neue, nunmehr ernannte „Gemeindeälte-ste“ ersetzt. Hier rückten nun erstmals neben Robert Mann NSDAP-Mitglieder in die Räte ein, wie der SA-Chef Gustav Vogt und der Gutsarbeiter Julius Sodemann in Kloster oder der Gastwirt und NSDAP-Zellenleiter Walter Putbrese in Vitte. Aber nach Erlass der Deutschen Gemeindeordnung vom 30.1.1935 wurden im Oktober 1935 vom Beauftragten der NSDAP schon wieder neue Gemeinderäte bestimmt. In Kloster gehörten dazu jetzt etwa der Ortsgruppenschulungsleiter Dr. Erich Friedel sowie Gutsinspektor Fritz Baumann und in Vitte der Kaufmann Walter Freese. Dafür wurde der Deutschnationale Paul Wüstenberg nun „ausgemistet“. Während die neuen Gemeinderäte 1934 noch „Volk und Vaterland Treue“ geschworen hatten, mussten sie nun geloben, „dem Führer des deutschen Reiches und Volkes, Adolf Hitler, treu und gehorsam“ zu sein. Schon seit 1934 galt das sog. „Führerprinzip“ auch für die Gemeinderäte, das heißt, diese hatten nur noch beratende Stimmen und die Entscheidungen wurden vom Gemeindevorsteher getroffen. „Der Bürgermeister beschließt auf seinen Antrag ...“, hieß es dementsprechend jetzt in den Protokollen.[108] Die neue Gemeindeordnung schrieb auch die Einsetzung gesonderter Kassenverwalter vor, und in Kloster wurde dazu am 30.11.1935 Heinrich Berg ernannt.

Offenbar gab es keinen anderen, so dass Mann gezwungen war, auf den ehemals gemaßregelten Berg zurückzugreifen. Allerdings war Berg auch dabei, seinen Frieden mit dem neuen und scheinbar so erfolgreichen Regime zu machen, 1937 trat er der NSDAP bei.

In Vitte war die ganze Zeit der seit 1932 amtierende Lehrer Richard Wrensch, obwohl kein Parteimitglied, Gemeindevorsteher geblieben. Seit 1936 bemühte Wrensch sich jedoch um eine Versetzung aufs Festland, um seiner Tochter eine höhere Schulbildung zu ermöglichen. Da sich in Vitte absolut kein geeigneter Nachfolgekandidat finden wollte, schlug er vor, die Gemeinden Kloster und Vitte zusammenzuschließen und Robert Mann zum Bürgermeister zu bestellen. Diese Idee war durchaus verlockend, hätte sie es dem bisher ehrenamtlich tätigen Robert Mann doch ermöglicht, hauptamtlich bezahlter Bürgermeister zu werden und seine immer weniger einbringende Gutsschmiede endlich aufgeben zu können.

Allerdings zog sich die Sache hin, die übergeordneten Behörden verhielten sich dilatorisch, vielleicht um nicht den Eindruck einer Begünstigung des alten Parteigenossen Mann aufkommen zu lassen. Wrensch wurde zum 1.10.1936 nach Gollnow versetzt. Der Beigeordnete und Fischer Emil Kollwitz war zur Führung der Gemeindegeschäfte weder willens noch in der Lage und bat immer wieder dringend um seine Abberufung. Daraufhin bestellte der Rügener Landrat Weißenborn am 27.5.1937 Robert Mann zum Staatskommissar für die Gemeinde Vitte. Mann sei, so der Landrat, der geeignete Mann, er sei ein sehr rühriger Parteigenosse, mit den Verhältnissen auf der Insel bestens vertraut und genieße das volle Vertrauen der Gemeinderäte wie der gesamten Bevölkerung.[109] Nach einigem weiteren Hin und Her verfügte schließlich der Oberpräsident der Provinz Pommern den Zusammenschluss der Gemeinden Kloster, Vitte und Neuendorf zu einer „Gemeinde Hiddensee“ zum 1.4.1939.

Wieder war die Ernennung einer neuen Gemeindevertretung durch den Beauftragten der NSDAP fällig. Selbstverständlich wurde Mann Bürgermeister, Beigeordnete wurden Walter Putbrese (Vitte), Hugo Gottschalk (Neuendorf) und Ulrich Gau (Kloster). Und zu den neuen Gemeinderäten zählte jetzt auch wieder Heinrich Berg. Schon im Herbst 1938 hatte Mann zu einem, wie er sich ausdrückte, verhältnismäßig günstigen Kaufpreis von 17.000 Mark das Haus von Henni Lehmann von deren Erben in den USA erstehen können, um darin nun das neue Rathaus für seine hauptamtliche Gemeindeverwaltung der Gemeinde Hiddensee einzurichten. „Entjudung des deutschen Volksvermögens", nannte man diese Art von günstigen Geschäften damals. Die Gemeinde Lubkow (Rügen) gab dafür der neuen Gemeinde Hiddensee einen kurzfristigen Kredit von 10.000 Mark.

9.3 Bauprojekte: Siedlung Kloster, Hucke-Damm und eine Flakstellung am Enddorn

1936 begann eine rege und langanhaltende Bautätigkeit, die vor allem Kloster bis zum Krieg in eine Dauerbaustelle verwandelte und zahlreiche fremde Arbeiter auf die Insel brachte. Begonnen wurde im Herbst 1936 mit der sogenannten Siedlung in Kloster. Die Nationalsozialisten hatten gerade in Pommern die Verbesserung der ländlichen Siedlungsverhältnisse und den Landarbeiter-wohnungsbau sehr stark auf ihre Fahnen geschrieben und dabei immer wieder auch die Stadt Stralsund und deren Klosterverwaltungen kritisiert, die nicht genügend Land für den ländlichen Siedlungsbau zur Verfügung stellen würden. Nun baute die Pommersche Heimstätte Stettin nach dem Reichsheimstättengesetz nördlich der Kirche zwischen der Villensiedlung im Westen und den Gutsarbeiterhäusern „im Bau" im Osten eine Kleinsiedlung von vier bescheidenen Doppelhäusern. Eine derartige Bebauung war schon in dem 1925 von Max Taut erstellten Bebauungsplan vorgesehen gewesen. Die Häuser konnten im Frühjahr 1937 von acht Hiddenseer Familien bezogen werden. Der Kaufpreis für die Häuser mit einem 1000 qm großen Grundstück betrug 4.800 Mark.[110] Zwischen 1939 und 1943 ließ die Biologische Forschungsanstalt von der Pommerschen Heimstätte im Anschluss an diese „Siedlung" noch ein weiteres Doppelhaus als Assistentenwohnhaus errichten.

Bau der Siedlung in Kloster 1938

Im Frühjahr 1937 wurde mit dem Bau des Hucke-Damms begonnen. Seit dem 19. Jahrhundert waren immer wieder Pläne zum Schutz des Hiddenseer Hochufers diskutiert worden, aus Geldmangel konnten sie aber nie verwirklicht werden. Zeitweilig herrschte deshalb die resignierende Meinung vor, die Insel sei wegen der bei jeder Sturmflut erfolgenden Landabbrüche auf Dauer dem Untergang geweiht. „Dem Staate Adolf Hitlers blieb es vorbehalten, diese Pläne zur Ausführung zu bringen. Es ist ein gigantisches Werk, das damit seinen Anfang genommen hat. Jahre wird es dauern, bis es vollbracht ist", schrieb Heinrich Berg erleichtert in der Schulchronik von Kloster. Durch den Dammbau sollte nicht nur das Steilufer geschützt, sondern auch der enorme Sandabtrieb reduziert werden, der ein ständiges Ausbaggern der Schifffahrtslinien erforderlich machte. Da sich kein Bauunternehmer zur Ausführung der Arbeiten fand, entschloss sich das Wasserstraßenamt West in Stralsund zu einem Bau in Eigenregie. Auch die Baustelleneinrichtung einschließlich zweier Kräne erfolgte in Eigenbau.

Die etwa 50 - 60, meist ungelernten Arbeiter kamen zum größten Teil aus Hinterpommern.

Das Bauwerk ruht auf 8 m breiten und 1 m dicken Faschinensenkstücken aus Kiefernästen, die durch das Gewicht des Dammes auf 40 cm zusammengedrückt werden. Im unteren Bereich besteht der Damm aus mächtigen, im Fehmarnsund gezangten Findlingen, darüber wurden 1 - 2 to schwere, gebrochene Granitsteine aus Südschweden aufgeschichtet. Die im Hafen von Kloster angelandeten Steine wurden mit einer Feldbahn, die quer durch Kloster verlief, zum Strand beim Rettungsschuppen transportiert. 1 m Steindamm kostete etwa 1000,00 Mark. Geplant war der Bau eines 4 km langen Dammes von der Hucke bis zum Enddorn. Bis 1940, als der Bau schließlich kriegsbedingt eingestellt wurde, hatte man nur etwa 400 m endgültig fertiggestellt, dahinter läuft er unvollendet aus. Immerhin wurde die gefährdetste Stelle der Hucke geschützt, die dadurch den Charakter eines aktiven Kliffs verlor und allmählich vollständig zuwuchs. Der Damm, der eine Höhe von 2,80 m über Mittelwasser und eine Kronenbreite von 1,00 m besitzt, hat seither alle Sturmfluten praktisch unbeschädigt überstanden. Allerdings hatte er eine unangenehme Nebenwirkung: Durch die geänderten Strömungsverhältnisse verlor der Strand von Kloster, der schon immer sehr steinig gewesen war, endgültig so gut wie allen Sand und musste nach dem Zweiten Weltkrieg durch neue Deichbaumaßnahmen allmählich erst wieder aufgebaut werden.
Im Vorfeld des Dammbaus hatte man zwischen 1935 und 1938, um die fortdauernde Sandtrift zum Strandaufbau noch nutzen zu können, in Neuendorf einen Bunengürtel von 58 einreihigen Pfahlbuhnen geschaffen. Seit 1937 unternommene Versuche, das Nordufer durch Stahlspundbuhnen zu schützen, scheiterten, die Buhnen wurden durch Sturm und Eisgang bald wieder zerstört.

Im Herbst 1938 wurde mit der zweiten großen Baumaßnahme begonnen, der Errichtung einer schweren Flak-Batterie am Enddorn mit einer Kette von unterirdisch in den Dornbusch-Hang gebauten Bunkern für Offiziere, Mannschaften und Munition.

Diese sollte offenbar sowohl dem Schutz des Hafens in Sassnitz wie der Seefliegerstation auf dem gegenüberliegenden Bug dienen. Östlich des Bollwerks in Kloster wurde am Ziegelort zunächst eine neue Landungsbrücke errichtet und dorthin eine neue Fahrrinne gebaggert. Die neue Brücke wurde dann auch für die Steinanlieferungen für den Hucke-Damm verwendet. Zum Enddorn wurde vom Ziegelort eine weitere Feldbahn verlegt. Auf der dortigen Baustelle waren teilweise über 100 Arbeiter beschäftigt. Bei Kriegsbeginn am 1.9.1939 war die riesige Anlage nicht ganz fertiggestellt, weshalb bei schon erfolgter militärischer Besetzung für einige Wochen eine noch größere Zahl von Bauarbeitern auf die Insel kam. Die 100 - 200 fremden Bauarbeiter, die sich seit 1937 regelmäßig auf der Insel befanden, machten sich dort im öffentlichen Leben natürlich bemerkbar. Heinrich Berg berichtet, es sei ein leichtlebiges Völkchen von jungen Männern gewesen, die viel Geld verdient und, da meist unverheiratet, vor allem in den Gaststätten in Kloster und Grieben auch viel Geld ausgeben hätten. Gute Zeiten für die Wirte und Hoteliers, zumal in diesen Jahren auch die Zahl der Badegäste in ungeahnte Höhen stieg! Eine weiteres Bauvorhaben schließlich ging ziemlich gründlich daneben. Eine Pionierabteilung baute 1937 eine hölzerne Brücke über die Bäk zur Fährinsel, die jedoch beim ersten Eisgang schon wieder zerstört wurde.

Bau des Hucke-Damms ca. 1938

9.4 Tourismus: Steigende Gästezahlen - trotz Vertreibung der Juden und Intellektuellen

„Gerhart Hauptmann und Otto Gebühr sind zu längerem Aufenthalt auf Hiddensee eingetroffen", berichtete das Stralsunder Tageblatt am 16.6.1933. Das klang nach Normalität, und das sollte es sicher auch. Aber natürlich war so gut wie nichts mehr normal in diesem Sommer in diesem Land, das schon den ersten „Judenboykott" hinter sich hatte, in dem in jeder Stadt und in jedem Kreis die SA alte Rechnungen beglich und in dem Kommunisten, Sozialdemokraten und alle möglichen anderen tatsächlichen oder vermeintlichen Gegner des sogenannten neuen Deutschlands in den Folterkellern der SA und der Gestapo gequält und ermordet wurden. Während Gerhart Hauptmann und Otto Gebühr sich wieder, scheinbar ganz normal wie immer, nach Hiddensee begaben, saßen viele der Inselgäste des vorigen Sommers seit Wochen weitgehend mittellos in einem billigen, schmutzigen Exilantenhotel in Paris und schwankten zwischen hochfliegenden Plänen und tiefster Depression: Friedrich Hollaender und Hedi Schoop, Billie Wilder mit seiner Freundin Hella Hartwig, Max Kolpe, Alice Apfel und Franz Wachsmann trafen sich alle im Hotel „Ansonia" in der rue de Saigon 8 wieder, lebten von billigen Konserven und wussten erst einmal nicht, wie es weitergehen sollte.[111]

Elegant gekleidete Sommergäste vor der Bollwerks-Gaststätte in Kloster ca. 1938; L. daneben das weiße Schild mit der Aufschrift: "Juden sind hier nicht erwünscht"; im Hintergrund das "Hotel Hitthim"

Die Hiddenseer hatten schon ein bisschen Angst, dass eine größere Zahl von Gästen ausbleiben könnte, und in den Sommern 1933 und 1934 machte sich das auch durchaus bemerkbar. Noch nie habe sie Haus und Terrasse so einsam gesehen wie jetzt, klagte Irene von Sydow im Juli 1933, und war es nun wirklich selbst Schuld. Auch im Wieseneck gab es wegen des Fernbleibens der jüdischen Stammgäste Probleme, und die Saison, in der das Geld für das ganze Jahr verdient werden musste, war ja nur kurz.... Wohl deshalb erklärte der Gemeinderat Kloster auf eine entsprechende Anfrage des neuen Landesfremdenverkehrsverbandes Pommern in seiner Sitzung vom 28.10.1934, der Besuch „nichtarischer" Gäste werde nicht grundsätzlich abgelehnt. Ein halbes Jahr später sah das schon anders aus. Als sich zu Pfingsten 1935 in Kloster wieder, wie Heinrich Berg in der Schulchronik festhielt, eine erhebliche Zahl von Juden eingefunden habe, habe die Gemeindeverwaltung am Bollwerk anschlagen lassen, dass Juden in Kloster nicht erwünscht seien. Entsprechende Schilder wurden auch am Rettungsschuppen und an den Hoteleingängen angebracht. Heinrich Berg äußert sich dazu in der Schulchronik sehr zufrieden:

> „Diejenigen, die befürchtet hatten, dass das Fernbleiben der Juden für Kloster als Badeort einen erheblichen Ausfall bedeuten würde, behielten nicht recht. Es kamen andere und schon in diesem Jahre solche, die bisher an Kloster als einem ausgesprochenen Judenbad Anstoß genommen hatten. .... ich hatte schon lange die Befürchtung, dass das überhandnehmende Judenpublikum schließlich der Ruin des Ortes sein würde - wofür gerade das an sich so reizende Heringsdorf ein warnendes Beispiel ist. Ich bin von dieser Entwicklung von Herzen befriedigt. Der Jude ist unzuverlässig und wenn er einen Ort ruiniert hat, verläßt er ihn und macht sich weiter keine Gedanken darüber".

Dass ein an sich honoriger und gebildeter Mann wie Heinrich Berg, der der evangelischen Kirche eng verbunden und jedenfalls zu Anfang sicher kein Nationalsozialist war, schon 1935 einen derart haarsträubenden Unsinn von sich gab, zeigt, zu welchen Geistesdeformationen das nationalsozialistische Regime innerhalb kürzester Zeit bei den Menschen in Deutschland führte. Weitere drei Jahre später beließ man es nicht mehr bei Warntafeln an den Ortseingängen. Im Juli 1938 beschlossen die Hiddenseer Gemeinden den Erlass einer „Ortssatzung über die Ausschließung jüdischer Kurgäste von den Badeeinrichtungen".[112]

Während 1933/34 die Gästezahlen im Vergleich zu 1931/32 in etwa gehalten werden konnten, war ab 1935 eine deutliche Steigerung und dann ab 1937 ein regelrechter Boom zu verzeichnen. Welche Gäste besuchten in diesen Jahren die Insel? Natürlich kam ein Teil der Intellektuellen, die nicht jüdisch und keinen politischen Verfolgungen ausgesetzt waren wie Gerhart Hauptmann, Willy Jaeckel oder Otto Gebühr weiterhin nach Hiddensee. Auch Asta Nielsen etwa kam ja noch bis 1936, bevor ihr endgültig klar wurde, dass sie in diesem verbrecherischen Land nichts mehr zu suchen hatte - und behielt zeitlebens Heimweh nach ihrer geliebten Insel, die sie nie mehr wiedersehen sollte. Und selbst Mascha Kaléko war zumindest 1934 noch einmal hier. 1940 weilte auch noch einmal eine große Filmgesellschaft für mehrere Wochen auf Hiddensee und drehte unter der Regie von Hans Schweikart „Das Mädchen von Fanö". Zu den Schauspielern gehörten Brigitte Horney, Gustav Knuth, Paul Wegener und Joachim Gottschalk. Diese hatten sich irgendwie mit dem nationalsozialistischen Regime arrangiert, waren aber doch zumindest keine ausgesprochenen Nazis. Gottschalk sollte gut ein Jahr später zusammen mit seiner jüdischen Ehefrau Meta Selbstmord verüben. Alle seien wie eine große Familie gewesen, berichtet Brigitte Horney. Die ganze Truppe wurde auch von Gerhart Hauptmann empfangen und war von der Begegnung mit dem greisen Schriftsteller tief beeindruckt. Man wollte Hauptmanns „Rose Bernd" mit Brigitte Horney in der Titelrolle verfilmen, aber daraus wurde dann doch nichts mehr. Zum Abschluss der Dreharbeiten fand eine große Strandparty statt. Paul Wegener präsidierte dabei an einer langen Tafel, die die Hotelwirtin auf dem Strand hatte aufbauen lassen.

Das sah so aus, als habe sich das Verhalten jedenfalls eines Teils der Gäste gegenüber der Zeit der Weimarer Republik nicht grundlegend verändert. Obwohl es offiziell hieß, die Nacktkulturbewegung sei als „kulturelle Verirrung anzusehen und zu bekämpfen"[113], wurde auf Hiddensee auch weiter nackt gebadet, und zwar jetzt vor allem auf dem schwer zugänglichen Neuen Bessin, der sich als Sandbank seit einiger Zeit zu bilden begonnen hatte. Blieb Hiddensee also jedenfalls teilweise ein Refugium für Intellektuelle und Nicht-Nazis? Einiges deutet darauf hin, zumal es neben dem Bürgermeister Robert Mann immer noch eher wenige fanatische Nazis auf der Insel gab.

Filmaufnahmen zu "Das Mädchen von Fanö" am Strand von Hiddensee 1940; 2. Reihe Mitte Brigitte Horney, r. daneben Gustav Knuth

Andererseits ist, so wie in der Schulchronik von Kloster, auch in anderen Quellen die Rede davon, es sei nun ein anderes, ein „besseres" Publikum auf die Insel gekommen. Damit mussten ja wohl offensichtlich Nicht-Juden und Nicht-Intellektuelle gemeint sein- also ein ordentlicheres, bürgerlicheres, wohlhabenderes Publikum? Im Hotel Dornbusch stiegen nach der Erinnerung der damaligen Juniorchefin in den Jahren vor dem Krieg und den ersten Kriegsjahren „unglaublich reiche Leute" ab, die man schon im Hafen in Stralsund an ihrem voluminösen und luxuriösen Gepäck sofort habe erkennen können. Auch schon vor dem Krieg kamen zahlreiche Soldaten auf die Insel. Der gegenüber liegende Bug wurde ja mit Vehemenz zu einem großen Seefliegerhorst ausgebaut, und manche der dort stationierten Offiziere ließen im Sommer ihre Familien nach Hiddensee kommen. Nur wenig profitierte die Insel von den 1934 einsetzenden Reisen der Organisation „Kraft durch

Freude". Die Hiddenseer hatten Probleme, für die KdF-Sonderreisen genügend Bettenkapazitäten zu garantieren, und die von der KdF bezahlten Pensionssätze waren auch sehr niedrig. Die übergroße Mehrzahl der KdF-Ferienreisen auf Rügen ging nach Sassnitz, in dessen unmittelbarer Nähe in Prora seit 1936 ja auch an dem gigantischen „KdF-Seebad Rügen" gebaut wurde, das nach seiner Fertigstellung in einem Durchgang 20.000 Urlauber aufnehmen sollte. Was Hiddensee anbetraf, nahm die KdF allerdings den Ausflugstourismus dorthin in die Hand und bot verbilligte Tagesrückfahrkarten von Stralsund aus an.

Ausflug des Stralsunder SA-Motorsturms III/M 10 "in Zivil, mit Weib und Kind" auf die Dornbuschhöhen von Hiddensee 1935

Eine neue Form des Massentourismus wurde durch die Hitlerjugend eingeführt. Nachdem die Berliner HJ schon 1931/32 bei Frau von Sydow hatte zelten dürfen und sich im Sommer 1933 im Gästebuch des Hauses für „die fabelhafte Verpflegung" mit „Heil Hitler" bedankten, fanden nach 1933 jeden Sommer große Ferienlager der HJ aus verschiedenen „Gauen", wie es damals hieß, auf der Insel statt. Die schlesische HJ errichtete bei Plogshagen ein Lager für 800 (!) Jungen, die mit zwei Sonderschiffen der Genossenschaftsreederei anreisten.[114] Im Sommer 1939 waren 100 ostpreußische Hitlerjungen auf der Insel, die Hiddenseer NS-Frauenschaft half bei deren Verpflegung mit.

9.5 Alltag im Nationalsozialismus: Die „Volksgemeinschaft" feiert, sammelt und ist zufrieden

So wie es am 1. Mai 1933 begonnen hatte, sollte es nun etwa 10 Jahre lang mehr oder weniger ständig weitergehen. Zu feiern gab es immer etwas: 1. Mai, Erntedank, Führers Geburtstag, Heldengedenktag .... Der Ablauf war stets ähnlich: Die Häuser waren mit Hakenkreuzfahnen geschmückt, es gab Umzüge oder „Aufmärsche" mit noch mehr Fahnen, der SA-Marinesturm trat an, die Formationen von HJ und BDM ebenfalls. Robert Mann hielt eine markige Rede, die er von der Gauleitung geschickt bekommen hatte und die er manchmal, den Eindruck hatten einige Zuhörer jedenfalls gelegentlich, selbst gar nicht richtig verstand. In den ersten Jahren, als noch Einklang mit der Kirche und mit Pastor Gustavs bestand, gab es meist einen Festgottesdienst in der Kirche oder auf der großen Wiese vor der Pension der NS-Frauenschaftsleiterin, Irene von Sydow. Oft verteilten die Teilnehmer sich am Ende auf die verschiedenen Hotels, um dort irgendeine Rundfunkübertragung aus Berlin, eine Führerrede oder eine des Reichs-Propagandaministers Joseph Goebbels etwa, anzuhören. Nachmittags dann traditionelle Volksbelustigung in der Heiderose.

Einen besonderen Stellenwert besaß im nationalsozialistischen Jahreskreislauf stets der 9. November, an dem in Erinnerung an den Münchener Putschversuch der Nazis 1923 der „Gefallenen der Bewegung" gedacht wurde: Nach dem Fahneneinmarsch trugen die SA-Leute Fahnensprüche vor, es folgten Gesangsvorträge der Schulkinder und der NS-Frauenschaft, und weiter:

> „In Begleitung von Paukenschlägen wurden die Namen der Ermordeten des 9. November in München und die Namen der in Pommern für die Bewegung ermordeten verlesen. Ortsgruppenleiter Pg. Mann wies auf die Bedeutung des Tages hin."[115]

Am Ende Treuegelöbnis auf den Führer, ein dreifaches Sieg-Heil, Nationalhymne, Horst-Wessel-Lied, Ausmarsch.

Neben den jährlich wiederkehrenden Feiertagen gab es auch immer wieder besondere Anlässe zu Feierlichkeiten. 1935 ließ die Genossenschaftsreederei auf der Rostocker Neptun-Werft als Ersatz für den alten, kleinen Dampfer „Caprivi“ ein neues, größeres Motorschiff, die „Insel Hiddensee“ bauen. Beim Stapellauf im April hielt Pastor Gustavs die Festrede, Frau Wüstenberg nahm die Taufe vor. Die Jungfernfahrt am 25. Mai fand unter Beteiligung von viel Prominenz statt, u.a. dem Schweriner Minister Dr. Scharf, dem Präsidenten der Neptun-Werft, Dr. Kautz, und dem Rügenschen Kreisleiter und Landrat. Ortsgruppenleiter Robert Mann begrüßte die Festgesellschaft zu einem Festessen im Hotel „Dornbusch“, und in mehreren Reden wurden das neue Schiff wie die neue Zeit gefeiert. Minister Dr. Scharf

> „betonte, dass das neue Passagierschiff, erbaut auf der Rostocker Werft, ein echtes Stück nationalsozialistischer Aufbauarbeit und Aufbauwillens sei. Sein Heil galt dem Führer, dem wir die heutige Entwicklung zu verdanken haben.“[116]

Als der „Caprivi“ daraufhin außer Dienst gestellt wurde, stellte die Genossenschaftsreederei ihn der Hitler-Jugend zur Verfügung, die gerade eine Kampagne zur Schaffung von HJ-Heimen betrieb. Durch Ausbau der Maschinen wurden drei Räume für Jungvolk, HJ und BDM geschaffen. Jede der drei Inselgemeinden übernahm die Patenschaft über einen Raum und schaffte als erstes ein Führerbild hierfür an. Zur „Weihe“ des, wie es hieß, ersten schwimmenden HJ-Heimes in Deutschland kamen die HJ- und BDM-Führer aus dem ganzen Kreis Rügen mit einem Sonderschiff von Stralsund nach Kloster:

> „Bereits am frühen Morgen marschierten die Abordnungen der HJ durch die noch dunklen Straßen von Stralsund. Der Musikzug des Bannes 42 spielte. Auf dem Motorschiff »Insel Hiddensee« hatten sich bereits zahlreiche Gäste, die Vertreter der Partei und ihrer Gliederungen, der Kriegsmarine und der Behörden ein-

gefunden, als die HJ an der Anlegestelle eintraf. Mit Musik ging es aus dem Hafen heraus und der Liegestelle des neuen HJ-Heimes entgegen."[117]

In Kloster dann wie immer: Begrüßung durch Ortsgruppenleiter Pg. Mann, Ansprachen des Kreisleiters, Pg. Martens, und des Landrates, Pg. Weißenborn, Flaggenhissung, Lied der HJ und schließlich Übergabe des Schiffes an den Unterbannführer Pg. Steffenhagen. Das Boot erhielt den neuen Namen „Störtebecker". Der mittelalterliche Ostsee-Freibeuter passte als Namenspatron offenbar besser in das nationalsozialistische Welt- und Geschichtsbild als der „reaktionäre" kaiserliche Reichskanzler.

"Flaggenehrung" an der Schule Kloster zum Beginn der Sommerferien 16.7.1937; r. Lehrer Heinrich Berg Schulchronik Kloste

„Feierlich" und „in würdiger Form" fanden nach einem feststehenden Ritus auch die regelmäßigen Ortsgruppenversammlungen statt, die nach den Berichten in der Presse immer „gut besucht" waren. Dafür sorgten schon die jeweiligen Blockleiter. Es gab auf diesen Versammlungen ja nichts zu diskutieren oder zu beschließen, Robert Mann verlas vielmehr nach dem obligatorischen Fahneneinmarsch der NS-Formationen die neuesten „Anordnungen". Danach hielten er oder der Ortsgruppenschulungsleiter eine Grundsatzrede, in der sie zum Beispiel dazu aufriefen, bei der Sammlung für das Winterhilfswerk nicht einfach nur etwas zu geben, sondern „ein wirkliches Opfer" zu bringen, „damit auch in diesem Winter kein Volksgenosse hungern und frieren muss."[118] Danach erfolgten gelegentlich die Aufnahme und das Treuegelöbnis neuer Mitglieder, den Rest kennen die geneigten Leserinnen und Leser schon: Führer-Ehrung, Sieg-Heil-Rufe, Singen, Fahnenausmarsch, Ende.

Die Sammlungen für das Winterhilfswerk, die NSV, das Rote Kreuz, die Auslandsdeutschen, die Kriegsgräberfürsorge usw. usf. nahmen einen großen Teil der Parteiaktivitäten in Anspruch. Stets wurde geworben und getrommelt, immer sollten höhere Sammlungsergebnisse als im Vorjahr zustande gekommen. Gesammelt wurde mit Sammellisten, so dass man die Höhe der Spenden jedes einzelnen kontrollieren konnte. Seit 1937 kamen die Altmaterialsammlungen hinzu. Und ständig wurde auch für den Beitritt zu irgendwelchen Organisationen geworben. Ende 1936 wurde etwa eine „Luftschutzwerbung" gestartet. Der „Stab der Kreisgruppe Rügen der Reichsluftschutzbundes" kam auf die Insel und hielt drei Versammlungen ab, in denen zum Beitritt in den RLB geworben wurde. Hiddensee als Grenzgebiet besitze hierfür eine besondere Bedeutung. Robert Mann forderte vor allem die Frauen auf, sich zur Verfügung zu stellen. Nach diesen Versammlungen sollte die Arbeit „durch die eingesetzten Amtsträger fortgesetzt werden".[119]

Ständig war etwas los, eine Versammlung, eine Sammelaktion, eine Werbekampagne folgte der anderen, ein Appell dem nächsten. Kinder, Jugendliche und Erwachsene blieben auf Trab. Selbst wenn man es gewollt hätte, wäre es schwierig gewesen, sich dem zu entziehen. Wer es versuchte, geriet schnell in den Verdacht, sich außerhalb der neuen, einigen Volksgemeinschaft stellen zu wollen und zum Volksverräter abgestempelt zu werden. Aber die meisten Menschen auch auf Hiddensee wollten sich ja gar nicht entziehen, sondern waren mit der neuen Entwicklung ganz zufrieden. Und dafür gab es auch viele, nachvollziehbare Gründe: Die Arbeitslosigkeit war schnell überwunden, die Wirtschaft florierte, die Gästezahlen stiegen, der Hucke-Damm wurde endlich gebaut. Der 1936 fertiggestellte Rügendamm brachte neue, motorisierte Gäste, und das verschaffte zum Beispiel den Fährleuten neue Verdienstmöglichkeiten, da mit der wachsenden Motorisierung die Fährverbindung von Schaprode zunehmend attraktiv wurde. 1935 konnten sie ihr in der Wirtschaftskrise 1930 stillgelegtes Motorboot wieder in Betrieb nehmen. 1937 schlossen sie mit der Post einen neuen Vertrag über die Postbeförderung ab Schaprode, und 1938 wurde auf Initiative des Landrates und Kreisleiters eine Fährgenossenschaft gegründet, wodurch der jahrelange, erbitterte Konkurrenzkampf mit den Bootseignern in Schaprode ein Ende fand:

> „Mit einem Male hörte aller Haß und Gehässigkeit auf, und alles war ein Herz und eine Seele, und wir haben uns alle recht gut dabei gestanden. Es wurde ein Fahrplan geschaffen, worin die Abfahrtzeiten bekannt gegeben wurden, und ein Boot lag für Sonderfahrten bereit. Bis 15. September wurde gemeinschaftlich gefahren. Ab 15. September übernahmen wir die Post“,

berichtet Fährmann Heinrich Gau.[120] „Ein einiges Volk hilft sich selbst“, lautete die eingängige Parole der Nationalsozialisten, und diese Gemeinschaftsideologie fand Anklang: Reich half Arm, Jung half Alt, in dem neuen, prosperierenden Staat sollte jeder Volksgenosse sein Auskommen finden. Gezänk, Neid und Klassenhass des alten „Systems“ schienen überwunden zu sein. Und außenpolitisch erzielte der Führer einen Erfolg nach dem anderen, das war geradezu begeisternd, da wollte kaum einer abseits stehen!. In der Schule kamen die Kinder gar nicht damit nach, auf der Wandkarte die ständigen weltgeschichtlichen Änderungen nachzutragen.

Im Dezember 1936 veranstalte die NS-Frauenschaft in der „Heiderose“ eine Adventsfeier. Es wurden Gedichte aufgesagt, die Singschar sorgte mit ihren Liedern für vorweihnachtliche Stimmen. „Dass wir wieder in Ruhe und Eintracht uns alle auf das

Weihnachtsfest freuen können, das verdanken wir nur unserem Führer", erklärte Frau von Sydow. Weiter sagte sie, Weihnachten sei das Fest des Lichts, und zündete an jedem Platz vor den Frauen eine Kerze an.[121] Das hörte sich, keine vier Jahre nach der „Machtergreifung", schon ziemlich antikirchlich und heidnisch an. Um diese Zeit, Ende 1936, begannen die Nationalsozialisten auch auf Hiddensee damit, ihre Haltung zur Evangelischen Kirche und zu Inselpastor Gustavs zu ändern, und vorbei war die Zeit der großen Harmonie und der großen gemeinsamen Begeisterung, die die ersten Jahre der Nazi-Herrschaft geprägt hatten. Obwohl selbst nicht Mitglied der NSDAP, hatte Pfarrer Gustavs doch, wie er im „Memorabilienbuch" der Pfarrgemeinde schreibt, „große Hoffnungen auf den Nationalsozialismus gesetzt". Er stand von Beginn an mit im Mittelpunkt des öffentlichen Geschehens, und überall, wo es etwas zu feiern gab, war er mit immer überfüllten Feld- oder Festgottesdiensten dabei. Zum ersten Sonnwendfest am 24.6.1933 veranstaltete er abends um 21.00 Uhr einen Gottesdienst in der Kirche, die so voll war wie nie zuvor. Der Altar war mit Margeriten reich geschmückt und wurde von großen Kerzen erleuchtet, zu beiden Seiten des Altars standen BDM-Mädchen mit brennenden Kerzen in der Hand. „Nach der Feier in der Kirche ging es im Zuge hinauf auf die Berge zum brennenden Holzstoß."

Am 30.1.1934 veranstaltete Gustavs einen „Dankgottesdienst" (!) zum ersten Jahrestag der sog. „Machtergreifung" Hitlers, er versammelte HJ und BDM im Pfarrhaus um sich und führte ihnen „nationale Filme" vor, gewann einige BDM-Führerinnen dazu, als Helferinnen an der Gestaltung des Kindergottesdienstes mitzuwirken. Alles war ein Herz und eine Seele und eine große Bewegung. Als im Gottesdienst am 23.2.1936 die neue Hakenkreuz-Fahne des Kriegervereins „geweiht" wurde, sagte Gustavs dazu:

> „Wir können den heutigen Tag nicht begehen, ohne des Mannes zu gedenken, der uns dieses heilige Symbol des Hakenkreuzes gegeben hat und der unser Volk einer inneren und äußeren Gesundung entgegenführt. Wenn

> ihr heute eure mit dem Hakenkreuz versehene Fahne euch zu eigen macht, so legt ihr ja schon damit ein neues Gelöbnis der Treue zu unserem Führer ab. Aber dieses »Ehrt den Führer« soll nicht bloß seinen Ausdruck finden in einem billigen Hurra-Patriotismus. Es reicht nicht aus, daß wir nur den rechten Arm ihm zu Ehren erheben. Sondern das Wichtigste ist und bleibt, daß wir wirklich mit unserem Herz, mit unserer Verehrung und mit unserer Liebe seine Person umfassen, und vor allem mit unserem Gebet."[122]

1½ Jahre später schrieb Gustavs im Memorabilienbuch über den Nationalsozialismus: „Nie in meinem Leben sind mir Hoffnungen gründlicher zerstört worden". Zum Erntedankfest 1936 hatte Bürgermeister Robert Mann erstmals einen Festgottesdienst abgelehnt und statt dessen den Abmarsch des Festzuges auf genau 10.00 Uhr festgesetzt, so dass die Kirche dieses Mal praktisch leer blieb. Er sprach, obwohl immer noch Mitglied des Kirchenvorstandes, nun in der Öffentlichkeit auch davon, seine Bibel sei Hitlers „Mein Kampf", eine andere brauche er nicht, oder: „Unser Gott ist unser Volk, unser Volk ist unser Gott!". Frau von Sydow wollte Weihnachten ohne Christkind als „Fest des Lichts" feiern. Bei den entschiedenen Nazis setze sich immer mehr die Erkenntnis durch, dass Jesus ja wohl auch ein Jude gewesen sein musste. Auch aus seinem geliebten Kriegerverein wurde Gustavs heraus gedrängt. Zur traditionellen Kinderbescherung des Vereins an Weihnachten 1937 bedeutete ihm der Kameradschaftsvorsitzende, Kaufmann Walter Freese aus Vitte, dass der Pastor als Redner hierbei nicht mehr vorgesehen sei. Die Bescherung fand auch nicht mehr zu Weihnachten, sondern zur „Wintersonnenwendfeier" statt .... Kein Wunder, dass Gustavs vom Nationalsozialismus, in den er so große Hoffnungen gesetzt hatte, immer enttäuschter wurde.

Am 18.2.1939 legte Robert Mann sein Mandat im Kirchenvorstand nieder, ebenfalls Walter Freese und der Neuendorfer Lehrer Willi Gruhn. Bald darauf trat Mann auch ganz aus der Kirche aus und versuchte nun, auf der Insel eine „Gottgläubigenbewegung“ in Gang zu setzen. „Gottgläubig“ gab man damals als Religionszugehörigkeit an, wenn man aus der Kirche ausgetreten war. Heinrich Berg berichtet in seiner Chronik, dass die antikirchliche Propaganda Manns zwar vor allem im BDM und bei manchen jüngeren Frauen durchaus auf eine gewisse Resonanz gestoßen sei, gegen Ende des Krieges hätten sich einige Paare auch nicht mehr kirchlich trauen lassen. Insgesamt aber und in ihrer Mehrheit seien die Hiddenseer der Kirche treu geblieben, was für Robert Mann ein zunehmendes Ärgernis bedeutet habe. Nachts ließ er wiederholt seine Spitzel kontrollieren, ob im Pfarrhaus nicht etwa Radio London abgehört wurde.

9.6 Biologische Forschungsanstalt, Vogelwarte, Naturschutz

Für die von Professor Leick in der Aufbauphase eingerichteten vier Abteilungen der Biologischen Forschungsstation - Pflanzensoziologie, Hydrobiologie / Brackwasserforschung, Ornithologie, Meteorologische Beobachtungsstation - und erst recht für seine weiterreichenden Pläne reichte das kleine Gehlen’sche Sommerhäuschen in Kloster natürlich in keiner Weise aus. Leick war daher von Anfang an sehr um eine Erweiterung bemüht und erhielt dabei trotz großer finanzieller Probleme die weitreichende Unterstützung sowohl der Universität Greifswald als auch der staatlichen Stellen und privater Förderer. Dazu trug sicher bei, dass Leick nicht nur ein angesehener Wissenschaftler und äußerst aktiver, tatkräftiger Mann war, sondern, wie der Rektor der Universität in einem Bericht 1937 formulierte, „voll und ganz sich für das Dritte Reich“ einsetzte.[123] Leick trat zwar erst 1937 der NSDAP bei, war jedoch schon im November 1932 einer von drei Greifswalder Professoren gewesen, die einen Aufruf deutscher Hochschullehrer zur Wahl der Nazi-Partei bei der Reichstagswahl unterzeichnet hatten. Er war seit 1934 mehrere Jahre lang Dekan der Philosophischen Fakultät, wurde 1934 zum Ratsherrn der Hansestadt Greifswald und 1937 zum Preußischen Provinzialrat ernannt. Bei Kriegsbeginn meldete er sich, obwohl schon 57 Jahre alt, sofort freiwillig zur Luftwaffe und arbeitete im Range eines Majors für deren Meteorologischen Dienst.

1933 konnte Leick mit privaten Stiftungsmitteln den an das Stationsgrundstück angrenzenden nördlichen Teil des Jürgensohn'schen Grundstücks von Rosa Jürgensohn, der Schwester und Erbin des 1927 verstorbenen Arved Jürgensohn, für die Universität Greifswald kaufen. Mit einer erneuten großen, privaten Stiftung von fast 15.000 RM durch den Direktor einer Rotterdamer Handelsgesellschaft, Hans Wolf von Goerschen, wurde 1934 auf dem erweiterten Stationsgelände ein Kurshaus mit 16 Arbeits- und Übernachtungsplätzen errichtet. Die Einweihung des „H.W. von Goerschen-Hauses" wurde, verbunden mit der Hauptversammlung der Gesellschaft der Freunde und Förderer der Universität, am 14.7.1934 mit großem Aufwand unter Anwesenheit des Rektors und des Pommerschen Landeshauptmannes Dr. Jarmer gefeiert. Ortsgruppenleiter Mann begrüßte die illustre Gästeschar, Pastor Gustavs hielt einen Vortrag über die Vorgeschichte der Insel und Direktor von Goerschen gab seiner Freude darüber Ausdruck, „dass er als Auslandsdeutscher an einem so wertvollen Institut in dieser Weise mitarbeiten könne". Goerschen wurde dafür zum Ehrensenator der Universität Greifswald ernannt. Und Landeshauptmann Dr. Jarmer forderte in seiner Grundsatzrede über die Aufgaben der Universität im neuen Reich einen „Ausbau der landwirtschaftlichen Dis-

Ortsgruppenleiter Robert Mann (Mitte) begrüßt Reichserziehungsminister Rust (r.) am Bollwerk in Kloster 2.6.1938; im Hintergrund hat der BDM vor dem HJ-Schiff "Störtebecker" Aufstellung genommen Schulchronik Kloste

ziplinen, die den nationalsozialistischen Gedanken von der Verbindung von Blut und Boden mehr in den Vordergrund rücken!".[124]

In dem neuen Kursgebäude fanden nun nicht nur Seminare für Studenten der Universität Greifswald und Kurse anderer deutscher Universitäten statt, sondern auch sogenannte „Hydrobiologische und ökologische Ferienkurse", an denen Lehrer, Studenten fremder Universitäten und Hobbybiologen teilnehmen konnten, sofern sie mit einem Mikroskop umzugehen verstanden. Diese Kurse erfreuten sich großer Beliebtheit und wurden auch von ausländischen Teilnehmern, vor allem aus Schweden, besucht. 1935 konnte in einer Zwangsversteigerung das Haus Peggy für 4500 RM erworben werden, das nun als Wohnhaus für den 1. Stationsassistenten und später für Leick selbst diente. Aber auch damit verfügte die Station immer noch über kein winterfestes Gebäude auf der Insel. 1935 richtete die Universität in Greifswald ein „Institut für Pflanzenökologie" unter der Leitung Leicks ein, an dem die Hiddenseer Forscher nun außerhalb des Sommers ihre Arbeiten fortsetzen konnten. 1936 sah es so aus, als könne Leick die Pension „Haus am Hügel" in Kloster ebenfalls in einer Zwangsversteigerung erwerben, aber der überschuldeten Besitzerin Elise Hirsekorn gelang es im letzten Moment, die Versteigerung doch noch abzuwenden. Erst 1938 konnte mit dem Kauf des unmittelbar neben den bisherigen Stationsgebäuden gelegenen Hauses von Dr. Friedel ein erstes festes Gebäude erworben werden. In den Jahren 1939 - 1943 wurde schließlich in Fortsetzung der von der Pommerschen Heimstätte errichteten „Siedlung" unter großen Schwierigkeiten noch ein Doppelwohnhaus zur Unterbringung von Stationsmitarbeitern mit ihren Familien gebaut.

Ende 1936 hatte Leick mit der Begründung, dass „Station ein durchaus vermeidbares Fremdwort ist", die Umbenennung in „Biologische Forschungsanstalt Hiddensee" beantragt und erreicht.[125] 1937/38 setzte er zu einem noch größeren Coup an, der ihm allerdings misslang. Auf dem Gutshof in Kloster gab es zunehmende Schwierigkeiten, und der inzwischen hoch verschuldete und kranke Gutspächter Paul Wüstenberg wollte die Pacht aufgeben. Leick versuchte nun die staatlichen Stellen und die Universität zum Ankauf oder zur Pachtung des gesamten Gutes zu bewegen, um dort ein landwirtschaftliches Versuchsgut in großem Stile einzurichten und auf diesem Umweg vielleicht auch die Wiedererrichtung einer landwirtschaftlichen Fakultät in Greifswald zu erreichen. Ihm schwebte vor allem der großflächige Versuchsanbau von Arzneipflanzen vor. Zugleich wollte Leick durch eine weniger intensive Nutzung der landwirtschaftlichen Flächen und durch eine Kontrolle über die zum Gut gehörenden Ländereien auf dem Bessin und dem Gellen den Naturschutz auf der Insel befördern. In schwierigen Verhandlungen hatte er - gegen die Interessen des Gutspächters, der dafür eine Ausgleichszahlung erhielt - bereits erreicht, dass Teile des Dornbuschs, des Bessin und des Schwedenhagen am 3.2.1937 vom Stettiner Regierungspräsidenten unter Naturschutz gestellt wurden.

Die Stadt Stralsund lehnte einen Verkauf des Gutes an die Universität ab, da sie eine Einschränkung der Ausflugsmöglichkeiten ihrer Bürger auf die Insel befürchtete. Über eine Verpachtung wurde aber längere Zeit ernsthaft verhandelt. In diesem Zusammenhang besuchte sogar Reichserziehungsminister Rust am 2. Juni 1938 für einige Stunden die Insel und die Forschungsanstalt. Es war der ranghöchste Besuch, den Hiddensee in der Nazi-Zeit zu verzeichnen hatte, und der Minister wurde selbstverständlich entsprechend empfangen, wie Lehrer Berg in der Schulchronik von Kloster berichtet:

> „Auf dem Bollwerk hatten die Marine-SA, der BDM, die HJ, Jungmädels und Jungvolk Aufstellung genommen. Der Minister wurde vom Ortsgruppenleiter begrüßt und von Käte D. wurde ihm ein Blumenstrauß überreicht. Der Minister war anscheinend von dem Empfang, an dem sich selbstverständlich auch sämtliche Hiddenseer Schulen beteiligten, sichtlich erfreut."

Aber obwohl Rust sich angeblich beeindruckt von der Arbeit und den Einrichtungen der Forschungsanstalt zeigte, so dass Leick sich schon am Ziel seiner Wünsche glaubte, lehnte er dann die Pachtung doch kategorisch ab. Anbauversuche medizinischer Heilpflanzen gebe es bereits auf Rügen, auf Hiddensee seien keine anderen Ergebnisse zu erwarten, und im übrigen habe die Universität Greifswald wahrlich wichtigere Probleme als den Arzneipflanzenanbau auf Hiddensee, beschied das Ministerium kühl den Rektor.[126] Hintergrund dieser Entscheidung war sicher auch, dass die Aufgabe landwirtschaftlicher Güter weder in das Konzept der Produktionsschlacht des Vierjahresplanes noch in die nationalsozialistische Blut-und-Boden-Ideologie insgesamt passte.

Die anfänglich von Martin Schott geleitete ornithologische Abteilung beschäftigte sich zunächst mit der Beobachtung des Vogelzuges sowie mit der Beringung der am Leuchtturm eingefangenen Zugvögel mit Ringen der Vogelwarte Rossitten. Nach dem Weggang Schotts an den Zoologischen Garten Breslau kam zum 1.4.1934 der Ornithologe Dr. Richard Stadie (1904 - 1972) als wissenschaftlicher Hilfsarbeiter nach Kloster, wo er noch bis 1939 nicht fest angestellt war, sondern nur kärglich mit einem Stipendium der Deutschen Forschungsgemeinschaft und später mit einer sogenannten Dozentenbeihilfe bezahlt wurde. Über die Zugbeobachtung hinaus widmete Stadie sich verstärkt der Physiologie des Vogelzuges, d.h. der Frage, durch welche physiologischen, etwa hormonellen, Prozesse der Vogelzug ausgelöst und gesteuert wurde. Zur Durchführung physiologischer Experimente wurden auf dem Dornbusch ausgedehnte Freilandvolieren angelegt und im ehemaligen Nebelsignalschuppen gekäfigte Vögel untergebracht. Parallel zu den hydrobiologisch-ökologischen Ferienkursen führte Stadie regelmäßige ornithologische Kurse durch, die ebenfalls für Nicht-Studenten offenstanden.

Durch Erlass des Reichsforstmeisters - das war Hermann Göring - vom 14.8.1936 wurde der Hiddenseer ornithologischen Abteilung offiziell die Bezeichnung „Vogelwarte“ verliehen. Hiddensee wurde damit neben Rossitten und Helgoland die dritte deutsche

Vogelwarte, verzichtete jedoch auf eine eigene Beringung, sondern verwendete weiter die Ringe von Rossitten, wohin dann auch weiter ausschließlich die Fundmeldungen gingen. 1937 habilitierte Stadie sich an der Universität Frankfurt/M. und trat der NSDAP bei, 1938 nahm er am Internationalen Ornithologenkongress in Rouen (Frankreich) teil und referierte über „Licht- und Schattenseiten des zugphysiologischen Experiments". Am 30.8.1939 wurde er endlich zum Dozenten der Universität Greifswald und gleichzeitig ins Beamtenverhältnis auf Lebenszeit berufen.

Zu diesem Zeitpunkt war er schon zur Wehrmacht einberufen. Er nahm an den Eroberungszügen in Polen, Frankreich und Russland teil, stieg schnell vom Gefreiten zum Oberleutnant auf und erlitt am 12.11.1942 in Russland eine schwere Schädel- und Gehirnverletzung, von der er sich nie mehr richtig erholen sollte. Nach einjährigem Lazarett- und Klinikaufenthalt kehrte er im Oktober 1943 nach Greifswald und nach Kloster zurück, wo Biologische Forschungsanstalt und Vogelwarte seit längerem praktisch verwaist waren. Leick hatte sich ja bei Kriegsbeginn freiwillig zur Luftwaffe gemeldet. Als der Krieg dann doch länger dauerte als erwartet, war es ziemlich schwierig, ihn wieder frei zu bekommen, und Leick konnte erst zum Wintersemester 1940/41 nach Greifswald und im Frühjahr 1941 nach Hiddensee zurückkehren. Dort waren inzwischen alle wissenschaftlichen Mitarbeiter und auch der Hausmeister eingezogen worden, so dass die wissenschaftliche Arbeit weitgehend zum Erliegen kam. In den letzten Kriegswochen hatte Stadie, der als Oberleutnant und SA-Sturmführer hierfür geeignet erschien, noch versucht, einen Volkssturm auf der Insel auf die Beine zu stellen, und sich dabei einigermaßen lächerlich gemacht. Wegen seiner Gehirnverletzung galt er ohnehin inzwischen als ein bisschen verrückt. Kurz vor der Ankunft der Roten Armee setzte Stadie zum Bug über und flog vom dortigen Fliegerhorst in den Westen. „Das Gelächter der Hiddenseer begleitete ihn, als er mit seiner Familie mit einem Motorboot vom Kloster'schen Bollwerk abfuhr", berichtet Heinrich Berg in seiner Chronik.

9.7 Hiddensee im Krieg

Als am 1. September 1939 mit dem Überfall deutscher Truppen auf Polen der Zweite Weltkrieg begann, war die Sommersaison im Grunde schon vorbei. Die letzten Gäste verließen fluchtartig die Insel, die Dampfer nach Stralsund waren überfüllt. Alle wollten erst einmal nach Hause, auch um dort die nun erforderlichen Lebensmittelmarken zu erhalten. Dafür kamen Soldaten auf die Insel, die die Flak-Stellungen am Enddorn und auf dem Swanti besetzten, und ein größeres Arbeitskommando, um diese Stellungen in Windeseile endgültig fertigzustellen. Am 13.9.1939 besichtigte der Inselkommandant Rügen - Hiddensee gemeinsam mit dem Kommandeur der Marine-Flakabteilung 213 die Stellungen auf Hiddensee. Aber schon Ende November 1939 kam der Befehl, diese wieder abzubauen. Innerhalb von zwei Tagen waren Geschütze und Scheinwerfer abmontiert und verschwanden mitsamt den Soldaten in Richtung Westen, um den Flak-Schutz im Nordseegebiet zu verstärken.[127] Allein die Munition verblieb bis zum Kriegsende in den Bunkern am Enddorn. An die Stelle der Flakabteilung trat eine militärische Flugwache, die zunächst auf dem Leuchtturm, später auf einem zwischen Leuchtturm und Klausner erstellten hölzernen Beobachtungsturm eingerichtet wurde. Besetzt war die Wache mit älteren Wehrpflichtigen von der Insel, die dort während des ganzen Krieges ein beschauliches Leben führten. Denn militärische Angriffe auf Hiddensee hat es bis zur kampflosen Besetzung durch die Rote Armee in der Nacht vom 5. zum 6. Mai 1945 nicht gegeben.

Bei Fliegeralarm wurde der Leuchtturm abgestellt, es herrschte eine gespenstische Dunkelheit, und man hörte die Flugzeuge über die Insel fliegen. Später sah man sie auch am Tag hoch am Himmel, aber sie warfen ihre Bomben immer woanders ab, in Stettin, in Stralsund, in Peenemünde, aber niemals auf Hiddensee. Einmal detonierte am Vitter Strand eine Mine, die sich aus der Bodenverankerung losgerissen hatte, und versetzte den Hiddenseern einen gehörigen Schreck. Aber das war es denn auch schon an Kriegshandlungen. Die bei Kriegsbeginn an den Schulen gegrabenen

Unterstände wurden nicht benötigt und verfielen bald. Wieder einmal: Glückliche Insel Hiddensee - auch im Krieg, zumal sie von den in den Städten gegen Kriegsende herrschenden Versorgungsschwierigkeiten weitgehend verschont blieb. Die Fischer nahmen es mit ihrer Ablieferungspflicht nicht so genau, und so war Heinrich Berg etwa in der Lage, regelmäßig einigen Räucherfisch für Gerhart Hauptmann nach Agnetendorf zu schicken. Natürlich wurden die jungen Männer zur Wehrmacht, vor allem zur Marine, eingezogen, und eine Reihe von ihnen kam nicht zurück.

Abgesehen davon bemerkte man den Krieg auf der Insel noch am ehesten an den verschiedensten Flüchtlingen, die sich dort einfanden. Bereits im September 1938 hatte Hiddensee eine Anzahl von Flüchtlingen aus dem Sudetenland aufnehmen müssen, die aber nach Abschluss des Münchener Abkommens und der Besetzung des Sudetenlandes durch Deutschland bald wieder in ihre Heimat zurückkehrten. Partei und NSV sammelten für die Flüchtlinge auf der Insel, und die Hiddenseer gaben reichlich, denn, so Heinrich Berg in seiner Chronik, sie ahnten nicht, was ihnen noch bevorstehen würde. Im Laufe des Krieges kamen dann allmählich immer mehr Menschen, vor allem Frauen und Kinder, aus den „luftgefährdeten" Gebieten. Den Anfang machte im Frühjahr 1940 eine Kindergruppe aus dem Ruhrgebiet. Den Kindern, die in Hiddenseer Familien untergebracht wurden, gefiel es auf der ruhigen, friedlichen Insel so gut, dass sie nicht wieder nach Hause zurück wollten. Wer ein Sommerhaus auf Hiddensee oder sonstige gute Beziehungen zur Insel hatte, neigte bei zunehmender Kriegsdauer dazu, zumindest Frau und Kinder den ganzen Sommer oder auch dauerhaft nach dort zu bringen. Dann kamen die, die in Berlin, Hamburg oder zuletzt auch in Stralsund ausgebombt waren. Nach den schweren Bombenangriffen auf Hamburg Ende Juli 1943 musste Hiddensee eine größere Flüchtlingsgruppe von dort aufnehmen. So wurde die kleine Insel langsam immer voller. Die Unterbringung der Menschen in den Hotels und privaten Quartieren war an sich kein großes Problem. Allerdings waren fast alle dieser Zimmer, auch in den Hotels, damals noch nicht heizbar, so dass überall irgendwelche transportablen

Öfen und elektrischen Kochplatten aufgestellt wurden. Letztere nutzten im letzten Kriegsjahr dann auch nicht mehr viel, da nun oft den größten Teil des Tages der Strom gesperrt war. Wenn der Strom meist nach Mitternacht für einige Stunden wieder angeschaltet wurde, musste man schnell vom Kochen bis zum Abhören des englischen Rundfunks alles machen, wofür man eben Strom brauchte.

Den ganzen Krieg über waren verschiedene ausländische Arbeitskräfte auf dem Gutshof eingesetzt. Schon Ende September 1939 trafen 450 polnische Kriegsgefangene auf dem Bug ein, die auf Rügen und Hiddensee als Landarbeiter verteilt wurden. Zeitweilig arbeitete auch eine Gruppe von Italienern auf der Insel, die letzten neun kehrten zu Weihnachten 1942 in ihr damals noch mit Deutschland verbündetes Heimatland zurück. Als Ersatz kamen in der zweiten Kriegshälfte immer mehr Zwangsarbeiter, auch junge Frauen, aus der Sowjetunion. Darunter waren einige sehr gebildete Menschen, die gut Deutsch sprachen. Eine Russin gebar auf Hiddensee ein Kind. Diese „Ostarbeiter“, deren Zahl bei Kriegsende etwa 40 betrug, waren in primitiven Quartieren auf dem Gut untergebracht und unterstanden der Befehlsgewalt durch den Bürgermeister und Ortsgruppenleiter Robert Mann. Dieser kontrollierte, begleitet von Soldaten der Flugwache und selbst schwer bewaffnet, regelmäßig die Unterkünfte der Zwangsarbeiterinnen und Zwangsarbeiter und verhängte auch bei kleinen „Verstößen“, etwa gegen das abendliche Ausgehverbot, harte Geldstrafen. Dieses schikanöse Verhalten gegenüber den Menschen aus Russland und der Ukraine sei Mann, so urteilt Heinrich Berg in seiner Chronik, schließlich zum Verhängnis geworden und habe ihn das Kriegsende nicht überleben lassen.

Neben die verstärkten Altmaterialsammlungen trat während des Krieges das intensive Ablesen der Sanddornfrüchte durch die Hiddenseer Schulkinder. Der Sanddorn enthält viel Vitamin C, außerdem gab es Anzeichen, dass Sanddornpräparate zur schnelleren Heilung von Verwundungen beitragen konnten. Die Biologische Forschungsanstalt forschte auf diesem Gebiet, und die verarbeitende Firma Augustin in Berlin setzte Ernteprämien aus. Der beste Schüler H. K. brachte es 1943 auf eine Ablieferung von über 300 kg Sanddornfrüchten! Im September 1944 wurden auch viele Hiddenseerinnen und Hiddenseer verpflichtet, zwischen Schneidemühl und Deutschkrone Schützengräben auszuheben und Panzersperren für die „Pommernstellung" zu bauen. Die Mädchen und Frauen kamen zu Weihnachten, die Männer im Januar 1945 zurück und sollten hier nun im Volkssturm unter Leitung von Dr. Stadie dienen. Bei einem schweren Tagesangriff auf Stralsund am 6. 10. 1944 kamen im Luftschutzbunker am Neuen Markt einige Hiddenseer ums Leben, sie wurden auf dem Friedhof in Kloster beigesetzt.

9.8 Dieses Mal kommen die Russen: Die Besetzung der Insel und das Ende des Bürgermeisters

In den letzten Kriegswochen kamen immer mehr Flüchtlinge auf das ferne und ruhige Hiddensee, zuletzt waren es insgesamt 5.000 bis 6.000. Darunter befanden sich auch einige „Prominente", wie Professor Erich Leick, Otto Gebühr mit seiner jungen Frau oder Dr. Peter Jaeckel, der Sohn des Malers Willy Jaeckel. Zunächst kamen die meisten Flüchtlinge aus Ostpreußen und Hinterpommern, dann aus der Gegend von Anklam und Greifswald, und ganz zuletzt verließen viele Stralsunder in Panik ihre Stadt, weil sie hofften, auf der Insel sicherer zu sein. In Stralsund befand sich auch der Gauleiter und „Reichsverteidigungskommissar" Schwede-Coburg, der am Abend des 29.4.1945 die Bevölkerung zum Verlassen der Stadt aufforderte, was die panikartige Flucht nach Hiddensee weiter verstärkte. Noch am Vormittag des 1.5.1945, als die Rote Armee schon den Stadtrand erreicht hatte, verließ die „Insel Hiddensee" nochmals übervoll beladen mit Flüchtlingen den Stralsunder Hafen. Viele Menschen kamen auch mit allen möglichen eigenen Booten auf die Insel, so dass die Hafeneinfahrten dort ganz verstopft waren. In der Nacht vom 30.4. zum 1.5.1945 setzten die letzten deutschen Truppen und einige versprengte SS- und HJ-Einheiten nach Rügen über. Ein Trupp Waffen-SS landete vom Barhöft aus an der Südspitze Hiddensees und löste dort die Besorgnis aus, sie könnten die militärische Verteidigung der Insel versuchen. Sie fuhren dann aber schließlich zum Bug weiter und ließen sich von dort, wie viele andere auch, in den Westen ausfliegen. Durch hinhaltende Kapitulationsverhandlungen gelang es dem Inselkommandanten von Rügen, Generalmajor Voigt, zu erreichen, dass bis zum frühen Morgen des 5.5.1945 alle deutsche Truppen mit Schiffen den Hafen von Saßnitz in Richtung Westen verlassen konnten.

Die Rote Armee hatte bereits im Lauf des vorangegangenen Tages, Freitag, dem 4.5.1945, mit der langsamen Besetzung Rügens begonnen. Ihre Spitzen erreichten am späten Abend des 4.5.1945 Schaprode und den Seehof. Auf Hiddensee hatte inzwischen Rektor Heinrich Berg, der 1933 von den Nazis als Amtsvorsteher abgelöst worden war, wieder das Regiment übernommen. In Absprache mit dem Gutspächter Rüdiger von Hagen und Dr. Peter Jaeckel erließ Berg am Abend des 3.5.1945 einen Aufruf an die Bevölkerung, am nächsten Morgen weiße Flaggen zu hissen, was allgemein befolgt wurde. An diesem Morgen des 4.5.1945 ging Berg zu Robert Mann in dessen Haus in Kloster, um ihn als Bürgermeister für abgesetzt zu erklären. Er fand „einen vollkommen gebrochenen Mann vor", der zitternd am Ofen stand und Berg anstands- und wortlos die Schlüssel zum Bürgermeisteramt aushändigte. Berg stellte nun unter Einbeziehung einiger Fremdarbeiter einen Sicherheitsdienst zusammen und ließ von diesem kurzerhand ein im Bodden liegendes Getreideschiff beschlagnahmen. Es klappte tatsächlich: „Nach anfänglichem Sträuben hat der Kapitän dann aber die 320 Ctr. Roggen und 50 Ctr. Erbsen herausgerückt", berichtet Berg in seiner Chronik. Er ließ schließlich das Hotel Dornbusch, das mit Flüchtlingen voll belegt war, für die zu erwartenden sowjetischen Truppen räumen und zu deren Empfang auch ein gutes Essen vorbereiten und den Speisesaal festlich eindecken.

Am späten Abend des 4.5.1945 kam von der Fährinsel ein Anruf, dass einige russische Soldaten vom Seehof herübergeholt werden wollten. Berg begab sich mit Herrn von Hagen und einem Ostarbeiter als Dolmetscher, er hieß Terentscheff, zum Bollwerk in Vitte, wo noch der alte Sozialdemokrat Karl Dinse hinzukam. Ansonsten war das Bollwerk menschenleer, es war eisekalt und die ganze Insel stockdunkel, da es natürlich schon seit längerem keinen Strom mehr gab. Um 22.00 Uhr traf das erste Boot eines Vitter Fischers mit etwa 20 Soldaten ein, die natürlich von dem russischen Dolmetscher Terentscheff herzlichst begrüßt wurden. Dieser erste Trupp ging, nachdem man ihnen den Weg dorthin genau erklärt hatte, nach Neuendorf. Im Laufe der Nacht kamen weitere Gruppen von Soldaten, um 5.00 Uhr erschien schließlich der Kommandant, Major Tscherbina. Heinrich Berg übergab ihm mit einer kurzen Ansprache die Insel und begleitete ihn dann nach Kloster zum Hotel Dornbusch. Auf dem Weg ließ der Major sich offenbar von Terentscheff die Situation auf der Insel erklären, wobei Berg mehrmals das Wort „Bürgermeister“ fallen hörte. Kaum im Dornbusch angekommen, ging Major Tscherbina mit Terentscheff zum Haus von Robert Mann, um ihn festzunehmen. Als sie in dessen Vorgarten eintrafen, nahm Mann seine Pistole und erschoss sich. In der Nacht vom 4. zum 5.Mai 1945 hat sich in Vitte noch die dreiköpfige Familie des Schiffsrestaurateurs Gottlieb Schneckenburger erschossen. Treibende Kraft war hier die Tochter gewesen, eine überzeugte Nationalsozialistin, die, wie sie in einem Abschiedsbrief schrieb, nach dem Zusammenbruch Deutschlands nicht mehr weiterleben zu können glaubte.

Tscherbina verhängte ein abendliches Ausgehverbot ab 21.00 Uhr und forderte die Bevölkerung zur Ablieferung aller Waffen, Radiogeräte und Fotoapparate auf. Er wurde mit seinen Truppen schon nach drei Tagen wieder abgelöst, das neue Kommando quartierte sich im Strandhotel in Vitte ein, die folgende Ablösung dann im Haus am Meer in Kloster. Den Sommer über war ein etwa 60 Mann starkes Kosakenkommando mit 80 Pferden auf Hiddensee stationiert, im September kam eine Infanterietruppe. Am 29.1.1946 verließen die russischen Truppen die Insel wieder und ließen dort lediglich eine zweiköpfige Leuchtturmwache zurück. Ende Februar 1946 kam nochmals ein größeres Kommando, um die Flak-Stellungen am Enddorn zu sprengen. Natürlich ging es bei dieser etwa neunmonatigen Besatzungszeit nicht immer friedlich ab. Die russischen Soldaten nahmen den Menschen vor allem in den ersten Wochen die Uhren, wertvollere Kleidung und sonstiges Hab und Gut ab. Nachts wurde überall eingebrochen, die Soldaten requirierten Lebensmittel und Schnaps, schlachteten Schweine und Schafe, nahmen die vorhandenen Pferde mit. Nacht für Nacht mussten die Frauen sich schon sehr gut verstecken, wenn sie einer Vergewaltigung entgehen wollten. Die Häuser der Fährleute wurden in der ersten Zeit nachts so oft überfallen und ausgeraubt, dass diese sich dazu entschlossen, die Nächte in der Heiderose zu verbringen. Aber auch dort sei jede Nacht etwas anderes losgewesen, man habe in ständiger Aufregung gelebt, schreibt Fährmann Heinrich Gau in einem im Juni 1946 abgefassten Erinnerungsbericht.[128]

Aber insgesamt scheint die Insel auch hier wieder einigermaßen glimpflich davon gekommen zu sein. Nach einigen Monaten bezahlten die Soldaten in der Regel bereits die von ihnen in Anspruch genommenen Lebensmittel, und im Sommer waren dann schon einige Freund- und Liebschaften zwischen den Kosaken und jungen Hiddenseerinnen zu verzeichnen. Die Besatzung dauerte nur 9 Monate, und vor allem gingen von den Zwangsarbeitern auf dem Gutshof keine größeren Plünderungen aus, wie das etwa auf Rügen sonst oft der Fall war. Diese beschränkten sich darauf, in größeren und kleineren Gruppen lachend und singend durch Kloster zu ziehen und so ihre Befreiung zu feiern. Die Hiddenseer waren auch, um Plünderungen zu verhindern, so schlau gewesen, sofort nach Kriegsende für die Zwangsarbeiter Kleidung und wichtige Gebrauchsgegenstände zu sammeln und im Gutshof abzuliefern. Dafür beteiligten sich manche Einheimische selbst an manchen Plünderungen, etwa der Wehrmachtsanlagen am Enddorn, des Rettungsschuppens in Kloster oder der Vogelwarte auf dem Dornbusch.

Auch für die Beschlagnahme des Vermögens von Kriegsverbrechern und aktiven Nazis gab es auf Hiddensee nicht allzu viel Gelegenheit. Emma Mann wurde mit ihren Töchtern im Februar 1946 aus ihrem Haus herausgesetzt und fand in einem Zimmer bei Frau Bentzien in Kloster Unterschlupf. Das Haus der Familie Mann wurde durch Beschluss der Deutschen Wirtschaftskommission vom 21.9.1948 in Volkseigentum überführt und in die Verwaltung durch die Gemeinde Hiddensee übergeben. Die „Villa Antoinette“ des am 30.6.1934 erschossenen Dr. Joachim Hoffmann in Vitte wurde am 26.6.1946 sequestriert und am 15.4.1947 enteignet.

Schon vom ersten Kommandanten, Major Tscherbina, waren Heinrich Berg zum Bürgermeister und Dr. Peter Jaeckel zu seinem Stellvertreter eingesetzt worden. Bergs erste Sorge galt dem Rücktransport der vielen Flüchtlinge, die mit den auf der Insel vorhandenen Lebensmitteln nicht längere Zeit hätten versorgt werden können. Mit etwas Druck, wie er selbst schreibt, gelang ihm tatsächlich der erste Abtransport schon am Sonntag, dem 6.5.1945 (!). Und unter Anwendung desselben Drucks, nämlich der Androhung einer Verhaftung durch die Besatzungsarmee, konnte in den ersten Wochen die große Mehrzahl der Flüchtlinge zum Verlassen der Insel bewegt werden. Sodann kümmerte Berg sich vor allem um die Frühjahrsbestellung auf dem Gutshof, für die die russischen Zwangsarbeiter ja nicht mehr zur Verfügung standen. Also wurden alle irgendwie verfügbaren Flüchtlinge und Hiddenseer, und das waren in der Mehrzahl ja nur Frauen und Mädchen, zur Arbeit auf dem Hof dienstverpflichtet, wobei das bewährte Druckmittel wiederum sehr hilfreich war. Zu den so zur Arbeit Verpflichteten gehörten etwa auch die Frauen von Otto Gebühr und Dr. Peter Jaeckel. Im Frühjahr und Sommer 1945 war Hiddensee von der Außenwelt fast vollständig abgeriegelt und auf sich allein gestellt. Es gab keine Schiffs- und Telefonverbindungen mehr, allein dem Bürgermeister Berg hatte man einen Telefonapparat belassen. So konnte Berg denn, mit den sowjetischen Truppen im Rücken, ziemlich schalten und walten, wie er es für richtig hielt.

Am 20. Mai kam ein sowjetischer Offizier nach Hiddensee und ließ alle dort noch verbliebenen und versteckten Wehrmachtsangehörigen festnehmen und in ein Gefangenenlager in Neubrandenburg-Fünfeichen überführen, von wo aber alle im Laufe des Sommers wieder entlassen wurden. Nach der Festsetzung der ehemaligen Soldaten begannen die Sowjets damit, die ehemaligen Parteimitglieder zu überprüfen, und diejenigen, die eine Funktion in der Nazi-Bewegung innegehabt hatten, kamen ebenfalls ins Lager Neubrandenburg. Es waren vielleicht ein Dutzend Personen, die in diesen Monaten auf der Insel verhaftet wurden, 3 oder 4 von ihnen kehrten nicht lebend zurück. Ende Juli 1945 wurde auch Bürgermeister Heinrich Berg, seit 1937 Parteimitglied, festgenommen und musste einige Tage in einem Arrestlokal in der Kreisstadt Bergen verbringen. Nach verschiedenen Verhören wurde er wieder entlassen, inzwischen war auf Hiddensee aber der Kapitän Otto Gau von den Besatzungstruppen zum neuen Bürgermeister ernannt worden. Berg verzichtete nun auch auf ein weiteres politisches Engagement und kehrte in den Schuldienst zurück.

10. „Ferieninsel der Werktätigen“: Hiddensee im Sozialismus

10.1 Parteigründungen, Bodenreform und „antifaschistische Umwälzung“ 1945/46

Noch im Laufe des Jahres 1945 wurden auf Hiddensee Ortsgruppen der SPD und KPD gegründet, wobei erstere die eindeutig höhere Mitgliederzahl besaß. Zu weiteren Parteigründungen kam es zunächst nicht. Anführer bei der KPD waren Walter Dereskewitz und Josef, genannt Sepp, Kreuzer. Der 55jährige Dereskewitz war Flüchtling aus Danzig, wo er schon 1921 der KPD beigetreten war. Der 1920 in Mannheim geborene Sepp Kreuzer war 1932/33 Mitglied der Sozialistischen Jugend „Die Falken“ und im Krieg bei der Luftwaffe in Parow bei Stralsund stationiert gewesen. Am 20.2.1946 wurde er zum Ersten Sekretär der KPD Hiddensee gewählt, diese Funktion behielt er auch in dem am 18. 6. 1946 gegründeten SED-Ortsverband bei. In den 60er Jahren war er einige Zeit Bürgermeister. Die Führung in der SPD übernahm im Herbst 1945 ein Assessor Belusa aus Königsberg, der Ende des Jahres nach dem Rücktritt von Otto Gau auch zum nun schon dritten Nachkriegsbürgermeister bestimmt wurde. Während Belusa im Rathaus in Vitte residierte, erfüllte Walter Dereskewitz die Funktion eines Unterbürgermeisters in Kloster. Er besaß hierzu ein Büro im Hotel Hitthim. Bald tauchten Gerüchte auf, Belusa sei in Königsberg ein Nazi-Führer oder jedenfalls Ortsbauernführer gewesen, woraufhin er sich eines Tages bei Nacht und Nebel in den Westen absetzte. Sein Nachfolger als Bürgermeister wurde der ehemalige SPD-Mann Willi Rosin.

Bürgermeister der Gemeinde Insel Hiddensee 1945 - 1996

Heinrich Berg	Mai - Juni 1945
Otto Gau	Juli - ca. Ende 1945
Belusa	1945 / 1946
Willi Rosin (SED)	1946 - 1950
Gertrud Scheumann (NDPD)	1950 - 1952
Hannes Präkel (SED)	1952 - 1955
Willi Rosin (SED)	1955 - 1961
Josef Kreuzer (SED)	1961 - 1966
Walter Niß (SED)	1966 - 1978
Rainer Barth (SED)	1978 - 1985
Ellen Scholz (SED)	1985 - 1986
Bernd Hammelmann (SED)	1986 - 1989
Norbert Ahting	1990 - 1996

Als am 18.6.1946 - zwei Monate nach dem Vereinigungsparteitag von SPD und KPD in Berlin - auf Hiddensee ein SED-Ortsverband gegründet wurde, hatte die SPD hier 77 Mitglieder, die KPD 21. Zu gleichberechtigten Vorsitzenden und Ersten Sekretären wurden Carl Dinse (SPD) und Josef Kreuzer (KPD) gewählt. Im Gründungsprotokoll heißt es:

> „Die gewählten Vorstände und Vorstandsmitglieder des SEPD Ortsverband Hiddensee geloben durch ihre Unterschrift, zum Wohle der SEPD zusammenzuarbeiten, und ihr ganzes Können zum Wohl der SEPD und der öffentlichen Interessen und nicht zuletzt zur Zufriedenheit der sowjetischen Militärregierung einzusetzen.“[129]

Der neugegründete Ortsverband hatte wahrlich einiges zu tun: Die Gemeindeverwaltung musste organisiert, die Lebensmittelversorgung sichergestellt, die Unterbringung der im Sommer / Herbst 1946 zunehmend eintreffenden „Umsiedler“ aus den polnisch und sowjetisch verwalteten Ostgebieten sowie dem Sudetenland irgendwie bewerkstelligt und dabei auch noch die Bodenreform durchgeführt werden.

Die „Bodenreform“, das heißt die Aufteilung aller Güter mit einer Größe von über 100 ha, war für Mecklenburg-Vorpommern durch Verordnung der Landesverwaltung vom 5.9.1945 angeordnet worden. Sie wurde auf Hiddensee aus verschiedenen Gründen erst mit einiger Verzögerung durchgeführt. Zwar gehörte das Klostergut mit ca. 435 ha Größe eindeutig zum Kreis der aufzuteilenden Güter, Eigentümer war aber kein reaktionärer Junker, sondern die Stadt Stralsund, die auch Einspruch gegen die geplanten Enteignungen ihrer zahlreichen Klosterbesitzungen erhob. Zudem war der Gutspächter Rüdiger von Hagen als Opfer des Faschismus anerkannt, da sein Bruder Albrecht von Hagen nach dem gescheiterten Hitler-Attentat am 20.7.1944 hingerichtet und er selbst längere Zeit inhaftiert wurde.

Die erste Versammlung, mit der die Bodenreform auf Hiddensee in Angriff genommen werden sollte, fand am 5.11.1945 noch unter dem Vorsitz von Otto Gau als Bürgermeister statt, zu einem Zeitpunkt, als auf Rügen bereits ca. 75 % der Güter aufgeteilt waren. Durch die große Eile bei der Landverteilung hatte erreicht werden sollen, dass die Neubauern schon die Herbstbestellung auf eigenem Boden durchführen können sollten. Daran war auf Hiddensee nicht zu denken. Im November wurde nun auch hier ein

Ortsbauernkomitee unter Vorsitz von Erich Riebe gebildet und das Klostergut bis zur Frühjahrsbestellung schließlich in 18 Neubauernstellen aufgeteilt. Dazu wurden die Felder und Wiesen zwischen Kloster und dem Enddorn in schmale, ziemlich genau von Nord nach Süd verlaufende Streifen aufgeteilt. Jeder Siedler erhielt 8 ha Acker und jeweils 1 ha Wiese und Wald. Zwölf der Neubauern waren ehemalige Gutsarbeiter bzw. deren Söhne oder Enkel, fünf Bauern waren Flüchtlinge aus Hinterpommern. Der bisherige Gutspächter von Hagen erhielt 2,5 ha Land und den Gutsgarten. Aber von Hagen blieb nicht lange auf der Insel. Er ging zunächst als Leiter der Universitäts-Güterverwaltung nach Greifswald und 1953 dann in den Westen. Das Gelände oberhalb Klosters wurde in 40 Kleinsiedlerstellen aufgeteilt, die in den Folgejahren nach und nach bebaut wurden.[130]

Das vorhandene Vieh wurde auf die Neubauern aufgeteilt. Die bestehenden Gutsställe und -scheunen wurden so unterteilt, dass jeder darin eine private Ecke für sich erhielt. Ähnlich verfuhr man mit dem knappen, verfügbaren Wohnraum im Gutshaus und den bisherigen Landarbeiterhäusern. In Grieben entstanden in den 50er Jahren fünf neue Bauernsiedlungen, dafür wurden nun erstmals auch nördlich des Weges Gebäude errichtet. Der vorhandene Maschinenpark wurde nicht aufgeteilt, sondern auf die 1946 gegründete „Vereinigung der gegenseitigen Bauernhilfe (VdgB)" übertragen. Deren Vorsitzender wurde ebenfalls Erich Riebe, der seit 1943 als Wirtschafter auf dem Gut gearbeitet hatte und sich nun als SED-Mitglied an die Spitze der Bodenreformbewegung stellte. Die Geschäftsführung der VdgB übernahm der gebürtige Hiddenseer und spätere Bürgermeister Hannes Präkel, der zwischen 1940 und 1943 in der Gemeindeverwaltung unter Robert Mann eine Verwaltungslehre absolviert hatte und daher für diesen Büroposten prädestiniert erschien. Präkel war zwar bei Kriegsende Soldat gewesen, hatte sich vor den sowjetischen Truppen aber verstecken können und hatte im Mai 1946 von seinem Großvater Karl Jäntsch, der langjähriger Vorarbeiter auf dem Gut gewesen war, als gerade 20jähriger dessen Neubauernstelle übernommen. Im Juli 1946 trat Präkel der SED bei.

Wie außerordentlich schwierig die Situation anfangs war, zeigt der Verlauf einer Versammlung der Neubauern und des Ortskomitees, die „auf Grund höherer Anordnung“ für den 6.2.1946 ins Hotel „Dornbusch“ einberufen worden war, um den Bauern die Gelegenheit zu geben, ihre Wünsche zu äußern. Offenbar wurde die Gelegenheit genutzt, sich die Sorgen und Probleme einmal richtig von der Seele zu reden, jedenfalls wurde am Schluss ein weitgehender und detaillierter Forderungskatalog beschlossen. Verlangt wurden darin u.a. die Wiederherstellung einer regelmäßigen Schiffsverbindung mit Stralsund, die Zuweisung von 10 - 15 Fass Brennstoff zur Herbeischaffung von Futter- und Düngemitteln und Ersatzteilen sowie für die Inbetriebnahme der beiden Trecker der VdgB, die Zubilligung von einer Million Ziegelsteinen samt Holz, Zement und Kalk zum Bau von Neubauernstellen, die Zuweisung von Brennmaterial, eines gesunden Zuchtbullen und Zuchtebers, von Frettchen für die Kaninchenbekämpfung sowie von Hartholz und Eisen für die Stellmacherei und Schmiede.[131]
Die Einbeziehung des Dornbuschwaldes in die Bodenreform erwies sich schnell als Fehler, da die Neubauern angesichts der allgemeinen Notlage der Versuchung nicht widerstehen konnten, ihren Waldanteil zur Gewinnung von Brennmaterial mehr und mehr abzuholzen. Der Berliner Architekt Otto Firle, der seit vielen Jahren als Sommergast nach Hiddensee kam und dort den Sethe-Hof gebaut hatte, wandte sich von Kloster aus am 22.9.1946 in einem dringenden Appell zur Rettung des Dornbuschwaldes an die Landeskommission für die Bodenreform in Schwerin. Er bat, den Dornbuschwald als Gemeindewald auszuweisen, jeden weiteren Holzeinschlag zu unterbinden und den Siedlern Holz aus dem gegenüberliegenden Bug zuzuweisen. Der mittlerweile amtierende Bürgermeister Willi Rosin und mehrere Gemeinderäte schlossen sich der Petition an, und tatsächlich wurde die Einbeziehung des Dornbuschwaldes in das Bodenreformland wieder revidiert.

Für den Herbst 1946 standen die ersten Wahlen seit dem Zusammenbruch des Nazi-Regimes an. Die Gemeinderäte wurden in Mecklenburg-Vorpommern am 15.9.1946 und die Kreistage und der Landtag am 20. 10.1946 gewählt. Bei der Gemeinderatswahl auf Hiddensee kandidierte allein die SED. Zur Unterstützung der SED im Wahlkampf wurde eine größere Zahl von „Instrukteuren“ aus Sachsen in den ländlichen Norden geschickt. Hugo Koch, Leiter des 6. Parteibezirkes in Leipzig, kam nach Hiddensee und war mit den dortigen Verhältnissen ganz zufrieden. Die SED habe auf der Insel 146 Mitglieder, das waren über 10 % der 1318 Bewohner. Der Parteibezirksleiter Sepp Kreuzer sei ein sehr junger, aber auch sehr rühriger Genosse und besitze das volle Vertrauen der Bevölkerung, da er hier die Bodenreform durchgeführt habe. Er arbeite auch gut mit dem Bürgermeister Willi Rosin zusammen. Die SED nutzte ein Erntefest und ein Kinderfest zum Wahlkampf. Koch und Kreuzer sprachen auch in einer Fischerversammlung:

> „... und ich glaube, bei der Mentalität der hiesigen Menschen auch Erfolg erzielt zu haben. In den letzten Tagen kommen wir nun individuell an die Menschen heran. Die Gen. Rosin, Kreuzer und die Kandidaten sprechen bei jeder Gelegenheit zu den Einwohnern. Alles ist nur noch auf die Wahl eingestellt. ... Weiter halten die Kandidaten von Freitag früh ab im Wahllokal Sprechstunden ab.“[132]

Bei alledem zeigte der sächsische Parteiinstrukteur sich überzeugt, dass die SED auf Hiddensee ein gutes Ergebnis erzielen würde, und er sollte Recht behalten. Bei der Gemeinderatswahl stimmten 86,3 % der Wähler für die SED-Liste, die 13,7 % ungültigen Stimmen wird man als solche gegen die SED interpretieren können. Am interessantesten und aufschlussreichsten ist das Ergebnis der Landtagswahl, da hier beide bürgerlichen Parteien CDU und LDPD kandidierten. Mit 70,9 % lag das Ergebnis der SED auf Hiddensee deutlich höher als im Kreis Rügen und im Land Mecklenburg-Vorpommern. Kann man dies als eine gewisse Fortsetzung der Tradition aus der Weimarer Republik werten, als die Hiddenseer ebenfalls deutlich „linker“ votierten als die Menschen im Kreis Rügen und in Pommern insgesamt? Auf jeden Fall scheint die große Mehrheit der Insulaner im Herbst 1946 die neuen Verhältnisse grundsätzlich akzeptiert zu haben.

Ergebnisse der Kommunal- und Landtagswahlen 1946

	Gemeinderat 15.9.46	Kreistag 20.10.46 Hiddensee	Kreistag 20.10.46 Kreis Rügen	Landtag 20.10.46 Hiddensee	Landtag 20.10.46 Kreis Rügen
Wahlberechtigte	867	951	54.519	951	54.674
Abgegebene Stimmen	812 (93,7%)	876 (92,1%)	48.970 (89,8 %)	884 (92,9%)	49.047 (89,7 %)
Gültig	701 (86,3%)	876 (91,1%)	46.403 (94,7 %)	816 (92,9%)	46.685 (95,2 %)
Ungültig	111 (13,7%)	78 (9,9%)	2.567 (5,3 %)	68 (7,7 %)	2.362 (4,8%)
SED	701 (100%)	588 (73,7%)	24.576 (52,9 %)	578 (70,9 %)	24.390 (52,3 %)
CDU	-----	197 (24,7%)	20.233 (43,6 %)	142 (17,5 %)	18.635 (39,9 %)
LDPD	-----			87 (10,4 %)	2.382 (5,1 %)
VdgB	-----	13 (1,6 %)	1594 (3,5 %)	9 (1,2 %)	1.278 (2,7%)

So wie in der Gemeindeverwaltung, unter den Neubauern und in der VdgB gelang es der SED 1945/46 auch in anderen, wichtigen gesellschaftlichen Bereichen, eine Vorrangstellung einzunehmen. Die seit 1938 amtierende Geschäftsführerin der Spar- und Darlehenskasse, Margarete Herwig, die schon vor 1933 Mitglied der SPD gewesen war, trat am 1.5.1946 der SED bei und blieb Leiterin der Raiffeisenbank in Vitte. Von besonderer Bedeutung war das Schulwesen. Im Januar 1946 wurden alle Lehrer, da sie sämtlich Mitglied der NSDAP gewesen waren, aus dem Schuldienst entlassen. Ersetzt wurden sie zunächst durch unausgebildete Schulhelferinnen und dann durch Schulamtsbewerber, die in Schnellkursen auf ihren neuen Beruf vorbereitet worden waren. In Vitte war dies Kurt Baars, eigentlich Anstreicher, seit 21.1.1946 Mitglied der KPD, der von März bis Juli 1946 an einem Lehrerlehrgang in Stralsund teilgenommen hatte. Nach Neuendorf kam Erwin Könnecke, der 1946/47 die Lehrerbildungsanstalt in Putbus besucht hatte und seit September 1946 Mitglied der SED war. Beide übernahmen schnell wichtige Parteifunktionen auf Hiddensee und kandidierten 1950 für den Gemeinderat. Könnecke war zudem für den Aufbau der FDJ und der Jungen Pioniere zuständig. In Kloster meldete Heinrich Berg sich nach seiner Entlassung aus der Haft in Bergen bei der SED an und konnte so nach einigen Monaten wieder in den Schuldienst zurückkehren. Der langjährige Neuendorfer Lehrer Willi Gruhn, seit 1937 NSDAP-Mitglied wie Heinrich Berg, musste sich hingegen mehrere Jahre als Fischer durchschlagen.

10.2 Parteien und „Massenorganisationen" - ohne Massen

Alle paar Jahre erschienen auf der Insel ein Instrukteur, Kontrolleur oder gleich eine ganze Brigade der SED-Kreis- oder Bezirksleitung oder des Rates des Kreises, um die politische Situation und die politische Arbeit auf Hiddensee zu analysieren. Und alle waren sich in ihrem höchst negativen Urteil durchweg einig: Die Arbeit der SED auf der Insel sei schlecht und unbefriedigend, es gebe große ideologische Unklarheiten, niemand habe eine Parteischule besucht oder sei bereit, dies in Zukunft zu tun. Die soziale Zusammensetzung der Parteileitung sei schlecht, da es darin nur Angestellte und Gewerbetreibende gebe, die Partei kungele mit bürgerlichen Kräften und lasse der NDPD zu viel Raum, und überhaupt seien die Hiddenseer, die fast alle in eigenen Häusern wohnten, insgesamt zu bürgerlich und kleinbürgerlich. Die SED sei überaltert, die Hälfte der ohnehin verschwindend wenigen Mitglieder seien Rentner, Jugendliche unter 25 Jahren gebe es überhaupt keine, es werde nicht genug Wert auf die Gewinnung neuer Kandidaten gelegt.

So oder so ähnlich sahen die Berichte immer aus, und das Resumé war meistens, dass die führende Rolle der Partei der Arbeiterklasse auf Hiddensee nicht verwirklicht sei und dass Hiddensee bei der Entwicklung der sozialistischen Demokratie der DDR-Gesellschaft immer um Jahre hinterherhinke. Eine Arbeiterklasse gab es hier ja auch nicht. Diejenigen, die man noch am ehesten hätte dazuzählen können, die „werktätigen" Fischer, hielten sich hartnäckig zurück. Sie hatten das Gefühl, mit der Marine-SA einmal schwer auf das falsche Pferd gesetzt zu haben, und wollten diesen Fehler nicht wiederholen. Dementsprechend hat es eine Wohngebiets-Parteiorganisation immer nur in Vitte und Kloster, nie aber in Neuendorf gegeben, noch 1964 gab es kein einziges SED-Mitglied in den beiden FPG's. Nach Gründung der LPG Dornbusch versuchte man Anfang der 60er Jahre, hier eine Betriebs-Parteiorganisation zu bilden, die aber nie über 5 oder 6 Mitglieder hinauskam und, wie die LPG selbst auch, schon bald wieder in der Versenkung verschwand. Symptomatisch für die Situation auf Hiddensee war sicher auch, dass die letzten 15 Jahre vor der Wende der Vorsitz der Orts-Parteileitung in den Händen der promovierten Akademiker Dr. Axel Siefke (Vogelwarte) und Dr. Egon Schlieker (FPG) lag.

Die Mitgliederzahlen gingen nach einer gewissen Gründungseuphorie 1946 rapide und drastisch zurück und stagnierten dann seit etwa 1960 auf einem niedrigen Niveau. Seit den 60er Jahren zählte man auch die SED-Mitglieder in den auf der Insel stationierten Grenztruppen mit dazu, was die Zahlen wieder ein wenig besser aussehen ließ. In Abständen von einigen Jahren beschloss die Kreisleitung in Bergen, sich um die missliche Situation auf

Hiddensee zu kümmern. Dann sollte regelmäßig ein Genosse der Kreisleitung an den Versammlungen auf Hiddensee teilnehmen, die Künstler und ständigen Gäste, oft natürlich SED-Mitglieder, sollten in die Parteiarbeit mit einbezogen werden. Dann wurden Listen von jungen Werktätigen erstellt, die in persönlicher Aussprache für eine Kandidatur zur SED-Mitgliedschaft gewonnen werden sollten. Im Winterhalbjahr 1972/73 veranstaltete die Kreisschule für Marxismus-Leninismus sogar einen Lehrgang auf der Insel, der von 18 Genossen abgeschlossen wurde. Aber eine grundsätzliche Besserung trat nicht ein. Im nächsten Prüfbericht war wieder vom allgemeinen Schlendrian auf Hiddensee die Rede, es gebe zuwenige Mitglieder und Kandidaten, die Ratskommissionen arbeiteten nicht, es würden keine Protokolle angefertigt, der Bürgermeister mache alles allein, ohne die Partei zu fragen etc. etc.

Mitgliederzahlen der SED Hiddensee

	Mitglieder Hiddensee insgesamt	davon DPO Vitte	davon Grenztruppen
November 1946	135		
August 1947	113		
April 1948	103		
Oktober 1960	48	29	
Dezember 1963		31	
Oktober 1964	48	28	
Juni 1966	65	31	10
August 1973	(incl. Kandidaten) 67		
1989	ca. 70		

Mit den anderen politischen Verbänden, den „Massenorganisationen“, sah es nicht besser, sondern eher noch schlechter aus als bei der SED. Die Gesellschaft für Deutsch-Sowjetische Freundschaft mit 1973 ca. 80 Mitgliedern stand nur auf dem Papier und entfaltete so gut wie keine Aktivitäten. Vom Ortsausschuss der Nationalen Front hieß es immer wieder, er sei inaktiv, er müsse neu aktiviert oder gar ganz neu gegründet werden, es fehle seit längerem ein geeigneter Vorsitzender etc. etc. Genauso war es um den sog. „Dorfclub“ bestellt, der sich außerhalb der Saison um die kulturelle Betreuung der Inselbewohner kümmern sollte. Überall war es extrem schwierig, Leute für eine kontinuierliche Arbeit zu finden. Auch die FDJ existierte meistens nur nominell. Gelang es einmal, eine aktive Gruppe zusammen zu bekommen, fehlte ein geeigneter Raum für deren Treffen. Immer wieder hieß es im Rat der Gemeinde und in den Parteiversammlungen, die Jugendarbeit müsse mehr gefördert und ein geeigneter Jugendleiter gefunden werden, es müsse endlich ein geeigneter Jugendraum her, was jedoch bis 1989 nicht gelang. Und immer wieder sollte die FDJ auf Hiddensee ganz neu aufgebaut werden.

So schwierig die sozialistische Jugendarbeit im Allgemeinen war, so schwer tat man sich auch bei der Einführung der Jugendweihe. 1955 wurde erstmals ein Ausschuss zur Vorbereitung der Jugendweihe gebildet, dem neben Bürgermeister Hannes Präkel einige Lehrer angehörten. Man müsse vorsichtig vorgehen, so hieß es, um der Kirche keine Gelegenheit zur Hetze gegen den Staat zu bieten. Der Ausschuss, so war später in einem Kontrollbericht der SED zu lesen, habe sich so unbeholfen angestellt, dass sich kein Schüler an der Jugendweihe beteiligte. Erst 1958 gelang es, eine Jugendweihe auf der Insel durchzuführen. Um 1970 war man so weit, dass alle Entlassschüler an der Jugendweihe teilnahmen, aber fast alle Schüler gingen daneben nach althergebrachter Weise auch noch zur Konfirmation.

Die aktivste und stabilste unter den „Massenorganisationen“ war offenbar noch der „Demokratische Frauenbund Deutschlands (DFD)“, der seit den 50er Jahren meist um die 100 Mitglieder auf der Insel besaß. Außerhalb der Saison organisierte der DFD ein Veranstaltungsprogramm für die Hiddenseer Frauen. In der Saison waren die meisten Frauen im Feriendienst, in saisonalen Verkaufsstellen etc. beschäftigt. Und wenn ganz dringend irgendwo unbedingt noch eine Arbeitskraft benötigt wurde, dann wurde der DFD gebeten, unter seinen Mitgliedern Ausschau nach einer geeigneten Frau zu halten, die die Arbeit zumindest zeitweise übernehmen konnte. Der DFD stellte auch regelmäßig einige Abgeordnete in der Gemeindevertretung. Nach der Wende war er neben der CDU die einzige der schon zu DDR-Zeiten bestehenden Organisationen, die bei der Kommunalwahl im Mai 1990 kandidierten und auch mit einer Abgeordneten gewählt wurde.

Neben der SED bestanden auf Hiddensee noch zwei weitere Parteien. 1949 wurde eine Ortsgruppe der Nationaldemokratischen Partei Deutschlands (NDPD) gegründet. Die 1948 in der DDR ins Leben gerufene NDPD sollte vor allem ehemaligen Nationalsozialisten, die, wie es hieß, wirklich mit dem Faschismus gebrochen hätten, die Möglichkeit zur Mitarbeit in dem neuen Staatswesen bieten. Auf Hiddensee funktionierte das offenbar ganz gut. Die führenden Persönlichkeiten waren hier zunächst die beiden Lehrer Hans Giede und Willi Gruhn, beide seit 1937 NSDAP-Mitglieder, sowie der ehemalige SA-Truppführer und Hausmeister an der Biologischen Forschungsanstalt, Ludwig Reich. Die NDPD spielte bis 1989 immer eine wichtige Rolle in der Hiddenseer Kommunalpolitik und Entwicklung. Sie hatte im Durchschnitt ca. 40 Mitglieder, die von ihren Qualifikationen und ihrer persönlichen Statur her denen der SED zumindest ebenbürtig, wenn nicht eher überlegen waren. In ihr sammelten sich die verbliebenen privaten Gewerbetreibenden, wie etwa der Besitzer des Hotels Wiesenseck, Gerhard Meding, der lange Jahre Vorsitzender der Hiddenseer NDPD war, oder Günter Mörler, der Inhaber eines Andenkenladens in Kloster, aber auch manche Geschäftsführer und Gaststättenleiter der gewerkschaftlichen und betrieblichen Einrichtungen. In einem SED-Bericht von 1957 hieß es, mehrere NDPD-Mitglieder auf Hiddensee hätten eine Parteischule besucht. Die Ortsgruppe bekenne sich auch zum Sozialismus, zeige aber einen „gewissen Führungsanspruch“.[133] Ähnlich hieß es 1966 in einem Bericht der SED-Kreisleitung Rügen, NDPD und CDU seien auf Hiddensee sehr rege und übten über viele leitende Funktionen in der Hiddenseer Wirtschaft einen starken Einfluss aus. Über die Kreisleitungen beider Parteien müsse erreicht werden, dass sie auf Hiddensee zunächst keine weiteren Mitglieder mehr aufnähmen. Auf der Jahresmitgliederversammlung der NDPD im November 1986 erschienen auch Bürgermeister Hammelmann und der SED-Ortsparteisekretär Dr. Siefke und würdigten ausdrücklich die gesellschaftlichen Aktivitäten wie die bündnispolitische Mitverantwortung der NDPD.

Die ersten Kommunalwahlen 1950, an denen die NDPD sich beteiligte, fanden bereits als Blockwahlen statt, das heißt, es kandidierte nur eine Liste, deren Zusammensetzung vorher im „Demokratischen Block“ ausgehandelt worden war. Auf der „Gemeinsamen Liste“ für die Gemeindevertreterwahl Hiddensee 1950 kandidierten 9 Vertreter der SED, 4 der NDPD und je einer für VdgB, FDJ und FDGB. Die drei letzten waren natürlich auch SED-Mitglieder. Da Hiddensee so etwas wie eine Hochburg der NDPD war, wurde dieser in einer Blockabsprache auf Bezirksebene auch der dortige Bürgermeisterposten zugesprochen, weshalb Willi Rosin nach der Wahl zurücktrat und mit Gertrud Scheumann eine aus Sachsen kommende NDPD-Bürgermeisterin gewählt wurde. Diese war ihrem Amt nicht gewachsen und musste schon zwei Jahre später wieder zurücktreten. Auf Bitten der Hiddenseer NDPD erklärte SED-Mitglied Hannes Präkel sich nach einigem Hin und Her bereit, das Amt zu übernehmen. Seither wurde der Bürgermeister auf Hiddensee bis 1989 immer von der SED gestellt.

Die CDU trat erstmals bei den Gemeindevertreterwahlen 1961 mit einem eigenen Kandidaten auf. Es war dies ihr langjähriger Vorsitzender, der 1958 auf die Insel gekommene Dentist Adalbert Jeschek, der 1963 auch zum Bezirkstagsabgeordneten gewählt wurde. Jeschek war viele Jahre in verschiedenen politischen und gesellschaftlichen Funktionen aktiv und wurde deshalb 1976 vom Rat der Gemeinde auch als „Aktivist“ ausgezeichnet. 1966 hatte die CDU 23 Mitglieder. Neben Jeschek spielten vor allem der seit 1957 in Kloster amtierende Pfarrer Dr. Walter Arnold und seine Frau Traute Arnold eine wichtige Rolle in der Partei. Pastor Arnold hatte anfangs deutlich in Opposition gestanden und heftige Kritik auf sich gezogen, als er 1958 nicht an der Volkskammerwahl teilnahm. Er machte dann jedoch bald seinen Frieden mit den sozialistischen Verhältnissen, trat der CDU bei, wurde sogar Bezirkstagsabgeordneter und Mitglied des Nationalrates der Nationalen Front der DDR. Im Sommer hielt er in Kloster Vorträge zu Themen wie „Christen und Sozialismus“. Unter den Pfarrern im Kreis Rügen stand er auf dem äußersten linken Flügel und war entsprechend isoliert. Auch manche Eltern und Großeltern der Konfirmanden, so hieß es 1970 in einem Bericht des Rates des Kreises, hätten eine schlechte Meinung „über diesen weltlichen oder sozialistischen Pastor“.[134] Traute Arnold, ebenfalls Theologin, betätigte sich neben ihrer politischen Arbeit als Schriftstellerin. Sie trat 1964 der CDU und 1967 dem DFD bei, war seit 1970 langjährige CDU-Vorsitzende im Kreis Rügen und von 1967 - 1976 Abgeordnete der DDR-Volkskammer.

Zusammensetzung der Gemeindevertretung Hiddensee 1950 - 1970

	1950	1954	1957	1961	1965	1970
SED	9	10	12	9	9	9
NDPD	4	4	6	5	4	3
CDU				1	3	3
LDPD						1
DFD			2	2	2	2
FDGB	1	1	2	3	4	4
VdgB	1	1	1	3		
FDJ	1		1	1	2	2
KB				1	1	1

10.3 FDGB-Ferienheime und „Aktion Rose“: Die sozialisti sche Umgestaltung des Erholungswesens

Auf Hiddensee hatte es keine Kriegszerstörungen gegeben, und die Genossenschaftsreederei konnte am 6.4.1946 ihren Verkehr von und nach Stralsund wieder aufnehmen. Das machte es möglich, dass schon im Sommer 1946 der Badeverkehr, wenn auch in bescheidenem Umfang, wieder einsetzte, obwohl viele Hotel- und Pensionszimmer noch mit Flüchtlingen belegt waren. Im Wieseneck in Kloster konnten alle Zimmer bis auf eines vermietet werden - und plötzlich war das Haus auch wieder voll. Alte Hiddensee-Freunde tauchten auf, Stralsunder und Berliner Geschäftsleute kamen, einige Künstler, man feierte Wiedersehen und freute sich, noch einmal davon gekommen zu sein: „Hurra, wir leben noch!“. Unter diesem Motto wurde wieder getanzt und gefeiert auf Hiddensee in den ersten Nachkriegsjahren. Die Gästezahlen stiegen schnell an. 1951 war der Stand von 1937 bereits erreicht, wobei die Hälfte der Gäste nun schon über den Feriendienst des Freien Deutschen Gewerkschaftsbundes FDGB auf die Insel kam.

Erholungsurlauber auf der Insel Hiddensee 1946 - 1988

	Urlauber insgesamt	FDGB	DER	Betriebe	Kinderlager	Sommerhäuser	privat
1946	2.756						
1947	5.891						
1948	5.745	181					
1949	7.213	329					
1950	7.818						
1951	10.467	5.215					
1952	11.496						
1953	14.525						
1954	18.674	10.047	1.997				4.211
1956	17.710	10.726	2.408				3.302
1958	22.170	12.686	1.069				6.233

1963	30.066	14.697	4.848	6.319			
1965	29.358	14.017	7.035	3.645	34	2381	2246
1969	31.024	13.245	7.436	5.313		3.061	1969
1972	31.735	13.643	4.521	5.500	84	4.071	3.916
1975	32.554	11.991	2.421	9.162	114	2.447	6.419
1977	32.045	12.172	1.954	8.733	114	2446	6626
1980	33.917	9.647	1.184	8.629	41	2.978	11.438
1982	32.089	8.704	1.065	8.247	2.858	2.749	8.466
1985	35.994	8.902	587	9.417	3.535	2.605	10.948
1987	33.786	7.426	354	10.800	2.787	2.077	10.342
1988	36.297	8.111	369	9.981	2.953	2.512	12.371

Schon 1947 hatten ernsthafte Bemühungen eingesetzt, den Reiseverkehr in der sowjetischen Besatzungszone in die ganz neuen Bahnen eines organisierten Gewerkschaftstourismus zu lenken. Am 27.6.1947 verabschiedete der Mecklenburger Landtag ein „Urlaubsaufenthalts-Gesetz", welches bestimmte, dass „in erster Linie die Werktätigen und ihre Familien das Recht auf Erholung haben", und das den Urlaubsaufenthalt in den Kur- und Badeorten von einer Genehmigung abhängig machte, die vom FDGB, den Berufsorganisationen oder der Sozialversicherungsanstalt Mecklenburg zu erteilen war. Die Kontrolle hierüber sollten die Gemeindeverwaltungen „unter Hinzuziehung von Vertretern der am Badeort bestehenden demokratischen Organisationen" ausüben. Der sogenannte freie Reiseverkehr, so hieß es nun bis zum Ende der DDR-Zeit immer wieder, sei weitgehend einzuschränken. Einen weiteren wichtigen Schritt in dieser Richtung stellte das Gesetz der Arbeit der DDR vom 31.5.1950 dar. In den Durchführungsbestimmungen zu dessen § 35 wurde festgelegt, dass dem FDGB-Feriendienst auf Anforderung bis zu 90 % der vorhandenen Fremdenverkehrsplätze eines Ortes zur Verfügung zu stellen seien. Ab sofort waren auch die privaten Hotel- und Pensionsbesitzer auf Hiddensee verpflichtet, Belegungsverträge mit dem FDGB abzuschließen, und fast alle Hotels wurden hier zu diesem Zeitpunkt noch privat geführt. Seit Anfang der 50er Jahre stellten die FDGB-Urlauber dementsprechend auch die Mehrzahl der Feriengäste auf der Insel.

Paul Krüger ca. 1950

Mit der „Aktion Rose" im Februar/März 1953 versuchte die DDR, alle wichtigen Hotel- und Pensionsbetriebe an der Ostseeküste in ihre Hand zu bekommen und in Volkseigentum zu überführen. In einer groß angelegten Aktion der Volkspolizei wurden in allen Badeorten die Hoteliers verhaftet und wegen angeblicher Wirtschaftsstraftaten wie dem Horten von Lebensmitteln o. ä. zu Freiheitsstrafen und zum Vermögensentzug - und darauf kam es ja an - verurteilt. Die so beschlagnahmten Betriebe wurden dann dem FDGB, der volkseigenen Handelsorganisation HO oder auch staatlichen oder Parteiinstitutionen übergeben. Von dieser Aktion blieb die Insel Hiddensee als einziger Badeort an der Ostsee weitgehend verschont, in den Einsatzplänen und im Abschlussbericht der Volkspolizei ist sie nicht aufgeführt. Glückliches Hiddensee, wieder einmal! Der damals auf Hiddensee amtierende Bürgermeister Hannes Präkel erklärt sich das im Nachhinein damit, dass die Hotelobjekte auf Hiddensee nicht groß und damit nicht interessant genug gewesen seien und dass Anfang 1953 die Mehrheit der Gästebetten sich hier ohnehin schon in der Hand des FDGB oder des staatlichen Deutschen Reisebüros (DER) befunden hätten. Er habe damals versucht, die Hotel- und Pensionsbesitzer zu beruhigen und zum Bleiben zu bewegen, was ihm allerdings nur teilweise gelang. Die Besitzerfamilie Freese-Kaufmann des größten Vitter „Hotels zur Ostsee" floh in den Westen, ebenso die Pächter des „Hitthim" in Kloster sowie des

„Strandhotels“ und des „Deutschen Hauses“ in Vitte. Alle drei Häuser wurden in die „Rechtsträgerschaft“ des FDGB übergeben. Im „FDGB-Ferienheim zur Ostsee“, wie es nun hieß, wurde auch die „Objektleitung“ des gesamten FDGB-Feriendienstes für die Insel Hiddensee eingerichtet. Das Vitter „Strandhotel“ wurde nach einigem Hin und Her eine HO-Gaststätte.

Erst eine Woche nach dem offiziellen Abschluss der „Aktion Rose“ erfolgten auch auf Hiddensee zwei spektakuläre Verhaftungen. Am Vormittag des 16.3.1953 wurden die Besitzer der „Heiderose“, die Brüder Paul und Friedel Krüger verhaftet und ins Zuchthaus Bützow eingeliefert, wo schon Hunderte andere Hoteliers und Gaststättenbetreiber einsaßen. Man warf den Krügers vor, gegen die Wirtschaftsgesetze verstoßen zu haben, indem sie selbst erzeugte landwirtschaftliche Produkte und selbst gefangenen Fisch nicht abgeliefert, sondern direkt für die Gästeversorgung eingesetzt hätten. Der eigentliche Grund war, dass die sowjetischen Truppen doch wieder ein Kommando auf die Insel verlegen wollten und sich die abgelegene Heiderose als Quartier ausgesucht hatten. Alle Bewohner mussten die „Heiderose“ sofort verlassen, um Platz für die sowjetischen Truppen zu machen. Bürgermeister Präkel ließ den größten Teil des Mobiliars mit Hilfe der deutschen Grenzpolizei in den benachbarten Dünenhof bringen, wo auch die große Familie Krüger untergekommen war. Einen Teil der Einrichtungsgegenstände warfen die Polizisten auch einfach aus dem Fenster. Die Ehefrau von Paul Krüger mit ihren beiden Kindern und eine Schwester der Gebrüder Krüger verließen noch am gleichen Tag Hals über Kopf die Insel und gingen in den Westen. Die ganze Aktion stieß auf große Empörung bei den Hiddenseern. Vielleicht war die Verhaftung auch eine Racheaktion dafür, dass Paul und Friedel Krüger bei der Parteiüberprüfung 1951 aus der SED ausgetreten bzw. ausgeschlossen worden waren. Paul Krüger wurde auch als SED-Vertreter aus der Gemeindevertretung ausgeschlossen und trat der NDPD bei.

Nach dem 17. Juni 1953 wurden die Gebrüder Krüger wieder freigelassen und wohnten zunächst auch auf dem Dünenhof, die in den Westen geflüchteten Familienangehörigen kehrten zurück. Friedel betrieb wieder Landwirtschaft, Paul Krüger und seine Frau fanden Arbeit auf den Schiffen der Genossenschaftsreederei. In der Sitzung des Demokratischen Blocks am 25.9.1953 prangerte der NDPD-Vorsitzende Hans Giede die Verhaftung der Krügers als außerordentlich hart an. Sie seien nun vorbestraft und hätten ihr Hotel verloren. Es wurde, mit Zustimmung der SED-Vertreter, beschlossen, einen Beschwerdebrief in dieser Sache an den Kreis-Block in Bergen zu schreiben. Als die Russen im November 1955 die ihr Hotel und damit die Insel wieder verließen, erhielten die Krügers die Heiderose zurück und bekamen vom Kreis Rügen sogar eine Entschädigung von 60.000 Mark zugesprochen. Die „Heiderose" war ziemlich heruntergekommen, trotzdem konnte der Gästebetrieb zur Saison 1956 im alten Stil wieder aufgenommen werden. Ein Gast aus Leipzig schrieb ins Gästebuch:

> „Das Jahr beginnt, das Jahr vergeht,
> Doch solange die „Heiderose" besteht
> Soll sie nur in Krügers Händen bleiben.
> Der Wind soll jagen und vertreiben
> Die Wolken aus den letzten Jahren,
> Die voller Sorgen und Kummer waren.
>
> Der „Heiderose" Gäste in Treue
> Freuen sich täglich immer aufs Neue
> An Krügers Rückkehr nach bösen Jahren,
> Da wir mit ihnen hier ausgesperrt waren. ..."[135]

Am 17.3.1953 gegen 24.00 Uhr wurde Siegfried von Pastau, der Pächter des 1950 nach dem Tod von Elise Hirsekorn zum Eigentum eines schwedischen Staatsbürgers gewordenen „Hauses am Hügel" in Kloster verhaftet. Am 30.4.1953 wurde von Pastau zu 1½ Jahren Zuchthaus verurteilt, obwohl u.a. auch Bürgermeister Hannes Präkel im Prozess zu seinen Gunsten ausgesagt hatte. Am 16.6.1953 (!) erschienen einige Herren von der „Verwaltung der Wirtschaftsbetriebe der Regierung (VWR)" in Kloster und nahmen das „Haus am Hügel" in Beschlag. So begann die unselige

Geschichte des späteren ZK-Heims „Haus am Hügel". Auch nach der Haftentlassung im August 1953 erhielt von Pastau das Haus nicht zurück, sondern durfte dort lediglich noch als angestellter Hausdiener arbeiten. Nach einer erneuten Inhaftierung 1955/56 floh auch von Pastau mit seiner Familie in den Westen. Am 1.4.1955 wurde das „Haus am Hügel" auf das Ministerium für Leichtindustrie übertragen.

Gäste im "Haus am Hügel" von Erna und Siegfried von Pastau Juni 1951

Auch wenn Hiddensee bei der „Aktion Rose" - wieder einmal - einigermaßen glimpflich davongekommen war, war Ende 1953 das Ziel einer weitgehenden Sozialisierung des Hotel- und Gaststättenwesen doch auch hier erreicht und die künftige Struktur der Einrichtungen des Erholungswesens zumindest deutlich vorgezeichnet: Das „Hitthim" in Kloster, das „Ostsee-Heim", das „Karl-Krull-Heim" (früher Café Schluck, heute Godewind) und das „Dünenhaus" (früher „Deutsches Haus") in Vitte wurden die großen FDGB-Ferienheime, die das Rückgrat für die Unterbringung und Versorgung der FDGB-Urlauber bildeten. Einige der noch in Privatbesitz verbliebenen Häuser wie das „Wieseneck" in Kloster, das „Haus am Meer" von Franz Freese und das „Strandcafé" von August Witt in Neuendorf sowie das „Hotel zur Post" in Vitte wurden vertraglich an den FDGB-Feriendienst gebunden. Die HO-Gaststätten „Dornbusch" in Kloster, „Strandhotel" und „Norderende" in Vitte dienten der Aufnahme von Reisebüro-Urlaubern und der Versorgung der Tagesgäste, womit sie den wesentlich schwierigeren Part übernommen hatten. Nicht ohne Stolz hieß es in einer 1956 vom Rat der Gemeinde herausgegebenen Urlauberbroschüre:

„Während in der kapitalistischen Zeit die besitzenden Klassen das Privileg für sich in Anspruch nahmen, in den Sommermonaten nach Hiddensee zu fahren, sind es heute unsere Werktätigen, die ihren Urlaub in einem der Hiddensee-Badeorte verleben.“[136]

Einige weitere, zunächst noch private Betriebe gingen mit der Zeit auf volkseigene Betriebe über. Die Ausflugsgaststätte „Klausner“ auf dem Dornbusch wurde 1962 von den Berliner Metallhütten- und Halbzeugwerken gekauft und wurde so ebenso zu einem „Betriebsferienheim“ wie der „Mühlenhof“ in Vitte, der 1969 vom Reichsbahn-Betriebswerk Zittau erworben wurde. 1968 wurde die „Inselbar“ in Kloster langfristig an die CDU verpachtet, zum 1.1.1974 verkauften die Krügers die „Heiderose“ an das zum IFA-Kombinat gehörende Fahrzeug- und Jagdwaffenwerk „Ernst Thälmann“ in Suhl. Die Gaststätte „Enddorn“ in Grieben, die einmal als „Schwedische Bauernschänke“ Alexander Ettenburgs begonnen hatte, ging ebenfalls in den 70er Jahren zunächst auf die Konsumgenossenschaft des Kreises Osterburg und später auf die Handwerkskammer Potsdam über.

Der Übergang vom Privat - zum Volks- oder genossenschaftlichen Eigentum vollzog sich dabei nicht nach einem festgelegten Schema. Jeder Fall war anders, oft auch sehr kompliziert. Neben der Flucht eines Eigentümers oder Pächters in den Westen war oft die Erreichung des Rentenalters der bisherigen Betreiber der Anlass für einen „Rechtsträgerwechsel“. Eine andere Privatperson erhielt keine Gewerbegenehmigung für die Fortführung des Betriebes, also verhandelte man mit dem FDGB oder einem VEB über die Übernahme und erhielt da-

FDGB-Ferienheim "Karl Krull" in Vitte Süderende ca. 1950

für neben dem Kaufpreis ein lebenslängliches Wohnrecht eingeräumt. Ein weiterer wichtiger Anlass für eine Eigentumsübertragung war die Notwendigkeit zur Renovierung eines Hauses, da staatliche Mittel grundsätzlich nur für die Rekonstruktion volkseigener oder genossenschaftlicher Objekte verwendet werden durften. Eine umfangreichere Renovierung war also überhaupt nur denkbar, wenn das Gebäude vorher an den FDGB oder einen Betrieb verkauft worden war. So geschah es etwa mit dem „Wieseneck" in Kloster. Das Besitzer- und Betreiberehepaar Meding wollte sich 1983 aus der aktiven Arbeit zurückziehen und plante eine Verpachtung an die Handwerkskammer Potsdam, die jedoch vom Rat des Bezirkes Rostock nicht genehmigt wurde. Der Rat des Bezirkes hatte die Sache wegen der Bedeutung des Objektes an sich gezogen und dem Rat der Gemeinde jegliche Aktivitäten und Verlautbarungen in Sachen „Wieseneck" ausdrücklich untersagt. Er brachte das Düngemittelwerk Rostock als Interessenten ins Spiel, untersagte aber auch hier wegen der anstehenden hohen Renovierungskosten, die nur für Volkseigentum aufgebracht werden dürften, eine Verpachtung. Die Sache zog sich hin, schließlich blieb nur der Verkauf an das Düngemittelwerk übrig.

Eine Ausnahme von alledem machte das ehemals so renommierte „Haus am Meer" in Kloster, das nach dem Krieg nicht wieder eröffnet wurde. Frau von Sydow war ja aufgrund ihrer nationalsozialistischen Aktivitäten politisch stark belastet. Nach dem Abzug der sowjetischen Truppen, die einige Zeit in ihrem Haus residiert hatten, verpachtete sie die ehemalige Pension. 1950 wurde sie von der Volkssolidarität genutzt. Für 1951 wurde Frau von Sydow von den Behörden die Wiedererteilung einer Gewerbegenehmigung in Aussicht gestellt, da nach dem Amnestiegesetz vom 11.11.1949 „die Einschränkungen gegen ehemalige Mitglieder der NSDAP, soweit sie nicht durch Gerichte zu höheren Strafen verurteilt wurden, aufgehoben und dieselben als gleichberechtigte Bürger zu betrachten"[137] seien. Es kam aber dennoch nicht zur Wiedereröffnung des Hauses, da es noch 1951 zur dortigen Unterbringung der Vogelwarte langfristig an die Universität Greifswald verpachtet und 1964 an diese verkauft wurde.

"HO Gaststätte Strand Hotel" in Vitte Sprenge ca. 1960; kein Deich versperrt die Sicht auf den Bodden; dem Hotel gegenüber das von der Staatssicherheit genutzte Haus Schluck

10.4 Betriebsferienheime, Sommerhäuser, Bungalows - und kein Ende

Die obige Statistik über die Entwicklung der Gästezahlen zeigt nicht nur das starke, die Kapazitäten der Insel im Grunde ständig übersteigende Ansteigen der Urlauberzahlen, sondern seit etwa 1965 auch einen deutlichen Rückgang der FDGB-Urlauber bei gleichzeitigem Anstieg der Betriebsurlauber wie der privaten Gäste. Hiddensee entwickelte sich nach dem Kriegsende schnell zum begehrtesten Reiseziel der DDR. „Wer möchte nicht nach Hiddensee und wer möchte nicht noch länger bleiben?“, schrieb die Berliner Zeitung in einem Bericht in ihrer Illustrierten Beilage über das „Ferienparadies Hiddensee“ am 14.7.1957. Jeder in der Republik wusste von der schönen, kleinen Insel, und fast jeder träumte davon, dort wenigstens einmal im Leben einen Urlaub verbringen zu können. Und wenn dies, wie bei den meisten, nicht ging - die knappen Ferienplätze wurden von den Betriebsgewerkschaftsleitungen verteilt - , sollte es wenigstens einmal ein Tagesausflug dorthin sein. Die Zahlen dieser von Einheimischen und Dauergästen abschätzig „Eintagsfliegen“ genannten Tagesbesucher klingen erstaunlich: Auf 13 Linien transportierte die Weiße Flotte in der Saison schon Mitte der 60er Jahre täglich 2500 und mehr Besucher nach Hiddensee, in der ganzen Saison ergab das eine Zahl von 250.000 Besuchern. Die Schiffe waren ständig überladen, Tag für Tag spielten sich in den Häfen von Stralsund und Schaprode dramatische Szenen unter all denen ab, die noch unbedingt mit aufs Schiff wollten. Alle Versuche, wenigstens die Zahl der Tagesbesucher einzuschränken, schlugen fehl. Die Weiße Flotte verdiente gut an den Fahrten. Und für die Werktätigen, die auf Hiddensee keinen Urlaubsplatz erhalten hatten, sondern „nur“ in Zingst, Baabe oder Lubmin, gehörte ein Ausflug nach Hiddensee zu einer zufriedenstellenden Urlaubsgestaltung einfach dazu. Bei einer Reduzierung der Tagesfahrten sei, so hieß es in der Ratssitzung vom 5.5.1973, mit einer erheblichen Zunahme an „Eingaben“ zu rechnen, wie die Beschwerden der DDR-Bürger an hohe Partei- und staatliche Stellen genannt wurden. Der Rat des Bezirkes habe eine Höchstzahl von 4.500 (!) Tagestouristen für Hiddensee festgesetzt, und die Einhaltung dieser Kapazitäten durch die Weiße Flotte müsse kontrolliert werden.

Jeder, der irgendwelche verwandtschaftlichen oder privaten Kontakte nach Hiddensee hatte, versuchte, sich diese warm zu halten, um immer wieder einmal einige Tage oder Wochen auf der Insel verbringen zu können. Auch alle Versuche der Behörden, den privaten Reiseverkehr einzuschränken oder ganz zu unterbinden, scheiterten ebenso, wie die Zahlen eindrücklich beweisen. Auf Beschluss des Rates des Bezirkes Rostock sollte der „freie Reiseverkehr“ ab der Saison 1955 ganz unterbunden werden, wovon, wie es im Protokoll der Gemeindevertretersitzung vom 1.4.1955 hieß, die Hiddenseer allerdings nur schwer zu überzeugen waren. Wie sollte man es ihnen auch verwehren, Onkel und Tanten, Nichten und Neffen, Cousins und Cousinen etc. etc. einzuladen und sie im eigenen Schlaf- oder Wohnzimmer nächtigen zu lassen? In der Folgezeit wurden immer wieder neue Regelungen erlassen, wieviele private Einladungen man für wieviele Personen und Tage aussprechen und wieviele private Vermietungen man vornehmen dürfe. Immer wieder wurden neue Kontrollen der Bettenkapazitäten vorgenommen und Beschlüsse gefasst, jetzt aber wirklich entschiedener gegen die Privat- und vor allem auch gegen die Schwarzvermietungen vorzugehen. Am 18.12.1962 beschloss die Gemeindevertretung etwa, der FDGB werde in der nächsten Saison alle vorhandenen Fremdenzimmer „aufmieten" und die Vermietung der Wohnzimmer sei nur statthaft, wenn alle Ansprüche des FDGB erfüllt seien. Bürgermeister Kreuzer fügte aber gleich hinzu, man werde den Beschluss nicht dogmatisch handhaben. Schließlich wollten die Verantwortlichen es sich nicht ganz mit ihren Hiddenseern verderben, und so konnten diese denn irgendwie weiter privat vermieten und sich ein ordentliches Zubrot verdienen. In der Sitzung der SED-Ortsleitung vom 7.12.1981 wurde Klage darüber geführt, dass dem FDGB immer mehr Zimmer gekündigt würden, die dann an Betriebe oder unkontrolliert privat vermietet würden. Kontrollen gebe es praktisch keine, da die hierfür zuständige Kommission Erholungswesen des Rates nur auf dem Papier existiere. Die Vermietung der Zimmer an die Betriebe statt an den FDGB hatte für die Hauseigentümer vor allem den Vorteil, dass die Betriebe dann oft mit eigenem Material und eigenen Handwerkern Reparaturen an den Gebäuden vornehmen ließen, die sonst nicht oder nur sehr schwer zu bewerkstelligen gewesen wären.

Mit steigendem Wohlstand auch in der DDR trat seit Anfang der 70er Jahre ein ganz neues Problem auf, nämlich die Nutzung von Sport- und Segelbooten aller Art als Urlaubsquartiere. Die Besitzer solcher Boote nutzten diese selbst nur einige Wochen im Jahr und vermieteten sie für den Rest der Saison. Diese „Mieter" meldeten sich nicht an, zahlten keine Kurtaxe, verlängerten aber die Schlangen in der Kaufhalle und in den Gaststätten. Die Seglerhäfen in Vitte und Neuendorf waren im Sommer mit Hunderten von Booten vollgestopft, darüber hinaus lagen noch 40 - 50 weitere in der Klimphoresbucht am Gellen. Es gab bei diesem „Wassercamping" nicht nur Versorgungs- sondern vor allem auch Entsorgungs- und hygienische Probleme. Gab es Kontrollen, legten die

Boote schnell ab und waren für den ABV unerreichbar. Gelegentlich stellte sich aber auch heraus, dass die Bootsbesatzungen gar nicht manövrieren oder segeln konnten. Als das Vermieten der Boote untersagt wurde, gab es plötzlich statt einem Eigner sechs oder mehr Eigner pro Boot, die sich dann die Saison auf Hiddensee untereinander aufteilten.

Gästeankunft und Leergutlagerung im Hafen von Vitte ca. 1965

Jeder, der irgend konnte, versuchte, sich auf der begehrten schönen Insel ein Sommerhäuschen - manchmal wurden es auch richtige Häuser - oder einen „Bungalow" zu bauen, wie die aus Holz oder Faserplatten bestehenden, nicht heizbaren Ferienunterkünfte genannt wurden. Es waren vor allem arrivierte Intellektuelle, die die Möglichkeit hierzu erhielten, Nationalpreisträger, Professoren, Mitglieder der Akademie der Wissenschaften, „hervorragende Persönlichkeiten unserer Republik“, wie es in einem kleinen Reiseführer von 1963 hieß.[138] Dazu gehörten die Professoren Gustav Hertz (Physiker, einziger in der DDR lebender Nobelpreisträger), Robert Rompe (Physiker), Fritz Hauschild (Pharmakologe), Hans Knöll (Mediziner), Walter Ruben (Indologe), Wolfgang Steinitz (Finno-Ugrist), Walter Baetke (Nordist), der Intendant der Berliner Komischen Oper, Prof. Walter Felsenstein, der Direktor des Metropol-Theaters in Berlin, Hans Pitra, die Tänzerin Gret Palucca, die Schauspielerin Inge Keller oder der Sänger Ernst Busch, allesamt Träger hoher und höchster Auszeichnungen wie des Nationalpreises, des Vaterländischen Verdienstordens etc. etc.

Schon in den ersten Nachkriegsjahren waren vor allem in der Heide südlich von Vitte die verschiedensten Sommerhäuser wie Pilze aus dem Boden geschossen, so dass im Demokratischen Block bereits 1954 beschlossen wurde, keine weiteren Sommerhäuser mehr zu genehmigen, da für Einheimische und Neubürger trotz dringenden Wohnraumbedarfs kein Baumaterial zugeteilt würde. Und so blieb es bis 1989: Wieder und wieder beschloss der Rat der Gemeinde, keine neuen Sommerhäuser mehr zuzulassen. Aber wenn dann der alte Spanienkämpfer Ernst Busch eine Erweiterung seines Hauses in den Dünen oder Inge Keller dort einen ganzen Neubau beantragten, dann wurde das, entsprechend den Weisungen aus Berlin, vom Rat des Kreises oder des Bezirkes auch gegen das oftmals tapfere und hinhaltende Nein der Hiddenseer Räte und gegen manchen Protest aus der Bevölkerung genehmigt. Im Falle von Inge Keller war dieser Protest sogar teilweise von Erfolg gekrönt gewesen, denn sie hatte ursprünglich sogar die Erlaubnis erhalten, auf dem Hexenberg mitten im Naturschutzgebiet „Dornbusch“ zu bauen. Im Juni 1961 wurde im Rat der Gemeinde Klage darüber geführt, dass die meisten Eigentümer ihre Sommerhäuser selbst nur für kurze Zeit benutzten und im übrigen illegal vermieteten. Am 29.8.1961 beschloss der Rat darauf wieder einmal ein generelles Bauverbot für

Sommerhäuser, fügte aber hinzu, in Ausnahmefällen könnten Genehmigungen noch „an verdiente Bürger der DDR im Einvernehmen mit dem Rat des Kreises, dem Rat des Bezirkes und der SED-Kreisleitung“ erteilt werden, was dann in der gleichen Sitzung für die Sommerhäuser von Gret Palucca und Professor Arno Hübner aus Jena auch geschah.

Und so wie alle Werktätigen der DDR davon träumten, nach Hiddensee reisen zu können, so waren zahllose volkseigene Betriebe darauf aus, sich dort irgendwie ein „Ferienobjekt“ zu schaffen, und sei es - zunächst - auch nur durch die Aufmietung von ein oder zwei Privatzimmern in einem Fischerhaus in Grieben oder Neuendorf. Dann hatte man schon einmal einen Fuß in der Tür und konnte weitersehen. Noch bevor die ersten Hotels und Gaststätten von volkseigenen Betrieben übernommen wurden, begannen die Suhler Jagdwaffenwerke Simson, die sich inzwischen nach Ernst Thälmann nannten, 1958 in der Heide nördlich der Heiderose mit dem Bau eines modernen Urlauberdorfes mit acht für damalige Verhältnisse höchst komfortablen Ferienhäusern. Die ersten Urlauber des Betriebes wurden 1959 von der DDR-Fluggesellschaft Interflug von Erfurt nach Barth geflogen. Welch ein unglaublicher Fortschritt: Nicht nur, dass die Arbeiter sich in ihrem sozialistischen Staat nun überhaupt einen Urlaub leisten konnten, sie konnten jetzt sogar mit einer (volks-) eigenen Fluggesellschaft dorthin fliegen! Die ersten Häuschen wurden noch vor der Fertigstellung des geplanten Gemeinschaftshauses mit Küche, Speisesaal, Fernseh- und Klubraum in Betrieb genommen, so dass zunächst mit der damals noch privaten „Heiderose“ ein Verpflegungsvertrag abgeschlossen werden musste. Dieser wurde bis zum Kauf der „Heiderose“ 1974 immer wieder verlängert, da das geplante Gemeinschafts- oder „Kulturhaus“ zwar zwischen 1964 und 1969 gebaut wurde, allerdings ohne Küche! Statt dessen wurden bis 1974 noch zwölf weitere Häuschen dazu gebaut.

So wie beim Simson-Suhl-Urlauberdorf ging es meistens: Statt, wie vom Rat der Gemeinde gefordert, vor der Errichtung neuer Ferienobjekte erst einmal die Ver- und Entsorgungseinrichtungen zu bauen, wurden immer erst einmal - auf die Schnelle und oft ohne Genehmigung - die Bettenhäuser errichtet und sogar mit Urlaubern schon belegt, obwohl Küchen- und Abwassereinrichtungen noch lange nicht fertig waren und z.T. auch niemals fertig wurden. So auch beim zweiten Urlauberdorf in der Heide, das vom Industriebaukombinat (IBK) Stralsund in Kooperation mit dem Metall-Leichtbaukombinat Leipzig und dem FDGB-Bezirksvorstand seit 1976 ohne Genehmigung direkt gegenüber der Heiderose gebaut wurde. Der Rat der Gemeinde erklärte auf einer gemeinsamen Sitzung mit dem Rat des Kreises am 5.5.1976, dass das IBK ohne Genehmigung und damit schwarz baue, und verhängte einen Baustopp. Daraufhin „beauflagte" der Rat des Bezirks die Bauherren, zunächst einen neuen Küchentrakt an der Heiderose zu errichten und genehmigte im übrigen den Weiterbau des Urlauberdorfes. Was gebaut wurde, war natürlich das Dorf - und nicht die Küche. Als die 18 Häuser mit 198 Betten 1978 fertiggestellt waren, war völlig unklar, wo und wie die dortigen Urlauber versorgt werden sollten. Es gab keinen anderen Weg, als dass die Heiderose dies würde mit übernehmen müssen. Dies wiederum bedeutete, dass die Heiderose als beliebtes Ausflugsrestaurant für die anderen Inselgäste völlig auszufallen drohte, was den Rat der Gemeinde am 7.6.1978 zu dem Beschluss veranlasste, „dass das Verhalten von IBK eine Rücksichtslosigkeit gegenüber allen Urlaubern und der Öffentlichkeit ist."

Seit etwa 1970 bemühte sich der Rat der Gemeinde, die weitere Ansiedlung von Betriebsferienheimen möglichst zu unterbinden. Ähnlich wie bei den privaten Sommerhäusern wurde auch hier immer wieder aufs Neue beschlossen, das Boot sei voll, weitere Ferienobjekte und Bauten könne die Insel nicht verkraften. Aber was sollte man tun, wenn, wie am 7.6.1978, der Generaldirektor der Stralsunder Volkswerft, Schlemminger, selbstverständlich SED-Mitglied, in der Sitzung der Gemeindevertretung erschien und zuerst einmal die Grüße der Partei- und Gewerkschaftsleitung überbrachte, dann ausführlich über die herausragenden Leistungen dieses sozialistischen Musterbetriebes referierte, der in den 30 Jahren seines Bestehens 1238 Schiffe, davon viele für die

Simson-Suhl Generaldirektor Kessel (Mitte) zeigt dem SED-Bezirksparteisekretär Harry Tisch die Feriensiedlung in der Heide ca. 1965

Sowjetunion, gebaut habe und schließlich auch noch die seit Jahren überfällige Rekonstruktion der Schule in Vitte versprach, da war ein ernsthafter Widerstand gegen das von der Werft geplante Naherholungszentrum am Süderende in Vitte nicht mehr recht vorstellbar. Man musste es schon als großen Erfolg verbuchen, verhindert zu haben, dass das Großprojekt auch noch in die Dünenheide oder gar nach Neuendorf gesetzt wurde. Und dann war es wie immer: Das erste sogenennte Haupthaus wurde schon 1979 „versorgungswirksam", wie es damals hieß. Das bedeutete, dass es schon mit 80 Urlaubern belegt werden sollte, die mit drei Mahlzeiten pro Tag zu versorgen waren. Der Rat der Gemeinde schimpfte in seiner Sitzung vom 23.11.1978 wie üblich, es sei „unverständlich, neue Urlaubsplätze zu schaffen, ohne vorher die Frage der Verpflegung zu klären". Es nützte nichts, der Bau des zweiten großen Bettenhauses wurde trotzdem sofort in Angriff genommen, und es sollte noch Jahre dauern, bis die Volkswerft endlich einen Küchentrakt gebaut und das benachbarte Dünenhaus, wie versprochen, soweit rekonstruiert hatte, dass dort auch eine größere Zahl von Gästen verpflegt werden konnte.

Eine besonders beliebte Möglichkeit für alle möglichen volkseigenen oder genossenschaftlichen Betriebe, auf der Insel Fuß zu fassen, war die Übernahme von Bau-, Montage-, Elektro- oder Reparaturarbeiten. Da es auf der Insel keine freien Zimmer oder gar Wohnungen gab, mussten vor jeder kleineren oder größeren Baumaßnahme erst einmal Bauarbeiterunterkünfte gebaut werden. Das waren meistens Baracken oder „Bungalows" aus Holz und/oder Asbestplatten, manchmal auch bloße Wohnwagen. Der Rat erteilte immer die Auflage, diese nach Beendigung der Arbeiten wieder abzubauen. Aber oft wurden sie schon während der Bauarbeiten teilweise als Urlauberunterkünfte benutzt oder es wurden ohne Genehmigung noch ein oder zwei Bungalows zusätzlich errichtet. Und wenn diese nun schon einmal standen, wäre es doch ökonomisch unvernünftig gewesen, sie hinterher einfach wieder abzureißen.... Der Rat lehnte zwar zunächst die dann regelmäßig auftauchenden Anträge, die Bauarbeiterunterkünfte nun als Urlauberunterkünfte nutzen zu dürfen, mit dem stereotypen Hinweis ab, die Insel könne keine weiteren Ferienobjekte mehr verkraften, was auch der Rat des Bezirkes schon mehrfach bekräftigt habe. Aber gerade von Baufirmen war der Rat besonders abhängig, wenn er die Hoffnung auf die Plattierung der Hauptstraße in Vitte, auf den Bau einer Wasserleitung oder die Rekonstruktion der Schule nicht ganz aufgeben wollte. Und so wurde die Genehmigung dann doch erteilt unter der Auflage, eine Kläranlage zu bauen, was aber oft Jahre dauerte oder gar nicht geschah. Manchmal stellten die Betriebe der Gemeinde auch einen oder zwei Bungalows für die Lösung besonders dringender Wohnungsprobleme zur Verfügung und durften dann die übrigen, auch wenn sie schwarz gebaut worden waren, weiter nutzen. Und wenn sie einen Abriss einfach nicht vornahmen, hatte die Gemeinde keine wirklichen Machtmittel, um ihn durchzusetzen, dann blieben die Bungalows einfach erst einmal stehen. Und wenn sie schon einmal standen, wäre es auf Dauer doch unvernünftig gewesen, sie nicht zu nutzen....

Besonderen Ärger bereitete in dieser Hinsicht der VEB Erdöl und Erdgas Grimmen. Dieser hatte zwischen 1968 und 1971 am

Enddorn nördlich von Grieben - erfolglos - nach Erdöl gebohrt, dazu einen Plattenweg von Kloster über Grieben bis fast zum Enddorn verlegt und dazu natürlich den Bau von Arbeiterunterkünften am Nordrand von Kloster beantragt und genehmigt bekommen. Nach Einstellung der Suchbohrungen kam der übliche Antrag, die Baubaracken und Wohnwagen nun als Ferienunterkünfte nutzen zu können, was unter der Maßgabe genehmigt wurde, die Baracken nach Ablauf ihrer Nutzungsdauer wieder abzureißen. 1977 beantragte der Betrieb dann natürlich doch, entweder diese „Saisonunterkünfte" zu rekonstruieren oder an anderer Stelle ein ganz neues Ferienobjekt zu errichten. Der Rat entschied sich für die zweite Variante, der VEB erhielt auch ein Grundstück aus ehemaligem Bodenreformland in Kloster zugesprochen. Ein Baukonzept wurde jedoch erst 1988 vorgelegt, bis dahin wurde die merkwürdige Ferieneinrichtung aus schwindsüchtigen Baracken und großen, zweiachsigen Bauwagen auf der Wiese bei Kloster selbstredend fleißig weiter genutzt und war in der Wendezeit ein Jahr später ein besonderer Stein des Anstoßes für die rebellierenden Hiddenseer.

1983 beschloss die Gemeindevertretung, um einer weiteren Zersiedlung vorzubeugen, eine „Bebauungskonzeption", durch welche die Insel in 3 Zonen aufgeteilt wurde. Generell sollte eine weitere Bebauung nur noch in der Zone A zulässig sein, die aus den Ortslagen der vier Dörfer sowie dem Areal um die Heiderose mit den dortigen beiden Feriendörfern bestand, wobei „den Gesichtspunkten einer landestypischen Bauweise und im Ortsteil Neuendorf denen des Denkmalschutzes besondere Beachtung zu schenken" sei. In der Zone B sollten die bestehenden Gebäude erhalten bleiben, aber keine neuen, auch keine Anbauten mehr errichtet werden dürfen. Dazu zählten etwa Leuchtfeuergehöft und Klausner auf dem Dornbusch, die nordwestliche Ortslage Kloster um die Vogelwarte, die Akademie-Institute auf dem Schwedenhagen und der Fährinsel, die nördliche, nicht unter Naturschutz stehende Dünenheide, die Siedlungszeile „In den Dünen" westlich der Heiderose sowie die südliche und südöstliche Ortslage von Neuendorf. Alle übrigen Gebiete gehörten zur

ZoneC, in der nun ein generelles Bauverbot herrschte und in der bestehende Gebäude nur noch als befristet zulässig galten: „Die Befristung ergibt sich aus der Alterung der Bauwerke, die durch Reparaturmaßnahmen nicht ausgeglichen werden kann. Ist die Alterung ... soweit fortgeschritten, daß eine Rekonstruktion unerläßlich wird, ist der Standort aufzugeben und, sofern notwendig, ein Ersatzbau in der Zone A vorzusehen.“ Hierunter fiel etwa auch das Haus von Ernst Busch in der Dünenheide. Ausnahmen von den Baubeschränkungen und -verboten in den Zonen B und C sollten nur noch für Anlagen des Küstenschutzes, der Energieversorgung, der Wasserwirtschaft und der Entsorgung sowie für solche gelten, „die für die Verteidigungsbereitschaft und die Grenzsicherung der DDR unerläßlich sind.“[139]

1989 hatten nach einer im Rat der Gemeinde angelegten, handschriftlichen Liste mehr als 60 Betriebe „Erholungskapazitäten“ auf Hiddensee:

Lfd. Nr	Betrieb	Objekt	Bettenzahl
1	Bezirksfilmdirektion Rostock	Bungalows Vitte	8
2	VEB Fahrzeug- und Jagdwaffenwerk „Ernst Thälmann“ Suhl (IFA-Kombinat)	Feriendorf I Dünenheide und Heiderose	152
3	Weiße Flotte Stralsund		7
4	VEB Fischkombinat Rostock		6
5	Ernst-Moritz-Arndt-Universität Greifswald	Lietzenburg, Haus Thalheim	86
6	VEB Bau- und Montagekombinat Stralsund / Metall-und Leichtbaukombinat Leipzig	Feriendorf II Dünenheide	80/30
7	LPG Pflanzenproduktion Poseritz	Bungalows Kloster	27
8	Volksbuchhandlung Rostock		12

9	Kreissparkasse		4
10	VEB Wasserversorgung und Abwasserbehandlung WAB Potsdam	Süderhaus Neuendorf	35
11	VEB Erdöl - Erdgas Grimmen	Kloster	36
12	VEB Wohnungsbau-kombinat Rostock		16
13	Rat der Stadt Stralsund	Ferienheim Kloster	26
14	VEB Kermi Kaffegroß-rösterei Stralsund	Bungalow Kloster	4
15	VEB Metallhütten- und Halbzeugwerke Berlin-Niederschöneweide (BMHW)	Klausner	54
16	VOB Union (CDU)	Bandemer/Inselbar	56
17	Staatsbank der DDR, Kreisfiliale Leipzig		10
18	VEB Binnenreederei Stralsund	Wohnschiff Neuendorf	26
19	VEB Volkswerft Stralsund	Ferienobjekt Vitte	160
20	VEB Bau- und Montage-kombinat Süd Grimmen		13
21	ZBO Trebendorf		16
22	BMK KB FPT [Bau- und Montagekombinat ??]		10
23	Deutsche Reichsbahn Bahnbetriebswerk Zittau	Mühlenhof Vitte	29
24	LPG Pflanzenproduktion Samtens	Haus Sanssouci Vitte	16
25	EKR [??]		8
26	Wasserwirtschaftsdirektion WWD	2 Häuser Vitte Norderende	10
27	VEB Bau Nauen		22
28	Düngemittelwerk Rostock	Wieseneck Kloster	
29	Handwerkskammer Rat des Bezirkes Potsdam	Gaststätte Enddorn Grieben	51

30	Konsumgenossenschaft Kreis Osterburg	Ferieneinrichtung Grieben	24
31	Stadtbeleuchtung Potsdam		17
32	Staatliche Versicherung Halle		9
33	VEB Bau Oschatz		9
34	Sozialistischer Handelsbetrieb Möbel Berlin		5
35	VEB Mittweidaer Löwenbräu		5
36	Regierungskrankenhaus Berlin		5
37	Rat der Stadt Gera Volksbildung		5
38	EAW Treptow		16
39	VE HO W + B Industriewaren Fürstenwalde		4
40	VEB Spezialfahrzeugwerk Berlin		3
41	Metropoltheater Berlin		10
42	BMK Süd Leipzig		2
43	Pädagogische Hochschule Leipzig		10
44	Techno Commerz VE Außenhandelsbetrieb Berlin		6
45	Großhandelsgesellschaft Haushaltwaren Dresden		19
46	LPG Pflanzenproduktion „Ernst Thälmann“ Osterweddingen		10
47	Spezialbau Potsdam		6
48	Chemieanlagenbau Staßfurt Radebeul		2
49	VEB Elektronikprojekt Dresden		10
50	PGH Friseure Brandenburg		5

51	BHG Wriezen		5
52	Lapro Zwickau		5
53	ITW [Tiefbaukombinat?] Cottbus		
54	Konsum Zeulenroda		2
55	Farbige Raumgestaltung Rostock		2
56	VEB Maschinenbauhandel Rostock		6
57	FC Hansa		4
58	Getreidew[erk] Leipzig		
59	SKL Magdeburg		
60	Konsum Rügen		
61	PGH Aufbau Cottbus		
62	Holzbau Angermünde		

Hinzugerechnet werden müssten noch SED, Ministerrat, NVA und die Staatssicherheit, die ebenfalls über Erholungskapazitäten auf Hiddensee verfügten.

10.5 Ferienvergnügen - trotz Versorgungsproblemen und Schlangestehen

Die Insel war mit den hohen Gästezahlen und mit den noch viel höheren Zahlen an Tagesbesuchern spätestens seit Anfang der 60er Jahre im Grunde ständig überfordert. Obwohl man etwa dreimal so viele Urlauber aufnahm wie in den Jahren vor dem Krieg, standen deutlich weniger Restaurantplätze als damals zur Verfügung. Hinzu kam, dass die in Privatzimmern untergebrachten FDGB-Urlauber in den Privatquartieren nicht einmal ein Frühstück bekamen und sich dort auch nicht selbst versorgen konnten und sollten, sondern auch in den FDGB-Ferienheimen verköstigt wurden. In der Praxis sah das so aus, dass überall in den FDGB- und Betriebsferienheimen jeweils in 2 oder sogar 3 Durchgängen gegessen werden musste. Das „Wieseneck" in Kloster hatte beispielsweise bei 72 Restaurantplätze im Sommer täglich bis zu 190 Gäste zu verpflegen. Das bedeutete jeweils 3 Durchgänge zum Frühstück, Mittag- und Abendessen à jeweils ca. 45 Minuten. „Mexikanischer Schleuderservice", wurde das von den Beschäftigten dort genannt. Die Saison dauerte von ca. Mitte Mai bis Mitte Oktober. Die FDGB-Gäste blieben jeweils 13 Tage, nach einem freien Tag, an dem die Zimmer neu hergerichtet wurden, kam der nächste „Urlauberdurchgang", insgesamt 10 - 12 pro Jahr. Dass man da als Restaurant- oder Ferienheimleiter froh war, überhaupt irgendwie über die Runden zu kommen und nicht auch noch auf eine gute, abwechslungsreiche Küche oder einen besonders freundlichen Service achten konnte, scheint verständlich. Zumal es immer an Personal mangelte, die Rohstoffe knapp waren und man an einem besonderen Service ja auch nichts verdiente. Die Tagessätze standen ja fest, ein zweiwöchiger FDGB-Urlaub kostete incl. voller Verpflegung etwa 30 Mark pro Person, den Vermietern wurden vom FDGB deutlich höhere Preise gezahlt.

Insgesamt erwies sich die Versorgung und Betreuung der Urlauber durch den FDGB-Feriendienst als ziemlich stabil und relativ problemlos, was nicht ausschloss, dass auch schon einmal jemand von Hiddensee mit einem Lieferwagen auf die Schnelle nach Werder im Bezirk Potsdam fahren musste, um außerhalb der offiziellen Lieferwege eine Ladung Obst heranzuschaffen. In einem „Bericht über die Gewährleistung der Ordnung und Sicherheit in den Wassersporthäfen und den inneren Seegewässern in der Saison 1976" äußerte Bürgermeister Niß:

> „Gut abgesichert sind die organisierten Urlauber des FDGB-Feriendienst[es] hinsichtlich der Versorgung, der kulturellen Betreuung, der Unterbringung sowie in den Fragen der Ordnung und Sicherheit. Auch die Urlauber des Reisebüros und [der] betriebl[ichen] Einrichtungen haben wir im Griff."[140]

Mit dem Begriff der „Gewährleistung von Ordnung und Sicherheit“ wurde neben allgemeinen Ordnungsproblemen der Hygiene, des Feuerschutzes etc. vor allem auch euphemistisch das Problem der Fluchtverhinderung umschrieben. Einen deutlich größeren Aufwand, so fuhr Niß fort, müsse man schon bei der Durchsetzung der privaten Besuchsregelungen sowie bei der Meisterung der Versorgung der Tagestouristen aufwenden. Und in der Hochsaison kämen noch zwei Komponenten dazu,

> „die uns nicht nur von der Versorgung her zu schaffen machen, sondern [auch] von der Ordnung und Sicherheit her. Die kleine Gruppe sind vor allem Jugendliche, die landseitig auf der Insel im Küstenwald, in den Büschen und in den Strandkörben schwarz kampieren. Die größere Gruppe sind die Wassersportfahrzeuge.“

Seit Ende der 50er Jahre mehrten sich in den lokalen und Berliner Zeitungen die warnenden Stimmen wegen der steigenden Touristenzahlen, die Hiddensee nicht weiter verkraften könne. Der „Sonntag“, die Zeitung des Kulturbundes, schrieb am 26.1.1958, im Herbst sehe die Insel wegen der Tagesgäste „schrecklich“ aus. Diese zertrampelten die Grasnarben, verdreckten die Dünen und ließen überall ihre Abfälle herumliegen. Urheber des „Rummels“ sei die Weiße Flotte, die an den Tagesfahrten verdienen wolle, aber die dadurch entstehenden Schäden seien viel höher. Bürgermeister Rosin, so fügte der Autor noch an, habe ihm erklärt, es werde alles für den Schutz der Insel getan, und ihn dann aus seinem Büro hinauskomplimentiert. „Hiddensee in Gefahr“, titelte die „Berliner Zeitung“ am 8.7.1959, und berichtete, die Tagesbesucher wälzten sich alle auf dem gleichen Weg durch Kloster, über die Hucke und den Dornbuschwald zum Leuchtturm. Wenn sie wenigstens auf den Wegen blieben, ginge es ja noch, aber sie rutschten überall die Steilufer hinab. Und „Der Morgen“ beschrieb am 11.10.1962 die 1.500 „Eintagsfliegen“ als

> „Heuschreckenschwärme, die im Eiltempo vom Grabe Gerhart Hauptmanns durch dessen Haus Seedorn flat-

tern und dann mit knurrendem Magen vor einer der Gaststätten warten. 1500 sind zuviel, Gaststätten und Dünen können sie nicht aufnehmen.“

Das renovierte und dabei seiner schönen Fachwerkfassade beraubte "FDGB-Erholungsheim Hitthim" ca. 1980

Das Berliner Satiremagazin „Eulenspiegel“ schrieb 1974 bissig, auf und für Hiddensee gelte der Grundsatz, eine Saison „Eintagsfliegen“ entspräche in ihrer zerstörenden Wirkung der einer mittleren Sturmflut.

Für die Versorgung der Tagesgäste und der sonstigen nicht organisierten Touristen, also vor allem auch der Bewohner der Sportboote in- und außerhalb der Seglerhäfen, waren die HO-Gaststätten und die Verkaufsstellen der Konsumgenossenschaft zuständig. Hier gab es eigentlich immer nicht unerhebliche Probleme, und die Hiddenseer Ratsmitglieder hatten auf den regelmäßig stattfindenden „Versorgungskonferenzen“ und „Saisonauswertungen“ stets viele, z.T. heftige Kritiken an HO, Konsum und Mitropa vorzubringen. Letztere war für die Gastronomie auf den Fährschiffen zuständig. Die HO-Gaststätten auf der Insel litten immer unter starkem Personalmangel, öffneten daher oft erst Wochen nach Saisonbeginn und machten schon Ende August wieder zu. Saisonpersonal war schwer zu bekommen, und noch schwerer war es, für das Personal auf der Insel eine Unterkunft zu finden. Letztlich konnte das immer nur auf Kosten der Gästebetten gehen, und wie begehrt diese wiederum waren, wurde schon geschildert. Etwa die Hälfte der 1.300 Hiddenseer arbeitete in der Gästebetreuung. Teilweise wurde versucht, das Personalproblem durch die Umstellung der Restauration auf Selbstbedienung zu entschärfen. Was wurde so aus dem ehemals herrschaftlichen „Hotel Dornbusch", zumal es hier wie in den anderen Gaststätten immer erheblichen „Rekonstruktionsbedarf" gab, der stets deutlich größer als die dafür zur Verfügung stehenden Mittel war.

Ähnlich wie in den HO-Gaststätten sah es in den Verkaufsstellen des Konsum aus. Auch diese konnten im Sommer wegen Personalmangels oft erst mit Wochen Verspätung oder gar nicht geöffnet werden. Zeitweilig versuchte man es mit Verkaufspersonal aus Polen oder der CSSR, das zwar, wie es in den Saisonauswertungen hieß, sehr fleißig war, sich wegen der mangelnden Sprachkenntnisse aber dennoch nicht bewährte. Mit dem Bau einer neuen großen Kaufhalle in Vitte 1975 verbesserte die Situation sich deutlich, auch wenn der Rat der Gemeinde bald kritisieren musste, dass das Grundsortiment an Lebensmitteln in der Kaufhalle nicht immer vorhanden sei und die neue Kaufhalle schon 1983 einer ersten grundlegenden „Rekonstruktion" unterzogen werden musste. Dafür trat in Kloster eine weitere Verschlechterung ein, als Kurt Dittmann 1976 seinen immer noch privaten Laden aus Altersgründen aufgab. Dieser sollte, nachdem dem Käufer des Hauses eine Genehmigung zur Fortführung des Geschäfts verweigert worden war, zwar vom Konsum übernommen werden, der ihn wegen Personalmangel aber lange Zeit nicht wieder eröffnen konnte. Und die Versorgung in Neuendorf blieb bis zum Schluss ein besonderes Problem. Hier gab es um diese Zeit nur noch eine KG - Verkaufsstelle, die in der Saison völlig überfordert war. Es gebe dort, so wetterte der SED - Ortssekretär Dr. Egon Schlieker in der Gemeindevertretung am 19.5.1981, für die Urlauber Wartezeiten von 2 - 2 ½ Stunden. Hier, wie auch in der Kaufhalle Vitte, wurden Einheimische bevorzugt an den langen Schlangen vorbei bedient.

All diese kleinen und großen Probleme führten aber keineswegs dazu, dass die Menschen den Urlaub auf Hiddensee etwa nicht genossen hätten. Im Gegenteil: Wer einmal kam, wollte, wenn es irgend ging, wiederkommen. Und die, die noch nicht hatten kommen können, wollten wenigstens einmal die Gelegenheit dazu erhalten. Die Versorgungsprobleme gab es ja überall in der DDR, man war daran gewöhnt, man richtete sich auch in den Ferien irgendwie darauf ein, man nahm, was nötig war, eben von zu Hause mit auf die Insel. Und die Insel war wunderschön wie

Konsum - Verkaufsstelle in Neuendorf 1964

immer. Den Scharen von Tagestouristen konnte man an den weiten Stränden am Gellen und Bessin aus dem Wege gehen, dort war es immer noch einsam und die Natur schien noch unberührt. Und hier wurde, wie schon vor dem Krieg, wieder nackt gebadet.

Allerdings war das Nacktbaden nicht von Anfang an unbestritten. 1951 hatte man in allen drei Inselorten noch Nacktbadezonen eingerichtet und durch entsprechende Hinweisschilder kenntlich gemacht. In Übereinstimmung mit der allgemeinen Politik in der DDR beschloss der Rat dann jedoch am 29.5.1953, dass „die Nacktbadekultur auf Hiddensee verboten ist". Die Verbotsschilder wurden jedoch von Unbekannten immer wieder schnell entfernt, und es setzte ein Kleinkrieg mit den Behörden ein, der sehr an den in den Zwanziger Jahren erinnert. Ende 1954 berichtete eine SED-Parteikontrollbrigade, trotz mehrerer Einsätze der Volkspolizei habe man das Nacktbaden nicht ganz unterbinden können, da Polizei und SED-Mitglieder sich in dieser Frage nicht entschieden genug verhielten. Ein Nacktbader sei der Insel verwiesen, ein anderer mit einer Geldstrafe von 150 Mark belegt worden. Ein großer Teil der Nacktbader sei unter den Camping-Gästen zu suchen, die auch sonst oft ein „störendes Verhalten" zeigten. Die Gaststättenleitungen würden es versäumen, bei Tanzveranstaltungen Gästen in unangemessener Kleidung den Zutritt zu verwehren.[141] In einem Artikel vom 26.9.1954 hatte der „Sonntag" ebenfalls bedenkliche „Anzeichen von Verwilderungen, ja sogar von Bandentum" vor allem unter den jugendlichen Zeltgästen konstatiert:

> „Da fahren ganze Gruppen von Radlern im tollen Tempo auf den schmalen Strand- und Wiesenwegen ohne Rücksicht auf die Fußgänger. Da werden absichtlich nach stattgefundenen Picknicks Flaschen und Gläser zerschlagen und die Scherben am Strand und in den Dünen verstreut. ... Besonders bedenklich ist, daß diese halbstarken Jünglinge und Mädchen die Freikörperkultur entdeckt zu haben glauben und sich dabei widerlich aufführen. Niemand wird etwas dagegen haben, wenn Menschen ihren Körper der Sonne und dem Wasser auszusetzen wünschen und sich dazu an entlegenere Stellen des Strandes begeben. Es fordert aber zum Protest heraus, wenn, wie das in Vitte und Kloster geschah, ganze Gruppen junger Männer splitternackt vor den Strandkörben promenierten und provozierten. Dasselbe gilt von der anderen Unsitte, im Schlafanzug am Hafen bei der Abfahrt oder Ankunft der Dampfer zu

erscheinen oder abends im HO-Lokal »Dornbusch« öffentlich in solchem Aufzug zu tanzen. Aber kann das anders sein, wenn bereits die Tanzkapelle , die dort aus Leipzig gastiert, in einem eigenen, für Hiddensee geschaffenen Schlager spielt: »Auf Hiddensee, auf Hiddensee, da spielt man Mann und Frau. Auf Hiddensee, mein Kind, nimmt man's nicht so genau.« ?"

War es da wieder, das Hiddensee der großen Freiheit, jedenfalls ein Stückchen davon? Es sieht so aus, und es scheint, als sollte dies auch in den folgenden Jahren und Jahrzehnten immer zumindest ein bisschen erhalten geblieben sein. Das Blatt des Kulturbundes forderte entschiedene Maßnahmen der Berliner und Rostocker Behörden und des FDGB gegen diese Erscheinungen, unter anderem eine „umfassende kulturelle Betreuung der Urlauber" und eine „richtige Mischung der Urlaubsplätze sowohl für Industriearbeiter als Wissenschaftler und Künstler". Die inkriminierten Vorgänge haben sicher dazu beigetragen, dass das Zelten auf Hiddensee seither untersagt wurde, auch wenn dies offiziell aus Naturschutzgründen geschah. Im übrigen war der Spuk mit dem Verbot des Nacktbadens bald vorbei, und Hiddensee wurde wieder zu einem bevorzugten Ziel der FKK-Anhänger. Besonders romantisch war der, je weiter man nach Süden ging, immer einsamer werdende Strand am Neuen Bessin, der noch den Vorteil hatte, dass man dort durch dichtes Sanddorngestrüpp sowohl vor Westwinden wie vor neugierigen Blicken Bekleideter geschützt und das Boddenwasser meistens deutlich wärmer war als in der offenen Ostsee. An den seeseitigen Stränden wurden jetzt wieder FKK-Zonen eingerichtet und aufgrund des steigenden Bedarfs in den 70er Jahren vergrößert. In den 80er spätestens hatte sich das Nacktbaden auch an den Hauptstränden durchgesetzt, wo jetzt niemand mehr darauf achtete, ob Badegäste mit oder ohne Badekleidung am Strand lagen. Diese weite Verbreitung des Nacktbadens hat sicher mit zu der besonderen Atmosphäre Hiddensees in der DDR-Zeit beigetragen.

Die vom „Sonntag" geforderte kulturelle Betreuung der Gäste oblag vor allem dem FDGB-Feriendienst, zum Teil auch der Gemeinde. In dem 1956 herausgegebenen offiziellen Gästeführer der Gemeinde war darüber unter der Überschrift „Urlaubszeit - frohe Zeit" zu lesen:

> „Behaglich eingerichtete FDGB-Ferienheime, freundliche Zimmer der Privatvermieter nehmen die Gäste auf. Für das leibliche Wohl der Urlauber wird bestens gesorgt. Ein ungezwungenes Badeleben herrscht am ausgedehnten Strand von Hiddensee. ... Film-, Varieté- und Tanzveranstaltungen, Kostüm- und Strandfeste aller Art dienen der Entspannung. Heimatkundliche, geologische und ornithologische Führungen durch Ortsansässige erfreuen sich größter Beliebtheit. Ein Besuch des im Jahre 1954 unter Mitwirkung der Hiddenseer Bevölkerung geschaffenen Heimatmuseums wird warm empfohlen."[142]

Strandleben in Kloster ca. 1975

Einen besonderen Stellenwert besaß immer die „Bespielung“ der Orte durch eine Tanzkapelle, allabendliche Tanzmusik in einer der Gaststätten gehörte in der Saison einfach dazu. In der Regel wurden von der Gemeinde und dem FDGB-Feriendienst je eine und von der HO zwei Tanzkapellen engagiert, welche die ganze Saison über spielten. Im Dornbusch war an fünf Abenden der Woche Tanz. Anfangs wurden in den Sälen der Gaststätten auch noch ein- oder zweimal die Woche Filme gezeigt, bis 1964 das Kinozelt der Kreislichtspiele in dem zum „Kulturpark“ aufgewerteten Park an der ehemaligen „Villa Antoinette“ am Vitter Norderende aufgestellt wurde. In der Gemeindevertretersitzung vom 19.10.1978 wurde zur Saisonauswertung berichtet, die Hauptlast der kulturellen und sportlichen Betreuung sei vom FDGB-Feriendienst, dem Hauptmann-Haus, dem Museum und dem Zeltkino getragen worden. In den FDGB-Einrichtungen habe es 146 Tanzveranstaltungen, 72 heimat- oder naturkundliche Vorträge von Hiddenseer Bürgern, 64 Programme der Konzert- und Gastspieldirektion, die allein fast 20.000 Mark gekostet hätten, 36 biologische Exkursionen, 7 Picknicks im Freien hinter dem FDGB-Heim „Zur Ostsee“, 8 Wanderungen mit gastronomischer Betreuung und 19 Einsätze mit einem Tanzpaar gegeben. Das konnte sich sicher sehen lassen, die 13 oder 14 Tage Ferien auf der Insel waren da schnell und kurzweilig vergangen.

Die Veranstaltungen und Kinovorführungen waren meistens bis auf den letzten Platz besetzt, die Menschen noch nicht von den „Segnungen“ einer allgemeinen Medien- und Konsumgesellschaft übersättigt und ermüdet, sie nahmen regen Anteil an dem, was ihnen geboten wurde. Das galt auch für die Lesungen und Vorträge im Hauptmann-Haus und im Heimatmuseum wie für die regelmäßig von der Evangelischen Kirche in der Kirche in Kloster veranstalteten Konzerte mit geistlicher und klassischer Musik, oft von Hiddenseer Gästen vorgetragen. In der Saison 1987 gab es in den beiden Museen 50 und in der Kirche 96 Veranstaltungen, davon 48 Konzerte. In einer Mitte der 60er Jahre von einer Arbeitsgruppe der Technischen Universität Dresden vorgenommen Strukturanalyse der Insel Hiddensee heißt es dazu:

„Hiddensee besitzt in der Gerhart-Hauptmann-Gedächtnisstätte, mit seiner baulich reizvollen Kirche und den Schätzen des Heimatmuseums in Kloster besondere Anziehungspunkte, von denen jede über das Erschaubare hinaus mit niveauvollen, gern besuchten Veranstaltungen wesentlich zu einer kulturellen Betreuung der Besucher beiträgt. Die Lesungen im Hauptmann-Haus, die Abendmusiken in der kerzenerhellten, sonnenblumengeschmückten Kirche und die Vorträge über die biologischen, geologischen und historischen Besonderheiten gehören schon zum »Hiddensee-Erlebnis«"[143]

Die Schauspieler des Berliner Metropol Theaters, das ein Ferienobjekt auf der Insel besaß, gaben unter ihrem Intendanten Hans Pitra zum Saisonabschluss einige Operetten- oder Musicaldarbietungen, bevor der Spielbetrieb im Theater an der Friedrichstraße wieder einsetzte. Ein Besuch im Heimatmuseum und im Gerhart-Hauptmann-Haus gehörte besonders an Schlechtwettertagen zum Pflichtprogramm eines Hiddensee-Besuches. Die FPG bot gelegentlich Kutterfahrten an, manchmal wurden auch Nachtwanderungen oder abendliche Lampionumzüge durchgeführt.

In gewisser Beziehung setzte sich auch in der DDR die Hiddensee'sche Vorkriegstradition als Insel der Intellektuellen fort. In den ersten Nachkriegsjahren waren das „Wieseneck" und das „Haus Thalheim" in Kloster der Gewerkschaft Kunst zur Belegung durch ihre Mitglieder zugewiesen worden. Im Sommer 1951 führte Felix Emmel unter großer Anteilnahme von Bevölkerung und Gästen und mit großem Erfolg im Saal des Ostsee-Hotels sein „Hiddenseer Fischerspiel" auf, die Musik dazu hatte Maria Kruse, die älteste Tochter von Max und Käthe Kruse geschrieben. Es zeigte, wie es in dem von dem Stralsunder Maler Tom Beyer illustrierten Programmheft hieß, die Bekehrung des ich- und geldsüchtigen Hiddenseer Fischers Malte zur produktiven Arbeit für sein Volk. Dargestellt wurde das Stück ausschließlich von insgesamt 40 Hiddenseer Laienschauspielern - der spätere SED- und FPG-Vorsitzende Egon Schlieker etwa wirkte als jugendlicher Geigenspieler mit. Die Hiddenseer spielten sich selbst, und sie taten es mit großer Begeisterung. Obwohl die Person des Autors und Regisseurs den Behörden einen gewissen Anlass zur Skepsis bot - Emmel, seit 1921 Besitzer der „Villa Emmel“ am Vitter Hafen, war ein „bürgerlicher“ Theaterwissenschaftler, der damals mit Hauptwohnsitz schon in Göttingen wohnte und bald darauf ganz in den Westen ging - setze sich doch die Meinung durch, dass es sich hier um „ideologisch einwandfreies, realistisches Volkstheater im besten Sinne“ handele, verkünde es doch überzeugend das die neue sozialistische Gesellschaft prägende „Ethos der Gemeinschaftsarbeit“.[144]

Neben den schon erwähnten hohen Preisträgern aus Kunst und Wissenschaft, die hier ein Sommerhaus erwerben und unterhalten konnten, machte auch wieder eine größere Zahl von Schauspielern, Künstlern und Wissenschaftlern hier ab und an oder auch regelmäßig Urlaub.[145] Zu erwähnen wären hier etwa die Schriftsteller Erich Arendt, Kurt Barthel („Kuba“), Willi Bredel, Hanns Cibulka, Stefan Hermlin, Stefan Heym, Jan Koplowitz, der Kabaretttexter Lothar Kusche, Herbert Nachbar („Die Hochzeit auf Länneken“), Hans- Albert Pederzani, Benno Pludra, der mehrere seiner Kinder- und Jugendbücher auf Hiddensee spielen ließ, Konrad Schmidt , Anna Seghers, Jeanne und Kurt Stern, Ludwig Turek, Bodo Uhse, der zeitweilig Vorsitzender des Schriftstellerverbandes der DDR war; die Schauspieler Hans Peter Minetti, Vorsitzender des Verbandes der Theaterschaffenden der DDR, Maria Paudler und Helene Weigel, die Regisseure Jürgen Fehling, und Wolfgang Langhoff, die Opernregisseure Joachim Herz und Harry Kupfer, der Filmregisseur Kurt Maetzig, der auch auf Hiddensee drehte; die Maler Tom Beyer, der künstlerische Zirkel an der Stralsunder Volkswerft leitete, Elisabeth Büchsel, Harald Hakenbeck und Hans Vent, die aus Polen stammende Grafikerin Helena Scigala, die mehrere Holzschnitte mit Hiddensee-Motiven schuf, der Zeichner Werner Klemke, der Cibulkas Hiddensee-Tagebuchblätter „Sanddornzeit“ und Kinderbücher von Benno Pludra illustrierte und das „Haus Muthesius“ in Vitte erwarb; von den Musikern wären etwa zu erwähnen der Dirigent des Leipziger

Rundfunk-Symphonieorchesters Hermann Abendroth, der Komponist Paul Dessau, der Berliner Opernsänger Gerhard Frei, der Violinist Hermann Diener, der Pianist Amadeus Webersinke oder der Leipziger Thomaskantor Hans-Joachim Rotzsch zu erwähnen.

Die wiederum natürlich unvollständige Liste ist nicht ganz so lang wie in der Weimarer Republik, aber doch beachtlich. Die Genannten und manche anderen trugen zweifellos wieder dazu bei, auf Hiddensee ein besonderes, intellektuelles Klima zu schaffen. Natürlich hatte sich mit den gesellschaftlichen Verhältnissen auch die Rolle der Intellektuellen geändert. Die große Mehrzahl der Genannten war in der sozialistischen DDR in hohem Maße anerkannt, Träger höchster Auszeichnungen, sie gehörten in diesem Staat zu den Arrivierten und Privilegierten. Wenn sie kein eigenes Sommerhaus auf der Insel besaßen, so hatten sie die Möglichkeit, hier im ZK-Heim „Haus am Hügel" oder in den Gästehäusern der Universität Greifswald, der „Lietzenburg" und dem „Haus Thalheim", zu wohnen. Aber gesellschaftlich hoch Anerkannte hatte es, man denke nur an Gerhart Hauptmann oder Thomas Mann, natürlich auch in der Weimarer Republik gegeben. Wahrscheinlich traten die Intellektuellen in der DDR-Zeit weniger öffentlich in Erscheinung, sie lebten auf der Insel zurückgezogener. Aber neben den Arrivierten und Anerkannten hat es auf Hiddensee ganz offenbar auch immer eine gewisse Szene von unabhängigen, vielleicht auch manchmal mehr oder weniger systemkritischen Geistern gegeben, und hierbei hat sicher auch das „Rüstzeitheim" der Evangelischen Kirche in Kloster als Treffpunkt und Unterkunftsmöglichkeit eine gewisse Rolle gespielt. In Kloster bildete sich in den 80er Jahren, mit Beteiligung des Hiddenseer Kulturbundes, rund um das Haus von Ric Machnitzki, eine relativ offene „Sommergalerie". Machnitzki war Redakteur der Stralsunder CDU-Zeitung „Der Demokrat", er hatte 1979 das Kaufhaus von Kurt Dittmann erworben, um das traditionsreiche Geschäft fortzuführen und so dauerhaft auf Hiddensee leben zu können. Da dies mit der Begründung abgelehnt wurde, nicht der private, sondern der genossenschaftliche und sozialistische Sektor im Handel müssten gestärkt werden, nutzte Machnitzki das Haus zusammen mit Künstlern aus Stralsund und Rügen zur Veranstaltung sommerlicher Ausstellungen. Zum Teil hingen die Bilder als Blickfang auch an den Außenwänden des Gebäudes. Es entstand ein lockerer Freundeskreis von Künstlern, der nicht oppositionell war, in dem aber politische und künstlerische Fragen offen diskutiert wurden ... und der, wie hätte es anders sein können, von Informanten der Staatssicherheit überwacht wurde.

Einen Höhepunkt der sommerlichen Veranstaltungen stellte seit Ende der 50er Jahre jeweils die „Ostseewoche" im Juli dar. Unter dem Generalmotto „Die Ostsee - ein Meer des Friedens" gab es da musikalische Frühschoppen und Hafenkonzerte, einen Sommernachtsball oder abendliche bunte Melodienreigen „Wo die Ostseewellen trecken an den Strand". Fester Bestandteil des Ostseewochen-Programms waren auch immer Aussprachen mit Gästen aus Westdeutschland. Großes Aufsehen erregte 1962 eine „Flaggenschändung" während der Ostseewoche in Neuendorf, als Unbekannte aus zwei DDR-Fahnen das Staatsemblem mit Hammer, Zirkel und Ährenkranz herausschnitten. Seit Mitte der 60er Jahre fanden eine Zeit lang im Juni regelmäßig „Freundschaftstreffen" mit den Truppen der Grenzbrigade Küste statt. Dann gab das Standortmusikkorps der Volksmarine Stralsund ein großes Hafenkonzert und das Patenschiff „Vitte" der NVA konnte von der Bevölkerung besichtigt werden. In einem militärpolitischen Forum war Gelegenheit, mit Offizieren der NVA zu diskutieren, die Matrosen konnten sich in einem Diavortrag des Museumsleiters Karl Ebbinghaus über die Geschichte der Insel informieren, und abends standen drei große Marinebälle für Soldaten, Gäste und Einheimische auf dem Programm.

Am Anfang und am Ende der Saison lagen die jährlichen Feierlichkeiten zum 1. Mai und zum Jahrestag der Republik am 7. Oktober. Am 1. Mai gab es neben der obligatorischen „Kampfdemonstration", die hier meist wenig kämpferisch verlief, nachmittags ein Volksfest mit preisgünstigem Imbiss und Getränken und dann, wie immer, Tanz, manchmal mit Tombola. Zu besonderen Ereignissen wurden die runden Geburtstage zum 5., 10., 15.

etc. Jahrestag der Gründung der DDR ausgestaltet. Die Gemeindevertretung führte eine Festsitzung durch, bei der ein Pionierchor oder ein Frauenchor des DFD auftraten und verdiente Bürger ausgezeichnet wurden. Das Heimatmuseum eröffnete eine Ausstellung zur Entwicklung der Insel seit 1949, und abends gaben das Werfttheater Stralsund oder das Metropoltheater Berlin Vorstellungen. Von Mai bis Oktober war die Insel voll von Gästen, es herrschte ein buntes Treiben, so gut wie täglich hätte man irgendeine Veranstaltung besuchen können. Da verging die Urlaubszeit auf der wunderschönen Insel viel zu schnell, und da übersah man gern das eine oder andere Problem bei der Ausstattung der Unterkünfte oder bei der Versorgung in den Gaststätten und Verkaufsstellen. Den Hiddenseern selbst ging es bei alledem alles andere als schlecht. Etwa 90% von ihnen wohnten in eigenen Häusern, die meisten konnten einige Zimmer vermieten. Und diese wurden, wie die Berliner Schriftstellerin Monika Maron dem „Zeit"-Journalisten Peter Sager 1988 berichtete, in der DDR „wie Goldstaub gehandelt". „Die Leute verdienen ihr Geld im Schlaf", formulierte ähnlich Jürgen Eckhardt, der Leiter des FDGB-Feriendienstes auf der Insel, zur gleichen Zeit gegenüber dem „Stern"-Reporter Peter Sandmeyer. Allein mit der Vermietung eines Doppelzimmers könne man pro Saison 3000 Mark verdienen und ein halbes Jahr davon bequem leben.[146] Dies galt nicht nur für die immer umstrittene private Zimmervermietung, auch der FDGB und die Betriebe zahlten den Vermietern ja weit höhere Beträge, als sie von ihren Urlaubern bekamen.

10.6 Die Sozialisierung von Landwirtschaft, Fischerei und Fahrgastschifffahrt

In den ersten Nachkriegsjahren standen Probleme in und mit der Landwirtschaft ganz oben an, der Rat und die Gemeindevertretung beschäftigten sich praktisch in jeder Sitzung mit der Aufstellung und Erfüllung von Anbau- und Ernteplänen, mit dem Stand der Ablieferung an Fleisch, Milch, Getreide, Kartoffeln oder Eiern. Es gab vielfältige Probleme, einige der Neubauern kamen gut zurecht, andere nur sehr schlecht. Mit letzteren mussten immer wieder „Aussprachen“ geführt, ihre Pläne mussten revidiert werden. Wurde deshalb oder aus anderen Gründen wie Alter, Krankheit oder Republikflucht eine Siedlung aufgegeben, musste ein Nachfolger gefunden oder die Siedlung auf die anderen Neubauern aufgeteilt werden. Traktoren und Maschinen wurden von der Maschinen- und Traktoren-Station MTS Libnitz zur Verfügung gestellt. Auch hier gab es immer wieder Probleme, die Traktoristen waren krank, die Geräte konnten nicht repariert und damit auch nicht eingesetzt werden. Die Pläne für 1954 und 1955 sahen für Hiddensee folgende Ablieferungen vor:

	1954	1955
Milch	145.116 kg	140.153 kg.
Eier	40.065 Stück	39.021 Stück
Wolle	581,9 kg	569,3 kg
Rind	18.681 kg	17.841 kg
Schwein	3.293 kg	3.335 kg
Getreide	291,4 dz	253,2 dz
Kartoffeln	1.131 dz	1.025 dz

Am 3.9.1955 fand eine Festsitzung der Gemeindevertretung zum 10. Jahrestag der Bodenreform statt, auf der fünf Einzelbauern und ein Landarbeiter für ihre hervorragenden Leistungen ausgezeichnet wurden. Ein Jahr später war in der Gästebroschüre der Gemeinde zu lesen, die Bestrebungen der fortschrittlichen Kräfte auf Hiddensee gingen darauf hinaus, Fischer und Bauern für die Gründung von Produktionsgenossenschaften zu gewinnen. Das war leichter gesagt als getan, die Hiddenseer erwiesen sich - wieder einmal - als ziemlich widerspenstig. Der 1958 schließlich gegründeten LPG Kloster traten zunächst nur sieben Bauern bei, Vorsitzender wurde Karl Pohl. Bis zum September 1959 schlossen

sich alle Bauern in Grieben und Kloster der nun so genannten „LPG Dornbusch“ an. 1960 hatte die LPG 13 Mitglieder, darunter zwei Frauen, und es wurde sogar eine LPG-Parteiorganisation der SED mit sieben Mitgliedern gegründet. Die führende Rolle der Partei sei hier allerdings noch unzureichend verwirklicht, hieß es, und die Leitung der Parteigruppe musste auch Max Schmidt, der Leiter des ZK-Heims „Haus am Hügel“, mit übernehmen.

Man hoffte, mit der neuen LPG die Versorgung der Insel mit Getreide, Milch, Gemüse und Obst verbessern zu können, weshalb auch die brach liegende Gärtnerei wieder in Gang gesetzt und eine Molkerei gebaut werden sollten. Aber die Schwierigkeiten nahmen eher zu als ab. Im Juli 1961 musste eine Aussprache mit den LPG-Bauern angesetzt werden, da die Rübenflächen von den landlosen Mitgliedern immer noch nicht bearbeitet worden waren. Dabei vertrat der LPG-Bauer Arthur Mann die Meinung, die Bauern sollten besser wieder alleine wirtschaften, worauf Bürgermeister Sepp Kreuzer „ihn auf das Falsche seiner Meinung“ hinweisen musste.[147] 1963 hieß es, die LPG-Bauern hätten sich an die Gemeinschaftsarbeit noch nicht gewöhnt, und bei der schwierigen Lage in der LPG könnten neue junge Leute für die Arbeit dort nicht gewonnen werden. Im Sommer wurden regelmäßig Studenten der Berliner Humboldt-Universität oder die Schulkinder der Vitter Oberschule zur Bergung der Ernte eingesetzt. Die LPG schloss in dieser Zeit mit einem jährlichen Minus von ca. 40.000 Mark ab. 1967 hatte sie noch elf Mitglieder, die eine Fläche von 150 ha bearbeiteten. Besonders ungünstig war die wirtschaftliche Lage derjenigen Genossenschaftsmitglieder, die über keine Nebeneinkünfte durch die Vermietung von Ferienzimmern verfügten.

Bald tauchte wieder die alte Frage auf, ob die Landwirtschaft auf Hiddensee überhaupt rentabel sei oder doch zumindest in ihrer Konzeption völlig umgestellt werden müsse. Wegen des hügeligen Geländes war die „industriemäßige“ Bebauung der Felder, d. h. der großflächige Einsatz von Pflanz- und Erntemaschinen, die nun von SED und Behörden immer stärker propagiert wurden, nur sehr beschränkt möglich. 1963 hieß es daher schon, die Haltung von Schafen und Milchkühen solle auf Hiddensee ausgeweitet werden. Zur Förderung der Schweinezucht wurden alle gastronomischen Betriebe verpflichtet, ihre Küchenabfälle der LPG

Rinderaufzucht auf den Wiesen bei Grieben ca. 1975

Dornbusch zuzuführen. In den folgenden Jahren wurde dann in verschiedenen Etappen der Ackerbau schließlich ganz aufgegeben und durch eine reine Viehwirtschaft ersetzt.

1969 ging die LPG Dornbusch in der LPG „Völkerfreundschaft" in Poseritz/Rügen auf. Diese erklärte, sie wolle, da der Boden auf Hiddensee völlig verarmt sei, ganz auf eine reine Schafzucht umstellen und auf 70 ha nur noch soviel Getreide anbauen, wie zur Strohgewinnung für die Schafzucht erforderlich sei. Die Zahl der Schafe sollte von 800 im Jahre 1970 auf 1.200 1974 gesteigert werden. Für die Frischmilchversorgung der Insel sollten daneben noch etwa 50 Kühe gehalten werden. Bevor dieser Plan verwirklicht werden konnte, wurde die Landwirtschaft auf Hiddensee 1972 schon wieder weiter auf das Volkseigene Gut VEG Zingst übertragen, das unter der Leitung des bekannten, eigenwilligen

„roten Barons“ von Maltzahn stand. Mit einem eigens angefertigten Transportschiff kamen nun im Frühjahr von Zingst zunächst 500, später 800 - 1.000 Jungrinder auf die Insel und wurden im Herbst wieder zurückgeholt. Im Sommer 1975 weideten etwa 600 Schafe und 1000 Jungrinder auf der Insel. Im Sommer 1978 wurde die Schafweide ausgesetzt, dafür kamen jetzt neben den 1000 Rindern 20 Pferde nach Hiddensee. 600 ha Fläche wurden mit mineralischem Kunstdünger bedüngt, was zur Vernichtung zahlreicher schützenswerter Pflanzen führte. Eine von von Maltzahn zunächst geplante Bedüngung vom Flugzeug aus konnte durch massiven Protest der Hiddenseer Biologen und Naturschützer verhindert werden. Die Ställe und Scheunen in Kloster und Grieben wurden nicht mehr genutzt und verfielen, auch die mit vielen Schwierigkeiten errichtete, kleine Molkerei in Vitte stand jetzt leer. Die Milch musste täglich von außerhalb auf die Insel gebracht werden. Die Gärtnerei lag inzwischen wieder brach und konnte erst 1983 mit Mühe wieder einigermaßen in Gang gesetzt werden. Mitte der 80er übernahm das VEG Ummanz die Bewirtschaftung, das jedoch bis zur „Wende“ an dem Konzept der Jungrinderaufzucht auf Hiddensee festhielt. Heute läßt der „Nationalpark Vorpommersche Boddenlandschaft“ die Insel durch zwei landwirtschaftliche Betriebe von Schafen und Galloway-Rindern beweiden.

Weitaus schwieriger noch als die Bildung der LPG gestaltete sich die Gründung von Fischerei-Produktionsgenossenschaften (FPG). Die Fischer in Vitte und Neuendorf wollten partout nicht und verhielten sich ausgesprochen störrisch. Dabei schienen die Hiddenseer aufgrund ihrer langen Tradition gemeinschaftlicher Fischerei und auch gemeinschaftlichen Eigentums an den Fanggeräten in Garnpartien und Reusenkommünen für den Genossenschaftsgedanken besonders prädestiniert zu sein. Aber sie wollten an ihren alten Arbeits- und Eigentumsformen unbedingt festhalten. Hannes Präkel musste zu einer schwierigen Sondermission auf die Insel geschickt werden, um die Fischer umzustimmen.

Nach Ende des zweiten Weltkrieges setzten die Hiddenseer Fischer ihre Arbeit in gewohnter Form fort. Im Sommer 1946 setzten vier Reusengemeinschaften Reusen: die Binnenfischer, die Garnpartie und die Große und Kleine Reusenpartie in Neuendorf. 1953 schlossen sich die „Grootpartie“ und die „Lüttpartie“ in Neuendorf zur „Neuendorfer Reusengemeinschaft“ zusammen, der dann 40 Fischer angehörten. 1954 gab es auf der Insel 108 Fischer, davon 58 in Neuendorf und 50 in Vitte, die insgesamt 503 t Fische anlandeten. Die Zahl der Fischer hatte sich seit dem 19. Jahrhundert nicht wesentlich verändert. 1958 bestanden zumindest in Neuendorf auch noch die sieben traditionellen Garnpartien, die mit dem Zugnetz an bestimmten Abschnitten der Außenküste fischten: Peiterbargschen, Hohendünchen, Lütten, Strandfischer, Pottüül, Bigger und Gräunling, und auch der Piekschlitten war zum winterlichen Fischen wie zum gelegentlichen Aalstechen noch allgemein in Gebrauch.

Waren diese Arbeitsformen bis Ende der 50er Jahre ebenso weitgehend unverändert geblieben wie die Tatsache, dass die Fischer in der Regel alle nebenher eine kleine Landwirtschaft betrieben, so gab es doch zwei wichtige Veränderungen: die steigende Motorisierung und die Absatz- und Preisgarantie im Staat der DDR. Mitte der dreißiger Jahre hatten die ersten Hiddenseer Fischer Motorboote gekauft oder ihre Zeesenboote mit Motoren und Kajüten versehen. 1950 gab es in Vitte sechs Kutter und in Neuendorf 20 Motorboote. Bis 1955 stieg die Zahl an Motorbooten und Kuttern verschiedenster Größen insgesamt auf 32. Hierdurch war die Arbeit der Fischer grundsätzlich einfacher und leichter geworden. Die durch die DDR eingeführte Preis- und Absatzgarantie hatte, verbunden mit der Möglichkeit, Fisch über dem Ablieferungssoll zu höheren Preisen auf dem freien Markt verkaufen zu können, den Fischern erstmals eine gesicherte und krisenfreie Existenz gebracht. Es ging ihnen also grundsätzlich gut und sie sahen die Notwendigkeit, sich in „sozialistischen“ Genossenschaften zusammenzuschließen, überhaupt nicht ein.

Die ersten FPG's im Kreis Rügen waren 1954 von mittellosen Umsiedlern, die in den bestehenden Kommünen keine Aufnahme fanden, in Dranske und Glowe gegründet worden. Die staatlichen

Stellen und die SED förderten die Gründung von Fischereiproduktionsgenossenschaften im Wesentlichen aus zwei Gründen: Sie erhofften sich eine deutliche Steigerung der Fangmengen, vor allem ging es ihnen aber natürlich um die Durchsetzung sozialistischer Produktionsverhältnisse auch in der See- und Küstenfischerei. Aber an der ganzen Ostseeküste verhielten die Fischer sich abwartend bis ablehnend. 1956 sah die SED-Bezirksleitung Rostock sich zu dem Zugeständnis veranlasst, ähnlich wie in der Landwirtschaft auch hier einen FPG Typ I zuzulassen, in dem die Produktionsmittel Privateigentum blieben und der FPG gegen finanzielle Entschädigung zur Verfügung gestellt wurden. Nun ging es langsam voran, bis Ende 1959 waren alle Fischer an der Ostseeküste der DDR in den neuen Genossenschaften organisiert - alle außer den Hiddenseern! Die Räte und Parteileitungen in Rostock und Bergen standen unter erheblichen Druck, sollten und wollten sie doch endlich berichten können, dass Kreis und Bezirk „voll genossenschaftlich" seien. Mehrere Aussprachen mit den Hiddenseer Fischern brachten allerdings keinerlei Erfolg.

Der Vitter Fischer Ferd. Schluck beim Umladen des Fischfangs in hölzerne Transportkisten ca. 1965

Also schickte der Erste Kreissekretär der SED Rügen, Georg Ewald, als letzte Waffe den auf Hiddensee nach wie vor beliebten und geachteten Bergener Bürgermeister Hannes Präkel auf dessen Heimatinsel mit dem klaren Parteiauftrag, die genossenschaftliche

Organisierung der Hiddenseer Fischer unter allen Umständen endlich durchzusetzen. Aber auch Präkel biss zunächst auf Granit. Auf einer von ihm für Mitte November angesetzten Fischer-Versammlung erschien überhaupt nur einer! Präkel nahm an der nächsten Gemeindevertreter-Sitzung am 24.11.1960 teil, die mit 50 Zuhörern aus der Bevölkerung stark besucht war. Er erklärte, der Sozialismus müsse nun auch auf Hiddensee endlich zum Durchbruch kommen und drohte indirekt mit dem Entzug der wirtschaftlichen Unterstützung des Kreises. Es müsse alles versucht werden, „in weiteren Aussprachen auf freiwilliger Basis den Zusammenschluß der Fischer zu erwirken".[148] Es nützte nichts, Präkel schaffte es vor Ende des Jahres nicht mehr. Schließlich wusste er sich nicht anders zu helfen, als den Fischern mit Rückendeckung der Kreis- und Bezirksleitung für den Fall einer vollständigen FPG-Mitgliedschaft den Erlass des Milchsolls für alle Einzelbauern und eine deutliche Reduzierung des Ablieferungssolls für die gerade gegründete LPG Dornbusch zu versprechen. „Hannes, können wi uns ok op di verloten?", fragten sie skeptisch und ließen sich, da er bestimmt bejahte, so schließlich zu der längst fälligen FPG-Gründung bewegen. Die Abschaffung des Milchablieferungssolls hatte für die Fischer den Vorteil, dass sie nun nach und nach ihre Kühe und Schafe sowie die Misthaufen vor den Häusern abschaffen und die Ställe zu Fremdenzimmern ausbauen konnten.

Am 24.2.1960 fand eine gemeinsame Sitzung des Rates der Gemeinde und des Demokratischen Blocks mit Präkel statt, auf der auch ein Gründungskomitee von neun Fischern teilnahm. Präkel fuhr nach dem Hinweis, dass die Bedingungen für den Sozialismus auf Hiddensee aufgrund der langen genossenschaftlichen Traditionen doch besonders günstig seien, schwere Geschütze auf: Es gehe um Krieg und Frieden und um die Verhinderung eines 3. Weltkrieges. Er sei nicht noch einmal zum Diskutieren auf die Insel gekommen, sondern um jetzt eine Produktionsgenossenschaft zu gründen. Wer für den Sozialismus sei, werde unterstützt, das Gegenteil werde nach den Gesetzen behandelt. Auf zwei Versammlungen an den beiden nächsten Tagen wurden denn die FPG's „De Süder" in Neuendorf mit 45 und „Swantevit" in Vitte mit 30 Mitgliedern gegründet. Die SED-Kreis- und Bezirksleitungen sandten erleichtert markige Glückwunschtelegramme auf die Insel:

> „Dieser, Euer Schritt vom Ich zum Wir hat eine große Bedeutung für die sozialistische Entwicklung von Hiddensee und Rügen. ...Wir freuen uns, dass die Gründung Eurer Genossenschaft in dem Moment erfolgte, da sie der Sache des Friedens und Sozialismus den größten Dienst erweist."[149]

Wegen des anhaltenden Widerstandes wurden die neuen FPG's überall an der Ostsee zunächst so organisiert, dass die bestehenden Arbeits-Gemeinschaften weitgehend erhalten blieben, d. h. die vorhandenen Garnpartien und Reusenkommünen wurden lediglich in „Brigaden" umgetauft und in der neuen FPG zusammengefasst. Daneben wurde allerdings die Kutterfischerei insbesondere in Vitte zielstrebig ausgebaut. Neue, größere Kutter wurden den Genossenschaften nun von den volkseigenen „Fischereifahrzeuge- und Gerätestationen (FGS)" zur Verfügung gestellt. Die Vitter Genossenschaft überflügelte die Neuendorfer deshalb bald eindeutig, weshalb 1970 beide Genossenschaften zur „FPG Hiddensee" mit Sitz in Vitte zusammengeschlossen wurden - ein harter Schlag für die eigenständigen und eigenwilligen Neuendorfer. Dr. Egon Schlieker, der aus Neuendorf stammte und die vereinigte Genossenschaft von 1977 - 1990 leitete, hatte von seinem Vater als Jugendlicher noch eingeschärft bekommen: „Junge, du kannst in deinem Leben alles machen, aber geh mir nicht nach Vitte!"

1985 gab es auf Hiddensee noch 2 Reusenbrigaden, eine in Vitte mit 6 und eine in Neuendorf mit 20 Fischern. Die Garnfischerei war inzwischen ganz aufgegeben worden. In geringem Umfang wurde - als Alten- und Jugendfischerei - vom Außenstrand in Vitte aus noch eine Stellnetzfischerei betrieben. Zu dieser Zeit war das jährliche Fangaufkommen auf ca. 1.500 t im Jahr gestiegen, hatte

Fischerboote im Hafen von Vitte ca. 1962

sich also gegenüber 1954 etwa verdreifacht. Der Fang setzte sich aus ca. 60% Hering, 20% Plattfisch und Dorsch und 20% sonstiger Arten zusammen, wobei 65% aus der Kutter-, 30% aus der Reusen- und 5% aus der Stellnetzfischerei stammten. Trotz eines schon länger bestehenden Verbotes konnten die Hiddenseer im Winter doch immer noch nicht so recht vom Aalstechen ablassen. Im Gegensatz zur LPG in Kloster nahm die FPG eine grundsätzlich positivere Entwicklung und spielte bis zur „Wende“ immer eine wichtige Rolle im wirtschaftlichen und sozialen Leben der Insel. 1980 gehörten ihr 56 Fischer an, die über 20 Kutter verfügten. Gleich nach dem Zusammenschluss wurde in Neuendorf in geringem Umfang mit einer Heringssalzerei begonnen. 1972 übernahm die FPG die Fischgaststätte im Vitter Hafen, die allerdings 1982 wegen hygienischer Mängel zeitweise wieder geschlossen werden musste. Die FPG unterhielt in Vitte ferner einen bei Einwohnern wie Feriengästen sehr beliebten Fischverkauf und belieferte im Sommer die Gaststätten und Ferienheime so weit wie möglich mit küchenfertigem Frischfisch. Um 1975 konnte in Vitte ein Kühlhaus mit Eisfabrik in Betrieb genommen werden. 1985 wandelte sich die Genossenschaft vom Typ I in eine FPG-Typ II um, die höhere Fördermittel erhielt, in der dafür aber mindestens 60 % der Produktionsmittel Eigentum der Genossenschaft sein mussten. Die Mehrzahl der Fischer musste, um diese Quote zu erreichen, ihre Boote an die FPG verkaufen, und es gab wie bei der Genossenschaftsgründung 25 Jahre zuvor wieder erheblichen Widerstand. Die erforderliche Mehrheit auf der Mitgliederversammlung wurde zunächst nicht erreicht und kam erst auf einer zweiten Versammlung nur knapp zustande. 1989 besaß die FPG Hiddensee 90 Mitglieder, davon waren 21 keine Fischer, sondern sonstige Mitarbeiter im Büro, in der Fischerfassung, in der eigenen Bau- und Handwerkerbrigade oder im Transport. 1990 wandelte die FPG sich in eine „Eingetragene Genossenschaft“ um, die Fangmenge fiel seither auf ca. 30 % des Standes von 1989 zurück.

In den Zusammenhang der Sozialisierungen in allen wichtigen Lebensbereichen bis 1959/60 zählt auch die Auflösung der Genossenschaftsreederei und der Verkauf ihrer Schiffe an die volkseigene „Weiße Flotte“ 1959. Die Geschäftsentwicklung war für die Genossenschaftsreederei nach dem Krieg wider Erwarten günstig verlaufen, obwohl die Ausgangslage alles andere als rosig erschien. Das neueste und modernste Schiff, der „Dornbusch“, war im Krieg verloren gegangen, der alte Dampfer „Swanti“ wurde vom Wasserstraßenamt Stralsund über Jahre hinaus als Tonnenleger verwendet. Und die „Insel Hiddensee“ wurde monatelang für Transporte der Roten Armee in Anspruch genommen und konnte wohl nur dadurch vor einer dauernden Beschlagnahme gerettet werden, dass die Besatzung mit Kapitän Robert Gau an der Spitze ohne jede Bezahlung standhaft auf dem Schiff blieb, gleich wohin und wofür es von den Besatzungstruppen eingesetzt wurde. Auch war mit einem schnellen Wiederaufleben des Reise- und Badeverkehrs in dem am Boden liegenden Deutschland nicht zu rechnen.

Nachdem am 6.4.1946 der regelmäßige Fährverkehr nach Stralsund über Schaprode mit der „Insel Hiddensee“ wieder hatte aufgenommen werden können, stiegen die Fahrgastzahlen aber überraschend schnell an. Dies war zunächst einem regen Hamstererverkehr von Hiddensee nach Schaprode sowie der Tatsache zu danken, dass die Bewohner Westrügens mit der „Insel Hiddensee" nach Stralsund fuhren, da der Rügendamm zerstört und auch die Rügener Kleinbahn noch nicht wieder in Betrieb gegangen war. Am 21.4.1946 war auch ein neuer Vorstand der Genossenschaftsreederei gewählt und dabei der erfahrene Lehrer Heinrich Berg als Geschäftsführer in seinem Amt bestätigt worden. Im Sommer 1946 entwickelte sich ein bescheidener Badeverkehr, aber vor allem stieg die Zahl der Tagesausflügler schnell wieder an. Die Menschen wollten das Leben im Frieden wieder genießen, und da man sonst kaum irgendwohin kommen konnte, leisteten die Stralsunder sich wenigsten wieder einmal einen Sonn- oder Feiertagsausflug nach Hiddensee. So konnte die Genossenschaftsreederei das erste Geschäftsjahr 1946 zur Überraschung aller mit einem Gewinn von 57.000 Mark abschließen.

Diese positive Entwicklung hielt auch in den folgenden Jahren trotz stark erhöhter Steuern und Abgaben bei gleichzeitig eingefrorenen Fahrpreisen grundsätzlich an. Für die Saison 1949 wurde der „Swanti" wieder freigegeben, so dass die Reederei mit zwei Schiffen nun auch wieder Ausflugsfahrten anbieten konnte. Der seit Anfang der 50er Jahre schon mehrheitlich vom FDGB und dem Deutschen Reisebüro DER organisierte Urlauberverkehr nahm in einem Umfang und in einem Tempo zu, wie es bei Kriegsende niemand erwartet hätte, was in noch verstärktem Maße auch für den Tagesausflugsverkehr galt. Spätestens nach der Eröffnung der Gehart-Hauptmann-Gedächtnisstätte im Sommer 1951 entwickelte Hiddensee sich zum beliebtesten Ausflugsziel an der Ostseeküste der DDR. Auch die Frachten nahmen so zu, dass die Reederei 1954 und 1955 das Frachtschiff „Johanna" charterte und 1956 ein eigenes Frachtschiff, die „Hoffnung" kaufte. Die Geschäftsentwicklung verlief insgesamt so positiv, dass man in den Jahren 1954 und 1955 die längst fälligen Generalüberholungen des „Swanti" für 85.000 Mark und der „Insel Hiddensee" für die enorme Summe von 310.000 Mark auf der Stralsunder Volkswerft durchführen lassen konnte. Danach hatte die Reederei allerdings keine Rücklagen mehr, sondern eine erhebliche Kreditschuld bei der Deutschen Investitionsbank in Berlin in Höhe von 223.000 Mark. Um diesen Kredit zu bekommen, waren Bürgermeister Präkel und sein Vorgänger Willi Rosin nach Rostock zum SED-Bezirkssekretär Herbert Warnke gefahren. Als dieser sie über eine Stunde warten ließ, platzte Rosin der Kragen und er bat die Sekretärin, Warnke zu sagen, sie würden, wenn sie jetzt nicht bald vorgelassen würden, nach Schweden fahren und dort die Eingliederung Hiddensees beantragen. Es ging trotzdem nicht schneller, im Gegenteil, Warnke war höchst verärgert, und Rosin musste sich erst förmlich entschuldigen, bevor sie die Kreditzusage erhielten.

Diese Kreditaufnahme bedeutete schließlich doch den Anfang vom Ende. Den konkreten Anlass für die Auflösung der traditionsreichen Reederei, die 40 Jahre lang für die Hiddenseer von großer Bedeutung gewesen war, bildete schließlich das Ausscheiden des langjährigen, verdienten Maschinisten Hans Krüger Anfang 1959. Trotz intensiver Suche konnte als Nachfolger nur ein unfähiger Alkoholiker gewonnen werden, der in kürzester Zeit einen schweren Kesselschaden auf dem „Swanti" verursachte, um dann nach einem langen Zechabend im Dornbusch schwer betrunken im Hafen von Kloster zu ertrinken. Eine erneute Reparatur des „Swanti" hätte die Genossenschaftsreederei nun nicht mehr bezahlen können. Zudem war es in den voraufgegangenen Jahren zunehmend zu Auseinandersetzungen zwischen Vorstand, Beschäftigten und dem Geschäftsführer gekommen, die 1957 zum Rücktritt von Heinrich Berg geführt hatten. So schien es jetzt keine andere Lösung mehr zu geben, als die Schiffe an die „Weiße Flotte" zu verkaufen. Die „Weiße Flotte" Stralsund war zum 1.1.1957 als VEB gegründet worden und hatte seither den Fähr- und Ausflugsverkehr zwischen Stralsund, Rügen und Hiddensee von der 1949 gebildeten „Deutschen Schiffahrts- und Umschlagszentrale (DSU)" übernommen. Der von der „Weißen Flotte" angebotene Kaufpreis würde alle Schulden decken, anderenfalls hätten die Mitglieder vielleicht nicht nur ihre Anteile verloren, sondern vielleicht auch noch persönlich für die Schulden haften müssen. Die gesamte Belegschaft würde übernommen werden und auch noch eine höhere Bezahlung erhalten, da die Lohntarife in den

VEB's höher waren als in genossenschaftlichen und privaten Betrieben.

So beschloss denn die Mitgliederversammlung am 26.9.1959 mit 71 Stimmen bei 6 Enthaltungen den Verkauf der Schiffe und die Auflösung der Reederei. Auch Heinrich Berg, dessen wichtigstes Lebenswerk zweifellos die Genossenschaftsreederei war, stimmte schweren Herzens zu. Der Verkauf lag ja auch im Trend der Zeit, da, wie er in seiner Chronik der Genossenschaftsreederei schreibt, zu diesem Zeitpunkt die Sozialisierung auf anderen wirtschaftlichen Gebieten schon die größten Fortschritte gemacht hatte. Er betont zugleich, dass der Beschluss vollkommen freiwillig erfolgt sei und es keinerlei Druck von Seiten der Behörden oder der „Weißen Flotte" gegeben habe. Vorstand, Aufsichtsrat und Mitglieder waren nun alle Sorgen los und beschlossen, mit dem Überschuss aus dem Verkauf ein großes Fest zu feiern. Es bestand, wie Heinrich Berg berichtet, „in einem opulenten Essen mit Wein und einem nachfolgenden Ball, zu dem man sich aus Stralsund 9 Musiker hatte kommen lassen. Die Beteiligung war natürlich gross. ... Diese Begräbnisfeier soll etwa 5.000,- DM gekostet haben." Berg und der alte Kapitän Robert Gau sowie einige Besatzungsmitglieder nahmen nicht daran teil. Sie widersetzten sich zwar nicht der Notwendigkeit, die Genossenschaft aufzulösen, fanden einen solchen Leichenschmaus aber vollkommen unangemessen.

10.7 Was soll aus Hiddensee werden? Entwicklungsprobleme und Entwicklungskonzepte

Schon bald nach Kriegsende hatte man den traditionellen Küstenschutz durch Buhnenbau vor Neuendorf und das Anpflanzen von Strandpflanzen fortgesetzt. Verschiedene schwere Sturmfluten zeigten jedoch die weiterhin große Gefährdung der kleinen Insel. Besonders bedroht war inzwischen vor allem die schmale Stelle direkt südlich des Rettungsschuppens zwischen Kloster und Vitte, hier drohte die Insel erneut auseinanderzubrechen, wie es 1864 südlich von Neuendorf schon einmal geschehen war. Mehrfach wies der Rat der Gemeinde die höheren Instanzen darauf hin, besonders dringlich nach der erneuten, schweren Sturmflut in Februar 1962, bei der in Hamburg seinerzeit mehrere Hundert Menschen ertranken. Und in der Tat begann das Wasserstraßenbauamt Berlin-Oberschöneweide noch im Sommer 1962 mit der Aufspülung eines 3 m hohen und 75 m breiten Deiches zwischen dem Heimatmuseum und dem Harten Ort nördlich von Vitte. Damit begannen langanhaltende und kostspielige Küstenschutzmaßnahmen, die die Insel mehr als 20 Jahre lang in eine Großbaustelle mit schweren Baggern, Lastwagen und Spülleitungen verwandelte.

Gleichzeitig mit der Aufspülung des Deiches an der gefährdeten Stelle am Heimatmuseum wurde mit der Verlängerung des Huckedamms nach Süden begonnen. Der Granit hierzu konnte nun natürlich nicht mehr aus Schweden kommen, er kam jetzt aus Sachsen. Der verlängerte Granitwall sollte einen zusätzlichen Hochwasserschutz bilden, zugleich sollte er dazu dienen, den Strand von Kloster wieder aufzubauen. Dieser, schon immer etwas schmalbrüstig, war nämlich durch die nach dem Bau des Huckedamms geänderten Strömungsverhältnisse ganz abgetragen worden und hatte sich in eine große Steinwüste verwandelt. Ein Jahr später wurde mit dem Bau eines Boddendeiches zwischen Kloster und Vitte begonnen. Neben dem Hochwasserschutz sollte dieser zur Entsalzung der Salzwiesen und damit zur Gewinnung intensiveren Weidelandes für die LPG dienen und für die Vitter einen sicheren Fluchtweg zum Hochland in Kloster gewährleisten. Man erinnere sich: Nach der schweren Sturmflut 1872 hatte die wackere Delegation der Vitter beim Kronprinzen Friedrich in Berlin die Verlegung des gesamten Ortes auf das Hochland vorgeschlagen.

Über die genaue Linienführung des Binnendeiches in Vitte gab es einige Auseinandersetzungen. Die Professoren Bauch und Trauzettel (TU Dresden) schlugen vor, die Seeblänke südlich Vitte von der Eindeichung auszunehmen, was die Gemeindevertretung am 2.9.1964 einstimmig mit der Begründung ablehnte, dadurch gehe wertvolles Weideland für die Einwohner verloren. Als nach einer längeren Unterbrechung 1977 schließlich mit dem Bau des Binnen- und Riegeldeiches südlich Vitte begonnen wurde, war das Weideland nicht mehr so wichtig, und die Seeblänke wurde nach den Vorstellungen der Naturschützer doch nicht eingedeicht. In der ersten Hälfte der 70er Jahre wurde ein Seedeich vor Vitte aufgespült und die Deichkrone mit einer Schwarzdecke versehen, wodurch die Insel nun schließlich doch noch so etwas wie eine Strandpromenade erhielt. Auch wenn der Bau sich hinzog und von vielen Problemen und Schwierigkeiten begleitet wurde, konnte der Hochwasserschutz für Vitte doch noch zu DDR-Zeiten vollendet werden - zweifellos eine große Leistung des mit ökonomischen Mitteln ja nicht gerade gesegneten Staates. Schon 1964 zum 15. Jahrestag der DDR hatte Bürgermeister Sepp Kreuzer mit Stolz erklärt, bei den Deichbauten handele es sich um „eine Kollektivarbeit der ganzen Deutschen Demokratischen Republik zur Erhaltung der Insel Hiddensee".[150] Für Neuendorf war längere Zeit eine große, mehrstöckige Warft geplant, in die die Bewohner bei einer Überflutung ihres Ortes hätten flüchten sollen und deren Räumlichkeiten man im Sommer als Ferienunterkünfte, Kino und

Strandaufspülung in Kloster hinter dem neuen Steinwall 1965

Versammlungssaal hätte nutzten können. Das Projekt wurde aber nie verwirklicht, und die Eindeichung der Süderdörfer erfolgte erst nach der Wende in den Jahren 1998/99.

Nach dem Beginn der Deichbauten in Kloster und Vitte war die Schaffung einer zentralen Wasserversorgung für die vier Inseldörfer in den Jahren 1967 - 1970 die nächste große Baumaßnahme, die man in Angriff nahm. Bis dahin hatten die Hiddenseer sich aus privaten Brunnen von geringer Tiefe versorgt, die Wasser aus oberflächennahen Horizonten von schlechter, zum Teil auch von hygienisch bedenklicher Qualität lieferten. Vor allem in Neuendorf kam oft eine ziemlich braune Brühe zutage. Nur die Biologische Forschungsanstalt, das Physikalische Institut und das ZK-Heim „Haus am Hügel" in Kloster verfügten über Tiefbrunnen. Mit der 2,5 Mio. Mark teuren Wasserleitung habe man, so Bürgermeister Niß in der Gemeindevertretung, „in drei Jahren bei unserem sozialistischen Aufbau mehr erreicht wie alle Gesellschaftsordnungen zuvor."[151] Allerdings zeigte sich bald, dass die Trinkwasserversorgung trotz der neuen Anlage instabil blieb, so dass Ende der 80er Jahre drei ganz neue Brunnen und ein Hochwasserbehälter gebaut werden mussten. Die Wasserversorgung wird immer ein Problem bleiben, mehr als 600 - 800 m3 Wasser können auf der Insel nicht gefördert werden, damit muss sie auch in der Hochsaison auskommen. Der mit der zentralen Wasserversorgung steigende Wasserverbrauch verschärfte das Problem der Abwasserreinigung und -entsorgung ganz erheblich. Nur vereinzelt gab es auf der Insel Hauskläranlagen, die meisten Abwässer versickerten irgendwo in der Nähe der Häuser oder wurden in die Boddenwiesen und Boddengewässer geleitet, was im Sommer durch entsprechende Gerüche deutlich vernehmbar war. Insbesondere bei den größeren gastronomischen Betrieben gab es immer gravierende Probleme mit den Abwässern.

Die zentrale Wasserversorgung war eines der wichtigsten Projekte in der vom Rat des Bezirkes Rostock am 10.12.1965 beschlossenen „Konzeption zur Entwicklung der Insel Hiddensee" gewesen. Die Konzeption basierte auf einer 1964/65 von einer Arbeitsgruppe der Technischen Universität Dresden unter der Leitung von Professor Helmut Trauzettel erarbeiteten Strukturanalyse und Perspektivplanung für die Insel Hiddensee.[152] Trauzettel hatte 1962 die ruinöse Schwartz'sche Windmühle in Vitte erworben und sich zu einem Feriendomizil ausgebaut. Der Gedanke, angesichts der ökonomischen Schwächen der DDR vor allem vorhandene bauliche und personelle Reserven auszuschöpfen und sparsame, wenig aufwendige Lösungen anzustreben, um so zu einer Steigerung der Lebensqualität und des Erholungswertes auf der Insel zu gelangen, zieht sich auch als roter Faden durch die bis heute lesens- und bedenkenswerte Studie. Aufgrund einer Analyse der landschaftlichen Gegebenheiten und der Strandverhältnisse ging die Perspektivplanung davon aus, dass die Insel täglich bis zu 5.500 Badegäste und eine Gesamtzahl von höchstens 6.400 Gästen vertragen könne, davon 4.000 Dauer- und 2.400 Tagesgäste. Das entsprach genau der 1965 vorhandenen Bettenkapazität von ca. 3.900 Gästebetten. Wegen der besseren Strandverhältnisse am Bessin und am Gellen sollte das Angebot an Gästebetten vor allem in Grieben, Neuendorf und der Heide verbessert und leicht erhöht werden. Dem entsprachen der vorgeschlagene Ausbau der Gaststätte in Grieben und der Plan einer Warft in Neuendorf, die im Winter als eine im Vergleich zu einem Deichbau kostengünstige Fluchtmöglichkeit bei Hochwasser und im Sommer als Ferienunterkunft mit Kultur- und Veranstaltungsräumen dienen sollte. Dies ließ aber auch den in den 70er Jahren tatsächlich erfolgten weiteren Ausbau der Feriensiedlungen in der Heide zu. Demgegenüber sollten in Vitte und vor allem in Kloster die Tagesgäste konzentriert werden, was einen erheblichen Ausbau der dortigen Versorgungseinrichtungen erforderlich machte. Vorgesehen war in Vitte der Bau einer großen neuen Kaufhalle sowie der Ausbau der Gaststättenkapazitäten im Krull-Heim und im Deutschen Haus. In Kloster sollten das Heimatmuseum in die Pfarrscheune umziehen und das Gebäude des Rettungsschuppens dann in ein attraktives Strandcafé umgebaut sowie das Hitthim am Hafen erweitert oder ganz neu gebaut werden. Schließlich sah das Entwicklungskonzept den Ausbau der Häfen, eventuell die Errichtung eines Anlegesteges für die Weiße Flotte in Grieben und, besonders dringlich, den Bau einer zentralen zehnklassigen Polytechnischen Oberschule am Norderende in Vitte vor.

1975 konnte die neue zentrale Konsum-Kaufhalle in Vitte in Betrieb genommen werden. Damit verbunden war entsprechend einem neuen, vom Rat des Bezirks am 11.10.1974 beschlossenen „Langfristige(n) Programm zur Entwicklung der Insel Hiddensee" eine völlige Umgestaltung des gesamten Versorgungs- und Transportsystems. Der Transport der in der Saison erheblichen Frachtmengen erfolgte bis dato mit den beiden kleinen Frachtschiffen „Johanna" und „Hoffnung" sowie auch auf den Personenschiffen. In den viel zu beengten Häfen mussten die Waren dann auf Pferdewagen umgeladen werden, um in die Gaststätten und Verkaufsstellen weitertransportiert zu werden. 1974 wurde eine neue Fährschubeinheit „Rassow-Libben" feierlich in Dienst gestellt, eine Art Autofähre, die 4 LKW, 2 Lieferwagen und 50 Personen zwischen Schaprode und Kloster transportierten konnte. In Kloster nutzte man dafür die 1938 zum Materialtransport für die Flakstellung am Enddorn und den Huckedamm hinter dem Schwedenhagen errichtete Landungsbrücke, die bereits einige Jahre zuvor für die Materialanlieferung für die Erdölbohrungen am Enddorn wieder reaktiviert und umgebaut worden war. 1977 erwarb die Weiße Flotte von der NVA ein ausrangiertes Landungsboot, um es zu einem zweiten Schubboot umbauen zu lassen.

Das Umladen in den Häfen entfiel also nun, da die Waren auf den Last- und Lieferwagen direkt an ihre jeweiligen Bestimmungsorte, vor allem in die Ferienheime und die neue große Kaufhalle in Vitte, gefahren werden konnten. Das neue Versorgungssystem sollte vor allem auch dazu beitragen, verstärkt tiefgekühlte Lebensmittel in der Gastronomie einsetzen zu können. Möglich geworden war dies wiederum natürlich nur, weil man seit 1967 in Zusammenhang mit den Erdölbohrungen am Enddorn und den Deichbauten mit dem Bau befestigter Betonplatten-Straßen zwischen Grieben, Kloster und Vitte begonnen hatte. Seit 1970 wurde eine 5 km lange Betonstraße zwischen Vitte und Neuendorf geplant. „Sobald unsere Republik es vermag, wird es verwirklicht", äußerte Bürgermeister Niß dazu in der Gemeindevertretung 1970. Es zog sich hin, mit dem Bau wurde erst 1973 begonnen, so dass die Straße bei Indienststellung des Schubschiffes nicht fertig war. Das wiederum sorgte für neue Versorgungsprobleme in Neuendorf, da die Transportlaster über den Sandweg jedenfalls bei schlechtem Wetter nicht dorthin gelangen konnten. Jahrelang gab es Ärger und Unmut über immer noch fehlende, einzelne Teilstücke der Straße zwischen Kloster und Neuendorf. Insbesondere in den Ortslagen von Kloster und Vitte gab es erhebliche Probleme, da die Lastwagen die dortigen, weiterhin unbefestigten Dorfstraßen tief und bis zur Unpassierbarkeit zerwühlten.

Ankunft des Schubbootes „Rassow-Libben" am Schwedenhagen bei Kloster ca. 1975; im Hintergrund ist über den Bodden hinweg Vitte zu sehen

Natürlich führten der Einsatz des Schubbootes und das neue Versorgungssystem zu einer deutlichen Zunahme des Autoverkehrs. Zu den Versorgungsfahrzeugen kamen ja noch die schweren Baustellenfahrzeuge und die Fahrzeuge der Grenztruppen, der Polizei, des Arztes, der Gemeinde, des FDGB-Feriendienstes, der Post , der LPG, der Betriebsferienheime etc. dazu. Auch schon vor Einsatz des Schubschiffes hatte der KFZ-Verkehr so zugenommen, dass die Magdeburger Volksstimme am 3.7.1970 berichtete, auf der angeblich autofreien Insel werde man vom Motorenlärm empfangen. Bürgermeister Niß reagierte genervt auf derartige Kritiken von Journalisten oder Inselgästen: „Wir können nicht ewig im Feudalismus verharren. Zur notwendigen Motorisierung sagen wir Ja." Nach Inbetriebnahme des Schubschiffes wurde es nun möglich, Fahrzeuge aller Art ohne größere Probleme und weitgehend ohne Kontrolle durch die überforderten ABV´s auf die Insel zu bringen, was vor allem von den Betrieben mit Ferienunterkünften auf Hiddensee weidlich ausgenutzt wurde. Jetzt konnte man mit einem Lieferwagen schnell einmal einige Kisten Wernesgrüner oder Radeberger Pils aus Sachsen, einige Rollen Fußbodenbelag aus Thüringen oder einige Stiegen Obst und Gemüse aus Brandenburg auf die Insel kutschieren. Und wenn der Lieferwagen dann vor der Tür stand, konnte man damit auch schnell noch einiges erledigen, was sonst zu Fuß, mit dem Fahrrad oder der Pferdekutsche sehr viel mühsamer gewesen wäre.

Von der autofreien Insel Hiddensee blieb nicht viel übrig, auch wenn der Rat der Gemeinde hier ebenfalls versuchte gegenzusteuern, so gut es eben ging, und die Nutzung privater PKW's und Motorräder immer untersagt blieb. Als im September 1979 ein Lieferwagen auf der Straße zwischen Vitte und Neuendorf ins Schleudern geriet und einen Urlauber tötete und dessen Frau schwer verletzte, beklagte die Gemeindevertretung in ihrer Sitzung am 20.9.1979 den starken Autoverkehr und vor allem die hohen Geschwindigkeiten, die auf der Insel gefahren würden, obwohl in den Orten nur 30 km/h und außerhalb 50 km/h zugelassen seien. Ende 1981 wetterte die SED-Ortsparteileitung:

> „Es steht fest, daß die Insel mit der Umstellung auf die Versorgung über Schubfähre - Kraftverkehr von vornherein überfordert werden mußte, da die entsprechenden technischen Voraussetzungen fehlen (Straßen, Stellplätze). Die negativen Auswirkungen bis zu Landschaftsschäden und Minderung des Erholungswertes sind unübersehbar."[153]

Zu dieser Zeit gab es auf der Insel 30 dort stationär zugelassene Kraftfahrzeuge. 1983 erarbeitete die Kommission Verkehr des Rates der Gemeinde Verhaltensregeln beim Befahren der Insel. Am Anleger des Schubers sollten entsprechende Hinweistafeln aufgestellt und die Betriebe verpflichtet werden, ihre Kraftfahrer hierüber aktenkundig zu belehren. Mitte 1988 verabschiedete der Rat der Gemeinde eine Verkehrsordnung, von der alle auf der Insel vertretenen Betriebe ein Exemplar erhalten sollten. In seiner Sitzung vom 2.2.1989 musste der Rat aber feststellen, diese „werde noch in keiner Weise realisiert", was wohl heißen sollte, dass sich so gut wie niemand daran hielt.

Seit Ende der 70er Jahre verschlechterte sich die wirtschaftliche Situation in der DDR offenbar so, dass es immer schwieriger und komplizierter wurde, weitere anstehende, größere Entwicklungsprojekte zu verwirklichen. Während der Hafenausbau in Neuendorf in den Jahren 1972/73 noch durchgeführt werden konnte, wurde mit den Arbeiten in Vitte erst 1977 begonnen. Schon 1 ½ Jahre später wurden sie in einem Zustand eingestellt, der, wie es in der Gemeindevertretersitzung am 14.6.1979 hieß, eine Gefahr für die Gebäude von FPG und Weißer Flotte darstelle. Auch 1983, sechs Jahre nach Beginn der Bauarbeiten, war deren Ende noch nicht absehbar. Wie es hier denn mit der Planerfüllung stehe, fragten die Gemeindevertreter erbost. Erst 1988 konnte endlich mit dem Bau einer Abwasseranlage für Kloster und Vitte begonnen werden. Allerdings mussten die Hiddenseer ein Jahr später in der Wendezeit erbost feststellen, dass dabei 300.000 Mark durch Bau- und Planungsfehler in den Sand gesetzt worden waren.

Mit dem Ausbau des polytechnischen Schulsystems war der Schulunterricht im Laufe der Jahre immer mehr auf Vitte konzentriert und in Kloster und Neuendorf entsprechend reduziert worden. Abgesehen von den Transportproblemen - die Schulkinder von Neuendorf wurden im Winter in den 60er bis zur Einführung eines Schulbusses auf einem Traktoranhänger nach Vitte gefahren - schuf dies zunehmende Platzprobleme in Vitte, so dass ein Schulneubau schon 1965 als besonders dringlich bezeichnet wurde. Er kam aber nie zustande. Statt dessen wurde an dem alten Schulgebäude immer wieder herum rekonstruiert, Nebengebäude ausgebaut etc. 1978 verpflichtete sich die Volkswerft Stralsund, die gerade mit dem Bau ihres „Naherholungszentrums Vitte“ begonnen hatte, in einem „Kommunalvertrag“ mit der Gemeinde zur Hilfestellung bei der Rekonstruktion der Vitter Schule. Allein, so hieß es in der Gemeindevertretersitzung vom 7.6.1978, sei diese nicht zu schaffen.

Die Volkswerft zog jedoch zunächst ihre großen Bettenhäuser hoch, erst im Herbst 1988 wurde schließlich mit der „komplexen Rekonstruktion“ der Schule begonnen, wofür das ganze Schulgebäude geräumt werden musste. Aber da das „Naherholungszentrum“ der Volkswerft inzwischen fertig war, wenn auch ohne Versorgungseinrichtungen und ohne das zunächst sogar geplante Hallenbad mit Sauna, konnten die Schulkinder außerhalb der Saison in den neuen Räumen der Volkswerft unterrichtet werden. Daneben wurden einige Klassen auch im „Mühlenhof“ und in der Gaststätte „Dünenklause“ untergebracht. In den Jahren 1981-1984 konnte in Vitte ein neuer Kindergarten errichtet werden. Da ein Turnhallenneubau nicht zu bewerkstelligen war, wurde ein Provisorium in der „Villa Antoinette“ am Kinopark in Vitte eingerichtet. Der Ausbau des „Dünenhauses“ zur Versorgung der Volkswerft-Urlauber zog sich bis 1989 hin.
In den 80er Jahren wurden die sog. „Kommunalverträge“ der Art, wie sie mit der Volkswerft wegen der Rekonstruktion der Vitter Schule abgeschlossen worden waren, mehr und mehr zum wichtigsten Mittel, dringende Renovierungs- oder Baumaßnahmen noch durchführen zu können. In diesen „Kommunalverträgen“ sollten sich die auf der Insel vertretenen Betriebe Jahr für Jahr als Gegenleistung dafür, dass sie hier Ferienobjekte unterhalten durften, „in sozialistischer Hilfe“ zu bestimmten Zahlungen, Lieferungen oder Bauleistungen verpflichten. Schon 1970 hatte Bürgermeister Niß vor der Gemeindevertretung den Ausbau der kameradschaftlichen Zusammenarbeit mit den Betrieben gefordert und auf einen Beschluss des Staatsrates der DDR hingewiesen, dass die gesellschaftliche Bedeutung der VEB's immer mehr zunehme und

folglich die Verantwortung der Betriebsleitungen nicht am Werkstor aufhören könne, sondern sich auf das gesamte Territorium seines Wirkungsbereiches erstrecken müsse. Ein hoffnungsvoller Anfang sei gemacht, so Niß, für den bevorstehenden Mach mit - Wettbewerb „Schöner unser Dorf“ lägen mehrere Verpflichtungserklärungen von Betrieben vor.

Bis zur Gemeindevertretersitzung am 21.1.1983 hatte man für dieses Jahr 24 Kommunalverträge abgeschlossen, die u.a. folgende Maßnahmen beinhalteten: Malermäßige Instandsetzung einiger Klassenräume der Schule in Vitte, Fassadengestaltung des Postamtes, Rekonstruktion der Straßenbeleuchtung, Schaffung einer Kläranlage am Hafen Vitte, Kennzeichnung eines Wanderweges am Dornbusch, Zuwendung für die Gestaltung der Jugendweihe. Das waren die Verpflichtungen zu Beginn des Jahres, was dann daraus am Ende wurde, war eine andere Frage. In den 80er Jahren lud der Rat der Gemeinde die Betriebe regelmäßig zu sog. Saisonvorbereitungs- und Saisonauswertungskonferenzen ein, in denen die von den Betrieben zu übernehmenden Aufgaben besprochen wurden. Mit einer Reihe von Betrieben, vor allem den kleineren, entwickelte sich eine gute Zusammenarbeit, mit anderen gab es immer wieder Probleme. Sie erschienen nicht zu den Besprechungen, wollten allenfalls Geldzahlungen leisten, was natürlich sehr viel einfacher war, als bestimmte Materialien oder gar Personal bereit zu stellen. Und die Liste dessen, was durch Kommunalverträge geschaffen werden sollte, wurde immer länger. Anfang 1989 hieß es in der Gemeindevertretung, folgende Aufgaben müssten dringend durch Kommunalverträge gelöst werden: Bau einer Zahnarztpraxis in Kloster, einer Kaufhalle in Neuendorf, einer Kinohalle und eines Frisörsalons in Vitte, Rekonstruktion des Feuerwehrgebäudes und der alten Bäckerei in Vitte. Die Möglichkeit, derartige Vorhaben im Rahmen der normalen Haushaltspläne der Gemeinde, des Kreises oder des Bezirkes zu verwirklichen, wurde gar nicht mehr erwogen. 1989 schloss der Rat insgesamt 55 Kommunalverträge ab, und es wurde in Aussicht genommen, einen Fünfjahresplan für die Kommunalverträge zu erstellen.

10.8 Grenzgebiet: „Ordnung und Sicherheit im Territorium“

Die ersten Einheiten einer deutschen Grenzpolizei für die sowjetische besetzte Zone wurden Ende 1946 aufgestellt, Anfang 1950 übernahmen diese auch den „Schutz der Seeküste“ der neu gegründeten DDR. Im Zusammenhang mit der Unterzeichnung des Deutschland- und EVG-Vertrages durch die westdeutsche Regierung im Mai 1952 verstärkte die DDR ihre Grenzsicherung. Die nun offiziell so genannte „Deutsche Grenzpolizei“ (DPG) wurde dem Ministerium für Staatssicherheit unterstellt und ein etwa 5 km breiter Landstreifen an der Küste einschließlich aller Ostseeinseln zum „Grenzgebiet“ erklärt. Um diese Zeit wurden auch die ersten Grenzpolizisten auf Hiddensee stationiert, die dazu das ehemalige Zollhaus am Norderende in Vitte belegten, in dem heute die Gemeindeverwaltung untergebracht ist. Zur gleichen Zeit war die Deutsche Volkspolizei des Kreises Rügen dabei, das System der sogenannten „Abschnittsbevollmächtigten“ (ABV) und der freiwilligen Helfer der Volkspolizei auszubauen. Im Sommer 1955 stellte das „Grenzkommando Vitte“ der Deutschen Volkspolizei auf der Insel 2000 Flugblätter in tschechischer Sprache sicher und sandte davon zwei an das Ministerium für Staatssicherheit und eines an die Aufklärungsgruppe der Grenzpolizei.[154] Im November 1955 verließen die seit 1953 in der Heiderose stationierten sowjetischen Truppen die Insel wieder. Zum 1.12.1955 entließ die Sowjetunion die DDR in die Souveränität, die Deutsche Grenzpolizei wurde allein für die Grenzsicherung zuständig. 1957 wurde die illegale „Republikflucht“ als Straftatbestand eingeführt, was für die Ostseeküste und Hiddensee aber erst mit dem Mauerbau am 13.8.1961 Bedeutung erlangte.

An diesem Tag ließen die Sicherheitsbehörden ihrem jahrelangen Frust über die Unordnung auf der Insel, das illegale Zelten und Übernachten der Jugendlichen, die Schwarzvermietungen, die man nicht in den Griff bekam, freien Lauf. In Vorbereitung des Ereignisses war eine Einsatzgruppe der SED-Kreisleitung unter Führung des Kreisleitungsmitgliedes Wegener nach Hiddensee beordert worden. Diese führte am Vormittag des 13.8.1961 eine Beratung mit allen wichtigen Funktionären auf der Insel durch. Dabei wurde festgestellt, dass sich „ein Haufen Urlauber“ ohne Anmeldung bei den LPG-Bauern in den Scheunen und anderswo aufhalte. In öffentlichen Toiletten seien Sprüche an den Wänden zu finden wie: „Gebt uns mehr Fleisch, sonst schlachten wir das Schwein Ulbricht!“[155] Auch sei ein Notenheft mit amerikanischen und englischen Jazz-Titeln gefunden worden. Heftige Diskussionen und Proteste gab es unter den Studenten der Humboldt-Universität, die sich zum Ernteeinsatz in Kloster und Grieben aufhielten. Wegener führte noch am 13.8. ein „Jugendforum“ mit den Berliner Studenten durch, bei dem die 60 Anwesenden sich nach seinem Bericht von dem im Laufe des Tages vorgekommenen „Rowdytum“ distanziert hätten. Da hierdurch das Ansehen der Humboldt-Studenten geschädigt werde, wollten sie angeblich von sich aus Maßnahmen ergreifen, damit derartiges nicht wieder geschehe. Am 18.8. berichtete der Leiter der Hiddenseer Volkspolizei, die Studenten hätten sich langsam wieder beruhigt.

Im Laufe des 13. und 14.8. gab es auf der ganzen Insel Hausdurchsuchungen und Razzien, bis zum frühen Morgen des 14.8. waren 5 Personen festgenommen und 14 der Insel verwiesen worden. Bei einem der Festgenommenen habe man Hetzmaterial gegen Ulbricht beschlagnahmt. Ein Schwarzvermieter in Grieben wurde mit 720,00 Mark Ordnungsstrafe belegt. Auch der Rat der Gemeinde wollte die Gelegenheit nutzen, um endlich für „Ordnung und Sicherheit im Territorium“, wie es hieß, zu sorgen. Er beschloss, alle sog. „Notquartiere“ aus feuertechnischen, hygienischen und moralischen (!) Gründen sofort zu liquidieren. Ferner hätten sich ab sofort alle Einwohner und Urlauber in den geschlossenen Ortschaften in anständiger Kleidung zu bewegen, und ihre äußere Erscheinung, vor allem die des Gesichtes, müsse mit dem Foto im Personalausweis übereinstimmen. In der einheimischen Bevölkerung wurden unter den Fischern, Arbeitern und Beschäftigten der Weißen Flotte freiwillige Helfer für die Gewährleistung der Ordnung und Sicherheit gewonnen, aus denen vier Ordnungsgruppen à 6 Mann gebildet wurden. Am 18.und 19. 8.1961 fand ein weiteres, zweitägiges Jugendforum statt, an dem nicht nur der Ortsparteisekretär und Heimleiter des ZK-Heims in Kloster, Max Schmidt, sondern sogar ein Genosse des Zentralvorstands der FDJ aus Berlin teilnahm. Letzteres deutet darauf hin, dass es unter den Studenten wirklich Ärger gegeben haben musste. Allerdings traten jetzt, so heißt es in den Polizeiberichten, keine „negativen Diskussionen" mehr in Erscheinung, und das Forum wurde zeitweilig auch unterbrochen, um gemeinsam eine Rede des Staatsratsvorsitzenden Walter Ulbricht anzuhören. Im Sommer 1962 berichtete das Volkspolizeikreisamt Rügen in einem Rapport über „klassenfeindlichen Hetze" in den Urlaubsorten hingegen erneut: „Zur Zeit kann eingeschätzt werden, daß Hiddensee bei diesen Delikten einen örtlichen Schwerpunkt bildet."[156]

Ein LPG-Bauer am Dornbusch ca. 1965; neben dem Leuchturm die Beobachtungsanlagen der DDR -Grenztruppen

Durch den Mauerbau und die hermetische Abriegelung der Grenze zur Bundesrepublik änderte sich die strategische Lage der Ostseeküste und damit auch der Insel Hiddensee natürlich erheblich. Wurde doch nun die Flucht über die Ostsee in die BRD, nach Dänemark oder auf ein Schiff aus dem „kapitalistischen Ausland" zur einzigen realistischen Möglichkeit, die DDR verlassen zu können. Da man die Ostsee als wichtigstes Urlaubsgebiet nicht absperren konnte, war die DDR gezwungen, hier nun ein möglichst umfassendes und engmaschiges Kontroll- und Überwachungssystem einzurichten. Und davon bekam natürlich auch Hiddensee einiges ab, auch wenn der „Raum der Hauptanstrengung“ bei der Grenzsicherung, wie es in der Militärsprache hieß, nicht hier, sondern westlich von Rostock lag. Am 15.9.1961 wurde die Grenzpolizei der Armee unterstellt. Für die Ostseeküste war nun die zur Volksmarine gehörige „6. Grenzbrigade Küste“ mit Sitz des Stabes in Rostock zuständig. Die Brigade umfasste vier Grenzbataillone mit acht Grenz- und zwölf Technischen Beobachtungskompanien. Hiddensee gehörte zum Bereich des die Inseln Rügen und Hiddensee abdeckenden Grenzbataillons 2 mit Sitz auf der Stubbenkammer, auf der Insel selbst stationiert war die „5. Technische Beobachtungskompanie (TBK)“ mit einer Sollstärke von 24 Mann.

Diese Beobachtungskompanie unterhielt auf dem Dornbusch eine Stellung mit Funkmessgerät. Um 1976 wurde am Hassenort zwischen Vitte und Neuendorf ein Beobachtungsturm BT 11 (Betonturm von 11 m Höhe) errichtet. 1978 wurden die militärischen Anlagen auf dem Dornbusch rekonstruiert und mit einer neuen, leistungsfähigeren Funkmessanlage MR-10 ausgestattet. Der damals am Hassenort geplante Einsatz eines mobilen Suchscheinwerfer APM-90 scheiterte an den schwierigen Wegeverhältnissen dorthin. Hiddensee hatte an beiden Seiten, am Gellen im Südwesten und am Libben im Nordosten, je eine wichtige Ausfahrt aus den sogenannten „inneren Seegewässern“ auf das offene Meer, was die Insel zu einem besonders sensiblen Grenzbereich machte. Deshalb war der Südteil des Gellens militärisches Sperrgebiet, das nicht betreten werden durfte, und deshalb operierten am Gellen und am Libben ständig je ein Grenzboot der Volksmarine. Aufgabe dieser Grenztruppen war, um einmal einen Bericht des Kommandeurs des Grenzbataillons 2 im militärischen Originalton zu zitieren,

> „die visuell-optische Beobachtung des Küstenvorfeldes und des Luftraumes ununterbrochen zu garantieren; in der Nacht durch effektive Ausnutzung der Leuchtvarianten der Scheinwerfer und den planmäßigen Einsatz

der FLG-5000 Voraussetzungen für weitere Beobachtungen vor dem Raum der Hauptanstrengung zu schaffen bzw. Nebeneinrichtungen zu sperren."[157]

So oder so ähnlich lesen sich die meisten Berichte und Befehle der Küstengrenztruppen. Das Wort „Flucht“ kommt darin nicht vor. Wenn man nicht wüsste, worum es vor allem ging, könnte man meinen, es habe sich um eine normale Grenzverteidigung gegen einen aggressiven äußeren Feind gehandelt. Da ist davon die Rede, dass der Druck auf die DDR-Grenze in einem bestimmten Zeitraum zugenommen habe, von verstärkten Angriffen auf die DDR-Staatsgrenze, die zu erwarten seien, ist zu lesen. Dass diese „Angriffe“ so gut wie ausschließlich von hinten kamen, wird nicht erwähnt, verstand sich für alle Beteiligten unausgesprochen von selbst. Alle werden sie gleichermaßen als „Grenzverletzer“ tituliert: die Boote des westdeutschen Grenzschutzes oder der dänischen Marine, die absichtlich oder unabsichtlich in die DDR-Hoheitsgewässer eingedrungen waren, ausländische Segelboote, auch polnische, die sich versteuert hatten und von DDR-Grenzbooten in einen DDR-Hafen geschleppt wurden, und eben die DDR-Bürger, die versucht hatten, die DDR-Grenze illegal in der entgegengesetzten Richtung zu überschreiten.

Großen Wert legten die Grenztruppen auf eine effektive und erfolgreiche Zusammenarbeit einmal mit den „Kräften des Zusammenwirkens“ im Operationsgebiet, das waren Volkspolizei, Staatssicherheit und Zoll, sowie mit der Bevölkerung, den Parteien und Massenorganisationen in den Gemeinden des Grenzgebietes. Seit 1966 fanden bis in die 70er Jahre in Vitte jährliche „Freundschaftstreffen“ zwischen den Grenztruppen und der Bevölkerung statt. 1970 wurde ein neu in Dienst gestelltes Minensuchboot auf den Namen „Vitte“ getauft, es erschien von nun an selbstverständlich jeweils zu diesen Freundschaftstreffen im Vitter Hafen. Die Besatzung der „Vitte“ und der Kommandeur der 5. TBK versprachen mehrfach, in Vitte beim Bau eines Sportplatzes mitzuhelfen, der dann sowohl für die Ausbildung der Soldaten wie auch für die vormilitärische Ausbildung der Schüler genutzt werden sollte. Das Projekt konnte jedoch bis 1989 nicht verwirklicht werden. Seit Mitte der 70er Jahre war man sehr bemüht, das System freiwilliger Grenzhelfer auszubauen, wobei es hieß, dass gerade auf Hiddensee besondere Anstrengungen zur Bildung einer Helfergruppe zu unternehmen seien. Im Plan zur Grenzsicherung des Grenzbataillons 2 für das Ausbildungsjahr 1980/81 erhielt der Kommandeur der 5.TBK den Befehl, auf Hiddensee mindestens 10 weitere Grenzhelfer zu gewinnen.

Die Insel Hiddensee galt zu dieser Zeit als „Raum der besonderen Aufklärung für die Kräfte des Zusammenwirkens“, was wohl heißen sollte, dass die Insel von Grenztruppen, Volkspolizei, Staatssicherheit und allen gesellschaftlichen Kräften besonders zu überwachen sei. Neben den freiwilligen Grenzhelfern gab es ja auch noch freiwillige Polizeihelfer, auf Hiddensee etwa 25 an der Zahl, und die Staatssicherheit war selbstverständlich ebenfalls auf der Insel präsent. Im „FDGB-Ferienheim zur Ostsee“ in Vitte musste die Objektleitung stets ein Zimmer für die Staatssicherheit freihalten. Von Zeit zu Zeit erschien auch jemand, der sich erkundigte, ob in den FDGB-Heimen alles in Ordnung sei oder ob es besondere Vorkommnisse gegeben habe. Und neben den hauptamtlichen Mitarbeitern setzte die Staatssicherheit natürlich auch informelle Mitarbeiter auf Hiddensee ein. Die Staatssicherheit verfügte auch über mehrere Ferienobjekte in den Inselorten.

Beim Rat der Gemeinde bestand eine „Arbeitsgruppe Grenzsicherheit“, die vom Kommandeur der 5. TBK geleitet wurde, der zugleich auch Mitglied der SED-Ortsparteileitung und des Rates der Gemeinde war. Diese hatte gemeinsam mit den ABV’s darauf zu achten, dass die Boote der Weißen Flotte und der FPG nachts stets fest angeschlossen und dass aus allen Booten beim Verlassen durch die Mannschaften Ruder und Riemen entfernt wurden. Die Bootshäfen mussten umzäunt und nachts abgeschlossen und hell beleuchtet werden, auch für die Liegeplätze der FPG am Außenstrand musste die Stadtbeleuchtung Potsdam eine Beleuchtungsanlage installieren. Das hatte Vorrang vor einer einigermaßen funktionierenden Straßenbeleuchtung. Ein Grauen waren für die

Ordnungskräfte natürlich im Sommer die chaotischen Zustände in den Seglerhäfen und auf dem Bodden insgesamt, die man nie in den Griff bekam. Und natürlich die zahlreichen unangemeldeten Gäste, vor allem die Jugendlichen, die irgendwie mit einem Segelboot erschienen und dann auch noch heimlich im Dornbuschwald oder in den Sanddornhecken des Bessin campierten. In der Gemeindevertretersitzung vom 30.10.1980 forderte der ABV, Genosse L., in seinem Bericht über Ordnung und Sicherheit in der abgelaufenen Saison ein „grenzbezogenes Denken aller Volksvertreter".

Trotz aller militärischen, polizeilichen und geheimdienstlichen Anstrengungen ließen sich Fluchtversuche, auch erfolgreiche, nicht ganz verhindern. Wenn es schief ging und man erwischt wurde, war eine längere Gefängnisstrafe unvermeidlich, aber wenn man es schaffte, ja dann war man eben draußen. Die Grenztruppen schätzten die Wirksamkeit der vereinten Grenzsicherungsmaßnahmen auf 80 - 90 % ein, d.h. von zehn ernsthaften Fluchtversuchen waren einer bis zwei erfolgreich. Immer wieder gab es meist junge Menschen mit viel Mut, die oft nach langer Vorbereitungszeit die Flucht auch von Hiddensee aus wagten. Die Grenztruppen hatten folgendes Bild vom typischen „Grenzverletzer": Sie „sind überwiegend im jugendlichen Alter, besitzen illusionäre Vorstellungen über das kapitalistische Ausland und sind kriminell vorbelastet." Ihre zu erwartenden „Hauptangriffsrichtungen" im Bereich des Grenzbataillons 2 seien die Häfen von Stralsund und Saßnitz sowie die Halbinsel Wittow und Hiddensee. Ein „verstärkter Druck auf die Staatsgrenze Nord" erfolgte immer am Ende des Sommers und in den Herbstmonaten, wenn das Ostseewasser noch warm war. Die Sommermonate wurden zum Ausspionieren der Fluchtmöglichkeiten von den Urlaubsorten und Zeltplätzen aus genutzt, eventuell auch schon zur Anlage eines Verstecks mit Schlauchbooten, Surfbrettern, Neoprenanzügen etc. Und dann war „die Anreise eines Teils der Grenzverletzer in den Nachmittagsstunden des Donnerstags bzw. Freitags zu erwarten. Nach der anschließenden Aufklärung ist mit Ablandungen in den Nächten von Freitag bis Sonntag zu rechnen."[158]

Die erfolgreichen und gescheiterten Fluchtversuche von Hiddensee konnten im Einzelnen noch nicht vollständig erforscht werden, so dass hier nur einige Beispiele geschildert werden können. Im Sommer 1962 gelang es dem Feinmechaniker Heye G., Hiddensee mit einem Faltboot zu verlassen und außerhalb der 3-Meilenzone von einem westdeutschen Fischkutter aufgenommen zu werden. Am 10.10.1976 gelang einer Person mit einem Boot, das mit einem Wartburgmotor ausgerüstet war, bei extremem Nebel die Flucht durch den Gellenstrom. Grund hierfür sei, so der Bericht der Grenztruppen, eine ungenügende Sicherung der Ausfahrt Barhöft - Hiddensee gewesen. Am 11.8.1977, 6.00 Uhr, wurden außerhalb der DDR-Gewässer nordwestlich von Hiddensee zwei 18 und 19 Jahre alte Männer aus Leipzig von einem DDR-Grenzboot festgenommen. Sie hatten in der Absicht, dies zu einem Fluchtversuch zu nutzen, seit Anfang Juni in Neuendorf als Rettungsschwimmer gearbeitet, am Dornbusch ein Schlauchboot versteckt und waren damit abends um 21.30 Uhr bei diesig-nebligem Wetter von der Steilküste unterhalb des Dornbuschs aus losgepaddelt. Die Ablandung sei geglückt, so der militärische Untersuchungsbericht, weil die Ablandestelle unterhalb des Dornbuschs im toten Winkel der dortigen Funkmessanlage liege und von dort auch nicht einsehbar sei. Die in diesem Bereich zwischen 20.00 und 4.00 Uhr eingesetzte Grenzstreife hatte die beiden wegen der schlechten Sichtverhältnisse nicht entdeckt.

Im November 1986 gelang es zwei jungen Ost-Berlinern, von einem Zeltplatz auf Ummanz aus zunächst über den Bodden auf den Gellen zu surfen, über diesen, die Surfbretter hinter sich her schleppend, zu rennen und dann von der Seeseite Hiddensees aus durch den Herbststurm mit hoher Geschwindigkeit bis zur Insel Mön in Dänemark zu surfen. Im Hafen von Klintholm waren die dänischen Fischer es gewohnt, dass immer wieder einmal Flüchtlinge aus der DDR in abenteuerlichen Gefährten, entkräftet und unterkühlt anlandeten. Sie wurden mit trockenen Kleidern, heißen Getränken und warmem Essen versorgt und hatten anschließend alle nur das eine Ziel, nämlich so schnell wie möglich in die Bundesrepublik weiterreisen zu können. Und dann ist schließlich noch die Geschichte eines Sachsen mit Namen Herbert zu erzählen, der beim Klausner auf dem Dornbusch einen Imbiss betrieb und zwar gerne reisen, aber keineswegs seine Heimat für immer verlassen wollte. Sein Traumziel war Syrakus in Sizilien. Dafür segelte er am 7. 6.1988 um Mitternacht mit seinem Boot von Neuendorf aus um die Südspitze des Gellens herum durch den Gellenstrom bis nach Gedser in Dänemark, wo er nach gut 12 Stunden Fahrt eintraf. Am Tag zuvor hatte er an Egon Krenz einen Brief geschrieben, dass er die DDR nur zeitweilig verlassen wolle und nach erfolgter Italienreise wieder dorthin zurückzukehren gedenke. Und so geschah es. Nach sechswöchiger Italienreise, die er sich durch verschiedene Kellnerjobs finanzierte, kehrte er am 19.10.1988 in die DDR zurück, nachdem er von Hamburg aus Egon Krenz erneut schriftlich das Ende seiner „Bildungsreise" angekündigt hatte. Die Staatssicherheit nahm ihn gleich in Empfang, entließ ihn aber nach wenigen Tagen wieder in die Freiheit. Das Ermittlungsverfahren wegen Republikflucht wurde eingestellt.[159]

10.9 Wissenschaftliche Institute und Museen

Biologische Forschungsanstalt

Professor Erich Leick hatte sich im April 1945 nach Hiddensee begeben, so dass er in der Biologischen Forschungsanstalt war, als die Insel von der Roten Armee besetzt wurde. Er wurde dort selbstverständlich auch nach Kriegsende weiter als Leiter des von ihm gegründeten Instituts angesehen, so dass Leick die Forschungsanstalt vor Plünderungen und sonstigen größeren Schäden bewahren konnte. Im August 1945 erhielt Leick von der Greifswalder Universitätsverwaltung die Mitteilung, dass alle bisherigen Mitarbeiter der Forschungsanstalt entlassen seien. Dies erweckte auf Hiddensee zeitweilig den Eindruck, die mit Flüchtlingen voll belegte Station solle insgesamt aufgelöst werden. Leick verblieb aber, auch ohne Bezahlung, einfach auf seinem Posten. Unerwartete Hilfe kam von der Sowjetischen Militäradministration in Schwerin, die im April 1946 anordnete, dass alle ehemaligen meteorologischen Stationen, und damit auch Hiddensee, ihre Arbeit wieder aufzunehmen hätten. In diesem Zusammenhang wurde zum 1.4.1946 mit Lore Steubing auch wieder eine wissenschaftliche Assistentin eingestellt.

Die Entlassung Leicks wurde jedoch nicht rückgängig gemacht, obwohl sich die Professorenschaft der Universität vehement mit der Begründung für ihn einsetzte, Leick sei lediglich nominelles Parteimitglied gewesen und habe sogar jüdischen Kollegen geholfen. Der Gärtner der Universitätsnervenklinik sagte hingegen aus, Leick habe während des Krieges immer seine braune Nazi-Uniform getragen, in einer anderen Kleidung habe er ihn überhaupt nicht gekannt. Leicks Haus in Greifswald wurde aufgrund seiner nationalsozialistischen Vergangenheit 1946 sequestriert. Als die Philosophische Fakultät sich in einem „Immediatgesuch“ an Ministerpräsident Höcker am 30.4.1947 dafür verwendete, dem inzwischen völlig mittellosen Leick wenigstens einen bezahlten Forschungsauftrag zu erteilen, kommentierte der - sozialistisch eingestellte - Universitätskurator Wohlgemuth dies in einem Schreiben an Höcker mit der Bemerkung: „Die politische Dummheit des alten Lehrkörpers unserer Universität ist himmelschreiend.“[160] Die Landesregierung lehnte auch die Erteilung eines Forschungsauftrages ab.

Am 24.3.1947 wurde Dr. Käthe Voderberg zur Stellvertretenden Direktorin der Hiddenseer Forschungsanstalt ernannt, ihr wurde auch die Leitung des Institutes für Pflanzenökologie in Greifswald übertragen. Aber erst als der Rostocker Botaniker Professor Robert Bauch im Herbst 1947 die Leitung des Greifswalder Instituts wie der Hiddenseer Anstalt übernahm, war die lange Übergangs- und Unsicherheitsperiode beendet, und die Anstalt konnte nach dem allmählichen Auszug der Flüchtlingsfamilien ihre Arbeit wieder aufnehmen. Bauch blieb bis zu seinem Tod 1957 ihr Leiter, dann folgte bis 1968 Professor Hans Schildmacher, der auch Leiter der Vogelwarte war, und schließlich seit der einschneidenden 3. Hochschulreform in der DDR Dr. Helmut Hübel. In dieser Zeit verlagerte sich der Schwerpunkt der Forschungsarbeiten weg von der Pflanzenökologie hin zur Hydrobiologie, d.h. der Untersuchung der Bodden- und Küstengewässer der Ostsee. 1958 kehrte der Botaniker und ehemalige Assistent Leicks, Dr. Erhard Fröde, von der TH Braunschweig - derartiges geschah im Deutschland der 50er Jahre noch gelegentlich - nach Hiddensee zurück, um die Leitung der dortigen botanisch-pflanzenökologischen Abteilung zu übernehmen. Auf der Basis seiner 1949 fertiggestellten Dissertation veröffentlichte er 1958 eine ausführliche Untersuchung über die „Pflanzengesellschaften der Insel Hiddensee“. Mit dem Ausscheiden Frödes 1969 wurde dieser Forschungszweig endgültig aufgegeben.

Auch Leick hatte ja schon von Beginn an eine hydrobiologische Abteilung eingerichtet und mit dem Assistenten Fritz Gessner besetzt, der die Zusammenhänge zwischen Salz-, Nährstoff- und Planktongehalt der Boddengewässer untersuchte. Diese produktionsbiologischen Forschungen wurden nach dem Krieg fortgesetzt und verstärkt. In den 50er Jahren unternahm die Forschungsanstalt Düngungsversuche im Jasmunder Bodden, um festzustellen, ob sich hierdurch der Fischbesatz und damit der Fischfang steigern lasse. Diese damaligen Forschungen haben heute eine merkwürdig umgekehrte Aktualität, wo die Gewässer allenthalben an einem zu hohen Nährstoffgehalt leiden. Seit 1959 hat die Station mit der neuen Radiokohlenstofftechnik kontinuierlich die Phytoplanktonproduktion der nordrügenschen Bodden- und Küstengewässer gemessen. Diese Messreihen dokumentieren für die Zeit von 1960 - 1989 in einer für den Ostseebereich sonst nicht vorhandenen Weise die zunehmende Eutrophierung der Gewässer.

Durch die Hochschulreform 1968 wurde die Meeres- und Fischereibiologie der Universität Rostock als Schwerpunkt in Lehre und Forschung übertragen. Die Hiddenseer Forschungsanstalt wurde zu einer Biologischen Station zurückgestuft. Obwohl inhaltlich eine Zuordnung nach Rostock nahegelegen hätte, verblieb die Station aufgrund der gewachsenen historischen Bindungen eine „Zentrale Einrichtung“ der neugegründeten Sektion Biologie der Universität Greifswald, erhielt allerdings mit der mikrobiologischen Untersuchung der Boddengewässer eine neue Aufgabenstellung innerhalb der Rostocker Forschungsvorhaben zugewiesen. Hierfür wurden ein weiterer Forschungskutter angeschafft und 1971 ein gaschromatografisches Labor eingerichtet. Angesichts zunehmender und gravierender Umweltprobleme in der Ostsee und den Boddengewässern rückten seit den 70er Jahren zunehmend Fragen der ökologischen Belastung und Belastbarkeit der Gewässer mit Nähr- und Schadstoffen in den Vordergrund der Forschungsaufgaben. Auf der 1. Tagung der Baltischen Meeresbiologen, die 1968 in Warnemünde und auf Hiddensee stattfand, wurde dabei mit einer engeren Zusammenarbeit der Gewässerforscher in den Ostseeanrainerstaaten begonnen. Neben der Forschung stand immer auch die Lehre. In zahlreichen ökologischen Kursen erhielten viele Studenten aus der ganzen DDR und aus dem Ausland, vor allem aus der CSSR, eine hydrobiologische Ausbildung. Und viele der Hiddenseer Forschungsarbeiten mündeten in Examensarbeiten und Dissertationen.

Vogelwarte

Im Gegensatz zur Biologischen Forschungsanstalt wurde die weitab im Leuchtturmwärtergehöft untergebrachte Vogelwarte bei Kriegsende völlig geplündert und zerstört, ebenso die hölzerne Beobachtungshütte auf dem Bessin. Während Erich Leick die Forschungsanstalt zu schützen vermocht hatte, hatte der Leiter der Vogelwarte und des Hiddenseer Volkssturms, Dr. Richard Stadie, in den letzten Kriegstagen vorsorglich das Weite gesucht. Erst mit der Berufung Hans Schildmachers, der seine Assistentenjahre auf der Vogelwarte Helgoland verbracht hatte, zum neuen Leiter der Vogelwarte im Mai 1948 konnte die Arbeit in zwei provisorisch eingerichteten Räumen im Assistentenwohnhaus der Biologischen Forschungsanstalt wieder aufgenommen werden. Schildmacher kümmerte sich zunächst um den Schutz der Brutvögel auf der Fährinsel, wo schon im Sommer 1948 zwei Studenten zu deren Bewachung eingesetzt wurden, und beschloss im Übrigen, seine Forschungen auf die Physiologie des Vogelzuges zu konzentrieren, d.h. auf die Untersuchung, durch welche Stoffwechsel- oder hormonellen Vorgänge der Wandertrieb der Vögel ausgelöst und gesteuert wurde. 1951 wurde die Vogelwarte im ehemaligen „Haus am Meer“ untergebracht, welches hierzu von der Universität Greifswald zunächst gepachtet und 1964 von der Familie von Sydow gekauft wurde.

Die Vogelwarte nahm auch bald wieder die Beringung der Zugvögel auf. Hatte man bis 1945 Ringe der Vogelwarte Rossitten in Ostpreußen verwendet, so benutzte man jetzt bis 1964 für den Nordteil der DDR Ringe der Vogelwarte Helgoland und für den Süden solche der Vogelwarte Radolfzell, auch das gab es noch im geteilten Nachkriegsdeutschland. Seit 1964 erfolgte die Beringung mit eigenen Ringen, die Vogelwarte Hiddensee wurde damit zur Beringungszentrale für die DDR. Diese aus außenpolitischen Gründen getroffene Entscheidung - die DDR strebte nach internationaler Anerkennung und die beringten Zugvögel sollten den Namen der DDR in die ganze Welt tragen - führte zu einer starken Zunahme der Arbeitsbelastung und überforderte im Grunde die geringen Kapazitäten des kleinen Hiddenseer Instituts mit insgesamt etwa 10 Beschäftigten einschließlich Hausmeister und Putzfrau. Allein schon die Beschaffung von über 100.000 Aluminiumringen jährlich erwies sich als ziemlich kompliziert und konnte überhaupt nur dadurch bewerkstelligt werden, dass dem Herstellerbetrieb in Karl-Marx-Stadt Ferienplätze auf der Insel zur Verfügung gestellt wurden. Etwa 300 - 400, meist dem Kulturbund angehörige Beringer beringten in allen Bezirken der DDR jährlich mehr als 100.000 Vögel. Deren Beringungsberichte mussten für jeden einzelnen Vogel ebenso bearbeitet, registriert und verkartet werden wie die etwa 10.000 Rückläufe aufgefundener Vögel aus aller Welt. Diese Arbeiten nahmen die Vogelwarte so in Anspruch, dass die wissenschaftlichen Forschungen zwangsläufig mehr und mehr in den Hintergrund traten. Die Vogelwarte war ja zudem noch Zentralstelle für den Seevogelschutz an der ganzen Ostseeküste der DDR. 1977 wurde in einem an der Universität Greifswald eingerichteten Rechenzentrum mit dem EDV-Einsatz bei der Bearbeitung der Beringungsberichte begonnen. Es gab viele Anlaufschwierigkeiten und Probleme, vor allem auch Koordinationsprobleme zwischen der Hiddenseer Vogelwarte und dem Rechenzentrum in Greifswald, die 1990 dazu führten, die Beringungszentrale ganz nach Greifswald zu verlegen.

Nach dem Ausscheiden Schildmachers 1972 übernahm Dr. Axel Siefke die Leitung der Vogelwarte. Er gab die physiologischen Forschungen ganz auf und wandte sich Fragen der Populationsökologie zu, d.h. der Frage, weshalb in bestimmten Zeit- und Lebensräumen Vogelbestände zu- oder abnehmen. Hier bestand auch die Möglichkeit, Ergebnisse der aufwendigen Beringungsarbeit mit einzubeziehen, und das Forschungsinteresse richtete sich weg von der reinen Ornithologie mehr hin zu allgemeinen ökologischen Fragestellungen und Problemen.

„Physikalisches" Institut Kloster / Schwedenhagen

Das Institutsgebäude auf dem Schwedenhagen wurde bis 1953 im Rahmen des damaligen Fünfjahresplanes errichtet und der Humboldt-Universität in Berlin angegliedert. Initiator war der Berliner Professor für medizinische Physik und Strahlenkunde der Mediziner Walter Friedrich, der, ähnlich einer Einrichtung in Sylt, unter Ausnützung des besonderen maritimen Klimas an der Nordspitze Hiddensees hier eine Kinderklinik zur Behandlung der Kinder-Knochen-Tbc sowie in Zusammenarbeit mit dem Dermatologen Karl Linser von Allergien und Ekzemen einrichten wollte. Neben der allgemeinen Heilwirkung des besonderen maritimen Klimas, wie es in ausgeprägter Form in der DDR nur an der Nordspitze Hiddensees und am Kap Arkona herrschte, interessierte sich Friedrich, damals Präsident der Deutschen Akademie der Wissenschaften und langjähriger Präsidnet des Friedensrates der DDR, besonders für die Wirkung verschiedener atmosphärischer Strahlungen wie der kurzwelligen UV-Strahlung oder der Infraschallstrahlung auf die genannten Krankheiten. Die Errichtung der geplanten medizinischen Einrichtung scheiterte jedoch schließlich an dem auf Hiddensee ungelösten Problem der

Wasserver- und Abwasserentsorgung wie an der Tatsache, dass der mit der Realisierung beauftragte Mitarbeiter Friedrichs, Professor Hans Schreiber, die Humboldt-Universität verließ und in den Westen ging.

Die Leitung des Institutes wurde daraufhin dem Physiker Prof. Robert Rompe übertragen, der auf der Insel ein Ferienhaus besaß und sich ebenfalls für Strahlungsforschungen interessierte. Das Institut nannte sich nun folgerichtig „Institut für Strahlungsforschung" oder „Institut für Strahlungsquellen" und wurde organisatorisch an die Deutsche Akademie der Wissenschaften in Berlin angegliedert. In der Folge wurden hier aber weniger Grundlagenforschung als Zuarbeiten und Erprobungsarbeiten für die verschiedenen Berliner Akademieinstitute sowie große technische Betriebe der DDR wie etwa dem Glühlampen- und Leuchtstoffröhrenhersteller NARVA durchgeführt. Dazu gehörten etwa auch das Testen von Unterwasserfarben für den Schiffsanstrich sowie später insbesondere die Erprobung der Witterungstauglichkeit verschiedenster elektrischer und elektronischer Bauelemente für die elektronische Industrie. Je nach Verschiebung der Aufgabenstellung wurde auch die Bezeichnung des Instituts immer wieder geändert: Heinrich-Hertz-Institut (1963), Biophysikalisches Institut (1956, 1961), Versuchsstelle des Zentralinstituts für Elektronenphysik (1970, 1983).

Im Sommer 1970 brannte das schilfgedeckte Gebäude mit dem markanten Beobachtungsturm ab, wurde jedoch in den folgenden Jahren ohne den Turm und ohne Schilfdach wieder aufgebaut. 1982 errichtete man mit einfachsten Mitteln auf dem Schwedenhagen einen Windgenerator. 1992 wurden nach längeren Verhandlungen alle wissenschaftlichen Institute auf der Insel zu einem „Institut für Ökologie" der Greifswalder Universität zusammengefasst, welches seinen Hauptsitz nunmehr in den Gebäuden auf dem Schwedenhagen hat.

Außenstelle des Zentralinstituts für Mikrobiologie und experimentelle Therapie Jena auf der Fährinsel

Drei Jahre nach der endgültigen Einstellung des jahrhundertealten Fährbetriebes zwischen der Fährinsel und dem Seehof zum Jahresende 1952 boten die Fährleute ihre Häuser der Biologischen Station in Kloster zum Kauf an. Da die Universität Greifswald hierfür jedoch keine Mittel besaß, schaltete sich , als die Verkaufsabsichten bekannt wurden, Professor Rompe vom Physikalischen Institut auf dem Schwedenhagen ein und vermittelte schließlich den Ankauf der Fährhäuser durch die Akademie der Wissenschaften zum 1.1.1959. Rompe war sehr gut bekannt mit dem Mediziner Professor Hans Knöll vom Jenaer Institut für Mikrobiologie und experimentelle Therapie, ebenfalls ein Akademie-Institut, dem die Fährhäuser nun zur Verfügung gestellt wurden. Das Institut suchte auf der Fährinsel in enger Zusammenarbeit mit dem Arzneimittelhersteller Jenapharm nach neuen Antibiotikabildnern in Meereslebewesen. Diese Forschungen sollten mit dazu beitragen, die DDR von Westimporten bei Medikamenten unabhängig(er) zu machen. Teilweise widmete man sich auch der Krebsforschung, und zeitweilig sah es sogar so aus, als habe man in Quallen einen Stoff isolieren können, der gegen Leukämie wirkte, was sich jedoch schließlich nicht bewahrheitete.
Die Jenaer Wissenschaftler arbeiteten nur im Sommer auf der Insel, im Winter verblieb dort nur die Hausmeisterfamilie. Die Arbeitsbedingungen in den alten Fährhäusern waren schwierig. Trinkwasser musste zunächst von einem Hiddenseer Fuhrmann, später mit einem institutseigenen Pferd zweimal die Woche auf die Insel gebracht werden, zu der es bis 1977 keinen festen Zufahrtsweg gab. Über drei Jahre brauchte es von 1963 bis 1966, bis endlich zwei neue Laborhäuser einigermaßen fertiggestellt waren. Reparaturen an den alten Gebäuden konnten mangels Baukapazitäten und wegen der schlechten Anfahrtsmöglichkeiten nur in sehr geringem Umfang vorgenommen werden. Nach dem plötzlichen Herztod von Professor Knöll während seiner Arbeiten auf der Fährinsel 1978 erfolgte eine Umorientierung der wissenschaftlichen Arbeiten in Richtung ökologischer Probleme. Unter der

Die neuen Laborhäuser (l.) auf der Fährinsel ca. 1967

neuen Leitung von Dr. Jürgen Heyer konzentrierte man sich auf die Untersuchung der Gewässerbelastung durch Schwefelwasserstoff und Methan. Diese Arbeiten konnten auch nach der „Wende", als die Forschungsstelle auf die Universität Greifswald übertragen wurde, im Rahmen eines vom Bundesforschungsministerium geförderten Forschungsprojektes DYSMON (Dynamik in Sulfid- und Methanbiotopen der Nord- und Ostsee) noch bis 1997 fortgesetzt werden. Die Fährinsel ist heute reines Naturschutzgebiet und darf nur noch mit Genehmigung der Nationalparkverwaltung betreten werden.

Heimatmuseum und Gerhart-Hauptmann-Haus

Schon vor dem Ersten Weltkrieg war von Pastor Arnold Gustavs die Idee zur Gründung eines Hiddenseer Heimatmuseums entwickelt worden. Der seit 1903 auf der Insel amtierende und an Altertümern stark interessierte Pfarrer hatte schon bald damit begonnen, eine Sammlung von Steinzeitwerkzeugen anzulegen, die er auf Hiddensee fand. 1914 wurde er Vorsitzender des neu gegründeten „Natur- und Heimatschutzbund(es) Hiddensee", der erstmals offiziell die Forderung nach Einrichtung eines Heimatmuseums erhob. Der Vorschlag wurde, da er sich im Ersten

Weltkrieg und in der Weimarer Republik zunächst nicht verwirklichen ließ, in den 30iger Jahren von Professor Leick erneut aufgegriffen, der von Anfang an plante, mit seiner Biologischen Forschungsstation ein Inselmuseum zu verbinden. Am 27.7.1936 berichtete die Greifswalder Zeitung, die Station solle nun bald ein Museum erhalten:

> „In einer Schausammlung, die in einem noch zu errichtenden Gebäude untergebracht werden soll, sollen vorgeschichtliche Funde der Insel, vorkommende Pflanzen und Tierarten, Altertümer, alter Hiddenseer Hausrat, Hausmarken, Trachten usw. ausgestellt werden. In einer besonderen Abteilung soll der geologische Aufbau der Insel demonstriert werden."

Pastor Gustavs übergab Leick dazu seine steinzeitlichen Sammlungen. Rings um das Museum sollten nach der Vorstellung Leicks in einer Art Freilichtmuseum die wichtigsten „Charakterpflanzen" der Insel angepflanzt und auffällige erratische Blöcke und Gletscherschliffe präsentiert werden. Noch heute wird der Besucher diese Grundkonzeption Leicks beim Gang durch das Heimatmuseum in Kloster wiedererkennen. Eine besondere Attraktion des Museums sollte ein sog. „Wassertropfen-Aquarium" werden, in dem der Blick durch ein Mikroskop auf eine Leinwand projiziert werden sollte, so dass der Besucher ständig und ohne Mühe das bunte Getümmel der Kleintierlebewesen in einem einzigen Wassertropfen beobachten konnte. Aber der Museumsbau ließ sich neben all den anderen Projekten Leicks nicht finanzieren. Leick bat daher zu seinem 60. Geburtstag am 14.1.1942 um Spenden für seinen Museumsplan. Das so zusammengetragene Geld hätte nach Aussage Leicks zur Finanzierung des Museumsbaus ausgereicht, aber inzwischen durfte Baumaterial nur noch für kriegswichtige Bauten verwendet werden. Wieder wurde es nichts mit dem Museum.

Dass dann 1954 endlich doch das so lange geplante Heimatmuseum im alten Rettungsschuppen in Kloster eröffnet werden konnte, gehört zu den kommunalpolitischen Leistungen in der kurzen Amtszeit von Bürgermeister Hannes Präkel. Die Initiative ging nun von dem Schlosser Karl Ebbinghaus aus, der im Krieg auf dem Bug stationiert gewesen war und danach als Leuchtturmwärter nach Hiddensee kam und eine Hiddenseerin heiratete. Er hatte begonnen, sich mit der Hiddenseer Geschichte zu befassen und legte dem Rat der Gemeinde Anfang 1953 in Absprache mit Pastor Gustavs und Professor Leick, der immer noch auf der Insel lebte, ein Konzept für ein Inselmuseum vor. Auf der Gründungsversammlung einer Interessengemeinschaft „Heimatmuseum Hiddensee" im Februar 1953 wurden unter den ca. 25 Anwesenden 1.135 Mark für die Schaffung eines Museums gesammelt. Man beschloss, alle Sommerhausbesitzer auf der Insel um eine Spende zu bitten, was weitere 5.000 Mark brachte. Das Projekt wurde in den Kreisplan für das Nationale Aufbauwerk aufgenommen. Die Hiddenseer stellten eine große Anzahl an Exponaten zur Verfügung, so dass das Museum unter der Leitung von Karl Ebbinghaus tatsächlich am 14.7.1954 eröffnet werden konnte.

Karl Ebbinghaus blieb über 20 Jahre lang der Museumsleiter, bis er 1976 in Rente ging, und vollbrachte eine ganz erstaunliche Lebensleistung. Er baute die Museumssammlungen beständig aus, legte eine Fotosammlung, eine heimatkundliche Bibliothek und eine Pressedokumentation an und sicherte auch alte Urkunden, Protokollbände und Chroniken aus der Vorkriegszeit. Er brachte es auch viel weiter als die meisten Heimatforscher. Der Mann ohne höhere Schulbildung und Studium publizierte fundierte wissenschaftliche Arbeiten, u.a. in der Wissenschaftlichen Zeitschrift der Universität Greifswald, und fungierte als Grabungsleiter bei wissenschaftlichen Ausgrabungen auf der Insel. Im Museum organisiertete Ebbinghaus regelmäßige Vortragsveranstaltungen, 1957 wurden 29 heimatkundliche Lichtbildervorträge von 2020 Menschen besucht. Das kleine Museum hatte von Anfang an hohe Besucherzahlen zu verzeichnen, höhere auch als das Hauptmann-Haus in Kloster. In den ersten 4 Wochen kamen schon 4.500 zahlende Besucher und nochmal so viele Schulkinder. 1972 waren es 53.900 (Hauptmann-Haus 37.500), damit hatte das Hiddenseer

Heimatmuseum die höchste Besucherzahl aller Museen in den drei Nordbezirken der DDR.

Kaum war das kleine Provinz-Museum eröffnet, kam harte Kritik von oben bzw. von Süden. Professor Wolfdietrich Eichler aus Leipzig ließ in einem Aufsatz in der Berliner „Weltbühne“ kein gutes Haar an dem Museum, scharf und überaus arrogant kritisierte er praktisch alles, was er dort gesehen hatte: den Freigabevermerk des nazistischen Reichsluftfahrtmuseums auf einer Luftaufnahme, häufige Schreibfehler, falsche lateinische Bezeichnungen von Pflanzen und Vögeln, das Fehlen einer Karte der Insel mit Eintragungen der Gedenkstätten, Sehenswürdigkeiten und Forschungsstätten. Die ganze Ausstellung, so Eichler, sei ein bloßes „Raritätenkabinett“, die Exponate seien „gar zu objektivistisch aneinandergereiht“, die Bodenreform und überhaupt die ganze Wirtschaftsgeschichte würden nicht genügend berücksichtigt. Zu allem Überfluss werde auch noch die Begrifflichkeit der marxistischen Wissenschaft falsch verwendet, und dann drohend: „Die Arbeiterklasse ist empfindlich, wenn die Begriffe ihrer Wissenschaft missbraucht werden.“[161]

Die Kritik stieß nicht auf taube Ohren, 10 Jahre später nahm die „Frankfurter Allgemeine Zeitung“ Anstoß an der inzwischen offensichtlich geänderten Museumskonzeption. In einem ganzseitigen Artikel vom 15.5.1965 über „Museen in Mitteldeutschland“ berichtete das Blatt, die Hiddenseer Ausstellung sei „an sich sachlich aufgebaut“, die Geologie der Insel, ihre Vorgeschichte, die Bedeutung der Hausmarken etc. würden ohne Polemik dargestellt. Aber plötzlich werde des Pudels Kern, die eigentliche Verführungs-Absicht der Ausstellung sichtbar, wenn man am Ende unvermittelt auf eine Abteilung „Unser Weg in den Sozialismus“ stoße.

Das Gerhart-Hauptmann-Haus wurde aufgrund eines Beschlusses des Zentralkomitees der SED vom 12.7.1951 als Gedächtnisstätte eingerichtet und dem Ministerium für Volksbildung des Landes Mecklenburg unterstellt. Damit erhielt die Insel einen weiteren, überregional bedeutsamen Anziehungspunkt und festigte ihren Ruf, die Insel Gerhart Hauptmanns zu sein. Besonders viele Delegationen aus dem sozialistischen Ausland kamen zum Besuch des Grabes und der Gedenkstätte und demonstrierten so „die Wertschätzung Hauptmanns in den Ländern der Volksdemokratien“[162]. Zunächst konnten der Öffentlichkeit nur die beiden Zimmer und der Kreuzgang im Neubau zugänglich gemacht werden, da im Altbau noch die Bildhauerin Carla Friedel wohnte. Ab 1.1.1955 wurde die Verwaltung des Hauptmann-Hauses auf die Gemeinde Hiddensee übertragen, die nun Karl Ebbinghaus auch mit der Leitung der Gedenkstätte betraute. Zum 10. Todestag Hauptmanns 1956 konnte Ebbinghaus das Haus neu einrichten und dabei auch erstmals die unteren Räume des Altbaus mit einbeziehen. Ebbinghaus gab auch einen ersten kleinen Führer durch das Hauptmann-Haus heraus und blieb bis zu seiner Pensionierung 1976 Leiter sowohl des Heimatmuseums wie der Hauptmann-Gedenkstätte. Als Leiterinnen des Hauptmann-Hauses folgten ihm 1976 Margit Mattheisen und 1986 Dr. Sonja Kühne, die zuvor als Dramaturgin im Palast der Republik in Berlin gearbeitet hatte und das Veranstaltungsprogramm im Hauptmann-Haus deutlich ausweitete.

1975/76 wurde zum 30. Todestag Hauptmanns eine umfassende „Rekonstruktion“ des Hauses vorgenommen, weshalb es zur Saison 1976 nicht rechtzeitig eröffnet werden konnte. So wie die heimat- und naturkundlichen Vorträge im Heimatmuseum waren auch die literarischen Vorträge und Konzerte im Hauptmann-Haus bei den Inselgästen und -bewohnern sehr beliebt und stellten einen besonderen Beitrag zum kulturellen Leben auf der Insel dar. Der Greifswalder Germanist Dr. Gustav Erdmann referierte regelmäßig im Sommer über Hauptmann. Daneben wurden Schriftsteller aus der DDR, die zumindest kein allzu kritisches Verhältnis zu ihrem Staat hatten, zu Lesungen eingeladen. Der eine oder andere von Ihnen konnte während eines längeren Inselaufenthaltes auch die Bibliothek und das Archiv des Hauses benutzen. Manchmal traten auch Gäste aus anderen Staaten im Hauptmann-Haus auf, so etwa noch 1989 kurz vor der „Wende“ Günter Grass.

10.10 Natur- und Vogelschutz

Wie schon nach dem Ersten Weltkrieg, so waren auch nach dem Zweiten Weltkrieg alle Bemühungen um den Seevogelschutz wiederum zunichte gemacht worden. Die Menschen froren wieder und hatten wieder Hunger, zudem stieg die Bevölkerungszahl durch die Flüchtlinge aus den Ostgebieten deutlich an. Also wurde im Dornbuschwald in großer Menge Brennholz geschlagen, und also wurden auch die Vogeleier wieder in Massen gesammelt und gegessen. Die Gemeinde Hiddensee stellte hierfür sogar bezahlte Eiersammler ein, damit auch wirklich alle Eier für die Ernährung der Bevölkerung verwendet werden konnten. Seit dem Frühjahr 1946 bemühte sich zugleich der Bund für Vogelschutz Stuttgart, seine Schutztätigkeit auf Hiddensee wieder aufnehmen zu können. Die Stuttgarter Bundesleitung bat den Beauftragten des Bundes für das Land Sachsen, Erich Ficker aus Plaue, sich aller ehemaligen Schutzgebiete des Bundes in der Sowjetischen Besatzungszone anzunehmen. Der Bund war ja Eigentümer eines kleinen Terrains an der Südspitze des Gellen und hatte im Übrigen seit vielen Jahren von der Stralsunder Klosterverwaltung und von der Gemeinde Neuendorf zum Zwecke des Vogelschutzes die „Jagd“ für den gesamten Gellen gepachtet, eben damit sie dort von niemandem ausgeübt werden konnte. Diese Pachtverträge hatten sich während des Krieges automatisch verlängert, zuletzt bis zum 1.4.1946, und auf Anforderung der Kloster- und Güterverwaltung der Stadt Stralsund vom 31.5.1946 bezahlte Ficker die Jahrespacht in Höhe von 75,- Mark.

Zu diesem Zeitpunkt gingen alle Beteiligten offenbar davon aus, dass das Eigentum der Stadt Stralsund am Gellen durch die Bodenreform nicht aufgehoben worden sei. Die Stadt Stralsund war auch zum Abschluss eines neuen Jagdpachtvertrages mit dem BfV bereit und übersandte Ficker unter dem 28.8.1946 einen neuen Vertragsentwurf. Der Hiddenseer Bürgermeister hingegen lehnte für das der Gemeinde gehörige nördliche Teilstück des Gellens einen neuen Pachtvertrag mit der Begründung ab, die Inselbewohner stünden dem Bund für Vogelschutz feindlich gegenüber, weil dieser ihre Freiheit zum Eiersammeln einschränken wolle. Trotzdem blieb Ficker zunächst optimistisch, da die Stralsunder Verwaltung auch zur Verpachtung der Jagd im sog. „Vitter Abschnitt“ nördlich von Neuendorf bereit war. Zum Jahresende kam die Ernüchterung. Unter dem 28.12.1946 teilte der Kreisforstmeister des Kreises Rügen mit, er könne mangels gesetzlicher Grundlage die Pachtverträge mit der Stadt Stralsund nicht genehmigen. Das Recht zur Jagdnutzung liege ausschließlich bei den Besatzungsbehörden, und es sei auch gar nicht klar, ob die Stadt Stralsund überhaupt noch Eigentümerin des fraglichen Geländes sei.

Erich Ficker konnte es nicht fassen. In verzweifelten Briefen wandte er sich an die Landesregierung, die Forstbehörden und die Stadt Stralsund. Auf Hiddensee werde schwer gefrevelt. Es könne doch nicht sein, dass die jahrzehntelange mühevolle Schutzarbeit des Bundes völlig umsonst gewesen sein solle, zumal der Insel Hiddensee nach dem Verlust von Helgoland und Rossitten zukünftig eine noch größere Bedeutung als Vogelschutzgebiet zukommen werde. Doch es nützte nichts. Mit Schreiben vom 29.7.1947 bekräftigte der Kreisforstmeister seinen Standpunkt und wies darauf hin, dass der Leiter der Naturschutzstelle für das Land Mecklenburg, Prof. Robert Bauch in Rostock, einen erfahrenen Ornithologen nach Hiddensee entsandt habe, um sich der dortigen Verhältnisse anzunehmen.[163] Damit war die weitere Richtung vorgezeichnet: Der in der amerikanischen Zone ansässige Bund für Vogelschutz, der das NS-Regime von Anfang an und mit Entschiedenheit unterstützt und mitgetragen hatte, erhielt keine Wirkungsmöglichkeiten mehr auf Hiddensee. Die dortigen Naturschutzangelegenheiten wurden dafür auf die Biologische Forschungsanstalt und die Vogelwarte übertragen. Robert Bauch übernahm im Herbst 1947 die Leitung der Biologischen Forschungsanstalt, Hans Schildmacher im Mai 1948 die der Vogelwarte. 1964 beschloss der Rat der Gemeinde, das auf den „Reichsbund für Vogelschutz“ in Neuendorf eingetragene Grundstück in Gemeindeeigentum zu überführen.

Vom 6.-8.5.1948 fand auf Hiddensee die erste Naturschutztagung des Landes Mecklenburg statt, die von Bauch organisiert wurde und zu der alle Naturschutz-Vertrauensleute des Landes eingeladen waren. Die Teilnehmer mussten ihre Verpflegung in natura mitbringen, nämlich 125g Nährmittel, 25g Fett, 50g Zucker und mindestes 5, besser 7,5 Pfd. Kartoffeln. Als Vertrauensmänner für Hiddensee nahmen Pastor Gustavs und H. Thorbeck an der Tagung teil. In seinem Eröffnungsvortrag ging Robert Bauch auf die geltenden gesetzlichen Grundlagen des Naturschutzes ein und gab einen Überblick über die Vogelwelt Hiddensees. In seinem Referat „Bodenreform und Naturschutz" stellte der Vertreter der SED-Landesleitung Mecklenburg klar, dass die Ernährung der Bevölkerung, die Sesshaftmachung der Neubauern und die Brennstoffversorgung Vorrang vor dem Naturschutz haben müssten: „Wir lieben Parks und Grünflächen, aber notfalls müssen sie für Neudörfer und Ackerflächen weichen."[164]

Im Sommer 1947 waren aufgrund des allgemeinen Eiersammelns auf Hiddensee und der Fährinsel keine Bruten hochgekommen. Im Sommer 1948 beschäftigte die neu eingerichtete Vogelwarte zwei Studenten, die in der ganzen Brutzeit in einem Zelt auf der Fährinsel campierten und die dortigen Seevogelbruten bewachten. Als Ergebnis brüteten in diesem Jahr auf der Fährinsel neben der Sturm- und Lachmöwe auch wieder die Flussseeschwalbe, Austernfischer, Sandregenpfeifer, Kiebitz, Rotschenkel, der Mittlere Säger und einige Entenarten. Die Vogelwarte konzentrierte sich in der Folge bis 1990 ganz auf den Schutz der Fährinsel, die nach Einstellung der Fähre zum Seehof Ende 1952 zur Brutzeit nur noch mit einem Sonderausweis betreten werden durfte und regelmäßig von Studenten, später von Mitgliedern des Leipziger Kulturbundes, bewacht wurde. Die Vogelwarte ließ auch regelmäßig den Wacholderbewuchs auf der Insel lichten und den Fuchs bejagen. So wurde und blieb die Fährinsel wieder ein wichtiges Seevogelbrutgebiet. Heute brüten auf der Fährinsel keine Seevögel mehr, da der Fuchs sich in dem nicht mehr gelichteten Strauchbewuchs unerreichbar festgesetzt hat und alle Bruten zerstört.

Das zweite wichtige Schutz- und Arbeitsgebiet für die Vogelwarte stellte der an die Station unmittelbar angrenzende Dornbuschwald mit dem Bessin und dem Schwedenhagen dar, die seit 1937 unter Naturschutz standen. Vor allem auf der schnell wachsenden Sandbank des Neuen Bessin unternahmen immer wieder Seevögel Brutversuche, die aber schon seit den 50er Jahren durch den Fuchs bedroht waren. Seit Mitte der 80er Jahre ist auch der Säbelschnäbler auf dem Neuen Bessin wieder aufgetaucht und hat dort teilweise mit Erfolg gebrütet. Der Bessin und die vorgelagerte Bessin'sche Schar haben eine besondere Bedeutung als Zugvogelrastplatz im Frühjahr und Herbst. Im Dornbuschwald, dessen Beaufsichtigung von den Forstbehörden auf die Vogelwarte übertragen wurde, nistete eine zunehmende Zahl an Singvögeln. Am Steilufer des Dornbusch befindet sich eine besonders schützenswerte Uferschwalben-Brutkolonie.

Als Vogelschutzgebiete aufgegeben wurden nach 1945 hingegen zunächst der Gellen und der Gänsewerder, welche die traditionellen Schutzgebiete des Stuttgarter Bundes für Vogelschutz gewesen waren. Die beiden besonders seltenen Brutvogelarten des Säbelschnäblers und des Steinwälzers, die dort vor dem Krieg der ganze Stolz der Hiddenseer Ornithologen waren, haben seither dort nicht mehr gebrütet. In einer Beschreibung der Naturschutzgebiete Rügens von 1960 heißt es über Gellen und Gänsewerder: „Beide Gebiete haben ihren Wert für den Seevogelschutz nicht lange behaupten können. Heute sind diese Gebiete, die teils durch Badegäste und herumstreunende Füchse, teils aber durch starke Beweidung und häufiges Hochwasser beeinträchtigt sind, nicht mehr Schutzgebiete.“[165] Dem Schutz der Vögel, insbesondere der rastenden und ruhebedürftigen Zugvögel, kam aber nach dem Mauerbau 1961 zugute, dass Hiddensee ein von der Grenzpolizei streng bewachtes „Grenzgebiet“ wurde und die Südhälfte des Gellen als militärisches Sperrgebiet nicht mehr betreten werden durfte.

1954 erklärte der Rat des Bezirkes Rostock die gesamte Insel zum Landschaftsschutzgebiet. Das hiermit vor allem verfolgte Ziel, auf

Hiddensee nur noch landschaftstypische Bauten zuzulassen, wurde allerdings nur teilweise erreicht. Wichtigste Folge des Beschlusses war wohl, dass das Zelten auf der Insel mangels eines regulären Zeltplatzes seither nicht mehr erlaubt ist. 1967 wurden die Fährinsel und der Südteil der Dünenheide vom Landwirtschaftsrat der DDR unter Naturschutz gestellt. Allerdings befanden sich da schon zahlreiche Sommerhäuser in der Dünenheide, und das Gebiet um Heiderose und Dünenhof mit den Urlauberdörfern des VEB Simson-Suhl „Ernst Thälmann" sowie des Bau- und Montagekombinats Rostock wurden von der Unterschutzstellung ausgenommen. Im Handbuch der Naturschutzgebiete der DDR von 1972 werden auch Gellen und Gänsewerder wieder als Naturschutzgebiete aufgeführt, wobei interessanterweise als Rechtsgrundlage die Verordnung der Preußischen Regierung von 1922 genannt wird, die sich nur auf den kleinen Gänsewerder bezogen hatte. Sei's drum. Die Hauptsache war, dass der Gellen nicht betreten werden durfte und die Vögel und die Natur insgesamt sich dort relativ ungestört entwickeln konnten. Seit 1990 gehören der Neue Bessin und der Gellen mit dem Gänsewerder zu den Kernzonen des Nationalparks „Vorpommersche Boddenlandschaft".

Mit großen Erwartungen verbunden war der „Landschaftstag Hiddensee", der unter dem Motto „Hiddensee - ein Kleinod in der Ostsee - erhalten und gestalten" vom 28.-30. Oktober 1988 mit etwa 300 Teilnehmern auf der Insel stattfand. Es war der zweite Landschaftstag im Kreis Rügen, 1985 hatte ein erster „Landschaftstag Mönchgut" in Baabe stattgefunden. Veranstaltet wurde er von der „Gesellschaft Natur und Umwelt" im Kulturbund in Zusammenarbeit mit dem Rat, der Nationalen Front und dem FDGB des Kreises Rügen. In einem Aufruf zur Vorbereitung und Durchführung des Tages hieß es:

> „Der Schutz und die Erhaltung der natürlichen Umwelt gewinnen immer mehr an Bedeutung für die weitere Verbesserung der Arbeits- und Lebensbedingungen der Werktätigen sowie für das Erholungswesen auf Hid-

densee. Die vielfältigen Anforderungen, die an dieses Territorium gestellt werden, gilt es mit den landeskulturellen Erfordernissen in Übereinstimmung zu bringen. ... Der Landschaftstag Hiddensee soll daher, nach Darlegung der derzeitigen Situation, Wege und Möglichkeiten für die Pflege und Entwicklung der Insel mit ihren Besonderheiten aufzeigen und zur Erarbeitung von Entscheidungshilfen für die staats- und wirtschaftsleitenden Organe beitragen."[166]

Der Landschaftstag war von den Organisatoren lange und gründlich vorbereitet worden, und er fand in der Öffentlichkeit des Kreises Rügen und darüber hinaus große Beachtung. Der Rat der Gemeinde Hiddensee richtete im Vorfeld verschiedene Arbeitsgruppen ein. Nach einer Arbeitswoche im April 1988 mit Professor Felz von der Bauakademie stellte dieser fest, trotz aller Probleme habe in den vergangenen Jahrzehnten der besondere Charakter des Landschaftsschutzgebietes Hiddensee mit seinen Naturschutzgebieten prinzipiell bewahrt werden können, unwiderrufliche Schäden seien noch nicht eingetreten. Allerdings dürfe die Besucherzahl keinesfalls weiter erhöht werden, Ziel der weiteren Entwicklung müsse eine Konsolidierung des bisher Erreichten sein. Die Kommission „Landeskultur" des Rates der Gemeinde erarbeitete eine ausführliche Analyse der ökologischen Situation auf der Insel.

Eingeleitet wurde der Landschaftstag selbst durch ein zweistündiges Referat des Ratsvorsitzenden des Kreises, Günter Schüler, der auch die Schirmherrschaft über die Veranstaltung übernommen hatte. Es gab mehrere Koreferate zu unterschiedlichen Aspekten der Inselentwicklung, auch von auswärtigen Experten, ferner verschiedene Einwohnerforen, Exkursionen und Arbeitsgruppen. Am Ende wurde eine Entschließung in Form von „Empfehlungen der Teilnehmer des Landschaftstages" verabschiedet. Darin hieß es u.a. erneut, „daß die oberste Belastungsgrenze von Landschaft, Bebauung und Infrastruktur erreicht" und daher „die weitere Bebauung nur noch auf die Sicherung der Wohnbedingungen und der Versorgung der Bevölkerung zu richten" sei. Das hätte jegliche weitere Ferienbauten ausgeschlossen, und es wird Günter Schüler nicht leicht gefallen sein, dem zuzustimmen. Zum gezielten Einsatz aller finanziellen und materiellen Kapazitäten wurde vorgesehen, beim Rat der Gemeinde eine „Interessengemeinschaft Hiddensee" zu bilden, der auch Verteter des Rates des Kreises sowie der auf der Insel vertretenen Genossenschaften, Betriebe und Einrichtungen angehören sollten. Die Teilnehmer des Landschaftstages drückten schließlich ihre Erwartung aus, „daß an der Erfüllung der Aufgaben, wie sie in den Referaten genannt wurden, mit hoher Verantwortung kontinuierlich gearbeitet wird."[167] Spürt man da schon etwas den Wind russischen Glasnosts auf Hiddensee?

In der Gemeindevertretersitzung am 1. 2. 1989 musste Bürgermeister Hammelmann erklären, dass der vorgesehene Termin zur Bildung der Interessengemeinschaft zum 31.1.1989 nicht haltbar sei, da auch von seiten des Kreises dazu bisher noch keine konkreten Vorstellungen vorlägen. Auch in den folgenden Wochen und Monaten bis zur „Wende" spielte der Landschaftstag oder vielmehr der Vorwurf, dass dessen Ergebnisse und Forderungen nicht umgesetzt würden, in der politischen Diskussion auf der Insel eine wichtige Rolle.

11. Das Ende des Buches, nicht der Geschichte: Die „Wende" 1989/90

Hinterher ist man immer schlauer: Der Historiker kann im Nachhinein aus den Quellen schon frühzeitig viele Anzeichen einer sich zuspitzenden politischen und sozialen Krise herauslesen, die schließlich zum Zusammenbruch der DDR und der übrigen sozialistischen Staaten führte - letztlich wohl führen musste. Für die mitten im Geschehen stehenden Zeitgenossen ist eine Situation hingegen immer offen, es kann - scheinbar oder tatsächlich - so oder so weitergehen. So meinte etwa der Vorsitzende des Rates des Kreises Rügen, Günter Schüler (SED), noch am 13.11.1989 auf einer Krisensitzung des Rates der Gemeinde Hiddensee, an der auch einige Vertreter der SED-Bezirksleitung Rostock teilnahmen, „dass das Endziel des Kommunismus unabdingbar sein muß."[168] Im Nachhinein, wie gesagt, kann man über eine solche Verkennung der Realitäten nur lächeln, aber damals war es dem Genossen Schüler sicher Ernst mit seiner Aussage, und er hegte zumindest die Hoffnung, dass der Sozialismus noch zu retten sei. Auch die Aktivisten der Bürgerbewegung, die sich auf Hiddensee im Oktober 1989 in einer sog. „Initiativgruppe" zusammengefunden hatten, wollten und erwarteten damals kein schnelles Ende des Sozialismus. Ihnen ging es um die Beseitigung von Ungerechtigkeiten, den Abbau von Privilegien, den Stopp weiterer Ferienbauten. Sie wollten die Zahl der Sommergäste begrenzen und die Insel vor weiterem Schaden bewahren. Noch im Januar/Februar 1990 gingen alle Beteiligten davon aus, dass die VEB's weiter existieren und weiter ihre Ferienobjekte auf der Insel nutzen würden. Im Sommer kämpften die Betriebe um ihr Überleben und hatten andere Sorgen als die Sommerferien ihrer Beschäftigten auf Hiddensee. Und so gab es in der Saison 1990 erstmals viele freie Zimmer auf der Insel.

Auf einer gemeinsamen Sitzung der Räte der Gemeinde und des Kreises auf Hiddensee am 5.5.1976 hatte es geheißen, zur Befriedigung des „steigenden Bedürfnis[ses] der Arbeiterklasse in Bezug auf das Ferienwesen" müssten „in der eigenen Kapazität mehr Plätze für die Werktätigen geschaffen werden", da die Plätze im sozialistischen Ausland reduziert worden seien. Wie sollte das gehen? Das Boot war doch, wie es immer wieder hieß, längst übervoll, die Belastungsgrenzen deutlich überschritten. Und das galt ja nicht nur für Hiddensee, sondern für die gesamte Ostseeküste der DDR. Auch im Ferienwesen war die Schere zwischen Ansprüchen und Möglichkeiten im Laufe der Jahre eher größer als kleiner geworden. Die „Werktätigen" verlangten von Betrieben und Gewerkschaften vehement, dass ihnen ausreichend Ferienplätze zur Verfügung gestellt würden, und sie konnten sich dabei ja auf die offiziellen Verlautbarungen der Partei- und Staatsführung berufen. Diesen Ansprüchen konnten die Betriebe aber nicht gerecht werden, was sie immer wieder zu dem Versuch veranlasste, irgendwo ein neues Ferienobjekt durchzudrücken, komme was wolle. Und so wurde dann damals etwa auch das „Naherholungszentrum" der Volkswerft in Vitte hochgezogen, trotz Wohnungsmangel und Überfüllung des Bootes, und der VEB Erdöl Grimmen erhielt nach langem Hin und Her doch die Genehmigung, in Kloster eine neue Feriensiedlung zu errichten. In der Ratssitzung am 17.11.1983 hieß es dann, die DDR sei wirtschaftlich nicht mehr in der Lage, Koks einzuführen, weshalb die Gemeinde „beauflagt" worden sei, mit allen betroffenen Bürgern, die bisher Koks bezogen hatten, hierüber ein Gespräch zu führen.

Auf Hiddensee gab es schon lange erhebliche „Kaderprobleme", d.h. es wurde immer schwieriger, Leute für die Arbeit in der Gemeindevertretung und -verwaltung, dem Rat, den Kommissionen zu finden. Die Position des stellvertretenden Bürgermeisters konnte jahrelang überhaupt nicht besetzt werden, es fehlten ein qualifizierter Haushaltssachbearbeiter und Sekretärinnen. Niemand von der Insel wollte diese Aufgaben übernehmen, und auswärtige Kräfte konnten nicht angestellt werden, da es für sie keine Wohnmöglichkeit auf der Insel gab. Die Zahl der SED-Mitglieder stagnierte auf einem extrem niedrigen Niveau. Trotzdem hielt man auch für die am 7.5.1989 anstehenden Kommunalwahlen an dem Anspruch fest, dass 51 % der Gemeindevertreter SED-Mitglieder sein und mindestens 50 % aus der „materiellen Produktion" stammen müssten. Woher nehmen, wenn nicht stehlen? In der vorangegangenen Legislaturperiode war der Rat nach eigenem Bekunden nicht immer arbeitsfähig gewesen, die Kommissionen hatten nur unregelmäßig oder überhaupt nicht gearbeitet. Keines der anstehenden dringenden Probleme hatte mehr gelöst werden können: Abwasserklärung, Müllbeseitigung, Kino, Schule, Sportplatz, Zahnarztpraxis, Kaufhalle Neuendorf. 1989 gab es 35 dringende Wohnungssuchende. Wenn man Glück hatte, konnten davon vielleicht 6 - 7 pro Jahr irgendwie eine Wohnung erhalten. Von den 35 „volkseigenen" Wohnungen und den 12 von der Gemeinde „verwalteten" Häusern waren mindestens 2/3 dringend renovierungsbedürftig, aber es gab auf der Insel außer drei Tischlereien weder Bauhandwerker noch eine Wohnungsbaugesellschaft, von Baumaterial ganz zu schweigen. Das Fehlen einer Wohnungsbaugenossenschaft hatte auf der anderen Seite allerdings den Vorteil, dass auf Hiddensee keine sog. Plattenbauten errichtet wurden, wie sie auf Rügen auch in kleineren Dörfern allenthalben zu sehen sind.

„Es geht rückwärts, nichts wird fertig. Wir könnten nicht mehr renommieren mit der Insel, wenn die Natur nicht wär“, so beschrieb eine Hiddenseerin Anfang 1988 dem „Zeit“-Journalisten Peter Sager die Situation.[169] Die erst zwölf Jahre zuvor errichtete Kaufhalle in Vitte war 1988 schon wieder so marode, dass sie Ende des Jahres für eine Totalrenovierung ganz geschlossen werden musste. Im Hotel „Dornbusch“ konnte in der Saison 1989 wegen des schadhaften Parkettbodens kein Tanz mehr stattfinden. Im Juni 1989 war im Rat der Gemeinde von einer „steigenden Aggressivität der Jugend“ die Rede, die sich u.a. „in Form von Schmierereien sogar neonazistischer Art“ zeigte.[170] Die Schule, so wurde gefordert, müsse sich auch um die Freizeitgestaltung der Schüler kümmern. Als positives Beispiel wurde auf die Jugendarbeit der Evangelischen Kirche mit ihren zahlreichen Veranstaltungen, Gesprächskreisen, Gitarrenunterricht und Segelsport verwiesen. Aber die Schule verfügte ja noch nicht einmal über ausreichend Räume für ihren normalen Unterricht.

Während in den 50er und 60er Jahren zumindest bei einem größeren Teil der Bevölkerung und der Verantwortungsträger noch ein deutlicher Schwung und Elan beim „Aufbau des Sozialismus“ zu spüren ist, auch ein gewisser Stolz auf das Erreichte und darauf, dass nun nicht mehr nur die „Bourgeoisie“, sondern die „Arbeiterklasse“ und die „werktätige Bevölkerung“ in großer Zahl auf der ehemaligen Intellektuelleninsel Urlaub machen konnte, so herrschte am Ende weitgehende Resignation. Gegen das sog. Schwarzvermieten beispielsweise wurde nichts mehr unternommen. In einem Bericht über den Verlauf der Sommersaison teilte Bürgermeister Hammelmann in der Ratssitzung am 6.7.1989 mit, auf der Insel hielten sich neben 4.000 angemeldeten Gästen eine unbekannte Zahl von Urlaubern in den Seglerhäfen und „nicht angemeldete Personen" auf. Inselpastor Manfred Domrös erzählte den Reportern der Ostsee-Zeitung, dem SED-Blatt für den Bezirk Rostock, Ende November 1989: „ Hier wird nicht mehr gemeldet, wer wann was vermietet ... Viele haben sich gesagt: Ja wenn die Betriebe können, wir waren schon immer da."[171] Ähnliches galt für die nicht genehmigten Schwarzbauten aller Art. Der ehrenamtliche Beauftragte der staatlichen Bauaufsicht, Horst Toschke, bat im Sommer 1989 die Staatsanwaltschaft um ein Eingreifen, die daraufhin 80(!) Fälle nicht genehmigter Schwarzbauten feststellte. Die HO, so hieß es im Rat am 6.7.1989, erfülle ihre Versorgungsaufgaben „im Groben", soweit dies mit 60 - 70 % des Personalsolls möglich sei....

Angesichts dieser Situation hatte selbst Bürgermeister Bernd Hammelmann in seinem Rechenschaftsbericht in der Gemeindevertretung am 1.2.1989 von einer „relativ negativen Bilanz" der abgelaufenen Wahlperiode sprechen müssen, von einer „komplizierten Situation", von „Lockerungen und Schwächen", die er nicht in die richtigen Bahnen habe lenken können. Der seit 1986 amtierende, 34 Jahre junge Sachse, selbstverständlich SED-Mitglied, war von Anfang an in der Hiddenseer Bevölkerung unbeliebt. Alles deutet darauf hin, dass er - begreiflicherweise - schlicht überfordert war. Er jonglierte herum, versprach diesen dieses und jenen jenes, gestattete vor allem den Betrieben gegen das Versprechen, irgendwo ein Dach oder ein Stück Straße zu flicken oder endlich die Hochufertreppe am Klausner zu reparieren, immer wieder Dinge, die normalerweise nie hätten genehmigt werden können. Am 6.1.1990 sah sich die inzwischen durch Rücktritte und Kooptierungen in ihrer Zusammensetzung stark geänderte Gemeindevertretung veranlasst, alle derartigen früheren Zusagen Hammelmanns pauschal für ungültig zu erklären.

Bei den Kommunalwahlen am 7.5.1989 gab es erstmals eine größere Zahl von Nein-Stimmen, nämlich 4,7 %, die Mehrzahl hiervon richtete sich gegen Bürgermeister Hammelmann. Trotzdem wurde Hammelmann auf der konstituierenden Sitzung der neuen Gemeindevertretung am 31.5.1989 wieder zum Bürgermeister gewählt, allerdings - ein bezeichnendes Novum - mit einer Gegenstimme. Hatte es schon auf der Gemeindevertretersitzung am 1.2.1989 erhebliche und ziemlich offene Diskussionen gegeben, so setzte sich dies nun fort. Unter Anwesenheit von 63 Teilnehmern aus der Bevölkerung wurden auch die Kommissionsvorsitzenden nicht mehr einstimmig gewählt und die Gemeindevertretung wies den vom Rat vorgelegten Arbeitsplan mehrheitlich zurück. Es rumorte jetzt ganz deutlich auch auf Hiddensee. Die Zahl der Ausreiseanträge stieg, und es gelang in den nächsten Wochen und Monaten nicht, die Arbeitsfähigkeit des Rates wieder herzustellen. Bis zum Herbst konnten die Kommissionen nicht besetzt werden. Die Kritik an Bürgermeister Hammelmann nahm so zu, dass dieser in der Ratssitzung am 31.8.1989 seinen Rücktritt zum 31.10.1989 ankündigte. Grund hierfür seien nicht, wie er betonte, „die Aktivitäten des Bürgers Toschke", sondern „Differenzen mit dem Rat des Kreises und der SED -Kreisleitung". Später verlängerte er auf den 31.12., kündigte dann an, er werde vom 10.11. - 15.12.1989 Urlaub nehmen. Trotzdem war er die ganze Zeit anwesend und vergrößerte so durch sein Verhalten das zunehmende Chaos in der Gemeindeverwaltung.

Im Laufe des Oktobers 1989 bildete sich schließlich eine sog. „Initiativgruppe" auf der Insel. Hauptinitiator war Pastor Manfred Domrös. Auch einige SED - Mitglieder, wie die Leiterin des Hauptmannhauses, Dr. Sonja Kühne, und der populäre Geschäftsführer der Griebener Gaststätte, Andreas Kaufmann, schlossen sich der Initiativgruppe an. Diese lud für den 31.10.1989, dem evangelischen Reformationstag, zu einer Einwohnerversammlung in die Kirche ein. Motto: „Die Reformation geht weiter." Pastor Domrös bat im Vorfeld den früheren Hiddenseer und späteren Bergener Bürgermeister Hannes Präkel, als SED-Vertreter an der Versammlung teilzunehmen. Präkel kam und versuchte, wie er 10 Jahre später berichtete, beruhigend auf die erregten Versammlungsteilnehmer einzuwirken. Über 400 Menschen - etwa 1/3 der Hiddenseer Einwohner - drängten sich in der kleinen Kirche - eine erstaunliche Zahl, sagt man den Hiddenseern doch gemeinhin ein

eher ruhiges, zur Beharrung neigendes und keineswegs revolutionäres Naturell nach.
Stein des Anstoßes und der Empörung waren die neuen Ferienbauten am ZK-Heim „Haus am Hügel“ in Kloster. Auf einer Obstwiese neben dem Haupthaus, die dafür einer alten Hiddenseerin enteignet worden war, wurden seit 1987 vier neue Appartmenthäuser aus bestem Material gebaut, das sonst nirgends zu haben war. Die Bau- und Einrichtungskosten betrugen über 2 Millionen Mark. Eine Genehmigung durch den Rat der Gemeinde lag nicht vor, dieser war über das Projekt lediglich informiert worden. Offiziell handelte es sich um ein „LVO-Objekt“, d.h. gebaut wurde nach der „Ordnung über Lieferungen/Leistungen für die Landesverteidigung der DDR“ (!). Zwei Häuser waren im Herbst 1989 fertig, die beiden anderen standen im Rohbau. Einhellig forderten die Hiddenseer, die Häuser für Wohnzwecke, eventuell als Altenwohnungen, zu verwenden. Am Ende der über dreistündigen, bewegten und bewegenden Versammlung wurde einmütig ein „Offener Brief“ an den Rat des Kreises sowie den neuen SED-Chef und Staatsratsvorsitzenden, „Genossen Egon Krenz“, beschlossen, der von der Initiativgruppe formuliert worden war. [172]

„Unglaublich, was da drin steht. Eine geballte Ladung brennender Inselprobleme von der ökologischen Misere über tiefsitzendes Mißtrauen gegenüber den Volksvertretungen des Territoriums bis hin zu wildwuchernden Schwarzbauten und Privilegienschuppen“, schrieb die Ostsee-Zeitung am 2./3.12.1989 dazu. Entsprechend fand der Brief damals auch republikweite Beachtung. Einleitend hieß es:

> „Der Prozeß der Erneuerung des Sozialismus, den unser Land in diesen Tagen durchlebt, läßt auch die Hiddenseer neue Hoffnungen fassen; Hoffnungen, daß durch grundlegende Veränderungen in unserem Staat die Ursachen behoben werden für die lange schwelende ökonomische, politische und moralische Krise, in der wir uns befinden.“

Es folgt eine detaillierte Auflistung aller wichtigen Inselprobleme: der seit Jahren verschleppte Bau einer Zahnarztpraxis, wobei Material im Wert von 60.000 Mark verrottete; die Verschwendung von 300.000 Mark durch eine falsche Konstruktion der gerade erst begonnenen Abwasserleitungen; der „Ausverkauf der Insel an die Betriebe und Einrichtungen, die die größte ökonomische und politische Macht haben" und die mit ihren überdimensionierten Ferienbauten, jahrelangen Baustellen und illegalen Ferienobjekten die Insel verschandelten; ferner allgemein die „Vermüllung der Insel, der Zustand der Abwassergräben, der öffentlichen Toiletten, die schändliche Verwahrlosung des Naturschutzgebietes Schwedenhagener Ufer und des Hafens Vitte" ... Die Hiddenseer verlangten in dem Offenen Brief, künftig bei allen, die Insel betreffenden Fragen und Entscheidungen informiert und beteiligt zu werden, die neuen ZK-Häuser als Wohnungen zu verwenden, das neue projektierte Ferienobjekt des VEB Erdöl-Erdgas Grimmen noch einmal zu überprüfen. Und schließlich forderten sie den Vorsitzenden des Rates des Kreises Schüler auf, am 13.11.1989 zu einer erneuten Einwohnerversammlung auf die Insel zu kommen, um persönlich mit den Hiddenseern die angesprochenen Probleme zu erörtern. Schüler kam tatsächlich, brachte die Zusage der Berliner SED-Leitung mit, das „Haus am Hügel" an die Gemeinde übergeben zu wollen, und verhielt sich diplomatisch. Auf einer vorbereitenden Ratssitzung erklärte er, die Bürger hätten eine wirkliche Umwälzung eingeleitet, nun seien Offenheit und „wirkliche Demokratie" angesagt. Auf der Einwohnerversammlung in Vitte trat Schüler allerdings wieder ziemlich arrogant in altem Stil auf und lehnte jede Verantwortung des Kreises für die im „Offenen Brief" angesprochenen Missstände auf der Insel ab. Der Fischer Karl Kollwitz, ehemaliges Ratsmitglied, entgegnete ihm: „Sie machen es sich zu leicht, Herr Schüler! Volkswerft, ZK, Staatssicherheit, Ministerrat, alle bekamen ihre Bauten, und wir waren machtlos." Die Hiddenseer waren so empört über das Auftreten Schülers, dass sie ihm noch in der gleichen Versammlung mit großer Mehrheit das Misstrauen aussprachen und die Hiddenseer Kreistagsabgeordnete Inge Hoerenz beauftragten, dies dem Kreistag zu übermitteln. [173]

Mittlerweile war die Mauer geöffnet worden, und auch auf Hiddensee ging die Entwicklung in rasantem Tempo weiter. Auf der, der Einwohnerversammlung am 13.11. vorausgegangenen Ratssitzung hatte der Rat sich zur Initiativgruppe „bekannt", sich für deren Aktivitäten „bedankt" und seine Bereitschaft zur Zusammenarbeit bekundet. Ausreisevisa sollten erstmals am 15.11.1989 von 9 - 14 Uhr beim ABV in Vitte erteilt werden können. Für den 23.11.1989 wurde eine außerordentliche Gemeindevertreter-Sitzung einberufen, auf der die acht Ratsmitglieder die Vertrauensfrage stellten. Vier, darunter Bürgermeister Hammelmann, wurden abgewählt, die vier verbleibenden waren alle SED-Mitglieder, die einzige Frau unter ihnen zugleich Repräsentantin des DFD. Ratsmitglied Dr. Helmut Hübel, Leiter der Biologischen Station in Kloster, übernahm die Funktion eines kommissarischen Bürgermeisters. In der Ratssitzung am 20.12.1989 wurden „entsprechend den Vorschlägen der Initiativgruppe und der Einwohnerversammlungen in den 3 Ortsteilen" anstelle der abgewählten fünf neue Ratsmitglieder „kooptiert": Wolfgang Heimlich (NDPD), der langjährige Inselarzt Dr. Michael Kallius, Dieter Leonhard, Ursula Schuhmacher (CDU) und Wolfgang Siegel. Des gleichen Mittels der „Kooptierung" bediente man sich in der Gemeindevertreter-Sitzung am 20.12.1989, als die „Abberufungsanträge" von 17 Gemeindevertretern angenommen, ein CDU-Abgeordneter wegen Untätigkeit „ausgeschlossen" und 18 neue Volksvertreter wiederum „kooptiert„ wurden. Darunter befanden sich u.a. Inselpastor Manfred Domrös und der Zahnarzt Karl-Heinz Lucas. Rechtzeitig zu Weihnachten hatten sich damit die Machtverhältnisse auf der Insel endgültig verändert, war das faktische Machtmonopol der SED aufgehoben.

Gleich zu Beginn des neuen Jahres, am 4.1.1990, wurde auch eine neue Bürgermeisterin gewählt. Offiziell geschah dies auf einer Sitzung der Gemeindevertretung, aber alle 143 Anwesenden waren stimmberechtigt. Gewählt wurde mit 89 Ja- und 51 Nein-Stimmen die von Rügen stammende, Rostocker Lehrerin für Biologie und Geografie, Ute Damm. Anita Kula wurde mit 73 Stimmen zur

Stellvertretenden Bürgermeisterein bestimmt. Damit hatte man die Gesetze der untergehenden DDR endgültig verlassen - ein Charakteristikum für eine „revolutionäre" Umbruchsituation: Die alten Institutionen, Gesetze und Verfahrensregeln gelten nicht mehr, neue gibt es noch nicht, also greift man auf Formen der direkten Demokratie zurück: Alle auf einer Versammlung mehr oder weniger zufällig Anwesenden sind automatisch stimmberechtigt! Auch die Art und Weise, wie Ute Damm ganz schnell wieder abgewählt wurde, entsprach keinerlei bestehenden Regularien: Da sie nicht bereit sei, die Bürgermeister-Dienstwohnung zu beziehen, und dies in der Bevölkerung auf völliges Unverständnis stoße, wurde die Wahl in der Gemeindevertreter-Sitzung am 27.1.1990 einfach wieder „annulliert" und die Stelle neu ausgeschrieben. Die Stellvertretende Bürgermeisterin Anita Kula musste gemeinsam mit Ratsmitglied Dr. Helmut Hübel die Geschäfte weiter kommissarisch leiten.

Trotz dieser „Panne" bei der Bürgermeisterinnenwahl war die Zeit der Resignation und Stagnation zum Jahreswechsel 1989/90 vorbei. Im Gegenteil: es herrschte eine deutliche Aufbruchstimmung, und die jeweils zur Hälfte neu besetzten Gremien des Rates und der Gemeindevertretung gingen mit Schwung und Elan an den Versuch, den so lange aufgestauten Berg an Problemen zu lösen: Für das gerade begonnene, neue Ferienobjekt von „Erdöl-Erdgas Grimmen" wurde wegen der ungeklärten Abwasserproblematik „zum Wohle der Insel" ein Baustopp verhängt. Eine aus fünf Personen - Dr. Sonja Kühne, Dr. Hübel, Dr. Kallius, Pastor Domrös und der jungen Biologin Christiane Wolff - bestehende Arbeitsgruppe sollte sich um die Übernahme des „Hauses am Hügel" kümmern. Und obwohl der dortige Objektleiter nach dem Abebben es ersten revolutionären Volkszorns wieder Widerstand leistete, keine Auskünfte erteilte, niemand in das Haus lassen wollte, konnte die Nutzung der neuen Appartmenthäuser als (Alten) Wohnungen entsprechend der ursprünglichen Vorstellungen der „Initiativgruppe" schließlich doch durchgesetzt werden. Das Haupthaus musste hingegen an seinen schwedischen Besitzer zurückgegeben werden. Interessanterweise hatte die DDR dessen

Eigentum, wie sich nun herausstellte, immer respektiert und war vor einer formalen Enteignung zurückgeschreckt, da ihr an guten Beziehungen zum neutralen Schweden höchst gelegen war.

Die Gemeindevertretung verfügte den Abriss des sog. „Weißen Hauses“ auf dem Dornbusch, ursprünglich eine Bauarbeiterunterkunft, die sich dann auf wundersame Weise und ohne jede Genehmigung wieder einmal in ein „Ferienobjekt“, und zwar der Grenztruppen der DDR, verwandelt hatte. Man ging daran, ein neues Konzept für die Seglerhäfen in Vitte und Neuendorf zu erstellen, wobei plötzlich - Ende Januar 1990 - die neue Frage auftauchte, wem diese denn überhaupt gehörten. Am 15.3.1990 beschloss man, „in Übereinstimmung mit den Empfehlungen des runden Tisches in Bergen“, das NVA-Gebäude in Vitte in die „Rechtsträgerschaft der Gemeinde“ zu überführen und für Wohnraumzwecke zu nutzen. Nach der Kommunalwahl wurde dort die neue Gemeindeverwaltung untergebracht, wo sie bis heute geblieben ist. In der gleichen Sitzung wurde beschlossen, mit der Insel Juist (Ostfriesland) eine kommunale Partnerschaft einzugehen und mit Helgoland, das hieran ebenfalls Interesse gezeigt hatte, einen „Freundschaftsvertrag“ abzuschließen. Juist hatte eine solche Partnerschaft schon vor der Wende vorgeschlagen, damals war die Angelegenheit in der Ratssitzung am 18.8.1988 allerdings „zurückgestellt“ worden. Ein Vertrag über die Nutzug von 2.800 qm (!) Land „für Erholungszwecke“ in Kloster durch Dr. Christoph Felsenstein, den Sohn und Erben des berühmten Berliner Intendanten, wurde annulliert. Auch um die ökologischen Probleme kümmerte sich die neue Gemeindevertretung. Diese wurden in der neuen Zeit ja nicht automatisch weniger, im Gegenteil schienen sie sich zunächst eher noch zu verschärfen: Am 5.4.1990 beschloss man ein Verbot, auf der Insel Getränke in Dosen und Einwegflaschen zu verkaufen, da weiterer Müll hier nicht verkraftet werden könne.

Im Übrigen hatte der Rat jetzt über eine stark ansteigende Zahl von Gewerbeanträgen zu entscheiden: Beantragt wurde die Genehmigung von Gaststätten, Eiscafés, Kiosken, Lebensmittel-

und Haushaltswarengeschäften, eines Frisörsalons, eines Bootsverleihs ... Für die Eröffnung einer Surfschule mit Surfbrettverleih lagen gleich zwei konkurrierende Anträge vor. Die neue Zeit hielt nun, im Frühjahr und Sommer 1990, mit Macht Einzug auf der Insel, und man begann spätestens jetzt allmählich zu ahnen, dass vom Sozialismus nicht allzu viel übrig bleiben würde. Eine ganze Reihe der heute auf der Insel bestehenden Geschäfte gehen auf diese ganz frühen Gewerbeanträge zurück. Die Gemeindevertretung beschloss, Gewerbegenehmigungen „vorerst für 1990 vorrangig den Bürgern der Insel Hiddensee“ vorzubehalten, weil sie die Pflicht habe, „alles für die soziale Absicherung der Einwohner Hiddensees zu tun und ... entstehende Schwierigkeiten bei eventueller Arbeitslosigkeit abzufangen“.[174] Kaum hatten die Menschen sich von den Bedrängnissen und Ungerechtigkeiten des alten Systems befreit, kamen andere, ganz neue auf sie zu. Auf Hiddensee sollte es allerdings nicht so schlimm kommen. Die Insel blieb, da der Tourismus schon 1991 wieder zu boomen begann und die Hiddenseer ihre Zimmer wieder vermieten und bald auch das eine oder andere Grundstück verkaufen konnten, von der hohen Arbeitslosigkeit im übrigen Ostdeutschland fast vollständig verschont.

1990 fanden in Ostdeutschland gleich vier Wahlen statt. Bei den allgemeinen Wahlen zur Volkskammer der DDR, zum Landtag von Mecklenburg-Vorpommern und zum Deutschen Bundestag wählten die Hiddenseer „konservativer“ als die Menschen im Kreis Rügen und in Mecklenburg-Vorpommern, d.h. die CDU erhielt deutlich mehr und die PDS deutlich weniger Stimmen als im Kreis- und Landesdurchschnitt. Bei der Bundestagswahl im Dezember entfiel auf die CDU auf Hiddensee sogar eine absolute Mehrheit der Stimmen. Aber auch die im Bündnis 90 kandidierenden DDR-Oppositionellen erzielten auf Hiddensee überdurchschnittliche Ergebnisse. Kann man das so interpretieren, dass die Unzufriedenheit mit den Verhältnissen in der DDR hier größer war als im Landesdurchschnitt und dass die Hiddenseer deutlicher als sonst die „Wende“ begrüßten oder zumindest akzeptierten?

Wahlergebnisse Hiddensee 1990

	VK-Wahl 18.3.1990	VK-Wahl Krs Rügen	LT-Wahl 14.10.1990	LT-Wahl Krs.Rügen	LT-Wahl M-V	BT-Wahl 2.12.1990	BT-Wahl Krs.Rügen	BT-Wahl M-V
Wahl-berech-tigte	978		944			948		
Abge-gebene Stimmen	887 (91,6 %)	91,7 %	574 (60,8 %)	57,9 %	64,8 %	661 (69,7 %)	64,6 %	70,9 %
CDU	331 (37,7 %)	31,4 %	240 (43,2 %)	39,8 %	38,3 %	331(50,8 %)	45,3 %	41,2 %
DSU	27 (3,1%)	2,2 %						
DBD	27 (3,1%)	9,2 %						
SPD	239 (27,2%)	17,5 %	140 (25,2 %)	27,3 %	27,0 %	155 (23,8 %)	26,2 %	26,5 %
PDS	116 (13,2 %)	29,4 %	51 (9,2 %)	16,7 %	15,7 %	46 (7,1 %)	14,4 %	14,3 %
FDP/ Liberale	27 (3,1 %)	2,8 %	25 (4,5 %)	3,3 %	5,5 %	61 (9,4 %)	6,6 %	9,2 %
NDPD	8 (0,9 %)	0,5 %						
Bündnis 90/Grüne	82 (9,6%)	3,3 %	34 (6,1 %)	3,8 %	4,2 %	47 (7,2 %)	4,6 %	5,9 %
Sonstige	17 (1,9 %)	3,2 %)	65 (11,7 %)	9,0 %	9,4 %	11 (1,7 %)	3,0 %	3,0 %

Bei der Wahl zur neuen Gemeindevertretung am 6.5.1990 wurden von der Liste der CDU zwei Kandidaten, von der des DFD eine Kandidatin und im Übrigen 13 Einzelkandidaten gewählt. Das bei weitem beste Ergebnis erzielte mit 369 Stimmen Wolfgang Siegel aus Neuendorf, der zu den fünf Vertretern der „Initiativgruppe" gehört hatte, die Ende Dezember 1989 in den Rat „kooptiert" worden waren. Von diesen Fünf wurden nun auch Dr. Michael Kallius und Dieter Leonhard gewählt. Von den im Dezember 1989 neu in die Gemeindevertretung Aufgenommenen wurden ferner noch Arne Helm, Theodor Thürke und Günther Siebler gewählt. Zwei der Gewählten waren ehemaligen SED-Mitglieder, wobei Andreas Kaufmann das drittbeste Wahlergebnis aller Einzelkandidaten erzielte. Die neue Gemeindevertretung konnte endlich auch wieder einen „richtigen" Bürgermeister wählen. Durch die Gespräche über eine Inselpartnerschaft zwischen Hiddensee und Helgoland war der dortige parteilose Hauptamtsleiter Norbert Ahting in Kontakt mit der pommerschen Insel gekommen und hatte schließlich angeboten, sich für die dortige Bürgermeisterstelle zu bewerben. Am 2.8.1990 trat er sein Amt auf Hiddensee an. Ahting war Ostfriese, und den Ostfriesen sagt man ja gemeinhin eine ähnliche Dickköpfigkeit nach wie den Pommern. Ob das wohl gutgehen würde? Darüber wird in einem späteren Buch zu berichten sein. Dieses soll und muss mit dem turbulenten Jahr 1990 enden.

Anmerkungen

1 Zitiert nach Seydel 1991, 139
2 Segebrecht 1912, 58
3 Wackenroder 1732, 346
4 A. Gustavs 1990, 6
5 Zitiert nach Schneider-Siemt 1951, 6
6 Zitiert nach Ewe 1983, 25
7 Zitiert nach Ewe 1983, 26
8 Zitiert nach Erdmann 1991, 25
9 Zitiert nach Seydel 1991, 181
10 Schmidt 1973, 46
11 Chaim Noll: Ein Stück Niemandsland, in: Ebbinghaus 1991, 146 ff.
12 Grass 1995, 325/26
13 Nielsen 1977, 267
14 Zitiert nach Erdmann 1991, 43
15 Schenkungsurkunde 13.4.1296, zitiert nach Haas 1896, 37/38
16 Zitiert nach Segebrecht 1912, 59
17 Hoogeweg 1924, 23
18 Haas, Einwohnerverzeichnisse 1966, 74 - 76
19 Zitiert nach A. Gustavs 1990, 45/46
20 Zöllner 1797, 347
21 Peesch 1961, 303 ff.; O. Gustavs (Hrsg.) 1998
22 Stralsundische Zeitung 29.9.1785, zitiert nach Ewe 1983, 121
23 Segebrecht 1912, 63
24 Segebrecht 1912, 73
25 Memorabilienbuch der Kirchengemeinde Hiddensee im Pfarramt Kloster, Band 1, S. 183
26 Oberpräsident Stettin. Anordnung über den Zusammenschluß der Gemeinden Kloster, Vitte und Neuendorf, Kreis Rügen, zu einer Gemeinde Hiddensee 31.1.1939, APSz, Best. 92 Nr. 1945
27 Sitzung des Provisorats des Klosters zum Heiligen Geist 4.3.1938, StAHST Best. 9 Nr. 934 I, 58 R
28 Akten und Urkunden zur Regulierung und Separation auf Hiddensee, in: HMH, Best. Ur Nr. 3 - 10, 19, 25, 26, 31; StAHST, Best 9 Nr. 824, 890, 952, 1004, 1005
29 StAHST, Best. 9 Nr. 1017, 109
30 Vertrag Kloster zum Heiligen Geist ./. Schlieker 8./13.11.1874, StAHST, Best. 9 Nr. 871
31 Fährinsel bis 1924 zu Kloster/Grieben, seit 1925 zu Vitte
32 Protokoll Zweckverband 27.8.1902, HMH, Best. Ur Nr. 16
33 Zitiert nach A. Gustavs 1990, 107/08
34 Lehrer Freybourg, Plogshagen an Kloster zum Heiligen Geist, Stralsund 25.7.1839, StAHST, Best. 9 Nr. 983, 15
35 Revisionsbericht über die Schule zu Kloster auf Hiddensee 22.8.1860,

LAHGW Best. 65c Nr. 4437, 120/21
[36] Zur Arztfrage auf Hiddensee ausführlich LAHGW, Best. 65 c Nr. 2449
[37] Heinrich Berg, in: Garduhn (Hrsg.) 1924, 97
[38] Zitiert nach Ewe 1983, 74
[39] Zitiert nach Segebrecht 1912, 47; Willi Gruhn: Erinnerungen alter Hiddenseer, in: Unser Pommerland 18 (1933), Sonderheft 4/5 „Hiddensee“,157 - 161
[40] Thorwald 1832, 85
[41] StAHST, Best. 9 Nr. 853, 137
[42] Ettenburg 1912, 7 ff.
[43] Zitiert nach Otto Dankwardt, in: Seydel (Hrsg.) 1991, 78/80
[44] Ettenburg 1905, 20/21
[45] Ernst Engelbrecht, Düsseldorf, an Kloster zum Heiligen Geist, Stralsund 6.5.1922, StAHST, Best. 9 Nr. 924 II, 26
[46] Zitiert nach Erdmann 1965, 38
[47] A. Gustavs 1962, 33/34
[48] Nielsen 1992, 260/61
[49] Zitiert nach Erdmann 1991, 63
[50] Zitiert nach Leppmann 1986, 376
[51] Die Zitate von Kerr und Mann bei Leppmann ebda., 374/75
[52] Zitiert nach Peter Sager: Nu ja ja, Nu nee nee, in: Zeit-Magazin 1987
[53] Zitiert nach Leppmann 1986, 386
[54] Zitiert nach Bernhardt 1996, 124
[55] Bölling, in: Ebbinghaus 1991, 18
[56] Grass 1995, 362
[57] Schriftliche Mitteilung Dr. Peter Jaeckel 5.1.1992, zitiert nach Baade / Stock 1992, 126
[58] Lehmann 1925, 5
[59] StAHST, Best. 9 Nr. 803, 121
[60] Donrey (z. Zt. Vitte, Villa Emma) an Kloster zum Heiligen Geist 13.8.1908, StAHST, Best. 9 Nr. 803, 78
[61] Koenig 1937, 316
[62] Hübner 1913, 310
[63] Kloster zum Heiligen Geist an Stadtbauamt Stralsund 20.9.1910, StASt 9/919 I, 32; Schulz 1913,
[64] Regierungspräsident Stralsund an Kloster zum Heiligen Geist Stralsund 3.1.1912, StAHST, Best. 9 Nr. 919
[65] Jahrbuch für Vogelschutz 1926 (1927), 103; Schriftverkehr zwischen dem Bund für Vogelschutz Stuttgart, dem Regierungspräsidenten Stralsund und dem Oberpräsidenten Stettin 1923/24, APSZ, Best. 73 Nr. 5314
[66] von Thümen 1929, 77
[67] Protokollbuch der Gemeinde Vitte 5.5.1922, HMH Best. Ur Nr. 44
[68] Landrat Bergen an Regierungspräsident Stralsund 23.4.1926, LAHGW Best.
[65]c Nr. 797, 15
[69] StAHST Best. 9 Nr. 826, 31
[70] Leick: 1932, 93 - 99

[71] Stralsunder Tageblatt 17. 2. 1933

[72] Janzen 1980, 43 f.

[73] Kreisblatt des Kreises Rügen, in: StAHST, 9 Nr. 818, 34

[74] Zitiert nach Arne Gustavs 1966, 275

[75] Wolfgang Dittmann, Pulheim, hat mir freundlicherweise die Unterlagen seines Vaters überlassen.

[76] Röder 1995, 297

[77] Knupp 1977, zitiert nach: Seydel 1991, 112

[78] Zitiert nach Bernhardt 1996, 64

[79] Nielsen 1992, 291/92

[80] Karasek 1992, 77 - 79

[81] Zivier 1988, 76/77

[82] Nielsen 1992, 258/59

[83] Otto Gebühr: Sommerferien in Hiddensee, in: Unser Pommerland 18 (1933), Sonderheft Hiddensee, 118

[84] Krause 1907, 437

[85] StAHST, Best. 9 Nr. 924 II, 16

[86] Aktenvermerk Regierungspräsident Dr. Haussmann 17.8.1922, LAHGW, Best. 65c Nr. 1279, 47

[87] Reisebericht Regierungspräsidium Stralsund 31.7./1.8.1923, LAHGW, Best. 65c Nr. 1279, 82

[88] Hülsen 1925, 25

[89] Schmidtbonn 1925, 22

[90] Eintragung L. Bouwitt 30.7.1931, Gästebuch Haus am Meer Kloster, Bd. III, 333

[91] Zitiert nach Prignitz 1993, 117/18

[92] Jürgensohn 1924, 46

[93] Auszug aus dem Gedicht „Kurzer Reisebericht", in das zumindest Hiddensee-Eindrücke eingeflossen zu sein scheinen, Kaléko 1996 (1933), 41

[94] Ursula Herking: Ein verlorenes Paradies, zitiert nach Seydel 1991, 156/57

[95] Nielsen 1977, 262/67

[96] Hesse 1921, 591

[97] Zeibig 1925, 56

[98] Zeitungssausschnitt Juli 1932, Zeitungsausschnittsammlung HMH o. Nr.

[99] Zitiert nach Kühn 1996, 76/79

[100] Hollaender 1965, 263

[101] Stralsunder Tageblatt 30.8.1932

[102] Stralsunder Tageblatt 6.,13.,14.,16., 21.3. und 10.4.1933

[103] Bundesarchiv Berlin, NSDAP-Mitgliederkartei; Mann besaß die Mitgliedsnummer 230.423

[104] Aktenstück? Bau einer Führerschule auf der Insel Hiddensee 1933-1935", APSZ, Best. 92 Nr. 11986; ferner Bauakte 1933, in: HMH Best. S/B Nr. 207

[105] NSDAP-Gauleitung Pommern, Stettin an Regierungsrat Deutschbein Stettin 3.4.1933, APSZ, Best. 92 Nr. 11984, 163

[106] Das Urteil ist zusammen mit einer ausführlichen Schilderung der Zustände in

Bredow abgedruckt bei: Thévoz u.a. 1974, Bd. 2, 223 ff.

[107] Stralsunder Tageblatt 18.1.1934

[108] Gemeinderatsprotokolle Vitte 24.6.1934 und 1.10.1935; Kloster 25.6.1934, 1.10.1935, 26.10.1937, HMH Best. Ur Nr. 42 und 43

[109] NSDAP-Kreisleitung an Landrat Bergen 18.5.1936; Bürgermeister Vitte an Regierungspräsident Stettin 15.6.1936, APSZ, Best. 92 Nr. 1945; Landrat Bergen an Regierungspräsident Stettin 22.6.1937 und 3.3.1938, ebda. Nr. 1946

[110] Pommersche Heimstätte Stettin an Stadt Stralsund 24.12.1941, StAHST, Best. 9 Nr. 950, 6

[111] Hollaender 1965, 293 ff.

[112] Niederschriften der Gemeinderäte Kloster 16.7.1938 und Vitte 20.7.1938, HMH Best. Ur Nr. 42 und 43

[113] Erlass Ministerium des Inneren Berlin 27.2.1934, APSZ Best. 92 Nr. 8877

[114] Hans Siegl: Sonnentage auf der Malerinsel Hiddensee. Handschriftlicher Reisebericht ca. 1936/37, HMH o. Nr.

[115] Rügensche Post Putbus 10.11.1936

[116] Pommersche Zeitung 27.5.1935

[117] Rügensche Post Putbus 19.11.1936

[118] Rügensche Post Putbus 31.10.1936

[119] Rügensche Post Putbus 17./18.11.1936

[120] Fährmann Heinrich Gau erzählt, in: Ebbinghaus 1991, 234/35

[121] Rügensche Post Putbus 19./20.12.1936

[122] Schriftliche Mitteilung Dr. Owe Gustavs 17.6.1998

[123] Rektor Ernst-Moritz-Arndt-Universität Greifswald 6.3.1937, UAG Best. PA 238

[124] Pommersche Zeitung 16.7.1934, in: UAG Best. K 688; Hamburger Fremdenblatt 19.7.1934, in: UAG Best. R 200

[125] Biologische Forschungsstation Hiddensee an Preuß. und Reichs-Erziehungsministerium Berlin 2.11.1936, UAG, Best. Math.-Nat. Fakultät Nr. 18; Genehmigung 9.12.1936, ebda.

[126] Ministerium für Wissenschaft, Erziehung und Volksbildung Berlin an Rektor Universität Greifswald 9.7.1938, UAG R 200

[127] Kriegstagebuch des Kommandanten im Abschnitt Rügen - Hiddensee, BA-MA Freiburg, Best. RM 45 I, Nr. 14, 3 und 17 ff.

[128] Heinrich Gau: Die russische Besatzung auf Hiddensee und Fährinsel 1945, in: Sammlung Kurt Dittmann

[129] Gründungs- und Wahlprotokoll der Sozialistischen Einheitspartei Deutschlands Ortsverband Hiddensee 18.6.1946, HMH o. Nr.

[130] Planunterlagen zur Bodenreform in Kloster/Hiddensee 1946, LHASN Best. Rat des Kreises Rügen Nr. 101

[131] Versammlungsprotokoll 6.2.1946, LHASN Best. Ministerium für Land- und Forstwirtschaft Nr. 2833, 11

[132] Bericht Hugo Koch o.D. (1946), LHASN Best. SED-Bezirksparteiarchiv Nr. IV/L/4/1023, 19-20

[133] Bericht 24.6.1957, LAHGW, Best. Parteiarchiv des SED-Bezirks Rostock,

Kreisleitung Rügen Nr. IV/4/08/400

134 Rat des Kreises Rügen 4.12.1970, LAHGW, Best. Parteiarchiv des SED-Bezirks Rostock, Kreisleitung Rügen Nr. IV/B/4/08/167

135 Zitiert nach: Karin Krüger: Familiengeschichte Krüger - Heiderose 1903 - 1973, maschinenschr. MS o.J. (1998/99) im Besitz der Verfasserin

136 Giede u.a. 1956, 13

137 Ministerium des Inneren Schwerin an Hauptabteilung staatliche Verwaltung 28.4.1950, LHASN, Best. Min. d. Inneren Nr. 2452

138 Giede / Royé 1963, 6

139 Protokoll der Gemeindevertretersitzung 18.8.1982, KARÜG, Best. Rats- und Gemeindevertretersit- zungen Nr. 615 III

140 Protokoll der Ratssitzung 15. 11. 1976, KARÜG, Best. Rats- und Gemeindevertretersitzungen Nr. 177 III

141 Bericht über den Brigadeeinsatz ... auf der Insel Hiddensee o.D. (Ende 1954), in: LAHGW, Best. Parteiarchiv des SED-Bezirks Rostock, Kreisleitung Rügen Nr. IV/4/08/69

142 Giede u.a. 1956, 22 - 24

143 Trauzettel 1969, 573

144 Neue Zeit 22.4.1951; Gutachten Wilhelm Peters, Landesstelle für Bibliothekswesen, 28.9.1951, LHASN, Best. Ministerium für Volksbildung Nr. 3061

145 Die folgende Aufzählung basiert ebenso wie die zu den 20er und 30er Jahren im Wesentlichen auf den Nachforschungen von Kurt Dittmann; ferner Baade/Stock 1992, 160 ff.

146 Peter Sager: Hiddensee - das Sylt der DDR, in: Zeit-Magazin 5.2.1988; Peter Sandmeyer: Ein deutsches Schmuckstück. Hiddensee im Herbst 1988, zitiert nach: Seydel 1991, 332

147 Protokoll Gemeindevertretung Hiddensee 14.7.1961, KARÜG Nr. 206 III

148 Protokoll Gemeindevertretung 24.11.1959, KARÜG Nr. 206 III

149 Ostsee-Zeitung 2.3.1960

150 Insel-Rundschau. Heimatzeitung für den Kreis Rügen 6.8.1964

151 Rechenschaftsbericht der Gemeindevertretung zur abgelaufenen Legislaturperiode. Handschr. Manuskript 1970, HMH o. Nr.

152 Konzeption zur Entwicklung der Insel Hiddensee. Erarbeitet im Auftrag der Arbeitsgruppe beim Rat des Bezirkes Rostock, November 1965, HMH o. Nr.; Trauzettel 1969

153 SED-Ortsleitung Hiddensee. Kurzprotokoll zur Ortsleitungssitzung vom 7.12.1981. Abschrift, KARÜG, Best. Rats- und Gemeindevertretersitzungen Nr. 558 III

154 Deutsche Volkspolizei Bergen 1.9.1955, LAHGW Best. 202/1 Nr. 225

155 Aktenvermerke über die telefonischen Berichte des Genossen Wegener und des Volkspolizeimeister S. aus Hiddensee an Volkspolizeikreisamt Bergen 14. - 18.8.1961, LAHGW, Best. 202/2 Nr. 343

156 Volkspolizeikreisamt Bergen 2.8.1962, LAHGW, Best. Parteiarchiv des SED-Bezirks Rostock, Kreisleitung Rügen Nr. IV/4/08/398

[157] Kommandeur Grenzbataillon 2 26.9.1977, BA-ZwA Best. 6. Grenzbrigade Küste Nr. 16973

[158] Kommandeur Grenzbataillon 2 31.7.1978 und 30.11.1982, BA-ZwA, Best. 6. Grenzbrigade Küste Nr. 16969 und 16973

[159] Quellen für die Fluchtgeschichten: Volkspolizeikreisamt Rügen 2.8.1962, LAHGW, Best. Parteiarchiv des SED-Bezirks Rostock, Kreisleitung Rügen Nr. IV/4/08/398; Kommandeur 6. Grenzbrigade Küste 7.1.1977, BA-ZwA Best. 6. Grenzbrigade Küste Nr.16805; Kommandeur Grenzbataillon 2 11.8.1977, ebda. Nr. 16879; Müller 1996, 184 ff.; Jendricke/Gockel 1993, 230 ff.

[160] Universitätskurator Wohlgemuth Greifswald an Ministerpräsident Höcker Schwerin 6.5.1947, UAG, Best. PA 238 (Personalakte Leick)

[161] Eichler, Heimatmuseum 1954, 1101/02

[162] Rundschau am Montag 6.10.1952

[163] Die gesamte Korrespondenz findet sich in: StAHST, Best. 9 Nr. 863; ferner Erich Ficker Plaue an Leitung des BfV Giengen 10.12.1946, im Besitz des Naturschutzbundes Deutschland NABU, Bundesgeschäftsstelle

[164] Protokoll der Naturschutztagung 6.-8.5.1948, LHASN, Best. Ministerium für Volksbildung Nr. 2889/2

[165] Dost 1960, 60

[166] Aufruf Kreisleitung Rügen des Kulturbundes der DDR u.a. 2. 2. 1988, Slg. Dr. Helmut Hübel

[167] Empfehlungen der Teilnehmer des Landschaftstages Hiddensee vom 28. bis 30. Oktober 1988, Slg. Dr. Helmut Hübel

[168] Protokoll der Sitzung des Rates der Gemeinde Insel Hiddensee 13.11.1989, KARÜG, Best. Rats- und Gemeindevertretersitzungen Nr. 662 III

[169] Peter Sager: Hiddensee - das Sylt der DDR, in: Zeit-Magazin 5.2.1988

[170] Protokoll des Rates der Gemeinde Hiddensee 22.6.1989, KARÜG, Best. Rats- und Gemeindevertretersitzungen Nr. 662 III

[171] Ostsee-Zeitung 2./3.12.1989

[172] Der Offene Brief ist abgedruckt in: Der Demokrat 4.11.1989

[173] Bericht Dr. Sonja Kühne „im Auftrag der Initiativgruppe“, in: Der Demokrat 17. 11. 1989

[174] Protokoll der Gemeindevertretersitzung 5.4.1990, KARÜG, Best. Rats- und Gemeindevertretersitzungen Nr. 662 III, 1

Anhang

Zeittafel

ca. 7.500 v. Cr.	Ende der Eiszeit, Hiddensee entsteht
- ca. 1.700	Mittlere und jüngere Steinzeit, erste menschliche Siedlungsspuren
ca. 1.700 - 500 v. Chr.	Bronzezeit
6. Jahrh. n. Chr.	Die germanische Bevölkerung verlässt den südlichen Ostseeraum; slawische Besiedlung durch die Ranen
1168	Eroberung der slawischen Festung Arkona auf Rügen durch König Waldemar von Dänemark; Beginn der Christianisierung und Germanisierung; Hiddensee steht unter dänischer Oberhoheit
1296	Gründung des Zisterzienserklosters "Nikolauskamp" auf Hiddensee durch Rügenfürst Wizlaw II.
1302/06	Bau einer Kirche, eines Leuchtfeuers ("Luchte") und eines Hafens an der Südspitze der Insel ("Gellenkirche")
vor 1322	Bau der "Kapelle vor dem Klostertor" am Standort der heutigen Pfarrkirche
1325	Hiddensee fällt an die Herzöge von Pommern-Wolgast

1536	Nach der Reformation: Auflösung des Klosters Hiddensee
1618 - 1648	Dreißigjähriger Krieg; Zerstörung des Waldes und des Dorfes Glambäck (?)
1648	Hiddensee wird mit Vorpommern schwedisch (-1815)
1754 - 1780	Joachim Ulrich Giese Eigentümer der Insel; Abbau von Ton zur Fayence-Herstellung
ca. 1781	Neubau der Pfarrkirche in Kloster
1815	Hiddensee wird mit Vorpommern preußisch (-1945)
1835	Erwerb der Insel durch das Stralsunder Kloster zum Heiligen Geist; Verpachtung des Gutshofes
1837/40	Bau erster Schulen in Plogshagen und Kloster
1854 - 1864	Separation und Regulierung der Grundstücksverhältnisse, Ablösung der Reallasten ("Bauernbefreiung")
1861	Beginn der Dornbuschaufforstung
1864	Durchbruch der Insel südlich von Neuendorf bei einer schweren Sturmflut
1872	Erneute schwere Sturmflut; Fund des Hiddenseer Goldschmucks
1874	Bildung des Amtsbezirkes Hiddensee, bestehend

	aus den Gemeinden Vitte und Neuendorf und den Gutsbezirken Kloster und Wittower Posthaus (Bug)
1875	Bau des Abriegelungsdeiches südlich von Neuendorf
1885	Erster Inselbesuch Gerhart Hauptmanns
1888	Bau des Leuchtturms und des Hafens in Kloster; Errichtung der Seenotrettungsstation; Alexander Ettenburg erstmals auf Hiddensee
1892	Einrichtung einer ersten Dampferverbindung Stralsund - Kloster
1900	Gründung eines "Bade-Interessenten-Vereins" in Vitte
1903	Bau der "Lietzenburg" durch Oskar Kruse
1905	Gründung eines Arztzweckverbandes und Anstellung eines ersten Arztes
1909 - 1914	Mehrere Hotelneubauten in Kloster: Hitthim, Klausner, Wieseneck, Dornbusch, Haus am Meer
1911	"Vogelfreistätte" Hiddensee
1919	Erste demokratische Kommunalwahlen; Gründung der Genossenschaftsreederei
1919 - 1932	Hiddensee entwickelt sich in der Weimarer Republik zum beliebtesten Sommeraufenthaltsort der deutschen Intellektuellen
1927	Anschluss ans Stromnetz

1930	Gründung der Biologischen Forschungsstation Hiddensee
1933	Gutsschmied Robert Mann (NSDAP) wird Amtsvorsteher
1935	Pfingsten: Jüdische Gäste unerwünscht
1936	Errichtung der Vogelwarte Hiddensee
1937 - 1939	Bau des Hucke-Damms
1939	1. April: Zusammenschluss der drei Inselgemeinden zur "Gemeinde Hiddensee"; Einrichtung des Rathauses im "Haus Lehmann" in Vitte
1940 - 1945	Aufnahme von Flüchtlingen aus "luftgefährdeten" Gebieten, Beschäftigung von Zwangsarbeitern auf dem Gutshof
1945	4./5.: Mai Besetzung der Insel durch sowjetische Truppen; Heinrich Berg wird zum Bürgermeister ernannt
1945/46	Bodenreform: Aufteilung des Gutshofes in 18 Neubauernstellen
1946	18. Juni: Gründung eines SED-Ortsverbandes Hiddensee
1946	Sept./Okt.: Gemeinderats-, Kreis- und Landtagswahlen: Die SED erhält auf Hiddensee ca. 70 % der Stimmen
1950	Erste Kommunalwahlen mit gemeinsamer Kandidatenliste des "Demokratischen Blocks"

1952	Einstellung des Fährbetriebes Seehof -Fährinsel; Unterbringung der Vogelwarte im früheren "Haus am Meer" in Kloster
1953	Aktion Rose: Einige Hoteliers flüchten in den Westen, die Besitzer der "Heiderose" und des Hotels "Haus am Hügel" werden verhaftet; Übernahme des Urlauberwesens durch FDGB und DER
1954/56	Eröffnung Heimatmuseum und Hauptmann-Haus
1958	Gründung der LPG "Dornbusch"; Bau des ersten Urlauberdorfes des VEB Simson-Suhl ("Thälmannwerke") in der Dünenheide
1959	Übernahme der Genossenschaftsreederei durch den VEB "Weiße Flotte" Stralsund
1960	Gründung der FPG's "De Süder" in Neuendorf und "Swantevit" in Vitte; alle wichtigen Wirtschaftsbereiche sind damit sozialisiert
1962	Baubeginn der Deichanlagen Kloster - Vitte
1969	Übernahme der LPG Dornbusch durch die LPG "Völkerfreundschaft" Poseritz/Rügen
1974	Versorgung der Insel über eine neue Fährschubeinheit; Zunahme des Autoverkehrs
1975	Eröffnung der zentralen Kaufhalle der Konsumgenossenschaft in Vitte
1978	Bau eines "Naherholungszentrums" durch die Stralsunder Volkswerft in Vitte

1989	7. Mai: Bei den Kommunalwahlen gibt es 4,7 % Gegenstimmen, vor allem gegen Bürgermeister Hammelmann (SED)
1989	Oktober: Gründung einer "Initiativgruppe", die am Reformationstag (31.10.) eine große Protestversammlung in der Kirche organisiert
1989	23. November: Abwahl des Bürgermeisters Hammelmann und einiger Ratsmitglieder
1990	6. Mai: Wahl einer neuen Gemeindevertretung

Abkürzungen

ABV	Abschnittsbevollmächtigter (der VP)
AG	Aktiengesellschaft
BfV	Bund für Vogelschutz (Stuttgart)
BMK	Bau- und Montagekombinat
BDM	Bund Deutscher Mädel
BHG	Bäuerliche Handelsgenossenschaft
BT	Bundestag
CDU	Christlich Demokratische Union
DBD	Demokratische Bauernpartei Deutschlands
BRD	Bundesrepublik Deutschland
DDP	Deutsche Demokratische Partei
DDR	Deutsche Demokratische Republik
DER	Deutsches Reisebüro
DFD	Demokratischer Frauenbund Deutschlands
DNVP	Deutsch-Nationale Volkspartei
DPO	Dorfparteiorganisation
DSU	Deutsche Soziale Union
DVP	Deutsche Volkspartei
EVG	Europäische Verteidigungsgemeinschaft
FDGB	Freier Deutscher Gewerkschaftsbund
FDJ	Freie Deutsche Jugend
FDP	Freie Demokratsche Partei
FGS	Fischereifahrzeuge- und Gerätestation
FKK	Freikörperkultur
Flak	Flugabwehrkanone
FPG	Fischereiproduktionsgenossenschaft

HJ	Hitler-Jugend
HO	(Staatliche) Handelsorganisation
IBK	Industriebaukombinat
IFA	Volkseigene Betriebe für Fahrzeugbau
ITV	Ingenieur-, Tief- und Verkehrsbau
KB	Kulturbund, Kombinatsbetrieb
KdF	Kraft durch Freude
KPD	Kommunistische Partei Deutschlands
Krs	Kreis
KZ	Konzentrationslager
LDPD	Liberal-Demokratische Partei Deutschlands
LPG	Landwirtschaftliche Produktionsgenossenschaft
LT	Landtag
Mitropa	Mitteleuropäische Schlafwagen-und Speisewagengesellschaft
MTS	Maschinen-Traktoren-Station
M - V	Mecklenburg-Vorpommern
NDPD	National-Demokratische Partei Deutschlands
NS-Hago	Nationalsozialistische Handwerks-, Handels- und Gewerbe-Organisation
NSV	Nationalsozialistische Volkswohlfahrt
NVA	Nationale Volksarmee
NSDAP	Nationalsozialistische Deutsche Arbeiterpartei
Pg	Parteigenosse
PGH	Produktionsgenossenschaft des Handwerks
PDS	Partei des Demokratischen Sozialismus
RLB	Reichsluftschutzbund
SA	Sturmabteilung (der NSDAP)
SED	Sozialistische Einheitspartei Deutschlands
Slg.	Sammlung
SPD	Sozialdemokratische Partei Deutschlands
SS	Schutzstaffel (der NSDAP)
TBK	Technische Beobachtungskompanie
TH	Technische Hochschule
TU	Technische Universität
USPD	Unabhängige Sozialdemokratische Partei Deutschlands
VdgB	Vereinigung der gegenseitigen Bauernhilfe
VEB	Volkseigener Betrieb
VEG	Volkseigenes Gut
VK	Volkskammer
VOB	Vereinigung organisationseigener Betriebe
VP	Volkspolizei
WAB	Wasserversorgung und Abwasserbehandlung
WWD	Wasserwirtschafts-Direktion
ZBO	Zwischengenossenschaftliche Bauorganisation
ZK	Zentralkomitee

Literaturverzeichnis

Allgemeine Darstellungen

Arendt, Andreas (Hrsg.): Hiddensee. Bilder und Texte von damals, Hamm 1995
Blase, Karin: Hiddensee A - Z, Schwerin 1994
Brömel, Hans-Joachim und Fritz Hege: Hiddensee, Schwerin 1958
Ebbinghaus, Karl: Hiddensee von A bis Z, Hiddensee 1987
Ders.: Hiddensee. Historie, Heimat, Humor, Königstein 1991
Ewe; Herbert: Hiddensee, Rostock 1983
Freybourg, A.: Hiddensoe. Gesammelte Notizen über die Insel, das Kloster und die Grundherrschaft, Berlin o.J. [1889]

Garduhn, Annemarie: Hiddensee. Die Dornbuschinsel, Stettin 1938
Garduhn, Ernst (Hrsg.): Hiddensee. Ein Heimatbuch, Stettin 1924
Gustavs, Arnold: Hiddensee. Aufzeichnungen eines Inselpastors. Neu hrsg. von Arne Gustavs, Berlin, 3. Aufl. 1990

Haas, Alfred: Die Insel Hiddensee, Stettin 1896
Israel, Max: Die Insel Hiddensoie und das Cisterzienserkloster daselbst, in: Hanseatische Geschichtsblätter 21 (1893), 1 - 22

Kirchner, [Johann Hermann Friedrich]: Die Insel Hiddensee, in: Sundine. Literatur- und Intelligenz-Blatt für Neu-Vorpommern
und Rügen 7 (1833)

Kühn, Fritz: Licht, Land, Wasser. Erlebnisse auf einer Insel, Berlin 1958
Miethe, Käthe: Hiddensee. Aufnahmen von Gerhard Vetter, Rostock 1961
Roýé, Gerhard: Hiddensee. Mit einem Vorwort von Hans Giede, Leipzig 1963 (Unsere schöne Heimat)

Schneider-Siemt: Hiddensee. Bilder eines Sommers auf der Insel der Fischer, Maler und Dichter, Dresden 1951

Segebrecht, Friedrich Wilhelm: Die Insel Hiddensee, Liegnitz 1912
Seydel, Renate (Hrsg.): Hiddensee. Ein Lesebuch, Frankfurt/M.; Berlin 1991
Sonderheft "Hiddensee", in: Unser Pommerland 18 (1933), H. 4/5, 113 - 168
Wurst, Werner: Die Insel Hiddensee, Leipzig 1968 (2. Aufl. 1973)

Reiseführer, Reiseberichte

Albrecht Karl (Hrsg.): Die Insel Rügen: Praktischer Reiseführer, Berlin 20. Aufl. 1910-1911 (Griebens Reiseführer; Bd. 65)

Berger, Willi: Insel Hiddensee, Leipzig, 5. Aufl. 1970 (Unser kleines Wanderheft; H. 116)

Boll, Ernst: Die Insel Rügen. Reiseerinnerungen, Schwerin 1858

Die deutschen Ostsee-Bäder. Hrsg. vom Verbande deutscher Ostsee-Bäder, Berlin, 11. Ausgabe 1910

Eichhorn, Ernst Alfred: Das Reisehandbuch von Hiddensee mit Umschau in Stralsund, Stralsund 1933 Ettenburg, Alexander: Die Insel Hiddensee bei Rügen. Genannt "Dat söte Länneken", das "Ostseebad der Zukunft", Wolgast und Zinnowitz 1905 (2. Aufl. o.O. [Vitte] 1912)

Gerig, Uwe: Ein Deutschland zum Entdecken. Reisen zwischen Rügen und Erzgebirge, Frankfurt/M. 1990

Giede, Hans u.a.: Ostseeinsel Hiddensee. Ein Reiseführer für unsere Gäste. Hrsg. vom Rat der Gemeinde Hiddensee und dem Heimatmuseum der Insel Hiddensee, Wismar o.J. [1956]

Grümbke, Johann Jacob: Streifzüge durch das Rügenland. In Briefen von Idigena, Altona 1805

Gustavs, Arne: Hiddensee. Stralsund. Ein Reiseführer über die Insel, Joachimsthal 1994

Hagen, Friedrich: Baden ohne. FKK zwischen Möwenort und Talsperre Pöhl, Berlin; Leipzig 1982

Hesse, Otto Ernst: Hiddensee. Mit 12 Abbildungen nach Graphitzeichnungen von Eugen Reich-Münsterberg, in: Westermanns Monatshefte 1921, 591 - 598

Jendricke, Bernhard und Gabriele Gockel: Rügen, Hiddensee, Köln 1993

Jürgensohn, Arved: Hiddensee, das Capri von Pommern. Ein Reiseführer und Gedenkalbum, Stralsund 1913/14 (2. Aufl. Kloster; Liegnitz 1924)

Lappe, Karl: Mitgabe nach Rügen. Den Reisenden zur Begleitung und Erinnerung, Stralsund 1818

Nernst, Karl: Wanderungen durch Rügen. Hrsg. von Ludwig Theoboul Kosegarten, Düsseldorf 1800

Nowack, Leo: Wanderung über die Insel Hiddensee, Berlin 2. Aufl. 1996
Der Reisegesellschafter durch Rügen. Von K. S-r, Berlin 1823
Rügen und Hiddensee. Red. Hans Böhmer u.a., Berlin 1967 (FDGB-Feriendienst)

Thorwald: Winterliche Reisebilder oder acht Novembertage am Nordstrand: auf dem Darß, dem Zingst und Hiddensee, in: Sundine. Literatur- und Intelligenz-Blatt für Neu-Vorpommern und Rügen 6 (1832), Nr. 9 und 10 (neu hrsg. von Arne Gustavs, Zepernick 1999)

Ullrich, Ursula: Hiddensee-Seefahrt. Illustrationen von Rudolf Peschel, Berlin 1982 (Querlandein. Eine Reisebuch - Reihe für Kinder)

Wackenroder, Ernst Heinrich: Altes und neues Rügen, o.O.[Stralsund] 1732
Zeibig, Max: Deutsche Wanderfahrt, Dresden 1925
Zöllner, Johann Friedrich: Reise durch Pommern nach der Insel Rügen, Berlin 1797

Ältere und mittelalterliche Geschichte

Assmann, Erwin: Die Schauplätze der dänisch-wendischen Kämpfe in den Gewässern von Rügen, in: Baltische Studien N.F. 43 (1955), 21 - 41

Eggert, Oskar: Die Wendenzüge Waldemars I. und Knuts VI. von Dänemark nach Pommern und Mecklenburg, in: Baltische Studien N.F. 29 (1927), 1 - 149

Ders.: Dänisch-wendische Kämpfe in Pommern und Mecklenburg (1157 - 1200), in: Ebda. 30 (1928), 2. Halbbd., 1 - 76

Francke, O.: Wo hat Olaf Tryggwason seine letzte Schlacht geschlagen?, in: Baltische Studien 25 (1874), 1 - 27

Holder, A.: Saxonis Grammatici Gesta Danorum, Straßburg 1886
Knaus, Hermann: Die Wikinger auf Hiddensee. Ein literarisches Weltbild über mehrere Epochen, Altenstadt 1999

Schroeder, Horst-Dieter: Kämpfe um Rügen im Mittelalter, in: Greifswald-Stralsunder Jahrbuch 8 (1968/69), 7 - 18 Weitz, G. (Hrsg.): Saxo Grammaticus, Hannover 1892 (MGH Scriptorum, Bd. XXIX)

Frühe Neuzeit (16.- 18. Jahrhundert)

Arndt, Ernst Moritz: Versuch einer Geschichte der Leibeigenschaft in Pommern und Rügen, Berlin 1803

Asmus, Ivo: Die geometrische Landvermessung von Schwedisch-Pommern 1692 - 1709, in: Baltische Studien N.F. 82 (1996), 79 - 98

Drolshagen, Carl: Die schwedische Landesaufnahme und Hufenmatrikel von Vorpommern als ältestes deutsches Kataster, 2 Bde., Greifswald 1920/23
Gustavs, Owe (Hrsg.): Schwedische Landesaufnahme 1692 - 1709. Hiddensee 1695, Rostock 1998

Haas, Alfred (Bearb.): Einwohnerverzeichnisse von Rügen nach den Steuererhebungen von 1577 und 1597, Köln; Graz 1966

Lips, K.: Die Lubinschen Karten von Rügen und Pommern, in: Mitteilungen des Reichsamtes für Landesaufnahme 14 (1938), 79 ff.

Neuzeit und Zeitgeschichte (19./20. Jahrhundert)

Auerbach, Horst und Harry Hardenberg: Hiddensee und seine Leuchttürme, Hamburg 1999

Eggert, Oskar: Das Ende des Krieges und die Besatzungszeit in Stralsund und Umgebung 1945 - 1946, Hamburg 1967

Ders.: Die Maßnahmen der preußischen Regierung zur Bauernberfreiung in Pommern, Köln u.a. 1965

Diels, Rudolf: Lucifer ante portas. Es spricht der erste Chef der Gestapo, Stuttgart 1950

Fenske, Hans. Die Verwaltung Pommerns 1815 - 1945. Aufbau und Ertrag, Köln u.a. 1993

Karge, Wolf: Ostseebäder in Mecklenburg und Vorpommern vor dem Ersten Weltkrieg, in: Ders. u.a. (Hrsg.): Ein Jahrtausend Mecklenburg und Vorpommern. Biographie einer norddeutschen Region in Einzeldarstellungen, Rostock 1995, 287 - 292

Lapp, Peter Joachim: Frontdienst im Frieden: Die Grenztruppen der DDR. Entwicklung, Struktur, Aufgaben, Koblenz 1986

Liebenau, Erich: Der Grundbesitz der Stadt Stralsund. Seine Entwickluing und Bedeutung für den Etat der Stadt, Diss. Greifswald 1930

Messow (Bearb.): Topographisch-statistisches Handbuch des Preußischen Staates oder: Alphabetisches Verzeichnis sämtlicher Städte, Flecken, Dörfer, Rittergüter, Vorwerke, Mühlen oder sonstiger bewohnter Anlagen, Fabriken und Grundstücke, welche einen eigenen Namen führen, 2 Bde, Magdeburg 1851

Müller, Christine und Bodo: Über die Ostsee in die Freiheit. Dramatische Fluchtgeschichten, Bielefeld 1996

Murawski, Erich: Die Eroberung Pommerns durch die Rote Armee, Boppard 1969

Murken, Jens: Bodenreform in Mecklenburg-Vorpommern, in: Zeitgeschichte Regional. Mitteilungen aus Mecklenburg-Vorpommern 3 (1999), 4 - 12

Platen, Wilhelm von: Statistische Beschreibung des Kreises Rügen im Regierungsbezirk Stralsund, unter Benutzug amtlicher Quellen zusammengestellt, Putbus 1870

Prignitz, Horst: Wahrhaftige und kuriose Abhandlung über die deutschen Seebäder in geschichtlicher, medizinischer und moralischer Hinsicht, auch Galerie aller älteren und neueren Paradiese der Badelust an Nord- und Ostsee, Rostock 1993

Restorff, F.W.: Topographische Beschreibung der Provinz Pommern mit einer statistischen Übersicht, Berlin; Stettin 1827

Rothe, Claus: "Weiße Flotte". VEB Fahrgastschiffahrt Sitz Stralsund. Chronik einer deutschen Reederei 1957 - 1990, Hamburg; Berlin 1994

Schäwel, Herbert: Die Durchführung der demokratischen Bodenreform im Kreise Rügen, in: Greifswald-Stralsunder Jahrbuch 3 (1963), 107 - 117

Sparing, Michael: "Aktion Rose" - was geschah vor 40 Jahren?. Schriftliche Abschlußarbeit Fachschule für Archivwesen Potsdam, Greifswald 1993

Stüttgen, Dieter (Bearb.): Grundriß zur deutschen Verwaltungsgeschichte 1815 - 1945. Reihe A: Preußen; Bd. 3: Pommern, Marburg 1975

Thévoz, Robert u.a.: Pommern 1934/35 im Spiegel von Gestapo-Lageberichten und Sachakten. 2 Bde, Köln; Berlin 1974

Trauzettel, Helmut: Perspektivplanung für die Insel Hiddensee unter besonderer Berücksichtigung der baulichen Entwicklung sowie der Pflege und Rekonstruktion der wertvollen Bausubstanz, in: Wiss. Ztschr. der TU Dresden 18 (1969), 569 - 586

Verzeichnis sämtlicher Ortschaften der Provinz Pommern mit Angaben des Kreises, des Amtsgerichtsbezirks und der Postanstalt, Berlin 1896

Kirche und Zisterzienserkloster

Behlau, Johannes: Anlage und Güterbestand des Klosters Neuencamp und dessen Filiale auf der Insel Hiddensee, Phil. Diss., Greifswald 1908

Dallmann, Gerhard: Im Stralsunder Stadtarchiv entdeckt: Die Hiddenseer wollen nicht, in: Heimathefte für Mecklenburg-Vorpommern 1993, H. 2, 41 - 44

Domrös, Manfred: Als die Mönche nach Hiddensee kamen. Kurzweiliges und Kurzgefaßtes anläßlich der 700. Wiederkehr der Zisterziensergründung Kloster Hiddensee. 1296 - 1996, Potsdam o.J. (1996)

Ders.: Kirchliche Stätten der Insel Hiddensee, Berlin 1992

Ebbinghaus, Karl: Die Ausgrabungen im Gelände des Zisterzienserklosters auf Hiddensee 1954/55, in: Wiss. Ztschr. der E.M.A. Univ. Greifswald. Gesellschafts- und sprachwissenschaftliche Reihe 10 (1961), 359 - 366

Ders.: Ausgrabungen im Gelände des Zisterzienserklosters auf Hiddensee (Grabungsperiode 1960/61), in: Ebda. 18 (1969), 405 - 417

Ders.: Bericht über die Vermessungsarbeiten Gellenkirche und "Luchte" auf der Insel Hiddensee, in: Ebda. 18 (1969), 389 - 403

Gustavs, Arnold: Die Ruinen der alten Kirche auf dem Gellen, in: Fritz A. Meyen (Hrsg.): Die Sturmflut auf Hiddensee, o.O. 1914, 7 - 10

Hoogeweg, H.: Geschichte des Klosters Hiddensee. Sonderdruck aus: Ders.: Die Stifte und Klöster der Provinz Pommern, Stettin 1924

Irtenkauf, Wolfgang: Die Grabplatte des Abtes Johannes Runenberg vom Kloster Hiddensee, in: Rugia Journal 2000, 75 - 78

Klän, Werner: Die Evangelische Kirche Pommerns in Republik und Diktatur: Geschichte und Gestaltung einer preußischen Kirchenprovinz 1914 - 1945, Köln u.a. 1995

Stoll, Hans-Joachim: Die Gellenkirche und die "Luchte" auf Hiddensee, in: Rugia Journal 2000, 79 - 82

Thümmel, Hans Georg: Gellenkirche und Kirche vor dem Klostertor. Zur Geschichte der Pfarrkirchen auf Hiddensee, in: Baltische Studien N.F. 73-75 (1987/89), 20 - 37

Zaske, Nikolaus: Ausgrabungs- und Forschungsergebnisse zum norddeutschen Backsteinbau des Mittelalters, in: Wiss. Ztschr. der E.M.A. Univ. Greifswald. Gesellschafts- und sprachwissenschaftliche Reihe 18 (1969), 371 - 379

Ders.: Das Zisterzienserkloster zu Kloster auf Hiddensee. Bericht über die Grabungsperiode 1959, in: Ebda. 10 (1961), 337 - 358

Kunstgeschichte

Baier, R.: Die vorgeschichtlichen Alterthümer des Provinzial-Museums für Neuvorpommern und Rügen, Stralsund 1880

Knupp, Christine (Bearb.): Rügen, Vilm, Hiddensee. [Katalog zur Ausstellung]

17. 8. - 30. 10. 1977. Altonaer Museum in Hamburg, Norddeutsches Landesmuseum, Hamburg 1977

Links, Hildburg und Nis Hardt: Der Goldschatz von Hiddensee. Deutschlands größter Wikingergoldfund, Schleswig 1997

Marsson, Richard: Die Stralsunder Fayencefabrik 1757 - 1790, Berlin 1928
Mass, Konrad: Der Goldschmuck von Hiddensee, Stettin 1902
Ohle, Walter und Gerd Baier (Bearb.): Die Kunstdenkmale des Kreises Rügen, Leipzig 1963

Ostwald, Wilhelm: Ostseebilder. Rügen, Vilm, Hiddensee 1886 - 1910. Hrsg. von Ralf Zimmermann, Stralsund 1992

Piechocki, Reinhard: Romantiker auf Rügen, Hiddensee, Vilm, Putbus 1996
Paulsen, Peter: Der Goldschatz von Hiddensee, Leipzig 1936

Röder, Kornelia: Künstler der Moderne in Mecklenburg und Vorpommern, in: Wolf Karge u.a. (Hrsg.): Ein Jahrtausend Mecklenburg und Vorpommern. Biographie einer norddeutschen Region in Einzeldarstellungen, Rostock 1995, 293 - 299

Stoll, Hans-Joachim: Goldfunde von Hiddensee, Schwerin 1999

Volkskunde

Ebbinghaus, Karl: Die Hausmarken auf Hiddensee, in: Wiss. Ztschr. der E.M.A. Univ. Greifswald. Gesellschafts- und sprachwissenschaftliche Reihe 12 (1963), 247 - 267

Findeisen, Hans: Sagen, Märchen und Schwänke von der Insel Hiddensee, Stettin 1925

Heilborn, Adolf: Zur Volkskunde von Hiddensee. Eine ethnographische Studie, in: Globus. Illustrierte Zeitschrift für Länder- und Völkerkunde 78 (1900), 381 - 386

Homeyer, Carl Gustav: Die Haus- und Hofmarken, Berlin 1870
Spruth, Herbert: Die Hausmarke. Wesen und Bibliographie, Neustadt a.d.Aisch 1960

Steffen, Wilhelm: Kulturgeschichte von Rügen bis 1815, Köln u.a. 1963
Wenzlaff, Paul: Hausmarken auf Hiddensee, in: Das Bollwerk. Die NS Monatszeitschrift Pommerns 5 (1934), H. 7, 10 - 11

Fischerei

Gries, Käthe: Zehn Jahre Entwicklung der See- und Küstenfischerei in der DDR, in: Wiss. Ztschr. der Universität Rostock. Geselschafts- und sprachwissenschaftliche Reihe 8 (1958/59), 135 - 145

Haas, Alfred: Die rügenschen Vitten, in : Monatsblätter. Hrsg. von der Gesellschaft für pommersche Geschichte und Altertumskunde 45 (1931), 34 - 38

Kirchner, [Johann Hermann Friedrich]: Über den Fischereibetrieb der Hiddenseer, in: Sundine. Literatur- und Intelligenz-Blatt für Neu-Vorpommern und Rügen 8 (1834)

Peesch, Reinhard: Die Fischerkommünen auf Rügen und Hiddensee, Berlin 1961

Rossow, Michael: Die Fischerei der Insel Hiddensee, in: Seewirtschaft 19 (1987), 35 - 42

Scherer, Franz: Zur Entwicklung der genossenschaftlichen See- und Küstenfischerei in der DDR von 1945 bis zur ersten Konferenz der Fischereiproduktionsgenossenschaften 1957, in: Greifswald-Stralsunder Jahrbuch 11 (1977), 203 - 227

Schlieker, Egon: Aus der Geschichte der Hiddenseer Fischerei, in: Deutsche Fischereizeitung 1955, 167 - 170

Ders.: Die Fischerei in den Gewässern um Hiddensee unter besonderer Berücksichtigung der Partiefischerei. Diplomarbeit, Berlin 1955

Biologie, Ornithologie, Naturschutz, Ökologie

Blase, Karin und Helmut Hübel (Bearb.): Veröffentlichungen 1930 - 1980 der Biologischen Station und der Vogelwarte Hiddensee, Greifswald 1981

Dittberner, Hartmut und Erich Hoyer: Die Vogelwelt der Inseln Rügen und Hiddensee, 2 Bde., Galenbeck 1993/95

Dost, Hellmuth: Rügen. Die Grüne Insel und ihre Naturschutzgebiete, Wittenberg, 2. Aufl. 1960

Fröde, Erhard Th.: Die Pflanzengesellschaften der Insel Hiddensee, Diss. Greifswald 1949

Ders.:Die Pflanzengesellschaften der Insel Hiddensee, in: Wiss. Ztschr. der E.M.A. Univ. Greifswald. Math.-naturwiss. Reihe 7 (1957/58), 277 - 305

Gentz, Kurt und Herbert Grafe: Vogelfrühling auf Hiddensee. Aus einem Urlaub für frohe Urlaubstage, Leipzig; Jena o.J. (1957)

Gnoth-Austen, Frank und Rudolf Specht: Deutsche Nationalparke: Jasmund. Vorpommersche Boddenlandschaft, Werl i. W. u.a. 1995

Handbuch der Naturschutzgebiete der Deutschen Demokratischen Republik. Bd. 1: Naturschutzgebiete der Bezirke Rostock, Schwerin und Neubrandenburg, Leipzig u.a. 1972

Helbig, Andreas J.: Die Vogelwelt von Hiddensee und den umliegenden Boddengewässern, in: Rugia-Journal 1998, 85 - 89

Hiddensee. Entwicklungsgeschichte des Schutzes seiner Naturdenkmäler, in: Jahrbuch für Vogelschutz 1926 (1927), 103 - 112

Homeyer, E. F. von: Systematische Übersicht der Vögel Pommerns, Anklam 1837

Hoyer, Erich: Pflanzenführer Insel Hiddensee, Galenbeck 1994
Ders.: Strandführer Insel Hiddensee. Steine, Fossilien, Pfalnzen, Tiere, Galenbeck 1995
Huebner, Ernst: Avifauna von Vorpommern und Rügen, Leipzig 1908

Ders.: Geschichtliche Entwicklung des Vogelschutzes an der pommerschen Ostseeküste, in: Ornithologische Monatsschrift 38 (1913), 304 - 323

Ders.: Naturdenkmäler und Naturschutz auf Hiddensee. Aus den Verhandlungen des Ornithologischen Vereins zu Stralsund, Berlin o.J. (1910/11)

Ders.: Vogelwarte Hiddensee-Süd, in: Hiddensee. Ein Denkmal der Natur. Hrsg. Bund für Vogelschutz Stuttgart, Stuttgart 1924

Jeschke, Leberecht u.a.: Dornbusch und Bessin. Hrsg. Rat des Bezirkes, Abt. Forstwirtschaft, Rostock 1977 (Naturschutzarbeit in Mecklenburg)

Kessler, G.: Vogelleben auf Hiddens-Oe, in: Journal für Ornithologie 21 (1873), 47 - 50

Klafs, G. u.a.: Dünenheide auf Hiddensee. Hrsg. Rat des Bezirkes, Abt. Allgemeine Landwirtschaft, Landeskultur, Rostock o.J. [1974] (Naturschutzarbeit in Mecklenburg)

Koenig, Alexander: Autobiographie, Bonn 1937
Leick, Erich: Das Naturschutzgebiet "Dornbusch" auf der Insel Hiddensee, in: Naturschutz 24 (1943)

Lindner, Friedrich: Die ornithologische Bedeutung Hiddensös, in: Die Naturwissenschaften 4 (1916), 205 - 220

Nestmann, Rico: Der Neue Bessin - Wildnis vor unserer Haustür. Im Kampf gegen Reineke Fuchs, in: Rugia Journal 2000, 83 - 86

Quistorp, Gustav: Ornithologische Beobachtungen, welche im Monat März 1853 von Herrn Hugo Schilling an der Nordwestküste von Rügen und namentlich auf der Insel Hiddensee daselbst gemacht worden sind, in: Naumannia. Archiv für Ornithologie 8 (1858), 53 - 63

Schildmacher, Hans: Das Vogelschutzgebiet Fährinsel (Hiddensee), in: Denkmalpflege in Mecklenburg. Jahrbuch 1951/52, 222 232

Ders.: Die Vogelwelt der Insel Hiddensee, in: Wiss. Ztschr. der E.M.A. Univ. Greifswald. Math.-naturwiss. Reihe 5 (1955/56), 389 - 408

Ders.: Die Vogelwelt der Insel Hiddensee, in: ders. (Hrsg.): Beiträge zur Kenntnis deutscher Vögel, Jena 1961, 249 - 295

Schilling, Hugo: Über die an der Westküste von Rügen und den benachbarten Inseln beobachteten Vögel im Herbst 1852, in: Journal für Ornithologie 1 (1853), 371 - 379

Schoennagel, Erich: Die Vogelfreistätten Rügens und der Nachbargebiete, in: Deutsche Vogelwelt 64 (1939), 4 - 9, 45 - 49

Schulz. Georg E. F.: Die Fährinsel bei Hiddensee als Vogelschutzgebiet, in: Die Gartenlaube. Illustriertes Familienblatt 1911, 425 - 428

Ders.: Vogelschutzgebiete an deutschen Meeresküsten, Berlin 1913

Schulz, Heinrich: Die Welt der Seevögel. Ein Führer durch die Vogelbrutstätten der deutschen Küsten, Hamburg 1947

Segebrecht, Friedrich Wilhelm: Im Vogelschutzgebiet Hiddensee, in: Internationaler Frauenbund für Vogelschutz. Jahrbuch für die Jahre 1909 - 1911, Berlin 1912, 31 - 39

Steubing, Lore: Beiträge zur Ökologie der Hiddenseer Sanddornpflanzen, Diss. Greifswald 1947

Stolz, J. W.: Über Flora und Geologie der Insel Hiddensöe, o.O.[Berlin] 1913 (Beiträge zur Naturdenkmalpflege auf Hiddensöe; Bd. 1)

Thünen, E. von: Die Brut- und Schutzgebiete der Insel Hiddensee, in: Die Vogelschutzwarte 1 (1929), 74 - 79

Urbahn; Ernst: Unsere derzeitige Kenntnis der Schmetterlingswelt von Hiddensee, in: Wiss. Ztschr. der E.M.A. Univ. Greifswald. Math.-naturwiss. Reihe 11 (1962), 37 - 47

Weckmann-Wittenburg, P[aul] F[riedrich]: Hiddensee. Bilder von dem Ostsee-Naturschutzgebiet, Berlin 1925

Ders.: Ornithologisch-photographische Naturstudien. Neue Bilder und Beobachtungen aus dem Vogelleben unserer Heimat nebst Anleitung für die Natur- und Tierphotographie, Bielefeld; Leipzig 1922

Geografie, Geologie, Küstenschutz

Elbert, Johannes: Die Landverluiste an den Küsten Rügens und Hiddensees, ihre Ursachen und ihre Verhinderung, in: X. Jahresbericht der Geographischen Gesellschaft zu Greifswald 1905/06, 1- 27

Ders.: Über die Standhaftigkeit des Leuchtturms auf Hiddensee. Gutachten, eingeholt im Auftrage des Ministeriums vom Regierungs-Präsidenten zu Stralsund 1904, in: Ebda., 28 - 42

Fraude, H.: Bilder von der Insel Hiddensee, Putbus 1913

Gellert, Johannes F.: Küstenstudien auf Hiddensee, 2 Teile, in: Wiss. Ztschr. der Pädagogischen Hochschule Potsdam 4 (1959), 207 - 227 und 5 (1960), 129 - 156

Günther, Albert: Die Dislokationen auf Hiddensee, Diss. Rostock 1891

Haltenberger, Michael: Über Art und Umfang des Landverlustes und Landzuwachses auf Hiddensoe bei Rügen. Phil. Diss. Greifswald 1910, Budapest 1911

Höpner, Thomas: Die Küstenvulnerabilität von Rügen und Hiddensee, in: Rugia-Journal 1998, 66 - 72

Jacob, Hans-Egon: Die Fährinsel bei Hiddensee. Geomorphologie und Genese, in: Petermanns Geographische Mitteilungen 1987, H. 2, 85 - 92

Kalähne, Marianne: Die Entwicklung des Waldes auf dem Nordkranz der Inselkerne von Rügen, kulturgeographisch betrachtet. Diss. Greifswald 1952, Gotha 1954

Krause, Robert: Volksdichte und Siedlungsverhältnisse der Insel Rügen. Phil. Diss. Leipzig, Greifswald 1903

Meyen, Fritz (Hrsg.): Die Sturmflut auf Hiddensee, o.O. 1914 (Beiträge zur Naturdenkmalpflege auf Hiddensee; H. 2)

Poppe, Fr.: Uferschutzbauten an der Ostseeküste vom Darß bis Hiddensee, in: Die Bautechnik. Zeitschrift für das gesamte Bauingenieurwesen 20 (1942), 469 - 486

Reinhard, Heinrich: Kliffranddünen und Brandungshöhlen der Insel Hiddensee, in: Wiss. Ztschr. der E.M.A. Univ. Greifswald. Math.-naturwiss. Reihe 3 (1953/54), 595 - 605

Ders.: Küstenveränderungen und Küstenschutz der Insel Hiddensee, Berlin 1956

Witt, Werner: Hiddensee. Entstehung und Struktur einer pommerschen Insel, in: Pommern. Kunst, Geschichte, Volkstum 23 (1985), H. 4, 15 - 24

Wissenschaftliche Institute und Museen

Bauch, Robert: Biologische Forschungsanstalt Hiddensee, in: Wiss. Ztschr. der E.M.A. Univ. Greifswald. Math.-naturwiss. Reihe 4 (1954/55), 1 - 3

Ders.: 25 Jahre Biologische Forschungsanstalt Hiddensee, Greifswald 1956
Eichler, Wolfdietrich: Heimatmuseum auf Hiddensee, in: Weltbühne. Wochenschrift für Politik, Kunst, Wirtschaft 9 (1954), 1099 - 1103

Erdmann, Gustav: Führer durch die Gerhart-Hauptmann-Gedächtnisstätte auf Hiddensee, Rostock 1969

Feierliche Gründung des Instituts für Ökologie der Ernst-Moritz-Arndt-Universität auf der Insel Hiddensee am 3. September 1992 in Kloster/Hiddensee. Hrsg. der Rektor, Greifswald o.J. (1992) (Greifswalder Universitätsreden, N.F.; Nr. 66)

Festschrift zur 500-Jahrfeier der Universität Greifswald 17.10.1956, 2 Bde., Greifswald 1956

Gessner, Fritz: Die biologische Forschungsstation auf Hiddensee, in: Archiv für Hydrobiologie 23 (1931/32), 161 - 164

Ders.: Eine neue ökologische Forschungsstation auf Hiddensee, in: Kosmos 27 (1930), 356/57

"Hiddensee war seine wirkliche Heimat". 100. Geburtstag Robert Bauch, Greifswald 1998 (Greifswalder Universitätsreden N.F.; 82)

Leick, Erich: Aus der Arbeit der Biologischen Forschungsstation Hiddensee, in: Pommersche Heimatpflege 3 (1932), 93 - 99

Ders.: Die Biologische Forschungsanstalt auf Hiddensee, in: Rügenscher Heimatkalender 1939, 85 - 86

Ders.: Die Biologische Forschungsanstalt Hiddensee verbunden mit der Vogelwarte Hiddensee und Klimastation. Eine Denkschrift. Masch.schr., Kloster 1947

Ders.: Die Biologische Forschungsstation Hiddensee. Zur Einweihungsfeier am 6. Juli 1930, Greifswald 1930

Ders.: Die Natur wird belauscht. Biologische Forschungen aauf Hiddensee, in: Das Bollwerk. Die NS Monatszeitschrift Pommerns 5 (1934), H. 7, 6 - 10

Ders.: Eine neue Stätte wissenschaftlicher Forschung auf der Insel Hiddensee, in: Dohrniana 11 (1931), 136 - 147

Overbeck, J[ürgen]: Meeresdüngungsversuche in einem Boddengewässer Rügens, in: Wiss. Ztschr. der E.M.A. Univ. Greifswald. Math.-naturwiss. Reihe 5 (1955/56), 343 - 372

Schildmacher, Hans: Die Vogelwarte Hiddensee seit 1945, in: Vogelschutz und Vogelforschung. Referate der Dritten Zentralen Tagung für Ornithologie und Vogelschutz in Halberstadt 1953, Jena o.J. [1953], 12 - 19

Ders.: Vogelwarte Hiddensee, in: Natur und Heimat. Hrsg. Deutscher Kulturbund 2 (1953), 217 - 220

Stadie, R[ichard]: Zur Einführung einer dritten deutschen Vogelwarte, der Vogelwarte Hiddensee, in: Der Vogelzug 8 (1937), 19 - 20

Künstler, Wissenschaftler, Prominente auf Hiddensee

Albrecht, Dietmar: Verlorene Zeit. Gerhart Hauptmann. Von Hiddensee bis Agnetendorf. Orte, Texte, Zeichen, Lüneburg 1997

Baade, Michael und Wolf-Dietmar Stock: Hiddensee. Insel der Fischer, Maler und Poeten, Fischerhude o.J. (1992)

Barthelmess, Wieland: Elisabeth Buchsel 1867 - 1957. Ein Leben zwischen Paris und Hiddensee, Fischerhude 1996

Behl, Carl Friedrich Wilhelm: Zwiesprache mit Gerhart Hauptmann. Tagebuchblätter, München 1948

Bernhardt, Rüdiger: Gerhart Hauptmanns Hiddensee, Hamburg 1996

Bindemann, Konrad: Von Capri bis Hiddensee. Das Leben der Malerin Elisabeth Büchsel, Lüdershagen 1979

Büchsel, Elisabeth und Helene Görcke: Kinderspiel auf Hiddensee. Ein Bilderbuch für kleine und große Leute, Kloster 1994 (Reprint der Ausgabe 1909)

Dankwart, Otto: Alexander Ettenburg - der Einsiedler von Hiddensee, Stralsund 1929

Erdmann, Gustav: Gerhart Hauptmann auf Hiddensee. Mit einer Einführung in Leben und Werk des Dichters, Kloster, 8. Aufl. 1991

Ders.: Gerhart Hauptmann und die Kruses, in: Greifswald-Stralsunder Jahrbuch 2 (1962), 243 - 256

Ders.: Einige Pommersch-rügensche Motive in Gerhart Hauptmanns Schaffen. Quellenkundliche Untersuchungen, in: Ebda. 5 (1965) 211 - 277

Gustavs, Arnold: Gerhart Hauptmann und Hiddensee. Kleine Erinnnerungen mit Briefen von Gerhart und Margarete Hauptmann. Hrsg. von Gustav Erdmann, Schwerin 1962

Gustavs, Arne: Albert Einstein. Seine Beziehungen zu Hiddensee und Gerhart Hauptmann, in: Greifswald-Stralsunder Jahrbuch 6 (1966), 275 - 283

Haustedt, Birgit: Die wilden Jahre in Berlin. Eine Klatsch- und Kulturgeschichte der Frauen, Dortnmund 1999

Heyerdahl, Gerd Host: Brigitte Horney: So oder so ist das Leben. Eine unvergeßliche Schauspielerin erzählt das Leben, Bern u.a. 1992

Hollaender, Friedrich: Von Kopf bis Fuß. Mein Leben mit Text und Musik, München 1965

Hülsen, Hans von: Freundschaft mit einem Genius. Erinnerungen an Gerhart Hauptmann, München 1947
Ders.: Tage mit einem Genius, München 1925

Janzen, Anke: Sozialökonomische Veränderungen auf der Insel Hiddensee zwischen 1880 und 1945 im Zusammenhang mit dem Aufenthalt Gerhart Hauptmanns auf der Insel. Diplomarbeit Universität Greifswald 1980

Jarchow, Peter und Ralf Stabel: Palucca. Aus ihrem Leben. Über ihre Kunst, Berlin 1997

Karasek, Hellmuth: Billy Wilder: Eine Nahaufnahme, Hamburg 1992
Knuth, Gustav: Mit einem Lächeln im Knopfloch, Hamburg 1974

Krause, Felix: Hiddensee, in: Westermanns Monatshefte 102 (1907), 536 - 553
Kruse, Max: Die versunkene Zeit. Bilder einer Kindheit im Käthe-Kruse-Haus, Stuttgart 1983

Kühn, Volker: Spötterdämmerung. Vom langen Sterben des großen kleinen Friedrich Hollaender, Berlin 1997

Dies.: Es singt das Meer. Sonette und Terzinen, Stuttgart o.J. (1925)
Dies.: Der Feldheer ohne Heer, Berlin 1928

Leppmann, Wolfgang: Gerhart Hauptmann. Leben, Werk und Zeit, Bern u.a. 1986

Leuchs, Ingeborg u.a. (Bearb.): Käthe Löwenthal. Landschaften. [Ausstellung] Ignaz-Günther-Haus, Stadtmuseum München 1992 , o.O.[München] o.J. [1992]

Mann, Katja: Meine ungeschriebenen Memoiren, Frankfurt/M. 1974
Nielsen, Asta: Die schweigende Muse. Lebenserinnerungen, Berlin 1992 [1. Ausgabe Kopenhagen 1945/46]

Niemeier, Nikolaus: De Sternseier. Plattdeutsche Gedichte und Hiddensee-Sinnsprüche. Hrsg. und bearb. von Ric Machnitzki, Kloster 1996 (Erweiterter Nachdruck der Ausgabe 1925)

Rieck, Käthe: Elisabeth Büchsel zum 90. Geburtstag, o.O. [Putbus] 1957
Schrader, Bärbel und Jürgen Schebera: Kunstmetropole Berlin 1918 - 1933, Berlin; Weimar 1987

Senkpiel, Werner: Alexander Ettenburg 1858 - 1919. Der Einsiedler von Hiddensee, in: Pommern. Kunst, Geschichte, Volkstum 29 (1991), H.1, 1 - 6

Seydel, Renate und Allan Hagedorff (Hrsg.): Asta Nielsen. Ihr Leben in Fotodokumenten, Selbstzeugnissen und zeitgenössischen Betrachtungen, Berlin 1981

Vesper, Guntram: Der Schlosspark. Auf Hiddensee: Erinnerungen an Gerhart Hauptmann, Lohr am Main 1987

Wiebel, Arnold: Die Beerdigung Gerhart Hauptmanns. Tulpanow und Pieck, Theologen und Historiker am Grab, in: Zeitgeschichte Regional. Mitteilungen aus Mecklenburg-Vorpommern 1 (1/1997), 14 - 17

Zeeck, Hans: Oskar Kruse - Lietzenburg, in: Unser Pommerland 4 (1917), 131 - 133
Zivier, Georg: Das Romanische Café, in: Volker Spiess (Hrsg.): Gauner, Künstler, Originale. Die 20er Jahre in Berlin, Berlin 1988, 9 - 83

Zoch-Westphal, Gisela: Aus den sechs Leben der Mascha Kaléko. Biographische Skizzen, ein Tagebuch und Briefe, Berlin 1987

Zuckmayer, Carl: Als wär's ein Stück von mir. Horen der Freundschaft, Wien 1967.

Literarisches, auch Kinderbücher

Arnold, Traute: Unn auf der Insel, Berlin o.J. [1973]
Baade, Michael: Dornbuschinsel, Rostock 1986
Cibulka, Hanns: Sanddornzeit. Tagebuchblätter von Hiddensee, Halle/S. 1971

Cibulka, Hanns: Seedorn. Tagebucherzählung, Halle/S.; Leipzig 1985
Dallmann, Gerhard: Dornenzeit. Ein Hiddensee - Roman, Berlin 1996
Elbe, Elisabeth: Der Himmel von Hiddensee. Gleichnishafte Geschichten, Berlin 1999

Fricke, Hertha: Schicksal auf Hiddensee, Niedersedlitz 1932 (2. Aufl. Schwabach 1952)

Fries, Fritz Rudolf: Seestücke, Rostock 1983
Glienke, Herbert: Inselarzt. Damals auf Hiddensee, Berlin 1994
Grass, Günter: Ein Weites Feld, Göttingen 1995
Jax, Christian und Frank Peter Reichel: Die Hexe von Hiddensee, Berlin 1998
Jenik, Wolfgang: Hiddensee. Gedichte über Land und Leute, Berlin 1997
Kaléko, Mascha: Das lyrische Stenogrammheft, Hamburg 1996 [1. Aufl. 1933]
Klugmann, Norbert und Peter Mathews: Land in Sicht, Berlin 1999
Kollmar, Daniel: Müllers Sommer, o.O. 1998

Lasst uns etwas Stilles lieben. Gedichte von Gerhart Hauptmann. Pastelle von Ivo Hauptmann. Mit einem Text von Sonja Kühne und Harriet Hauptmann, Fischerhude 1996

Otto, Karl: Wind und Welle. Poetisches Hiddensee-Tagebuch, o.O. 1995
Pludra, Benno: Haik und Paul, Berlin 1995
Ders.: Tambari, Berlin 1997 (1. Aufl. 1969)
Rahn, Karlheinz: Erzählgeschichten von gestern und heute. Von Hiddensee und von anderswo, Berlin 1976

Schlüter, Torsten: Hiddenseer Aufzeichnungen 1983 - 1996, o.O. 1997
Schmidt, Konrad: Entdeckungen auf Rügen und Hiddensee, Leipzig 1973
Ders.: Neue Entdeckungen auf Rügen und Hiddensee, Leipzig 1985
Schmidtbonn, Wilhelm: Die unerschrockene Insel. Sommerbuch aus Hiddensee, München o.J. [1925]

Schröder, Jörg und Ric Machnitzki (Hrsg.): Unter der Kuppel des Lichts.

Hiddensee-Gedichte gestern und heute. Die Insel in 57 Lyrik-Texten von 36 Autoren. Anthologie, Kloster 1994

Schumacher, Hans-Jürgen: Die letzte Umarmung. Lyrik von und über Hiddensee, 2. Aufl. Stralsund 1999
Ders.: Die weisse Inselfrau. Kriminalerzählung, Kremkau 1999
Seydel, Renate (Hrsg.): Hiddensee. Inselgedichte, Berlin 1998
Sydow, Klara von: Einsamkeiten, München 1911
Weimer, Annelore: Zwei auf einer Insel. Ferienerzählung, Berlin o.J. [1955]
Wiesner, C.U.: Das Möwennest, Berlin 3. Aufl. 1989
Wilbrandt, Adolf: Hiddensee. Roman, Stuttgart u.a., 4. Aufl. 1910

Quellenverzeichnis

Bundesarchiv Berlin (BAB)
Best. PK-Akten: Robert Freytag, Dr. Joachim Hoffmann, Robert Mann, Dr. Richard Stadie
Best. Reichs-Erziehungsministerium: Personalakten Dr. Erich Leick, Dr. Richard Stadie

Bundesarchiv, Abt. Militärarchiv Freiburg (BA-MA)
Best. RM 45: Dienst- und Kommandostellen der Kriegsmarine mit regionaler und lokaler Zuständigkeit Nr. I/14-16 (Kommandant im Abschnitt Rügen-Hiddensee)

Bundesarchiv, Abt. Militärisches Zwischenarchiv Dahlwitz-Hoppegarten (BA-ZwA)
Best. 6. Grenzbrigade Küste
Nr. 7683, 7686, 7688, 7689, 7690, 7691, 16756, 16794, 16804, 16805, 16806, 16807, 16810, 16811, 16877, 16947, 16952, 16968, 16969, 16971, 16973, 16974, 16976, 16981

Archiwum Panstwowe w Szczecinie (Staatsarchiv Stettin) (APSZ)
Best. 73: Naczelne Prezydium Prowincji Pomorskiej (Oberpräsi-dium der Provinz Pommern) Nr. 952, 953, 5314, 6168, 6926

Best. 92: Rejencja Szczecinska (Regierungspräsident Stettin)
Nr. 1858, 1870, 1945, 1946, 6205, 7936, 8844, 8877, 11984, 11986, 12003, 12078, 12079, 12114,

Mecklenburgisches Landeshauptarchiv Schwerin (LHASN)
Best. Ministerium des Inneren Nr. 226, 227, 1009, 1017, 1587, 1614, 1625, 2452, 2759

Best. Ministerium für Volksbildung Nr. 2889, 3061
Best. Ministerium für Land- und Forstwirtschaft Nr. 1372, 1373, 1821
Best. Rat des Kreises Rügen
Nr. 1, 19, 68, 72, 101, 115, 129, 172, 182, 194, 252, 255
Best. Rat des Kreises Stralsund Nr. 18, 158, 181, 182
Best. SED-Landesleitung Mecklenburg
Kreisleitung Rügen IV/L/4 Nr. 1023, 1025, 1027, 1030
Kreisleitung Stralsund IV/L/4 Nr. 1132, 1134, 1134a

Vorpommersches Landesarchiv Greifswald (LAHGW)
Best. 65 c: Regierungspräsident Stralsund
Nr. 80, 84, 89, 727, 764, 769, 779, 796, 797, 798, 1279, 1670, 1674, 2449, 4437, 4438, 4447
Best. 77b: Notariat Bergen Nr. 117, 434, 448, 457, 450,
Best. 80: Wasserbaudirektion Stettin Nr. 531, 789-791, 872, 918
Best. 202: Deutsche Volkspolizei, Bezirk Rostock 202/1 Nr. 220, 225, 226, 202/2 Nr. 343, 344

Best. Parteiarchiv des SED-Bezirks Rostock, Kreisleitung Rügen
IV/4/08 Nr. 16, 20-26, 69, 102, 282, 300, 398, 400
IV/A/4/08 Nr. 176, 177, 218, 220, 222,
IV/B/4/08 Nr. 123, 151, 162, 163, 167,
IV/C/4/08 Nr. 167, 177
IV/D/4/08 Nr. 147, 167, 171, 180, 181, 182
IV/E/4/08 Nr. 164, 165

Archiv der Ernst-Moritz-Arndt-Universität Greifswald (UAG)
Best. K: Kurator Nr. 688, 689, 692
Best. PA: Personalakten Nr. 238, 268, 801, 2755
Best. R: Rektorat Nr. 200
Best. Math.-Nat. Fakultät Nr. 17, 18, 26
Kreisarchiv des Landkreises Rügen, Bergen (KARÜG)
Best. Rats- und Gemeindevertretersitzungen
Nr. 62 III, 139 III, 157 III, 177 III, 183 III, 192 III, 193 III, 196 III, 206 III, 217 III, 223 III, 230 III, 233 III, 234 III, 236 III, 239 III, 245 III, 255 III, 535 III, 540 III, 556 III, 558 III, 564 III, 615 III, 618 III, 621 III, 661 III, 662 III

Stadtarchiv der Hansestadt Stralsund (StAHST)
Best. 9: Kloster zum Heiligen Geist
Nr. 798, 799, 800, 802, 803, 817, 818, 819, 820, 825, 826, 853, 863, 871, 872, 875, 876, 881, 882, 890, 894, 903, 907, 908, 909, 913, 916, 918, 919, 924, 926, 930, 932, 934, 935, 948, 949, 950, 952, 971, 983, 986, 990, 991, 994, 1004, 1005, 1006, 1017, 1040
Best. 18 Nr. 1507
Best. 29 Nr. 76, 230, 275, 416

Archiv des Heimatmuseums Hiddensee (HMH)
Best. M Nr. 3, 29, 31, 32, 40, 58, 63, 70, 71, 73, 81, 90, 92, 99, 101, 109, 117, 119, 120, 131, 132

Best. Ur Nr. 1, 3, 4, 5, 6, 8, 9, 10, 11, 12, 16, 18, 19, ,20, 24, 25, 26, 33, 35, 36, 39, 43, 44, 46, 48
Best. S/B Bauaktenarchiv

Fotosammlung, Druckschriftensammlung, Presseausschnittsammlung, Verschiedenes

Archiv der Evangelischen Kirchengemeinde Hiddensee
Hiddenseer Kirchenmatrikel 1585 - 1682 Memorabilenbuch, 2 Bände, 1822 ff.

Archivalien, Dokumente, Unterlagen, Fotos in Privatbesitz
Hilde Brüninghaus-Emmel, Köln/Vitte
Wolfgang Dittmann, Pulheim (Sammlung Kurt Dittmann)
Hedwig Gau, Kloster (Gästebücher Hotel Dornbusch)
Dr. Jürgen Heyer, Garmisch-Partenkirchen
Dr. Helmut Hübel, Kloster
Karin Krüger, Vitte-Dünenheide (Chronik Familie Krüger, Gästebücher Heiderose)
Ernest K. Lehmann, Minneapolis (USA)
Erika Meding, Kloster (Gästebüchner Hotel Klausner und Wieseneck)
Dorothea Mendel, Borchen
Erna von Pastau, Bonn
Hannes Präkel, Bergen
Hanns von Sydow, Kiel (Gästebücher Haus am Meer)

Gespräche mit Zeitzeugen 1997 - 1999

Andreas Arendt, Kloster; Hilde Brüninghaus-Emmel, Köln/Vitte; Hans-Jürgen Eckhardt, Neuendorf; Hendryk Emmel, Kloster; Hedwig Gau, Kloster; Anneliese Haß, Essen; Dr. Helmut Hübel, Kloster; Anne Korth, Vitte; Karin Krüger, Vitte-Dünenheide; Prof. Dr. Peter Langen, Berlin; Ric Machnitzki, Kloster; Fritz Mann, Grieben; Erika Meding, Kloster; Dorothea Mendel, Borchen; Erna von Pastau, Bonn; Hannes Präkel, Bergen; Irma Reich, Vitte; Gabriele Scholz, Mülheim/Ruhr; Georg Schubert, Vitte; Prof. Dr. Axel Siefke, Sagard; Dr. Reinhard Suckow, Vitte-Fährinsel; Dr. Egon Schlieker, Neuendorf

Bildnachweis

S. 9 Brömel/Hege 1958, 183
S. 14 Foto Abraham Pisarek
S. 20 Privatbesitz Wolfgang Dittmann
S. 25 HMH Bildarchiv Fo 18
S. 29 HMH Bildarchiv A 12
S. 31 Slg. Dittmann D 28
S. 56 Quelle: Garduhn 1938
S. 59 Slg. Dittmann D 5
S. 64 HMH Bildarchiv o.Nr.; Foto Chr. Beerbohm
S. 70 Slg. Dittmann D 21
S. 81 Privatbesitz Karin Krüger
S. 86 HMH Bildarchiv o.Nr.; Foto Chr. Beerbohm
S. 94 Slg. Dittmann D 2
S. 95 Slg. Dittmann D 3
S. 101 Slg. Dittmann D 23
S. 104 Slg. Dittmann D 17
S. 105 Slg. Dittmann D 23
S. 107 Slg. Dittmann D 23
S. 112 HMH Bildarchiv Vo 74
S. 108 Slg. Dittmann D 23
S. 120 Slg. Dittmann D 29
S. 128 Slg. Dittmann D 25
S. 133 Privatbesitz Ernest Lehmann
S. 136 Slg. Dittmann
S. 151 HMH, Chronik Heinrich Berg
S. 158 Slg. Dittmann D 17
S. 162 Slg. Dittmann D 23
S. 163 Slg. Dittmann D 19
S. 164 Slg. Dittmann D 19
S. 168 Slg. Dittmann D 23
S. 171 HMH Bildarchiv A 66
S. 177 Slg. Dittmann D 11
S. 181 Ullstein Bilderdienst
S. 183 HMH Bildarchiv o.Nr.
S. 185 Privatbesitz Dorothea Mendel
S. 191 Privatbesitz Erna von Pastau
S. 194 Ullstein Bilderdienst
S. 197 Schiller-Nationalmuseum-Deutsches Literaturarchiv Marbach B 97.F7 Nr. 7582/22
S. 198 Slg. Dittmann
S. 205 Privatbesitz Hanns von Sydow
S. 209 Slg. Dittmann D 23
S. 211 Privatbesitz Hannes Präkel

S. 221	Privatbesitz Anneliese Haß
S. 229	HMH Bildarchiv Vo 29; Foto E. Bartels
S. 231	HMH Bildarchiv o.Nr.
S. 232	Slg. Dittmann D 23
S. 235	Ullstein Bilderdienst; Foto Hanns Hubmann
S. 236	Stralsunder Tageblatt 22.7.1935; Foto Hegewald
S. 239	Schulchronik Kloster, HMH Best. Ur Nr. 20
S. 245	Schulchronik Kloster, HMH Best. Ur Nr. 20
S. 277	Privatbesitz Erna von Pastau
S. 274	Privatbesitz Karin Krüger
S. 278	HMH Bildarchiv o.Nr.
S. 280	Slg. Dittmann D 23
S. 283	HMH Bildarchiv Soz 2; Foto Werner Wurst
S. 287	Privatbesitz Karin Krüger
S. 296	HMH Bildarchiv; Foto Werner Wurst
S. 298	HMH Bildarchiv Vo 124; Foto TU Dresden
S. 301	HMH Bildarchiv; Foto Werner Wurst
S. 313	HMH Bildarchiv F2
S. 316	HMH Bildarchiv F29; Foto Karl Ebbinghaus
S. 322	HMH Bildarchiv NK 68; Foto Karl Ebbinghaus
S. 326	HMH Bildarchiv; Foto Werner Wurst
S. 333	HMH Bildarchiv; Foto Werner Wurst
S. 347	Privatbesitz Holger Lass

Quellennachweis der Tabellen

S. 83

Zöllner 1797, 344; Nernst 1800, 208; Topographisch-statistisches Handbuch des Preußischen Staates. Bearb. von Messow, Magdeburg 1851; von Platen 1870; Jürgensohn 1924, 39; Gemeindelexikon für das Königreich Preußen. Provinz Pommern, Volkszählung 1871, 1885, 1895, 1905, 1925; Amtliches Gemeindeverzeichnis für das Deutsche Reich, Volkszählungen1933, 1939; Volks- und Berufszählungen vom 29.10.1946 in der sowjetischen Besatzungszone. Bd. I: Amtliches Gemeindeverzeichnis, Berlin 1948; Verzeichnis der Gemeinden und Ortsteile der Deutschen Demokratischen Republik, Leipzig 1966

S. 103
Protokolle Arbeitsgemeinschaft Hiddensee 1929 - 1938, HMH, Best. Ur Nr. 48; Heimats-Kalender für den Kreis Rügen 1908 ff.; Ettenburg 1912, 9; Jürgensohn 1913/14, 33 und 1924, 50; Eichhorn 1934, 49; Giede u.a. 1956, 25; Berger 1970, 25

S. 154
LAHGW Best. 65c Nr. 80, 310; Rügensches Kreis- und Anzeigenblatt Putbus 10.1. 1919, 7.6. 1920, 21.2. 1921; Rügensche Zeitung Putbus 5.5. 1924
S. 155
APSZ Best. 72 Nr. 1870

S. 264
LHASN, Best. Ministerium des Inneren, Nr. 1587, 1589, 1590

S. 267
Verschiedene Prüf- und Kontrollberichte der SED, in: LHASN, Best. SED-Landesleitung Nr. IV/L/4/1025; LAHGW, Best. SED-Bezirksparteiarchiv Nr. IV/A/4/08/218, IV/C/4/08/167; KARÜG; Best. Rats- und Gemeindevertretersitzungen Nr. 217 III

S. 273
Benthin 1966 und 1967; Giede u.a. 1956, 27; Unveröffentlichtes statistisches Material des Rates des Bezirkes Rostock im Institut für Geographie der Ernst-Moritz-Arndt-Universität Greifswald; KARÜG, Best. Rats- und Gemeindevertretersitzungen Nr. 206 III (Handschriftliche Statistik Juni 1959)

S. 308
Protokoll Gemeindevertretung Hiddensee 28.1.1955, KARÜG 183 III

S. 369
Statistisches Landesamt Mecklenburg-Vorpommern; Wahlergebnisse ohne Briefwahl; bei LT- und BT-Wahl Zweitstimmenergebnisse (Listen der Parteien)